ISBN 978-0-243-92390-8
PIBN 10734631

GORDION

ERGEBNISSE DER AUSGRABUNG IM JAHRE 1900

VON

GUSTAV KÖRTE UND ALFRED KÖRTE

MIT EINEM ANHANG VON R. KOBERT

MIT 235 ABBILDUNGEN IM TEXT, 3 BEILAGEN UND 10 TAFELN

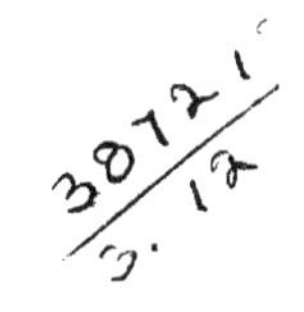

BERLIN
DRUCK UND VERLAG VON GEORG REIMER
1904

DEM ANDENKEN

FRIEDRICH ALFRED KRUPPS

GEWIDMET

Multis ille bonis flebilis occidit.

Station Beylik-köprü von Westen aus.

VORWORT.

Die in dem vorläufigen Berichte im Archäologischen Anzeiger 1901, S. 1 ff. angekündigte Bearbeitung der Ergebnisse unserer Ausgrabung in Gordion ist durch mancherlei Umstände, namentlich auch die Tätigkeit des ersten der Unterzeichneten für das athenische Institut während des ganzen Sommers 1902, verzögert worden. Andererseits ist nicht nur diese griechische Reise durch Gewinnung wertvollen Materials der vorliegenden Arbeit zugute gekommen, sondern wir hoffen auch, daß diese im allgemeinen durch die Ausdehnung über einen längeren Zeitraum gewonnen hat. Die Vergleichung unseres vorläufigen Berichtes wird erkennen lassen, daß wir seither in nicht wenigen Punkten zu anderen und, wie wir hoffen, richtigeren Anschauungen gelangt sind. Eine auch nur einigermaßen erschöpfende Behandlung aller der Fragen, welche durch unsere Funde berührt werden, hat nicht in unserer Absicht gelegen. Sie hätte noch ausgedehnte Spezialstudien sowohl auf klassischem Boden wie in den großen Museen erfordert und das Erscheinen dieses Berichtes um Jahre hinausgerückt. Die Wissenschaft hat aber unseres Erachtens ein Recht darauf, daß ihr neues Material nicht allzulange vorenthalten werde. Wir bieten ihr das von uns gefundene in gewissenhafter Verarbeitung mit den für uns zurzeit erreichbaren Hilfsmitteln. Über den äußeren Gang unserer Unternehmung ist kurz folgendes zu berichten.

Schon einige Monate vor unserer Abreise von Deutschland war unser Gesuch um einen Ausgrabungsferman durch Vermittlung des Auswärtigen Amts und der Kaiserlichen Botschaft in Konstantinopel bei der türkischen Regierung eingereicht worden. Der um alle archäologischen Unternehmungen im Ottomanischen Reiche so hochverdiente Direktor des Konstantinopler Museums Exzellenz Hamdy-Bey schenkte unserm Plane das freundlichste Entgegenkommen, wie er denn in Gemeinschaft mit seinem Bruder Dr. Halil Edhem-Bey in allen Stadien unserer Unternehmung deren wohlwollender und verständnisvoller Förderer gewesen ist.

Weniger schnell gelang es, von den Lokalbehörden das nötige Gutachten zu beschaffen; wir sind der Deutschen Botschaft und insonderheit dem jetzigen Ersten Dragoman Herrn Dr. Gies für die eifrigen und schließlich erfolgreichen Bemühungen in dieser Richtung zu wärmstem Dank verpflichtet.

Nachdem wir auf der Hinreise Salonik und Troja besucht und während eines längeren Aufenthaltes in Konstantinopel unsere Ausrüstung vervollständigt und sonstige Vorbereitungen erledigt hatten, trafen wir nach kurzem Verweilen in Eski-schehir und Angora am 23. April 1900 in der Station Beylik-köprü der anatolischen Eisenbahn ein. Durch gütige Vermittlung des leider inzwischen mitten aus seiner großartigen, weitverzweigten Tätigkeit abberufenen Georg von Siemens war es uns von der Direktion der anatolischen Eisenbahngesellschaft gestattet worden, in dem kleinen, aber in musterhafter Ordnung und Sauberkeit gehaltenen Stationsgebäude Wohnung zu nehmen. Bei der Unmöglichkeit, in der menschenleeren Gegend eine nur annähernd gleichwertige Unterkunft zu finden, war uns diese Erlaubnis außerordentlich wertvoll; auch sonst hat uns die Direktion durch mannigfaches Entgegenkommen zu dem lebhaftesten Danke verpflichtet. Ebenso fanden wir bei den Beamten der Gesellschaft, hohen wie niederen, jederzeit bereitwilligst gewährte Unterstützung in den zahllosen kleinen und großen Schwierigkeiten, welche eine Ausgrabung im Inneren Kleinasiens in viel höherem Maße mit sich bringt, wie eine solche an der Küste. Insbesondere haben wir den Herren Oberingenieur Denicke und den Distriktsingenieuren Backhaus in Eski-schehir und Sarrou in Angora für viele Freundlichkeiten zu danken. Herr Bahnmeister G. Tria in Polatly, welchen sein Dienst täglich nach Beylik-köprü führte, ein ebenso begeisterter Freund der Altertumsforschung wie gründlicher Kenner von Land und Leuten, war uns während der ganzen Dauer unseres Aufenthaltes ein unschätzbarer Berater, Helfer und Freund. Der in Eski-schehir ansässige, einem der Unterzeichneten schon von früher befreundete Ingenieur Fritz Hafner hat uns besonders in einem kritischen Augenblick, als das Arbeitsgerät für die wachsende Schaar der Arbeiter nicht ausreichte, durch schnelle Überlassung zahlreicher Karren sehr wirksam unterstützt. Mit dem Kommissar der türkischen Regierung, Herrn Ahmed Feridun-Bey, verbanden uns die angenehmsten persönlichen Beziehungen, und endlich haben wir an dieser Stelle dankbar der nützlichen Dienste zu gedenken, welche der vom Gendarmerie-Kommando in Angora uns zugewiesene Zaptié Tefvik-Agha, ein trefflicher, verständiger Mann, uns die ganze Zeit hindurch geleistet hat.

Als Oberaufseher hatten wir durch Dörpfelds freundliche Vermittlung Georgios Paraskevopulos aus Athen gewonnen. Durch einen solchen Meister vortrefflich geschult, wußte er seine reiche Erfahrung auch auf dem ihm fremden Boden zu unserer größten Zufriedenheit zu verwerten und, selbst unermüdlich tätig, trotz mangelnder Sprachkenntnis die Arbeiter vorzüglich anzustellen und zu leiten. Als Unteraufseher stand ihm der Kurde Mehmed-Tschausch zur Seite. Unser Personal wurde vervollständigt durch unsern treuen, überaus anhänglichen und zuverlässigen Diener Jakub Berkan aus Konstantinopel und einen kurdischen Wärter für die in Angora gekauften Pferde, deren wir bei der 10 km betragenden Entfernung der Station vom Ausgrabungsorte nicht entbehren konnten.

Die erste Zeit unseres Aufenthaltes an Ort und Stelle wurde durch Vorbereitungen aller Art in Anspruch genommen. Nachdem wir das eigentliche Ausgrabungsterrain besichtigt und einen vorläufigen Plan für die Durchführung der Arbeiten daselbst aufgestellt hatten, wandten wir uns der Erkundung der nächsten Umgebung zu und machten zwei größere Ausflüge den Sakaria aufwärts bis *Kawundschuköprü* (Melonenhändlerbrücke) und nach *Siwri-hissar*, dem Sitze des Kaimakam[1].

Am 8. Mai konnten wir endlich mit einer kleinen Zahl von Arbeitern (8) die Ausgrabungen in der Nekropole beginnen, am 12. Juni wurde gleichzeitig die Ausgrabung auf dem Stadthügel in Angriff genommen, vom 4.—16. August wiederum nur in der Nekropole, vom 16.—26. August nur auf dem Stadthügel gegraben. Die Zahl unserer Arbeiter stieg rasch, nachdem sich das Gerücht von unserer Unternehmung mit erstaunlicher Schnelligkeit verbreitet und z. T. aus weiter Ferne Arbeitslustige herbeigelockt hatte. Ende Mai betrug sie bereits 49 und erreichte ihren höchsten Stand mit 76 am 20. Juni. Mit dem Beginn der Erntearbeiten am Schluß der ersten Juli-Woche verließen uns die Leute aus den benachbarten Ortschaften und der Zuzug wurde spärlicher, obwohl wir den Tagelohn von 7 auf 8 Piaster (1,26 bezw. 1,44 Mk.) erhöhten. So konnten wir vom 7. Juli ab bis zum Ende des Monats nur etwa 50, während des August im Durchschnitt nur 40 Arbeiter beschäftigen.

Mit dem Fleiß und der Arbeitsleistung unserer Leute konnten wir nur zufrieden sein, ihre Genügsamkeit haben wir oft bewundert. Bei der schweren Arbeit war Brot und etwas Zucker fast ihre einzige Nahrung, gelegentliche Zukost und sonstige kleine Bedürfnisse lieferte ein spekulativer Tatare, welcher am Sakaria-Ufer in einer rohen Steinhütte ein primitives Café improvisiert hatte (s. die Abbildung am Schluß des Vorwortes). Das Brot wurde, nachdem der Bezug aus Angora sich nicht bewährt hatte, von einem griechischen Bäcker in Polatly direkt nach dem Ausgrabungsplatz geliefert, in guter Beschaffenheit und unter steter Kontrolle unsererseits, welche keineswegs überflüssig war. Ausgezeichnetes Trinkwasser bot eine in unmittelbarer Nähe des Ausgrabungsplatzes gelegene Quelle — ein großes Glück für unser Unternehmen, denn das köstliche Naß wurde in erstaunlichen Mengen während der Arbeit verbraucht, und ein Mann war mit seinem Esel den ganzen Tag über unterwegs, um es an die verschiedenen Arbeitsplätze zu schaffen. Die Arbeiter wohnten in Zelten, die wir teils gekauft, teils von einem Unternehmer in *Afiun-kara-hissar* gemietet hatten, die Aufseher in einer leerstehenden *maison d'équipe*, welche uns die Direktion freundlichst überlassen hatte; sie diente in der letzten Zeit zugleich als Magazin für die Funde. Unser Verhältnis zu den Arbeitern wurde

[1]) Andere anfangs geplante Exkursionen sind schließlich durch Zeitmangel und Fieber verhindert worden, bis auf eine vom 7.—9. Juli bei drückender Hitze unternommene Tour nach *Polatly, Kara-öjük, Badschi, Germesch-kalch, Boirasköi, Hadschi-Daud, Tschoban-ösü*. Ihr Hauptergebnis war die Feststellung, daß die von Anton (*Ergänzungsheft 116 zu Petermanns Mitteil.* S. 45) erwähnte Burg *Germesch-kalch* seldschukischer Zeit entstammt.

niemals ernstlich getrübt, nicht wenige hielten die ganze Zeit bei uns aus und bewiesen uns eine rührende Anhänglichkeit und Dankbarkeit. Auch das Einvernehmen der aus Türken, Kurden, Tataren, Armeniern und einem Griechen (der aber gleich den Armeniern nur türkisch sprach) bunt gemischten Schar untereinander war, von gelegentlichen kleinen Zwistigkeiten abgesehen, durchaus erfreulich.

Der für diese Gegend ebenso ungewöhnliche wie nützliche Regenreichtum des Sommers 1900 war unseren Arbeiten nicht eben förderlich; wolkenbruchartige, von heftigen Hagelböen begleitete Gewitterregen, die vom letzten Drittel des Mai an fast einen Monat hindurch einander folgten, verwandelten die Ebene zwischen dem Sakaria und der Nekropole in einen Sumpf, der tageweise selbst zu Pferde nicht leicht zu passieren war. Immerhin wurde durch sie die Arbeit nur auf Stunden und halbe Tage unterbrochen. Unerfreulicher waren die seit Mitte Juni überhand nehmenden Stechmücken und mit ihnen die Fieberanfälle, von denen weder wir noch unsere Leute verschont blieben. Von Anfang Juli an wurde auch die Hitze fühlbar (häufig 36° C. im Schatten), wenn auch durch fast beständig herrschenden Luftzug gemildert, der sich oft bis zu heftigem Wind steigerte und dann durch die aufgewühlten Staubmassen lästig wurde.

Von dem Charakter der Landschaft geben die Abbildungen am Kopf und am Schluß des Vorwortes eine Vorstellung; die weite wellige Hochebene, von bläulich schimmernden Gebirgszügen eingerahmt, bot namentlich während des Frühlings im Schmucke einer reichen Vegetation ein erfreuliches Bild, von der Hitze des Hochsommers ausgedörrt verlor sie freilich wesentlich an Reiz.

Die mit dem athenischen Sekretariate verabredete Entsendung des Architekten Herrn Panagiotis Sursos, Dörpfeldscher Schule, wurde leider durch unvorhergesehene Schwierigkeiten, deren Lösung Paul Wolters' Bemühungen schließlich gelang, verzögert. Erst am 16. August traf er bei uns ein. In der kurzen Zeit von da bis zum 31. d. Mts. gelang es ihm bei angestrengter, durch Fieberanfälle erschwerter Arbeit, einen Plan des Geländes bei Pebi (Tafel I) und eine Spezialaufnahme der Ausgrabung auf dem Stadthügel (Beilage zu S. 151) zu entwerfen, die er dann während des Winters 1900/1 in Athen ins Reine gezeichnet hat. Jener gibt die Bodengestaltung, Lage und relative Größe der Tumuli getreu wieder, wie wir auf Grund eigener Skizzen und Notizen versichern können; die letztere ist an Ort und Stelle von uns eingehend revidiert worden.

Durch die anstrengende Tätigkeit in der Sommerhitze — unsere wichtigsten Funde fielen erst in den August — und wiederholte Fieberanfälle stark mitgenommen, verließen wir nicht ungern am 31. August *Beylik-köprü*, um den Distrikt der phrygischen Felsfassaden zu besuchen. Unser Weg führte über den Marktflecken *Günüs* nach Pessinus (*Bala-hissar*), von da über *Siwri-hissar*, *Tschifteler*, *Jasilikaja*, *Japuldagh*, *Kümbet*, *Kasly-gjöl-hamam* nach *Afiun-kara-hissar*, wo wir am 7. September eintrafen. Dort lösten wir unsere kleine Karawane auf und verkauften schweren Herzens unsere treuen Pferde. Nach einem gemeinschaftlichen Besuch von *Konia* trennten wir uns dann in *Afiun-kara-hissar* und reisten, der eine (A. K.) direkt, der andere (G. K.) über Smyrna, von wo ebenso lehr- wie genußreiche Ausflüge zu den deutschen und österreichischen Ausgrabungen in Milet, Priene, Ephesos und Pergamon führten, nach Konstantinopel.

Das Auspacken der inzwischen im Kaiserlich Ottomanischen Museum eingetroffenen Kisten mit unseren Funden und ein eingehendes Studium der letzteren war damals infolge des Museumsanbaues und Behinderung der Direktoren nicht möglich und mußte auf die Osterferien 1901 verschoben werden. Wenn auch augenblicklich von uns schmerzlich empfunden, war dieser Aufschub für die Arbeit selbst zweifellos ein Vorteil, da wir sie mit frischen Kräften und von manchen neuen Gesichtspunkten aus vornehmen konnten.

Vom 8. März bis 9. April 1901 waren wir zu diesem Zwecke wiederum in Konstantinopel. In dem schönen Bibliotheksaal des Museums konnten wir unsere Funde mit aller Bequemlichkeit und mit Heranziehung der reichen Schätze des Museums selbst studieren, eine große Zahl neuer photographischer Aufnahmen machen und unser Inventar vervollständigen, in jeder Weise gefördert und unterstützt durch die Museumsverwaltung.

Die uns durch deren Liberalität überlassenen Proben unserer Funde (im Text durch B. M. bezeichnet) sind von uns geschenkweise den Königlichen Museen in Berlin überwiesen worden. Dort sind einige Stücke zusammengesetzt und ergänzt worden und konnten erst nachdem dies geschehen ihrem vollen Werte nach gewürdigt werden, wie die beiden attischen Kleinmeisterschalen aus Tumulus V, von denen eine die Künstlerinschrift des Ergotimos und Klitias trägt.

Die Abbildungen sind zum weitaus größten Teil nach unseren photographischen Aufnahmen durch die bewährte Firma Meisenbach, Riffarth & Co. in Autotypie hergestellt. Einige der wichtigsten Fundstücke sind auf den Tafeln 2, 4—8, die anderen im Texte abgebildet. Nur von den ins Berliner Museum gelangten Stücken konnten Zeichnungen durch Herrn Max Lübke angefertigt werden. Von ihm rührt auch die farbige Nachbildung einer bemalten Siebkanne her, welche auf Tafel 3 in Dreifarbendruck wiedergegeben ist, ferner die Zeichnungen zur Beilage zu S. 168 und einer Anzahl Textabbildungen. Die ursprünglich beabsichtigte farbige Wiedergabe einiger besonders interessanter Vasenscherben, welche jetzt ebenfalls nach Lübkes Zeichnungen auf Tafel 9 und 10 in Autotypie wiedergegeben sind, mußte leider unterbleiben, um den Preis dieses Ergänzungsheftes nicht wesentlich zu verteuern.

Wie wir die Ausgrabung gemeinsam gemacht haben, so beruht auch die Darstellung ihrer Ergebnisse auf gemeinsamer Arbeit und Beobachtung. In die Ausarbeitung des Textes haben wir uns so geteilt, daß Alfred K. die Kapitel I, II und IV (mit Ausnahme des die Tongefäße und Scherben vom Stadthügel behandelnden Abschnittes), sowie den Excurs I, Gustav K. Kapitel III und IV S. 177 bis zum Schluß, sowie das Schlußwort und den Excurs II verfaßt hat. Daß die endgültige Redaktion *de consilii sententia* erfolgt ist, ist selbstverständlich.

Eine Reihe von kulturgeschichtlich wichtigen Ergebnissen ist durch die aufopferungsvolle Mitarbeit eines hervorragenden Vertreters der Naturwissenschaften, des Professors R. Kobert in Rostock, gewonnen worden. Seine sorgfältigen und mühevollen Untersuchungen sind im Texte verwertet und in einem besonderen Anhang vollständig mitgeteilt, um eine Nachprüfung auch von naturwissenschaftlicher Seite zu ermöglichen. Die Altertumswissenschaft, welche ihm schon für wertvolle Gaben auf anderem Gebiete verpflichtet ist, wird ihm mit uns auch für diese neue aufrichtig dankbar sein.

Vielen Fachgenossen sind wir für mannigfache Auskunft, Beschaffung von Vergleichsmaterial und sachkundigen Beirat zu Dank verpflichtet, außer den im Texte genannten besonders den Herren Th. Wiegand in Konstantinopel, E. Pernice (jetzt in Greifswald) und R. Zahn vom Berliner Museum. Namentlich der letztgenannte hat an der Bearbeitung der keramischen Funde vom Stadthügel einen erheblichen Anteil. Dem athenischen Sekretariat des Instituts und persönlich den Herren W. Dörpfeld und P. Wolters haben wir für vielfachen Rat und Beistand zu danken. Die Central-Direktion hat nicht nur unser Unternehmen von Anfang an aufs wirksamste unterstützt, sondern auch dieser Bearbeitung durch die Aufnahme in die Ergänzungshefte des Jahrbuchs eine weitere Verbreitung gesichert. Die Verlagshandlung ist allen unseren Wünschen in liberalster Weise bereitwillig entgegengekommen.

Allen Gönnern und Förderern unserer Arbeit sagen wir an dieser Stelle tief empfundenen Dank.

Der treue Freund, dessen hochherzige Freigebigkeit unser Unternehmen, wie viele andere, auf den verschiedensten Gebieten menschlicher Tätigkeit liegende, durch die Gewährung der erforderlichen, nicht unbeträchtlichen Geldmittel ermöglicht hat, ist vor der Vollendung des Werkes, von den Besten der Nation betrauert, aus dem Leben geschieden. Der Lebende hatte, nach seiner vornehm-bescheidenen Art, die Nennung seines Namens verbeten. Dem Andenken des Verewigten diese Arbeit zu weihen war uns ein Herzensbedürfnis.

Rostock und Basel, im März 1904.

Gustav **Körte**. Alfred **Körte**.

Dorf Pebi vom rechten Ufer des Sakaria aus, im Vordergrunde als Café dienende Steinhütte.

INHALTSVERZEICHNIS.

KAPITEL I.

GESCHICHTE PHRYGIENS.

Über keines der großen Völker, die zu den Griechen in engeren Beziehungen gestanden haben, sind wir so mangelhaft unterrichtet wie über die Phryger. Unvergessen blieb es, daß die hellenische Kultur in den Zeiten ihrer jugendlichen Entwicklung auf den Gebieten der Musik und Religion tief und nachhaltig von den Phrygern beeinflußt worden war, auch die Kunde von einem selbständigen phrygischen Reiche schwand nicht ganz aus dem Gedächtnis, aber die kulturelle und politische Blüte jenes Volkes war schon gebrochen, als der Trieb nach historischer Erkenntnis der Vorzeit bei den Hellenen erwachte. So ist für uns die Geschichte des Phrygerreiches nur schattenhaft durch den dichten Sagenschleier zu erkennen, mit dem es die geschäftige Phantasie der Hellenen umwob; die phrygischen Götter und Heroen, die so früh in die griechische Sage aufgenommen waren, verschmolzen unlösbar mit den historischen Herrschern, keine Königsliste rettete wie in Lydien wenigstens das Gerippe der historischen Entwicklung, und nur der tragische Tod des letzten Fürsten ist durch die griechische Geschichtsschreibung festgelegt worden[1].

Das Versagen griechischer Quellen wird nun für die Phryger weniger als für andere Völker des Ostens durch die orientalische Überlieferung ausgeglichen. In den reichen Annalen der Assyrer wird der staatlich geeinte Teil des Volkes anscheinend erst spät, kurz vor dem Zusammenbruch seiner Selbständigkeit berücksichtigt, die Phryger gehören offenbar nicht in den alten assyrischen Machtkreis hinein, und so ist gerade die Mittelstellung zwischen Ost und West, die ihnen vom weltgeschichtlichen Standpunkte aus ein eigentümliches Interesse sichert, dem Fortleben der historischen Kunde von ihnen verhängnisvoll gewesen.

Daß wir die dürftige literarische Tradition durch die greifbaren Zeugen der Vorzeit, die das Land unter und über der Erde birgt, ergänzen können und müssen, ist seit geraumer Zeit anerkannt. Zu den großen, zum Teil schon ein Jahrhundert lang bekannten Felsdenkmälern, die allezeit über der Erde geblieben sind, hat aus der Erde zunächst die kleine halb zufällige Ausgrabung von Bos-öjük unscheinbares,

[1]) Die Nachrichten griechischer Schriftsteller über Phrygien, Mythisches und Historisches bunt durcheinander, findet man noch immer am vollständigsten in des alten Reiner Reineccius *Historia Julia* (Helmstedt 1594) I, 158 ff. und noch immer gilt der Satz, mit dem er seine allgemeine Betrachtung abschließt: *Nunc enim tantum in membrorum fragmentis haeremus; corporis solida compages constitui nequit.*

aber für die Urzeit wertvolles Material hinzugewonnen, und die Vermehrung des archäologischen Materials durch planmäßige Untersuchung einer bedeutenden Nekropole und Ansiedlung war das Ziel unserer Arbeiten bei Pebi.

Um aber die neuen Funde richtig auszunutzen, muß zunächst der Versuch gewagt werden, aus den versprengten Notizen der abend- und morgenländischen Literatur einige Grundzüge der Geschichte des phrygischen Volkes zu ermitteln und damit gleichsam einen festen Rahmen zu schaffen, in den sich das durch Hacke und Spaten gewonnene Kulturbild einspannen läßt.

An die Spitze der Untersuchung dürfen wir die von der antiken Überlieferung behauptete[2], durch die moderne Sprachforschung gesicherte[3] Tatsache stellen, daß die Phryger ein indogermanischer, den Thrakern nächstverwandter Stamm waren. Als ebenso sicher darf gelten, daß die Einwanderung der Phryger in Kleinasien nicht aus dem Osten, sondern aus der Balkanhalbinsel erfolgte, so wie es seit Herodot VII 73 die herrschende Ansicht im Altertum war[4]. Diese Richtung des Völkerstromes ergibt sich schon aus dem von Kretschmer (S. 174) gebührend betonten Umstande, daß »die Phryger sich von Norden her gleich einem Keil in eine ihnen völlig unverwandte kleinasiatische Bevölkerung hineingeschoben haben«; schwerwiegende archäologische Zeugnisse, auf die ich zurückkomme, treten bestätigend hinzu[5].

Weniger einfach ist die Bestimmung des Umfangs und der Lage von Phrygien, denn bei den antiken Geographen herrscht hierüber eine merkwürdige Unklarheit, die nicht weniger durch die Staatlosigkeit der Phryger in historischer Zeit, als durch die allmähliche Verschiebung des phrygischen Besitzstandes verschuldet ist. Da auch die Neueren, wie Kiepert (*Lehrbuch*, § 102) und Thraemer (*Pergamos*, S. 292 ff.) den Rattenkönig der Überlieferung nicht entwirrt haben, scheint mir ein genaueres Eingehen auf die Frage geboten[6]. Die Kartenskizze zu S. 4, die ich meinem Schüler Herrn Dr. Seippel verdanke, wird das Verständnis der geographischen und auch der nachfolgenden historischen Erörterungen erleichtern.

---

2) Strabo VII 295, X 471, XII 564.

3) Vgl. vor allem Kretschmer, *Einleitung in die Geschichte der griechischen Sprache*, Kapitel VII, wo die ältere Literatur mitgeteilt wird. — Erstaunlich ist es, daß Hugo Winckler in seiner wertvollen Arbeit »*Die Reiche von Cilicien und Phrygien im Lichte der altorientalischen Inschriften*« (Altorientalische Forschungen, zweite Reihe, Bd. I, Heft 3) die Ergebnisse der Sprachforschung gänzlich ignoriert.

4) Vgl. bes. Strabo VII 295, fr. 25, X 471, XII 572 (Xanthos), Arrian bei Eust. zu Dion. Perieg. 322, Konon *narr.* 1. Wenn alexandrinische Dichter Midas nach Europa kommen lassen (vgl. die bei Abel, *Makedonien vor König Philipp*, S. 57 Anm. 3 notierten Stellen), so ist das ohne Belang.

5) In gleichem Sinne beurteilen die Frage außer Kretschmer z. B. de Lagarde, *Ges. Abh.* 276, Eduard Meyer, *Geschichte des Altertums* II, S. 58, Beloch, *Griechische Gesch.* I 50, Ramsay, *Cities and bishoprics of Phrygia* I 7, Perrot, *Histoire de l'art* V, 1 ff. Die entgegengesetzte, zuerst von Abel, *Makedonien vor König Philipp*, 41 ff. entwickelte Ansicht billigten vor allen Kiepert, *Lehrbuch der alten Geographie*, S. 103 und Duncker, *Geschichte des Altertums* I^4 383, neuerdings hat sie Saussure bei Chantre, *Mission en Cappadoce* 167, mit unzureichender Begründung wieder aufgenommen. Thraemer, *Pergamos* 359, entscheidet sich nach keiner Seite.

6) Weitaus am besten hat Eduard Meyer, *Geschichte der Troas*, S. 99 ff. darüber gehandelt, aber auch ihm kann ich nicht in allen Punkten zustimmen.

Unser ältester Gewährsmann Homer kennt die Phryger als östliche Nachbarn (Ω 545) und nahe Verwandte der Troer. Phrygische Hilfsvölker kommen nach B 862 τῆλ' ἐξ 'Ασκανίης aus der Gegend des Sees von Nikaia, der 'Ασκανία λίμνη; ihr Gebiet erstreckt sich aber weiter bis an den Sangarios, denn Priamos hat παρ' ὄχθας Σαγγαρίοιο ihre zahlreichen Scharen kennen gelernt, als er mit ihnen verbündet die Amazonen bekämpfte (Γ 184ff.), und auch seine Gattin Hekabe, des Dymas Tochter, ist am Sangarios zu Hause (Π 718ff.). Es lag für das Altertum nahe, hier an den Oberlauf des Sangarios das spätere Großphrygien zu denken, wo die Könige Midas und Gordios wohnen[7], aber die Γ 186 genannten Fürsten Otreus und Mygdon beweisen, daß der Dichter seine Phryger an den unteren Sangarios setzt, der sich dem askanischen See bis auf 21 km nähert. Nach Otreus heißt nämlich die Stadt Otroia im Osten von Nikaia (Strabo XII 566) und Mygdon ist der Eponym der Mygdonen, die nach Strabo XII 575 später zwischen Rhyndakos und Myrleia sitzen. Homer kennt die Phryger also nur im Küstenland in einem ziemlich beschränkten Gebiete[8]. Gerade dieses Land haben die Phryger später nicht behauptet, Myser und Bithyner haben sich hier eingeschoben[9], einzelne phrygische Stämme anscheinend nach Westen gedrängt und die Gesamtmasse der Phryger in zwei Teile zerrissen. In der historischen Zeit gibt es deshalb zwei Phrygien, die unter wechselnden Namen nebeneinander gestellt werden. Der älteste Zeuge für ein doppeltes Phrygien ist vielleicht Xanthos von Lydien[10], ganz deutlich wird dann die Scheidung von Xenophon ausgesprochen, wenn er *Cyrop.* I 1, 4 unter den von Kyros unterworfenen Völkern Φρύγας ἀμφοτέρους aufzählt und VII 4, 8 das hellespontische, VII 4, 16 das große Phrygien bezwungen werden läßt. Die eine dieser Landschaften, ἡ μικρὰ oder ἡ ἐφ' Ἑλλησπόντῳ Φρυγία, ist das Schmerzenskind der Geographen, weil ein beständiges Schwanken herrscht, ob die Troas dazu gehöre, und ob Stämme wie die Dolionen und Mygdonen als Phryger zu rechnen seien oder nicht. Skylax (*Periplus* 94) rechnet Phrygien von Myrleia bis Abydos und läßt die Troas bis Hamaxitos, die Aiolis bis Antandros folgen, aber dann heißt es 96: παράπλους Φρυγίας μέχρι 'Αντάνδρου, da wird also plötzlich der Name über Troas und Aiolis mit ausgedehnt. Die gelehrten Scholien zu Apollonios Rhodios stimmen mit dem Dichter I 937 darin überein, daß Kyzikos in Phrygien liege (zu I 1110), sie lassen die Landschaft am Aisepos beginnen und bis zum Rhyndakos reichen (zu I 1115 und 1165), die Troas wird ausdrücklich von ihr getrennt (zu I 937). Ganz und gar voller Widersprüche sind die Angaben Strabos: Einmal (II 129) zählt er unter den Landschaften diesseits des Halys τὴν ἐφ' Ἑλλησπόντῳ Φρυγίαν, ἧς ἐστι καὶ ἡ Τρῳάς auf, dann wieder setzt er die μικρὰ oder Ἑλλησποντιακὴ Φρυγία gleich

[7]) Ausdrücklich wird das ausgesprochen schol. zu B 862: οὗτοι δὲ τῆς μικρᾶς Φρυγίας· ἡ δὲ μεγάλη παρὰ τῷ Σαγγαρίῳ κεῖται ὅθεν καὶ Ἄσιος ὃς μήτρως ἦν Ἕκτορος ἱπποδάμοιο.

[8]) Damit ist natürlich gar nichts gegen eine frühe Ansiedlung der Phryger auf dem weiten Hochlande bewiesen, denn das Innere Kleinasiens liegt ganz außerhalb des Homerischen Gesichtskreises.

[9]) Vgl. Thraemer, *Pergamos* 359.

[10]) Fr. 3 = Strabo I 49 erwähnt er Salzseen ἐν Φρυγίᾳ τῇ κάτω.

der ἐπίκτητος (XII 543 und 563) und erklärt von letzterer, sie liege ἐν τῇ μεσογαίᾳ θαλάττης οὐδαμοῦ ἁπτομένη (XII 564). Zu dieser Ungeheuerlichkeit, daß ἡ ἐφ' Ἑλλησπόντῳ Φρυγία bei ihm gar nicht am Hellespont[11] liegt, ist er gezwungen, weil er fälschlich die ἐπίκτητος zur μικρὰ gezogen und die ganze Meeresküste (XII 564, XIII 581) unter Bithynien, Mysien und Troas verteilt hat[12]. In scharfem Gegensatz zu Strabo bezeichnet 100 Jahre später der Perieget Dionysios die ganze Küste von Kios bis zum Hellespont als βαιοτέρη Φρυγίη (809 ff.), während die letzte geographische Autorität des Altertums, Ptolemaios V 2, nur den westlichen Küstenstrich der Troas von Sigeion bis Assos als Kleinphrygien gelten läßt und ausdrücklich Φρυγία μικρὰ mit Τρῳὰς gleichsetzt[13].

Wenn von Skylax bis Ptolemaios jeder Gewährsmann eine andere Ansicht über Lage und Ausdehnung von Kleinphrygien vorbringt, so geht daraus klar hervor, daß der einmal üblich gewordenen geographischen Bezeichnung im späteren Altertum kein Volkstum von ausgeprägter Eigenart mehr entsprach, wenn auch allenthalben im Nordwesten Kleinasiens Spuren der alten phrygischen Bevölkerung nachzuweisen waren. Am reinsten hatten ihr phrygisches Blut anscheinend die Dolionen und Mygdonen bewahrt, aber auch in dem von Schliemann gefundenen Ilischen Bürgerkatalog aus hellenistischer Zeit finden sich ziemlich zahlreiche phrygische Namen[14]. Für die Geschichte der Phryger bedeutet dieser losgerissene Bruchteil des Stammes so gut wie garnichts, die nationale Entwicklung ist durchaus auf Großphrygien beschränkt.

Die Bestimmung von Großphrygien ist weniger schwierig, weil seine Grenzen sich fast ganz mit denen der weiten innerkleinasiatischen Hochebene decken. Im Norden ist der natürliche Abschluß das tief eingeschnittene, noch heute fast unzugängliche Tal des mittleren Sangarios und eine Verlängerung dieser Linie nach Osten hin, im Osten der Halys und der Tatta-See in der Salzwüste, im Süden wird der Tauros nicht ganz erreicht, doch ist die Ebene von Ikonion noch alter phrygischer Besitz[15], nur im Westen erstreckt sich Phrygien über den Rand des Hochlandes hinaus. Weit vorgeschoben ist auf dieser Seite die Grenze besonders im Tale des Maiander, der Hauptverkehrsader zwischen Hochland und Küste, hier wird sie etwa durch den Gabelpunkt der Wege Kolossai-Sardes und Kolossai-Ephesos bestimmt[16]. Im Nordwesten, wo die Hochebene eines scharfen Abschlusses ent-

[11]) Dieser Name ist auf die anstoßende Propontis mit ausgedehnt zu denken. Vgl. Strabo VII, fr. 58.

[12]) Dabei passiert es ihm dann freilich, daß er die ganze XII 564 den Mysern zugewiesene Strecke an anderer Stelle XII 575 mit Dolionen (von Aisepos bis Rhyndakos) und Mygdonen (von Rhyndakos bis Myrleia) besetzt, obwohl er diese Stämme von Mysern und Phrygern scheidet. Wieder an anderer Stelle XIII 586 gibt er an, daß nach dem troischen Kriege τὰ περὶ Κύζικον Φρύγες ἐπῴκησαν ἕως Πρακτίου.

[13]) Ganz unklar ist die Notiz bei Plinius V 145, und Stephanos von Byzanz rechnet gar die Städte Apameia-Kelainai im oberen Maiandertal und das nördlich davon gelegene Eukarpia zu Kleinphrygien.

[14]) Vgl. Kretschmer, S. 188.

[15]) Xenophon, *an.* I 2, 19, vgl. Steph. Byz. s. v.

[16]) Herodot VII 30 nennt das noch nicht sicher bestimmte Kydrara, Strabo XII 578 Karura als Grenzort, vgl. über diese Frage Ramsay, *Cities and bishoprics* I 6, und über Karura Anderson, *Journ. of Hell. stud.* XVII 398.

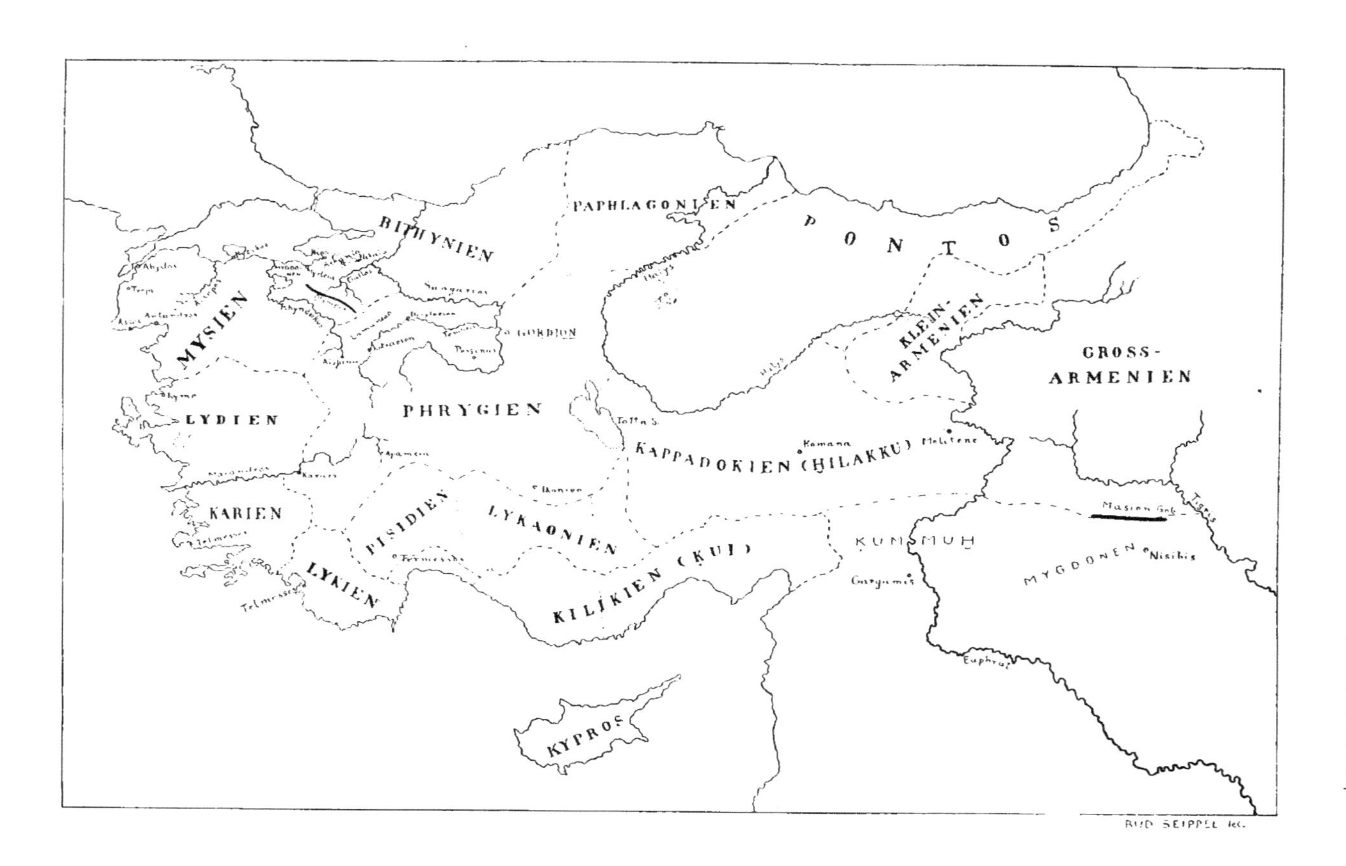
PAPHLAGONIEN
PONTOS
BITHYNIEN
MYSIEN
GORDION
KLEIN-
ARMENIEN
GROSS-
ARMENIEN
LYDIEN
PHRYGIEN
Tatta S.
Komana
Melitene
KAPPADOKIEN (ḪILAKKU)
KARIEN
PISIDIEN
LYKAONIEN
KUMMUḪ
Masios Geb.
Tigris
MYGDONEN
Nisibis
LYKIEN
KILIKIEN (ḲUI)
Euphrat
KYPROS
RUD. SEIPPEL fec.

behrt, gehört den Phrygern das obere Rhyndakostal, und man wird Strabo (XII 543 und 571) glauben dürfen, daß sie sich bis zu den südlichen Ausläufern des mysischen Olympos ausgedehnt und selbst den Oberlauf des Gallos (Gök-su)[17] behauptet haben. Jenischehir am Gök-su ist der am weitesten nach Norden vorgeschobene Punkt, an dem ich eine jener Grabstelen in Türform gefunden habe, deren Verbreitung sich mit der des phrygischen Volkstums in der Kaiserzeit zu decken scheint[18]. An dieser Stelle waren die Grenzen des Stammes gar nicht weit von dem Askanischen See, dem Kerne des homerischen Phrygien, entfernt, und das ist für Strabos Einteilung des Landes verhängnisvoll geworden, wie man leicht sieht, wenn man die Entstehung des Namens Φρυγία ἐπίκτητος betrachtet: Großphrygien war in hellenistischer Zeit verschiedenen Herren zugefallen, im Anfang des 2. Jahrh. v. Chr. besaßen die Galater den ganzen Osten, Prusias den Nordwesten mit den wichtigen Städten Dorylaeion, Midaeion, Kotiaeion, Nakoleia, Aizanoi, und das Übrige gehörte zum Reiche des Antiochos. Als nun die Römer 188 Phrygien dem Könige Eumenes zugesprochen hatten[19], gab Prusias den von ihm besetzten Teil des Landes nicht heraus, erst durch einen mit wechselndem Glück geführten Krieg wurde er 184 zum Nachgeben gezwungen[20]. Der damals von den Pergamenern hinzugewonnene Landstrich wurde von ihnen Φρυγία ἐπίκτητος benannt[21] — so etwa wie Preußen den 1815 erworbenen Rest von Pommern als Neuvorpommern bezeichnet — und dieser nur vom Standpunkte der Pergamener verständliche Name hat sich mit merkwürdiger Zähigkeit behauptet, als es längst kein Attalidenreich mehr gab. Φρυγία ἐπίκτητος war kein von Großphrygien durch andere Stämme getrenntes Land wie Kleinphrygien, aber der Sondername erweckte den Schein einer Sonderung und deshalb verfiel Strabo, der Kleinphrygien nicht unterzubringen wußte, darauf, dieses mit der ἐπίκτητος gleichzusetzen[22]. Dieser unglückliche Gedanke des sonst so wohl unterrichteten Mannes wurde sicherlich durch seine Vorliebe für Homerische Geographie genährt, denn Kleinphrygien war ihm das Homerische Phrygien, und dessen Grenzen nähert sich, wie wir sahen, in der Tat der ἐπίκτητος genannte Teil Großphrygiens[23].

[17]) Wenn nach Strabo XII 543 der Gallos in Phrygia Epiktetos entspringt und sich in Bithynien mit dem Sangarios vereinigt, so muß er ein linker Nebenfluß des Sangarios und mit dem heutigen Gök-su identisch sein. Daß der Gök-su zu dem bei Amm. Marc. XXVI 8 erwähnten Gallos nicht paßt, dieser vielmehr dem modernen Mudurlu-tschai entspricht, hat v. Diest, *Ergänzungsheft 125 zu Petermanns Mitteilungen*, S. 16 schlagend erwiesen, aber die Quellen des Mudurlu-tschai am Abad-dagh (bithyn. Olymp) konnte Strabo unmöglich zum hellespontischen Phrygien rechnen. Ich glaube mit Perrot, *La Galatie et la Bithynie*, S. 59 Anm., daß bei Strabo Angaben über zwei gleichnamige Flüsse vermischt sind.

[18]) *Athen. Mitt.* XXIV, S. 438, No. 29, vgl. S. 442.

[19]) Pol. XXI 40, 10, Liv. XXXVIII 39.

[20]) Aus der spärlichen Überlieferung hat Eduard Meyer bei Pauly-Wissowa III 519 den Gang der Ereignisse ermittelt.

[21]) Strabo XII 543 und 563.

[22]) Folgerichtiger als Strabo kennt Eustathios zu Dion. Per. 815 drei Phrygien μικρά, μεγάλη, ἐπίκτητος.

[23]) Ein Ausfluß von Strabos falscher Auffassung ist auch die unsinnige Angabe bei Justin XI 7, 3, Gordion liege »inter Phrygiam majorem et minorem«, die Arrian I 29, 5 noch überbietet, wenn er Gordion zum hellespontischen Phrygien rechnet.

Zur Beantwortung der Frage, wann die Phryger ihre kleinasiatischen Sitze eingenommen haben, reicht die literarische Tradition nicht aus. Strabo geht XIV 681 von der Voraussetzung aus, daß die Einwanderung vor der Zerstörung von Troja erfolgt sei[24], weil ja Homer die Phryger als Bundesgenossen des Priamos am Sangarios und in Askanien kenne. Dieser Datierung widerspricht scheinbar eine ebenfalls von Strabo mitgeteilte Stelle des Xanthos von Lydien XIV 680: ὁ μὲν γὰρ Ξάνθος ὁ Λυδὸς μετὰ τὰ Τρωικά φησιν ἐλθεῖν τοὺς Φρύγας ἐκ τῆς Εὐρώπης καὶ τῶν ἀριστερῶν τοῦ Πόντου, ἀγαγεῖν δ'αὐτοὺς Σκαμάνδριον ἐκ Βερεκύντων καὶ Ἀσκανίας. Aber Thraemer[25] und Kretschmer[26] haben zutreffend ausgeführt, daß diese Angabe des Xanthos nicht die Existenz des großen Phrygervolkes in Asien erklären soll, sondern die auch sonst[27] bezeugte Niederlassung von Phrygern in der Troas nach Ilions Fall. Xanthos denkt sich offenbar, daß die Phryger aus Europa über den Bosporus nach dem homerischen Phrygien (Askania) gezogen und von dort westwärts nach Troja gelangt seien. Darin liegt wohl ein Korn Wahrheit, das Einrücken der Myser aus Europa hat, wie wir sahen (S. 5), Teile des Phrygervolkes nach Westen gedrängt, der nach Mygdon benannte Stamm sitzt später nicht mehr am Sangarios, sondern am Rhyndakos. Diese spätere Teilwanderung, welche die Absplitterung Kleinphrygiens von der Hauptmasse des Volkes herbeiführte, darf aber nicht mit dem ersten Einrücken des volkreichen Stammes in die Halbinsel zusammengeworfen werden. Für dessen Zeitbestimmung sind archäologische Zeugnisse ungleich beweiskräftiger als die literarischen.

Die Abtragung des Tumulus von Bos-öjük (Lamunia)[28] hat eine bis in die Einzelheiten hinein mit der älteren troischen so völlig übereinstimmende Kultur kennen gelehrt, daß wir daraus auf enge Zusammengehörigkeit der Errichter dieser Grabanlage mit den Troern schließen dürfen. Tumuli der gleichen Art und Reste derselben Keramik sind auch an anderen Stellen der phrygischen Hochebene nachweisbar[29], die Träger dieser Kultur haben also das Hochland beherrscht. Mein hierauf gegründeter Schluß, daß die den Troern nächstverwandten Phryger schon um die Mitte des II. Jahrtausends v. Chr. ihre späteren Sitze bewohnten, ist vielfach gebilligt[30], aber von zwei um die Erforschung Kleinasiens sehr verdienten Männern bekämpft worden, deren Einwände eine Widerlegung fordern. Ramsay[31] und sein Schüler Crowfoot[32] weisen die Funde von Bos-öjük und alle ähnlichen einem vorphrygischen Volke zu, dessen staatliches Centrum Ramsay in Pteria sucht. Beide sind geneigt, die Phryger für ein ziemlich spät — etwa um 900 — eindringendes

---

24) Derselbe Ansatz ergibt sich für Konon *narr.* 1 daraus, daß er den Führer der Wanderung, Midas, zum Schüler des Orpheus macht.

25) *Pergamos* 292 ff.

26) *Einleitung* 186 f.

27) Strabo X 473, XII 565.

28) *Athen. Mitt.* XXIV 1—45.

29) a. a. O. S. 39. Die dort erwähnten Schnabelkannen stammen, wie Herr Crowfoot mir mitteilt, voraussichtlich nicht aus Beybasar, sondern aus Sarilar, einem 18 km südwestlich von Beybasar am Sangarios gelegenen Orte, in dem Crowfoot und Anderson Reste der gleichen Kultur fanden; s. *Journal of Hellenic studies* XIX 34 ff.

30) Vgl. besonders Kretschmer 174 ff.

31) *Historical commentary on the Epistle to the Galatians* 19 ff.

32) *Journal of Hellenic studies* XIX 48 ff.

Eroberervolk zu halten[33], das über den Urbewohnern in dünner Schicht als herrschender Stamm gesessen und die Masse der Bevölkerung ebensowenig verdrängt oder verändert habe, wie später die Kelten, Griechen und Türken. Crowfoot sucht diese Anschauung vor allem durch die Hypothesen der Kraniologen zu stützen, denen ich hier wie überall, wo ihnen andere Zeugnisse entgegenstehen, nicht die geringste Beweiskraft beimessen kann[34]. Gewiß haben die Phryger auf dem Hochlande schon jenes Urvolk unbekannter Rasse vorgefunden, das zuerst Heinrich Kiepert aus den mit -nd- und -ss- gebildeten Ortsnamen erschlossen[35] und zuletzt Kretschmer eingehend behandelt hat (290ff.). Man wird auch von vornherein annehmen dürfen, daß sie dies Volk weder völlig ausgerottet, noch ganz aus seinen Sitzen verdrängt haben; eine gewisse Mischung hat stattgefunden, aber in dieser waren die Phryger das weitaus stärkere Element, die Urbewohner sind von ihnen aufgesogen worden, wie etwa die Kelten in England von den Angelsachsen. Dies lehrt uns die Sprache: Von der Sprache jener Urbevölkerung ist außer den Ortsnamen keine Spur erhalten, das Phrygische ist rein indogermanisch und es hat sich mit großer Zähigkeit im Volke behauptet. Als längst die Kelteninvasion über das Land dahingestürmt war, als längst die griechische Weltsprache die Herrschaft im öffentlichen Leben errungen hatte, da gebraucht das niedere Volk für besonders heilige Beschwörungen auf den Grabsteinen noch immer gern die alte Landessprache[36]; darin spricht sich deutlich aus, wie verschieden die Stellung der Phryger zu den Urbewohnern von der der Kelten zu den Phrygern war. Eine Beeinflussung der Phryger durch ihre Vorgänger ist meines Erachtens nur auf religiösem Gebiete wahrnehmbar, der von den Phrygern so eifrig gepflegte Dienst der in Fels und Erde thronenden Muttergottheit war Eigentum des kleinasiatischen Urvolkes[37].

Die Aufsaugung der Urbewohner durch die Phryger würde ja nun an sich keineswegs ausschließen, daß der Tumulus von Bos-öjük schon vor der phrygischen Einwanderung errichtet sei, aber zwei von Ramsay und Crowfoot nicht gebührend gewürdigte Tatsachen erweisen meines Erachtens den phrygischen Ursprung.

Erstens lassen sich Reste der eigentümlichen Kultur und Tumuli von gleicher Art auch in der alten thrakischen Heimat der Phryger bei Salonik nachweisen. Meine früheren Beobachtungen[38] haben wir bei einem kurzen Aufenthalt in Salonik im März 1900 vervollständigt, und seitdem hat Herr Paul Traeger längere Zeit auf

---

33) Mit der manchen Assyriologen eigentümlichen Nichtachtung griechischer Überlieferung läßt Winckler (*Die Völker Vorderasiens* 28) die Phryger gar erst im 8. Jahrhundert in Kleinasien eindringen; das ist mit Homer, mit der Ausbildung phrygisch-griechischer Sagen und der nachweisbaren Kulturbeeinflussung der Griechen durch die Phryger schlechterdings unvereinbar.

34) Daß Schädelmessungen die ethnologischen Fragen öfter verwirren als lösen, hat Kretschmer, *Einleitung* 29ff. aus der anthropologischen Literatur schlagend erwiesen. Besonnene Anthropologen haben auch bereits den Bankrott der Kraniologie zugegeben, vgl. die Urteile Virchows und Töröks bei Kretschmer S. 39 und 46.

35) *Lehrbuch* S. 73 und 90.

36) Vgl. Kretschmer, *Einleitung* 219, *Athen. Mitt.* XXIII 362, XXV 445.

37) Vgl. Ramsay, besonders *Historical commentary on the Epistle to the Galatians* 40f.

38) *Athen. Mitt.* XXIV 41f.

die Erforschung der makedonischen Tumuli verwandt[39]. Traegers Ergebnisse weichen von den unsrigen insofern ab, als er einen großen Teil der Tumuli für Wohnstätten erklärt und nur die kegelförmigen als Grabstätten gelten lassen will; nur auf ersteren hat er alte Scherben gefunden. Sicherlich ist es richtig, daß viele der spitzen Tumuli in relativ später Zeit errichtet sind, aber keineswegs alle. Ein für die Erforschung des Landes interessierter Arzt Dr. Semrau hat in einem solchen Tumulus zu unterst Knochen und Scherben, dann eine Schicht Erde, dann wieder Asche, Kohle und Scherben ohne Knochen beobachtet; das entspricht genau der Schichtung des Tumulus von Bos-öjük. Prähistorische Scherben haben auch wir wenigstens auf einem kegelförmigen Tumulus bei km 3 der Chaussee nach Üsküb gefunden[40]. Eine prinzipielle Scheidung der Flächen- und der Kegel-Tumuli, wie Träger sie durchführt, empfiehlt sich allerdings, ob aber seine Erklärung der ersten Klasse als Wohnplätze zutrifft, ist mir zweifelhaft. Die Wände des in die »Tumba« des Heiligen Elias getriebenen Stollens haben uns entschieden nicht den Eindruck gemacht, als sei ihre Schichtung das Ergebnis einer oft zerstörten und wieder aufgebauten Ansiedlung[41]. Bis einmal einer dieser Hügel gründlich mit Hacke und Spaten untersucht ist, wird die Frage offen bleiben, und ich halte es für sehr wohl möglich, daß die flachen Hügel, wie die Tumba des Elias, der Hügel von Platanaki und andere, durch viele Jahrhunderte benutzte Massenbegräbnisstätten, die konischen Tumuli dagegen Einzel- oder Familiengräber der Vornehmen waren.

Wie diese Schwierigkeit aber auch gelöst werden mag, fest steht, daß die Ebene des Axios sowohl für die Kultur des Hügels von Bos-öjük als für seine Struktur Analogien bietet, und weiter muß betont werden, daß auch Herodot V 8 ähnliche Bestattungssitten als charakteristisch für die Thraker seiner Zeit beschreibt.

Einen zweiten Beweis für den phrygischen Ursprung des Bos-öjüker Hügels liefert ein unscheinbarer Fund, nämlich ein Schweinekiefer[42]. Dies Tier würden die Urkleinasiaten niemals als Totenopfer dargebracht haben, denn eine der wenigen Eigentümlichkeiten dieses Volkes, die als gut beglaubigt gelten dürfen, ist sein Abscheu gegen das Schwein. An zwei Orten, wo der Kult ihrer Muttergottheit sich besonders rein und stark erhalten hat, ist auch das Kultverbot des Schweinefleisches bis in die römische Zeit in Kraft geblieben. Nach Strabo XII 575 war im pontischen Komana das Schwein nicht nur aus dem Heiligtum der Ma selbst, sondern aus der

39) *Verhandlungen der Berliner Anthropol. Gesellschaft* 1902, S. 62ff., ebenda wichtige Bemerkungen über die keramischen Funde von Hubert Schmidt.

40) Auf zwei anderen derselben Gegend fanden wir keine Scherben.

41) Ganz verfehlt ist Traegers Hypothese (S. 73ff.), daß die konischen Tumuli einem anderen Volke angehören als die Flächentumuli. Die Ansiedler dieser uralten Hügel seien von neuen Eindringlingen, eben den Erbauern der konischen Hügel, vertrieben worden. Auf den Besiedlungshügeln finden sich nun alle Vasengattungen bis zu hellenistischen herab, wie Träger selbst angibt und Schmidt bestätigt. Hat denn etwa Makedonien in dieser Zeit einen gewaltsamen Bevölkerungswechsel durchgemacht? — Übrigens sahen wir in der Tumulus-Scherben-Sammlung des Herrn Konsul Mordtmann nicht nur sogenannte megarische, sondern auch Sigillata-Scherben, es sind also alle Epochen bis zur römischen Kaiserzeit vertreten.

42) Festgestellt von Virchow, vgl. *Verhandlungen der Berl. Anthrop. Ges.* 1896, S. 125.

ganzen Stadt verbannt, und der plötzliche Tod des von Augustus mit dem Priesterkönigtum beschenkten Räuberhauptmanns Kleon galt als Strafe für den Genuß von Schweinefleisch im Heiligtum, und ebenso enthielten sich aus religiösen Gründen nach Pausanias VII 17, 10 die Galater in Pessinus[43] des Schweinefleisches. Den Phrygern dagegen galt das Schwein so wenig als unrein wie den übrigen Indogermanen, deshalb konnten sie es auch dem abgeschiedenen Häuptling in Bos-öjük als Totenopfer darbringen.

Wir werden also den Tumulus von Bos-öjük als Zeugen dafür betrachten dürfen, daß die Phryger um die Mitte des zweiten Jahrtausends das nach ihnen benannte Land besaßen. Sicher ist ferner, daß die nordischen Einwanderer sich in der Zeit ihrer größten Expansionskraft nicht auf das spätere Phrygien beschränkt haben. Ist es ihnen auch nur hier gelungen, ihr Volkstum dauernd rein und ungebrochen zu bewahren, so haben sie doch zeitweise bis an das ägäische Meer geherrscht. Lebendig erhalten ist die Erinnerung an ein Phrygerreich am Sipylos[44], vor allem durch die griechische Sage, in der althellenische Heroen wie Pelops[45] und Tantalos[46] zu Phrygerkönigen gemacht worden sind[47]. Nicht als vorherrschender, aber doch als wichtiger Bestandteil haben die Phryger sich dann in dem Mischvolke der Lyder behauptet, ja sie machen in diesem ethnologisch so schwer unterzubringenden Volke das am besten kenntliche Element aus[48].

Es scheint aber, daß die Phryger auch nach Osten weit über ihre späteren Grenzen hinaus Vorstöße gemacht haben. In den Annalen Tiglath-Pilesers I wird als die erste Ruhmestat des Königs erzählt, daß er das aus dem Hochlande am linken Euphratufer in das Land Ḳummuḫ hinabgestiegene Volk der Muski überwältigt habe[49]. Dieses Volk hat man früher stets mit den Moschern im Süden des Kaukasos gleichgesetzt[50], aber neuerdings hat Winckler diese lautlich so naheliegende Gleichung verworfen, weil er die Muski in der Zeit Sargons im Herzen Kleinasiens wiedergefunden und in ihrem damaligen König Mita den phrygischen Midas zu erkennen meint[51]. Ist letztere Identifikation richtig, und wir werden

---

43) Staatlich ist Pessinus ja damals eine Gemeinde der Tolistobojer, aber im Dienst der Göttermutter stehen nach Ausweis der Inschriften (*Athen. Mitt.* XXV 438) die fünf Priester der Galater hinter den fünf der alten Geschlechter zurück, und diese mochten ihren Ursprung vielleicht noch aus vorphrygischen Zeiten herleiten.

44) Strabo XII 571: καὶ τὴν περὶ Σίπυλον Φρυγίαν οἱ παλαιοὶ καλοῦσιν . . . ἣ καὶ τὸν Τάνταλον Φρύγα καὶ τὸν Πέλοπα καὶ τὴν Νιόβην.

45) Her. VII 11, Soph. *Aias* 1292, Strabo VII 321, Athenaeus XIV 625 e.

46) Athen. XIV 625 f.

47) Den hellenischen Ursprung beider Heroen hat Thraemer, *Pergamos* 33—99 eingehend erwiesen.

48) So verschieden die ethnische Stellung der Lyder auch beurteilt worden ist, eine starke Beimischung phrygischen Blutes leugnet jetzt niemand. Vgl. Kiepert, *Lehrbuch*, S. 112; E. Meyer, *Geschichte des Altertums* I, S. 299; Perrot, *Histoire de l'art antique* V 243; Thraemer, *Pergamos* 342 f.; Radet, *La Lydie et le monde grec* 50 f.; Kretschmer 384 ff.

49) Tiglath-Pileser Prisma-Inschrift col. I, 62—88.

50) Schrader, *Keilinschriften und Geschichtsforschung* 155 f.; E. Meyer, *Geschichte des Altertums* I 293; Kiepert, *Lehrbuch* 86.

51) *Altorientalische Forschungen*, zweite Reihe, Bd. I, Heft 3, wiederholt in Helmolts *Weltgeschichte* III 66 ff. und in »*Die Völker Vorderasiens*« 24 ff.

später sehen, daß Wincklers Beweisführung sehr einleuchtend ist[52], so müssen die von Tiglath-Pileser bekämpften Muski auch Phryger sein[53]. Dann hätten wir also als letzte Welle der phrygischen Wanderung um 1100 den Versuch eines Schwarmes, über Kleinasien hinaus nach Mesopotamien vorzudringen. Der Versuch mißglückte, Tiglath-Pileser rühmt sich Prisma-Inschrift, col. I 74ff.:[54] »Mit 20000 ihrer Krieger und 5 ihrer Könige kämpfte ich in Ḳummuḫ und brachte ihnen eine Niederlage bei. Die Leichen ihrer Krieger schmetterte ich im wuchtigen Ansturm wie ein Gewitter nieder, ihr Blut ließ ich über Schluchten und Höhen der Berge fließen« und so fort in dem üblichen Schauerstil assyrischer Kriegsberichte. Immerhin wurden die Eindringlinge nicht völlig vernichtet, denn des Königs Bericht schließt (col. I 84ff.): »6000, den Rest ihrer Truppen, welche vor meinen Waffen geflohen waren und meine Füße ergriffen hatten, nahm ich mit fort und rechnete sie zu den Einwohnern meines Landes«. Ein Teil des Volkes wurde also im assyrischen Reiche angesiedelt und zwar ganz in der Nähe des Kampfplatzes, wie wir aus einer Inschrift Assurnasirpals (885—860) lernen. In dessen Annalen heißt es col. I 73ff.[55]: »Von den Städten am Fuße der Berge Nibur und Paṣatí brach ich auf, überschritt den Tigris, nahte mich Ḳummuḫ[56]. Den Tribut von Ḳummuḫ und Muski, kupferne Gefäße, Rinder, Schafe, Wein, empfing ich.« Winckler[57] will hier freilich die Erwähnung von Muski für nichts als eine Reminiszenz an die Inschriften Tiglath-Pilesers I. halten, aber das scheint mir irrig. Erstens wird bei Tiglath-Pileser von Tributen der Muski nirgends etwas gesagt, zweitens mußten doch Reste jener alten Muski den Assyrern bekannt geblieben sein, wenn sie später die Gleichheit dieses Volkes mit den so weit entfernten Untertanen des Mita bemerkten, drittens, und das ist das Wichtigste, haben sich meines Erachtens die Spuren der von Tiglath-Pileser angesiedelten Phryger nicht nur bis ins neunte Jahrhundert, sondern bis in die römische Kaiserzeit erhalten. Genau da, wo Tiglath-Pileser mit den Muski zusammenstößt und Assurnasirpal von ihnen Tribut empfängt, zwischen Euphrat und dem Masion-Gebirge[58], sitzen in Strabos Zeit οἱ περὶ Νίσιβιν Μυγδόνες[59]. Freilich

[52]) Was C. F. Lehmann, *Verhandl. d. Berl. Ges. für Anthrop.* 1900, S. 436 aus chaldischen Inschriften gegen Winckler vorbringt, veranlaßt mich nicht, meine Meinung zu ändern. Falls in den bisher doch noch fast unverständlichen Texten wirklich die Namen enthalten sind, die Lehmann darin zu erkennen glaubt, so würden sie sich auch mit Wincklers Anschauung vereinigen lassen.

[53]) Diese natürliche Voraussetzung teilt Winckler in den *Altorientalischen Forschungen*, während er in einem späteren Aufsatz *Die Völker Vorderasiens* 24f. annimmt, die Phryger des Midas seien als Erben des alten Chattireiches von den Assyrern Muski genannt worden, obwohl sie anderen Stammes waren; das ist deshalb ganz undenkbar, weil die Muski Tiglath-Pilesers ja gar nicht Träger des Chattireiches, sondern ein versprengter wandernder Stamm sind, der an ganz anderer Stelle auftaucht als Midas und sein Volk.

[54]) Ich folge der Übersetzung Wincklers in Schraders *Keilinschriftlicher Bibliothek* I, S. 19.

[55]) Nach Peiser in Schraders *Keilinschriftlicher Bibliothek* I, S. 65.

[56]) Schrader hat *Keilinschriften u. Geschichtsforschung*, S. 181ff. überzeugend dargetan, daß Ḳummuḫ bis zur Zeit Assurnasirpals auch das Land zwischen Euphrat und Tigris umfaßt, später aber auf das rechte Euphratufer (Kommagene) beschränkt ist.

[57]) S. 110 Anm.

[58]) Das Μάσιον ὄρος heißt bei den Assyrern Kašiari, und unmittelbar vor der Schilderung des Zusammenstoßes erwähnt Tiglath-Pileser, col. I 72 die Überschreitung dieses Gebirges.

[59]) Strabo XI 527, XVI 736, 747.

heißen sie bei Strabo einmal (XVI 747) οἱ Μυγδόνες κατονομασθέντες ὑπὸ τῶν Μακεδόνων und noch deutlicher drückt sich Plinius aus (VI 42): *totam eam Macedones Mygdoniam cognominaverunt a similitudine*, so daß Kiepert[60] den Namen Antiocheia Mygdonia = Nisibis für »eine der bei den Seleukiden beliebten heimatlichen Erinnerungen« erklärt. Diese Auffassung könnte man gelten lassen, wenn nur die Stadt Nisibis in Antiocheia Mygdonia umgetauft worden wäre, aber auch der alte Name Nisibis wird ja mit den Mygdonen in Verbindung gesetzt, ein ausgedehntes Gebiet samt seinen Bewohnern trägt den phrygisch-thrakischen Namen und eine Landschaft, einen Stamm kann man nicht so einfach umnennen wie eine Gemeinde. Wenn wir nun weiter bedenken, daß die europäischen Mygdonen ja gar kein makedonischer Stamm waren, sondern nach dem ausdrücklichen Zeugnis des Thukydides (II 99) und Strabo (VII fr. 11) Thraker, die nach ihrer Verdrängung durch die Makedonen der Landschaft östlich des Axios den Namen Mygdonia gelassen hatten[61], so ist es ganz unglaublich, daß ein hellenistischer König auf den seltsamen Einfall geraten sein soll, die Bewohner einer beliebigen asiatischen Landschaft Mygdonen zu nennen. Waren aber οἱ περὶ Νίσιβιν Μυγδόνες echte Mygdonen, Angehörige des thrakisch-phrygischen Volkes, so können sie nicht erst in hellenistischer Zeit dorthin verschlagen sein, sondern die Seleukiden müssen sie schon am Masion vorgefunden haben. Gegen die Anerkennung dieses Tatbestandes würden wir uns gewiß ebenso sträuben, wie Strabo es getan hat, wenn uns die assyrischen Inschriften nicht so überraschende Aufklärung brächten. Die Mygdonen am Masion sind die von Tiglath-Pileser angesiedelten Muski, die inmitten einer fremden Bevölkerung ihren phrygischen Stammesnamen bewahrt haben, wenn auch ihr Blut gewiß nicht ungemischt blieb.

Eine lautliche Gleichsetzung von Muski und Μυγδόνες ist ja freilich unmöglich, aber die Benennung eines Volkes durch stammfremde Feinde hängt von so viel Zufälligkeiten ab, daß wir uns den seltsamen assyrischen Namen für die Phryger eben gefallen lassen müssen. Einen Gesamtnamen werden die Phryger selbst ursprünglich so wenig gehabt haben wie etwa die Hellenen; längst ist auch bemerkt worden, daß neben dem später herrschenden Namen Phryger, der anscheinend die Freien bedeutet[62] und wohl ein selbstgewählter Ehrenname war, in ältester Zeit die Bezeichnung Askanier steht, die durch Homers Landschaft Askania, die Askanischen Seen bei Nikaia und in der Nähe von Kelainai, den Heros Askanios und den Ašknaz der Völkertafel in der Genesis 10, 3 bezeugt ist[63].

Die Erkenntnis, daß phrygische Stämme ums Jahr 1100 den Euphrat hinab nach Mesopotamien gewandert sind, wirft aber noch einen weiteren historischen Gewinn ab. Die Armenier sind nach Herodot VII 73 ἄποικοι Φρυγῶν und das wird von Eudoxos bei Steph. Byz. s. v. Ἀρμενία nachdrücklich bestätigt. Neuerdings

[60]) *Lehrbuch* S. 155 Anm. 2.

[61]) Vgl. Abel, *Makedonien vor König Philipp* 144.

[62]) Hesych. s. v. Βρίγες . . . Ἴόβας δὲ ὑπὸ Λυδῶν ἀποφαίνεται βρίγα λέγεσθαι τὸν ἐλεύθερον, Übereinstimmung lydischer und phrygischer Worte weisen nach de Lagarde, *Ges. Abh.* 274 ff., Kretschmer 388.

[63]) Eduard Meyer, *Geschichte des Altertums* I 300, Kretschmer 192.

hat Kretschmer[64] diese Überlieferung durch sprachliche Beobachtungen gestützt und im Anschluß an Eduard Meyer (*Gesch. d. Altert.* I 296) ausgeführt, daß die Armenier zunächst nach Kleinarmenien und von dort aus wohl erst nach dem Zusammenbruch des Chalderreiches (im VII. Jahrhundert) nach Großarmenien vorgedrungen sind. Ein Blick auf die Karte lehrt nun, daß die Armenier und die Nisibis-Mygdonen bis in die Nähe des Euphrat genau den gleichen Weg gehabt haben, dann blieben die einen auf dem rechten Ufer sitzen, während die anderen den Fluß überschritten und allmählich seinem Laufe südwärts folgten[65]. Danach ist es sehr wahrscheinlich, daß beide Züge auch zeitlich in einem gewissen Zusammenhange stehen, also auch die Armenier sich um 1100 von der Hauptmasse des Phrygervolkes losgelöst haben.

Wann und wie auf dem kleinasiatischen Hochlande die Kraft des phrygischen Volkes zu einem nationalen Staate zusammengefaßt ist, entzieht sich unserer genauen Kenntnis. Darin freilich stimmen unsere Gewährsmänner überein, daß sie Gordion als Hauptstadt des phrygischen Reiches kennen[66] und dessen Begründung an die Namen Gordios und Midas knüpfen[67]. Da sie aber den ältesten Midas mit dem thrakisch-phrygischen Gott dieses Namens zusammenwerfen[68], dessen Sagen früh bei den Griechen Eingang gefunden hatten, so ergibt sich für sie das Heroenzeitalter als Gründungsepoche[69]. Die Gründungslegende wird von Justin XI 7 etwas rhetorisch aufgeputzt, aber doch klar und in sich folgerichtig erzählt: Das Rindergespann eines Bauern Gordios umschwirrten einst beim Pflügen Vögel von allerlei Art. Als Gordios darüber erstaunt sich aufmacht, um die Vogeldeuter einer benachbarten Stadt zu befragen, tritt ihm am Tore eine schöne Jungfrau jenes Sehergeschlechtes entgegen, deutet das Vorzeichen auf künftige Königswürde und trägt ihm ihre Hand an. Bald darauf entsteht ein Bürgerzwist unter den Phrygern und ein Orakel gebietet ihnen, denjenigen zum Könige zu wählen, den sie zuerst mit einem Wagen zum Tempel des Zeus fahren sähen. Das ist Gordios, der denn auch als König ausgerufen wird und den Wagen im Tempel des Gottes weiht. Nach ihm regiert sein Sohn Midas, »*qui ab Orpheo sacrorum sollemnibus initiatus Phrygiam religionibus implevit quibus tutior omni vita quam armis fuit*«. Ausführlicher und mit einzelnen nicht unwichtigen Abweichungen erzählt Arrian II 3 dieselbe Geschichte. Bei ihm ist es ein einzelner Adler, der sich auf das Gespann des armen Pflügers niederläßt und bis zum Abend auf ihm sitzen bleibt[70]. Das

[64]) *Einleitung* 208 ff.

[65]) Das Land Alzi, aus dem die Muski Tiglath-Pilesers nach Ḳummuḫ hinabsteigen, glaubt Lehmann in chaldischen Inschriften in der Nähe von Mazgert zwischen dem östlichen und westlichen Euphratarm wiederzufinden, *Sitzungsberichte der Berl. Akad.* 1900, S. 625, No. 134.

[66]) Strabo XII 567, Plin. *nat. hist.* V 146, Curtius III 1, 12, Plut. *Alex.* 18.

[67]) Arrian, *exped. Alex.* II 3, just. XI 7.

[68]) Von der Vermischung des mythischen und historischen Midas hält sich auch Gutschmid in dem lehrreichen Aufsatz über Gordios, *Kl. Schriften* III 457 ff. nicht frei.

[69]) Midas heißt Schüler des Orpheus, Just. XI 7, 14 und Kon. *narr.* 1, Eusebios setzt ihn in das Jahr 1310 v. Chr.

[70]) In der Erzählung des Vogelzeichens stimmt Aelian, *nat. an.* XIII 1, der die weitere Geschichte nicht berichtet, genau, zum Teil sogar wörtlich mit Arrian überein.

Sehergeschlecht, welches Gordios aufsucht, nennt Arrian τοὺς Τελμισσέας, und er denkt es sich in mehreren Orten wohnhaft[71]. Die Seherjungfrau verheißt ihm nicht die Königswürde, sondern befiehlt ihm nur, am Orte des Prodigiums dem Zeus Basileus zu opfern. Auf seine Bitte hilft sie ihm beim Opfer, heiratet ihn und gebiert den Midas. Erst als dieser zum Manne herangewachsen ist, entsteht ein Bürgerzwist und das Orakel kündet, ein Wagen werde einen König zu den Phrygern bringen, der den Zwist enden würde. Da fährt Midas auf dem Wagen seines Vaters von den Eltern begleitet in die Volksversammlung, er wird als König begrüßt, schafft Frieden und weiht den väterlichen Wagen χαριστήρια τῷ Διὶ τῷ βασιλεῖ ἐπὶ τοῦ ἀετοῦ τῇ πομπῇ. Schief ist in Arrians Darstellung vor allem, daß nicht Gordios, sondern Midas erster König wird: Wenn das Orakel die Herrschaft über Asien an den Wagen des Gordios knüpft, und dieser Wagen in einer nach Gordios benannten Stadt steht, so muß Gordios durch ihn die Königsherrschaft gewonnen haben und darauf zielt ja auch das Vogelzeichen so gut wie die Begegnung mit der Seherin. Vermutlich hat ein Grieche Gordios durch seinen Sohn ersetzt, weil Midas für die Griechen der bekannteste Vertreter des Phrygertums war. Auch die Verlegung der entscheidenden Wagenfahrt aus dem Heiligtum in die Volksversammlung ist echtgriechisch, in beiden Punkten hat Justin die phrygische Legende gewiß treuer wiedergegeben[72]. Anderseits ist das Vogelzeichen bei Arrian viel lebendiger, nicht beliebige Vögel umschwirren das Gespann, sondern der eine Adler, der Bote des Götterkönigs[73], läßt sich für längere Zeit auf dasselbe nieder und kündet damit die künftige Würde des Pflügers an. Wichtig scheint mir ferner die Benennung des Sehergeschlechtes. Genau so treten οἱ Τελμισσεῖς als ein mit Sehergabe begnadetes Geschlecht bei Herodot I 78 und 84 in der Geschichte von Kroisos' Untergang auf, und Aristophanes benannte eine Komödie nach ihnen, in der offenbar ihre Kunst verspottet wurde[74]. Die Telmissenser des Herodot wohnen in Karien dicht bei Halikarnassos[75], aber dahin läßt die phrygische Legende ihren Gordios sicherlich nicht wandern, denn beide Berichte setzen den Wohnort der Seherin nahe bei

[71]) τὸν δὲ ἐκπλαγέντα τῇ ὄψει ἰέναι κοινώσοντα ὑπὲρ τοῦ θείου παρὰ τοὺς Τελμισσέας τοὺς μάντεις· εἶναι γὰρ τοὺς Τελμισσέας σοφοὺς τὰ θεῖα ἐξηγεῖσθαι καί σφισιν ἀπὸ γένους δεδόσθαι αὐτοῖς καὶ γυναιξὶ καὶ παισὶ τὴν μαντείαν. προσάγοντα δὲ κώμῃ τινὶ τῶν Τελμισσέων ἐντυχεῖν παρθένῳ κτέ.

[72]) Die Quelle, aus der beide Berichte hergeleitet sind, ist nach Eduard Schwartz' einleuchtender Darlegung bei Pauly-Wissowa II 912 das Werk des Aristobulos, das von Arrian II 3, 7 und Plut. *Alex.* 18 für eine Einzelheit bei der Lösung des Knotens angeführt wird.

[73]) Gegen Gutschmid, dem der Adler als griechische Interpolation erscheint, bemerke ich, daß dieser Vogel auf den phrygischen Grabsteinen eine große Rolle spielt, auch gerade als Begleiter des echtphrygischen Zeus Bronton, vgl. *Athen. Mitt.* XXV 416ff., No. 26, 28, 29.

[74]) Von Vogelzeichen ist in Fr. 537 K. die Rede, von Eingeweideschau in Fr. 540.

[75]) Herodot gibt ihren Wohnsitz zwar nicht an, da aber Kroisos' Boten zu Schiffe fahren, so müssen die Telmissenser an der Küste wohnen. Durch Patons und Myres schönen Inschriftenfund *J.H.St.* XIV 373ff. sind die Angaben Ciceros *de divin.* 41 und 42 und die genaueren Polemons Fr. 35 entscheidend bestätigt. Die Heimat des Sehergeschlechtes liegt in Karien, ganz nahe bei Halikarnassos und der Lokalpatriotismus Herodots hat die Einflechtung der beiden erfüllten Prophezeiungen in die Geschichte des Kroisos veranlaßt. Vgl. auch die Inschrift *J.H.St.* XVI 234, No. 36 = Dittenberger² 641.

Gordion an. Gutschmid hat freilich gemeint (S. 459), der Name der Telmissenser sei von den Alexanderschriftstellern fälschlich in die Geschichte hineingebracht, weil Telmessos in ihrer Zeit eine berühmte Orakelstätte war und Aristandros, der gefeierte Seher des großen Königs, von dort stammte[76]. Das scheint mir unglaublich: Da Telmessos damals allgemein bekannt war, mußte jeder Leser wissen, daß es nicht in der Nähe von Gordion lag, wer die Telmissenser interpolieren wollte, würde also die Legende soweit gemodelt haben, daß Gordios' Befragung des karischen Orakels dem Zusammenhang nicht widersprach. Gerade weil das karische Telmessos mit Arrians und Justins Darstellung unvereinbar ist, halte ich den Namen Τελμισσεῖς bei Arrian für unantastbar[77]. Daß auch bei Gordion Telmissenser auftauchen, ist nun keineswegs so auffallend, denn der Name kehrt in Kleinasien mehrfach wieder. Außer dem karischen Telmessos oder Telmissos bei Halikarnassos haben wir einen gleichnamigen Ort in Lykien[78], der bis in die neueste Zeit beständig mit jenem verwechselt worden ist, und auch für das pisidische Termessos kommt die Form Telmissos vor[79]. Da nun der Name die für das kleinasiatische Urvolk charakteristische Bildung auf -ssos aufweist, ist es mir wahrscheinlich, daß auch die Telmissenser der Gordioslegende als Rest der vorphrygischen Bevölkerung zu verstehen sind. Dann würde die Ehe des ersten Phrygerkönigs mit einer Telmissenserin den sagenhaften Ausdruck einer Versöhnung der Phryger mit dem alteinheimischen Priesteradel darstellen[80], und es leuchtet ein, daß ein solcher Ausgleich der Gründung eines geschlossenen Phrygerstaates förderlich sein mußte. Ist diese Auffassung der Sage richtig, so kommen wir zu einem ganz ähnlichen Ergebnis wie Gutschmid, der (S. 463) in der nationalen Auffassung die Gründung des phrygischen Staates mit der Einführung des Dienstes der Göttermutter zusammenfallen läßt. Obwohl unsere Resultate sich teilweise decken, glaube ich doch, der Behandlung, die Gutschmid der Legende angedeihen läßt, im Ganzen widersprechen zu müssen. Für ihn ist Midas, nicht Gordios der erste Phrygerkönig und zugleich der Sohn der Göttermutter, die nur in der Sage zur Seherin herabgedrückt ist. Den Beweis für diese Ansicht scheinen ihm eine Anzahl Nachrichten zu ergeben, die meines Erachtens sämtlich den Midas der Gordioslegende nichts angehen, sondern rein mythisch sind. Aus der thrakischen Heimat hatten die Phryger den alten Berg- und Waldgott Midas mitgebracht[81], der in seinen Rosengärten am Bermios[82] oder an der thrakischen Quelle Inna[83] den Seilenos fing und nun in der neuen Heimat dasselbe Abenteuer in Ankyra[84] oder zwischen Thymbrion und

[76]) Arrian *exped. Al.* I 11, 2; 25, 8., III 2, 2.

[77]) Auch die umständliche Art, in welcher der Name erläutert wird, verbietet meines Erachtens, die Telmissenser für Geschlechtsgenossen des gerade bei Arrian so oft genannten Aristandros zu halten. Zugestimmt hat Gutschmids Ausführungen neuerdings Kaerst, *Geschichte des hellenistischen Zeitalters* I 269, Anm. 6.

[78]) Strabo XIV 665, Plin. *nat. hist.* V 101, Steph. Byz. s. v. vgl. Benndorf, *Reisen in Lykien und Karien*, S. 35 ff.

[79]) Arrian *exped. Al.* I 28, 2.

[80]) Daß die alte Bevölkerung gerade auf sakralem Gebiete die Phryger beeinflußte, sahen wir bereits.

[81]) Vgl. Dieterich, *Philol.* LII, S. 5 ff.

[82]) Herod. VIII 138.

[83]) Bion bei Athen II, p. 45c.

[84]) Paus. I 4, 5.

Tyriaeion[85] zu bestehen hat. Er, dessen Beziehungen zu Dionysos unvergessen blieben[86] und dessen tierische Ohren die alte Waldteufelnatur bekunden, mußte mit der Göttermutter in irgend welche Verbindung gesetzt werden, als diese kleinasiatische Göttin in den Mittelpunkt der phrygischen Religion trat. Diesem unabweisbaren Bedürfnis, das innerlich Fremde zu vereinen, hat der Mythos auf verschiedene Weise gerecht zu werden versucht. Ganz äußerlich ist die Verbindung hergestellt, wenn man ihn zur Zeit der wunderbaren Schicksale des Attis in Pessinus herrschen und die Katastrophe des Jünglings durch ein Eheprojekt heraufbeschwören[87], oder aber der Göttin in Pessinus den ersten Tempel erbauen läßt[88]. Daneben kam aber auch eine tiefer eingreifende Version in Aufnahme, die den alten Thrakergott zum Sohne der Göttermutter machte[89]. Aber auch als adoptierter Phryger verliert Midas den Zusammenhang mit der thrakischen Heimat nicht, die Orgien und Mysterien, die er einführt, stammen von den Thrakern Orpheus und Eumolpos[90] und es ist sehr glaublich, daß sich in diesem Zuge eine tatsächliche Beeinflussung des Dienstes der Göttermutter durch thrakische Elemente wiederspiegelt. Begreiflicherweise wurden alle diese ursprünglich für den thrakischen Gott geschaffenen Erzählungen früh auf den legendarischen König übertragen, so wie umgekehrt schon Herodot den Midas am Bermios einen Sohn des Gordios nennt. Ganz offenkundig ist die Vermischung in dem Schlußsatz der Erzählung Justins, wo der König ab Orpheo sacrorum sollemnibus initiatus heißt, denn der thrakische Orpheus gehört mit dem thrakischen Silensjäger, nicht mit dem phrygischen Reichsgründer zusammen. Wer also die Gordios-Legende historisch zu verwerten strebt, muß alle dem Gotte gehörigen Züge sorgfältig von dem Bilde des gleichnamigen Gordios-Sohnes fernhalten, während Gutschmid sie umgekehrt sämtlich hineinzumalen versucht.

Sicherer noch als die religiösen Beziehungen zwischen Phrygern und Urvolk ist aus der Legende der ausgesprochen bäuerliche, friedliche Charakter des phrygischen Volkes zu erschließen, den ja auch die Lage fast aller phrygischen Städte auf niedrigen Hügeln mitten in der Ebene sehr deutlich bekundet[91]. Wären die Phryger, wie Ramsay will, erobernde Krieger gewesen, die als Zwingherren über stammfremden Hörigen saßen, so würden sie die schroffen, unersteiglichen Felskuppen zum Wohnsitz gewählt haben, auf denen später die Seldschucken und Osmanen ihre Burgen bauten[92], und ihr erster König würde mit dem Schwerte, statt mit dem Pfluge hantieren.

85) Xen. *an.* I 2, 13. Hier wird statt des Σειληνὸς der Σάτυρος genannt, was für die Geschichte der attischen Tragödie interessant ist.

86) Ovid *met.* XI 90 ff., Hyg. *fab.* 191.

87) Arnob. *adv. gent.* V 7, in dem Parallelbericht bei Paus. VII 17, 10 fehlt der Name des Midas.

88) Diod. III 59, Arnob. *adv. gent.* II 73.

89) Hyg. *fab.* 191, 274, Plut. *Caes.* 9, vgl. Suidas s. v. ἔλεγος.

90) Ovid *met.* XI 92, Kon. *narr.* 1.

91) Hierauf bin ich ausführlicher *Gött. gel. Anz.* 1897, S. 390 eingegangen; zu den dort angeführten Beispielen ist inzwischen noch das von Anderson, *Journ. of Hell. stud.* XVII 422 nachgewiesene Meiros gekommen.

92) Solche Burgen sind z. B. Afiun-Karahissar, Karadschaschehir bei Eskischehir, Kandili-Kaleh westlich von Inönü, Assar-Kaleh bei Bejad, Girmes-Kaleh im Tale des Engüri-su.

Eine Erläuterung erfordert noch das reale Objekt, an das die Legende von Gordios angeschlossen wird. Alexander sah im Tempel des Zeus einen altertümlichen Wagen, dessen Joch mit Bastriemen künstlich an die Deichsel geknotet[93] war, das ist über jeden Zweifel erhaben, aber was bedeutete dieser Wagen im Hause des Gottes? — Arrian nennt ihn II 3, 6 χαριστήρια ... ἐπὶ τοῦ ἀετοῦ τῇ πομπῇ, aber für das Vogelzeichen wäre das gebotene Weihgeschenk doch der Pflug gewesen, auf den der Adler sich niederließ, nicht der Wagen, der mit dem Boten des Gottes nichts zu tun hatte. Bei genauerem Zusehen entspricht auch der Gebrauch eines Wagens für den Besuch des Tempels oder der Volksversammlung keineswegs den Voraussetzungen der Sage. Gordios ist ein armer Bauer und ein solcher kennt in alter Zeit höchstens Lastwagen für sein Korn, während die Benutzung des Wagens als Transportmittel für Menschen ein Vorrecht des kriegerischen Herrenstandes ist. Ich glaube deshalb, daß dieser Wagen erst nachträglich mit dem Bauernkönig Gordios in Zusammenhang gebracht worden ist und ursprünglich für Zeus selbst bestimmt war. Ein genaues Gegenstück ist der leere Wagen des persischen Himmelsgottes, der den Xerxes auf seinem Zuge begleitete[94] und auch in der Heimat die höchste Verehrung genoß[95].

Für die Bestimmung der Gründungszeit des phrygischen Reiches versagt die Gordioslegende völlig, aber andere Erwägungen gestatten doch, gewisse freilich ziemlich weite Zeitgrenzen festzustellen. Einen *terminus post quem* geben vor allem die Kämpfe Tiglath-Pilesers ab. Die 20 000 Muski mit ihren 5 »Königen«, die erst Alzi und Purukuzzu überschwemmt hatten und dann nach Kummuḫ hinabstiegen, sind offenbar wandernde Horden, die noch keinen festbegründeten nationalen Staat hinter sich haben, also ist das phrygische Reich nach 1100 v. Chr. begründet. Noch etwas weiter herab führen die Verschiebungen des phrygischen Besitzstandes im Nordwesten: Die Kraft der einzelnen phrygischen Stämme war jedenfalls noch nicht unter dem Szepter eines Oberherrn geeint, als ein Teil von ihnen durch die Myser von der Masse der Volksgenossen abgedrängt und nach dem späteren Kleinphrygien geschoben wurde (vgl. S. 5) und da diese Bewegung von den homerischen Gedichten noch nicht berücksichtigt wird, darf man sie kaum vor das Jahr 1000 setzen. Anderseits muß man sich hüten, mit der Begründung des Reiches allzu tief herabzugehen. Ist die Überlieferung der Griechen über ihre phrygischen Lehrmeister in der Musik im einzelnen auch ganz sagenhaft[96], so steht doch fest, daß die Hellenen, als sie diese Kunst zu pflegen begannen, außerordentlich viel von den Phrygern zu lernen hatten. Die Ausbildung einer theoretisch geschulten Musik, wie die Phryger sie um 700 besessen haben müssen, setzt aber eine längere Periode friedlichen, geordneten Staatslebens voraus, und ohne ein solches ist auch die Ent-

93) Art und Zweck dieser Verknotung hat Reichel, *Homerische Waffen*² 130 vortrefflich erläutert.

94) Her. VII 40.

95) Xen. *Cyrop.* VIII 3, 12 der ganze Aufzug des Kyros entspricht, wie Xenophon mehrfach betont, dem im IV. Jahrh. üblichen Ceremoniell; vgl. auch Curtius III 3, 11.

96) Vgl. besonders Athen. XIV 625e, Plut. *de mus.* 5, 7, 11, 18.

wicklung einer so sicheren und eigenartigen Technik nicht denkbar, wie sie unser Tumulus III kennen gelehrt hat. Ein Jahrhundert ist wohl die geringste Dauer, die wir für das phrygische Reich voraussetzen dürfen, und so läßt sich seine Begründung mit einiger Wahrscheinlichkeit zwischen 1000 und 800 ansetzen.

Daß wir uns von der Macht und Politik wenigstens eines phrygischen Herrschers eine klarere Vorstellung zu machen vermögen, verdanken wir den assyrischen Annalen, oder besser dem Scharfsinn Wincklers, der ihre Angaben richtig verstehen lehrte[97]. Zu den Feinden, die der gewaltige Sargon in seinen blutigen Kriegsberichten immer wieder erwähnt, gehört Mitâ von Muski. Schon 717 in seinem fünften Regierungsjahr hat er zu berichten (Annal. 46): »(Es) verging sich Pisiris von Gargamiš (Karchemisch) gegen die Gebote der großen Götter und schrieb an Mitâ, König von Muski, Feindseligkeiten gegen Assyrien« u. s. w. Aus dieser Nachricht ist für die Lage des Muskireiches nur zu entnehmen, daß es von Karchemisch ziemlich weit entfernt war, denn die Rache des Königs trifft ausschließlich Pisiris und seine Stadt, von Mitâ ist nicht weiter die Rede. Seine Macht muß bedeutend gewesen sein, sonst hätte ein nicht unmittelbar benachbarter Vasall Sargons schwerlich von ihm Hilfe gegen seinen Oberherrn erwartet. Zu einem Zusammenstoße Sargons mit Mitâ kam es zuerst 715 im Lande Ḳuí, dem späteren Kilikien. Hier war Mitâ oder vielleicht schon sein Vorgänger erobernd eingedrungen, wurde jetzt aber zurückgeworfen und auf eigenem Gebiete geschlagen. Die Annalen melden darüber 99/100: »Mitâ, König von Muski, in seinem Gebiete [eine Niederlage[98]] brachte ich bei, die Städte Ḫarrûa und Ušnanis, Festungen von Ḳuí, welche er (man)[99] seit lange mit Gewalt genommen hatte, gewann ich zurück.« Hieraus gewinnen wir die wichtige Tatsache, daß Mitâ an einer dem assyrischen Reiche abgekehrten Seite Kilikiens, also im Westen oder Norden dessen Grenznachbar war, und daß er danach strebte, die Meeresküste zu gewinnen.

Aber noch an einer ganz andern Stelle stoßen die Reiche Mitâs und Sargons zusammen, das lehren die Berichte über verschiedene Aufstände in Kappadokien. Sargon hatte Ambaris oder Amris von Tabal mit der Landschaft Ḫilakku, das ist Kilikien im Sinne Herodots[100], die Gegend von Mazaka, belehnt und ihm sogar seine Tochter zur Frau gegeben[101], »jener aber bewahrte nicht die Treue und schickte an Ursâ von Urarṭu und Mitâ von Muski Botschaft, mein Gebiet wegzunehmen«. Es scheint, daß Sargon den beiden Herrschern von Muski und Urarṭu (Armenien)

---

97) *Altorientalische Forschungen,* zweite Reihe I 3, S. 131 ff., *Die Völker Vorderasiens* S. 25 f., Helmolts *Weltgeschichte* III 66 f.

98) Hier ist der Text nach Winckler verderbt, aber der Sinn gesichert.

99) Falls die von Winckler in Klammern gegebene Übersetzung »man« zutrifft, würde die vor langer Zeit gemachte Eroberung wohl dem Vorgänger des Mitâ zuzuschreiben sein; in der stark zerstörten ersten Darstellung dieser Vorgänge *Ann.* 92—94 ist anscheinend nur von Mitâ selbst die Rede, wichtig ist hier die Notiz, daß Kui am Meer liegt und Mitâ bis ans Meer vorgerückt war.

100) Herodots Angabe I 72 ὁ Ἅλυς ποταμὸς ὃς ῥέει ἐξ Ἀρμενίου οὔρεος διὰ Κιλίκων hat schon Kiepert, *Lehrbuch* 95, so erklärt, daß Kilikien in älterer Zeit bis an oder über den Halys reichte. Genaueres über die Geltung des Namens bei Winckler 121 ff.

101) *Pr.* 29 ff., vgl. *Annal* 171 ff.

keine Zeit zur Unterstützung des unbotmäßigen Schwiegersohnes gelassen hat, Ambaris wird gefangen und samt seiner Familie nach Assyrien geschleppt. Immerhin lag die Gefahr einer Einmischung jener beiden Staaten in kappadokische Händel vor, und dieser sucht Sargon im Jahre 712 vorzubeugen. Nach Unterdrückung eines Aufstandes des Tarḫunazi, der über das Land von Milid (Melitene) bis Kammanu (Komana) gesetzt war, legt der König 10 starke Festungen an den Grenzen Kappadokiens an (Ann. 191 ff.). »Luḫsu, Bur-dir, Anmuru, Ki .... Anduarsalia gegen Urarṭu als Grenzwacht befestigte ich. Usi, U-si-an, Uargin an der Grenze von Muski gründete ich, sodaß niemand heraus konnte u. s. w.« Die Festungen gegen Urarṭu muß man, wie Winckler mit Recht ausführt, im Nordosten des durch Melitene und Komana bestimmten Gebietes suchen, die gegen Muski im Nordwesten, also am oberen Laufe des Halys, der hier von Nordosten nach Südwesten fließt. Damit ist die Ausdehnung des Muskireiches ziemlich genau festgelegt. In weitem Bogen umschließt es die kleinasiatischen Besitzungen Sargons, im Westen grenzt es an Kilikien, muß also Lykaonien umfaßt haben, im Osten berührt es den oberen Halys und reichte demnach über den mittleren südnördlich gerichteten Teil des Flusses hinaus. Den Kern des Reiches kann nur eine Landschaft zwischen den beiden weit entfernten Grenzen gebildet haben, d. h. Phrygien. Nimmt man nun hinzu, daß sich der Name Mitâ lautlich genau mit Midas deckt[102], und daß wir aus hellenischer Überlieferung in eben jener Zeit den Phrygerkönig Midas kennen, so darf man Wincklers Kombination wohl für gesichert halten.

Als Herr eines weit ausgedehnten, über die phrygischen Stammesgrenzen nach Osten und Süden hinausgreifenden Reiches tritt uns Midas in den assyrischen Berichten entgegen, als ein Widersacher, den selbst der gewaltige Sargon ernst nimmt. Schließlich hat freilich auch er seinen Frieden mit dem übermächtigen Großkönig machen müssen und zwar war es nicht Sargon selbst, der ihn um das Jahr 707 dazu zwang, sondern der assyrische Statthalter von Ḳuí. Von diesem Erfolge erzählt Sargon am ausführlichsten in den leider hier arg beschädigten Annalen 373—83, kürzer, aber besser verständlich ist die Prunkinschrift 150ff.: (Während ich im Osten kämpfte) »mein Beamter, der Statthalter von Ḳuí, in das Gebiet Mitâs von Muski, dreimal machte er Einfälle, seine Städte zerstörte er, schwere Beute machte er. Jener aber Mitâ von Muski, der sich meinen Vorgängern nicht unterworfen, nicht gebeugt hatte seinen Sinn, seinen Boten um seine Unterwerfung nebst Tribut und Geschenken zu überbringen nach dem Meere des Ostens schickte er«. Mehr als eine diplomatische Formalität wird diese Anerkennung der assyrischen Oberhoheit bei Midas wohl ebenso wenig gewesen sein, wie 50 Jahre später bei Gyges von Lydien, aber der Versuch, im Süden das Meer zu erreichen, war endgültig gescheitert. Sein und seines Volkes Namen tauchen in den assyrischen Inschriften von nun an nicht mehr auf.

---

[102]) Das Eintreten der Media für die Tenuis wird durch ein von Winckler S. 136 Anm. mit Beispielen belegtes assyrisches Lautgesetz gefordert.

Die Aufklärung, die uns die assyrischen Urkunden bringen, verbreitet nun auch über anderes bisher fast unbenutzbares Material neues Licht. Das gilt zunächst von den phrygischen Inschriften, welche 60 km östlich des Halys in Öjük gefunden sind. Bisher sind folgende vier Inschriften dort zum Vorschein gekommen.

No. 1. Ein kurzer von Hamilton, dem Entdecker Öjüks, veröffentlichter Text[103]. Hamiltons Abschrift ist offenbar nicht frei von Fehlern, wie die meisten Laienkopien, ich verstehe aber nicht, warum Ramsay (*Journal of Roy. As. Soc., new ser. vol.* XV, 1883, S. 123) ihre Aufnahme in seine Sammlung der phrygischen Inschriften ablehnt, und warum Saussure sie *mialphabétique* nennt. Der Schluß ζοϝοιμαν scheint mir sicher und für den Charakter der Inschrift entscheidend, zumal das Wort ιμαν noch in einer anderen Inschrift von Öjük vorkommt und hier von Kretschmer wohl mit Recht als Name gedeutet worden ist.

No. 2. Eine zweizeilige Inschrift, die bei Ramsay (a. a. O. Tafel III) die Nummer 13 trägt. Die eine der beiden auf verschiedenen Seiten des Steins stehenden Zeilen war schon von Mordtmann ganz unzureichend veröffentlicht[104]. Irrigerweise glaubte Mordtmann den Hamiltonschen Stein noch einmal kopiert zu haben, weil beide, jetzt übrigens verschollenen Steine in die Außenwände von Hütten vermauert waren.

No. 3 und 4 sind von Chantre entdeckt und in seinem Reisewerk *Mission en Cappadoce,* S. 165ff. von Saussure veröffentlicht worden; sie befinden sich jetzt in Konstantinopel im Tschinili-Kiosk.

Das Verständnis wird bei allen vier durch das Fehlen der Wortinterpunktion sehr erschwert, und wenn auch Kretschmer[105] für die kleinere Chantresche Inschrift eine sehr ansprechende, für die Nebenseite der größeren eine mögliche Deutung gegeben hat, so lehrt doch der Inhalt derselben so gut wie nichts[106]. Umso wichtiger ist ihr Fundort. Wie kommen diese phrygischen Inschriften, deren Schwere jeden Gedanken an weite Verschleppung ausschließt, nach Öjük in Kappadokien?

[103]) Hamilton, *Researches in Asia Minor* I, S. 383, in Facsimile wiederholt von Saussure bei Chantre, *Mission en Cappadoce* S. 167.

[104]) *Sitzungsber. der Bayr. Akad.* 1861, S. 191. Aus Ramsays unvollständigen und widerspruchsvollen Angaben ist hier wieder einmal gar nicht herauszufinden. Erstens zitiert er nicht diesen Aufsatz Mordtmanns, sondern einen anderen aus den Berichten von 1862, so daß man nicht erfährt, wo M.s auch von Ramsay anfänglich für eine besondere Inschrift gehaltene Kopie eigentlich steckt. Dann trägt die Inschrift zwar auf Tafel III und S. 123 die Nummer 13, aber bei der genaueren Besprechung der einzelnen Texte kommt sie nicht wieder vor, und unter No. 13 wird S. 134 eine weder in Facsimile noch in Umschrift mitgeteilte Inschrift als »*doubtless Christian*« und »*cut on a rock at the marble quarries of Dokimion*« bezeichnet. Auf der Tafel fehlen die Nummern 12 und 14, weil ihre Identität mit anderen nachträglich erkannt wurde, dafür finden wir dort eine No. 15, von der im Text keine Rede ist. Bei der großen Bedeutung, die gerade dieser Ramsaysche Aufsatz hat, wäre eine Aufklärung der Mißverständnisse durch den Verfasser auch heute noch erwünscht.

[105]) *Wiener Zeitschrift für die Kunde des Morgenlandes* XIII 355ff.

[106]) Die auf Chantres Taf. I und auch bei Kretschmer S. 355 sichtbaren seltsamen Zeichen unter Z. 3, mit denen sich Saussure S. 170 vergebens plagt, sind offenbar türkische Zahlen, ١٢٨٨ = 1288. Sie geben vermutlich das Erbauungsjahr (1871 n. Chr.) des Fremdenhauses an, über dessen Herd der Block eingemauert war.

Ist doch seit dem VI. Jahrhundert der Halys stets als Grenze des phrygischen Volkes betrachtet worden, so wie er auch die Grenze des Mermnadenreiches war. Kretschmer hat Saussures Versuch, die Steine als Beweismittel für die Einwanderung der Phryger von Osten her zu verwerten, mit Recht zurückgewiesen (S. 361 f.), aber er scheint mir das Auffallende ihres Daseins zu unterschätzen, wenn er sie als Spuren der Wanderung phrygischer Stämme nach Armenien auffaßt. Jene Wanderungen fallen in viel frühere Zeiten und wenn wirklich unter den Kappadokern Reste der durchziehenden Phryger zurückblieben, so erklärt das noch nicht genügend das Vorkommen monumentaler Inschriften in phrygischer Sprache. Die Schwierigkeiten lösen sich, wenn wir beachten, daß Midas am Ausgang des VIII. Jahrhunderts, die Grenzen des Phrygerreichs über den mittleren Halys hinaus vorgeschoben hatte. Die politische Herrschaft mußte Phryger, sei es als Beamte, sei es als Ansiedler, in das Land führen, und auf sie werden die Inschriften zurückzuführen sein. Ihre Datierung ist ja leider unmöglich, aber auch wenn sie jünger sein sollten als Midas, würde die für 700 bezeugte staatliche Zugehörigkeit des Landstrichs zum Phrygerreiche das spätere Vorkommen phrygischer Sprachdenkmäler besser erklären als der um viele Jahrhunderte zurückliegende Durchzug wandernder Horden.

Ich verkenne nicht, daß das Band, welches die Steine von Öjük mit den Nachrichten der assyrischen Urkunden verknüpft, nur dünn ist, umso fester läßt sich das abendländische Material an Sargons Annalen anschließen.

Der Phrygerkönig Midas kommt in der Chronik des Eusebios zweimal vor[107]. Unter 738 v. Chr.[108] wird seine Regierung, unter 696/5 v. Chr. sein Tod durch Trinken von Stierblut erwähnt. Schon Gutschmid hat diese beiden Daten als Grenzpunkte für die Regierungszeit desselben Königs angesehen[109] und diese Annahme wird durch Sargons Angaben in erwünschter Weise gestützt. Wiederholt betont nämlich Sargon (Ann. 379, Prunkinschrift 152), daß Midas sich seinen Vorgängern nicht unterworfen habe, der Phryger muß also, wenn man den Plural genau nimmt, bereits zur Zeit Tiglath-Pilesers III., 745—728, mindestens aber vor 722, dem Beginn von Sargons Herrschaft, auf den Thron gekommen sein, und dazu stimmt Eusebios' Ansatz vorzüglich. Ein gutes Menschenalter hindurch hat also der Herrscher regiert, von dessen Macht und Energie die assyrischen Quellen eine so hohe Vorstellung geben. Da es nun weiter feststeht, daß Midas der letzte selbständige König Phrygiens war, so dürfen wir unbedenklich auch diejenigen griechischen Nachrichten auf ihn beziehen, die von einem historischen Könige Midas ohne genauere Datierung handeln. Dies Verfahren wird am besten dadurch gerechtfertigt, daß die festen Umrisse von Midas' Herrschergestalt, die wir Sargons Urkunden verdanken, durch die versprengten Reste hellenischer Überlieferung zwar ausgefüllt und belebt, aber nicht im geringsten verändert werden. Eine dem phrygischen Character sonst fremde Tatkraft und Beweglichkeit zeigt Midas in den

[107]) Abgesehen von dem mythischen unter 707/8 nach Abraham angesetzten Midas.

[108]) So in der armenischen Übersetzung, 741 nach Hieronymus.

[109]) Nach Thraemer, *Pergamos*, S. 360 Anm., vgl. Gutschmid, *Kl. Schr.* III 465 f.

langjährigen Kämpfen gegen die Assyrer und dieselben Eigenschaften läßt sein Verkehr mit den Griechen erkennen.

Für einen Großstaat im Innern Kleinasiens war die Gewinnung eines Zugangs zum Meere geradezu eine Lebensfrage und diesen Zugang hat, wie wir sehen, Midas oder vielleicht schon sein Vorgänger zunächst im Süden erstrebt. Welche Bedeutung im VIII. Jahrhundert gerade die Verbindung mit dem südlichen Meer und der Insel Cypern für Phrygien besaß, lehren unsere Funde in Gordion ja höchst eindringlich. Nach anfänglichen Erfolgen wurde Midas aber hier von der überlegenen assyrischen Macht zurückgedrängt und so mußte er sich nach Westen wenden, wenn er das Meer erreichen wollte. Hier stieß er an der Küste auf die Griechen und die Berührung mit ihnen war zunächst keineswegs eine feindliche. Das Erste, was wir über seine Verbindung mit den Hellenen erfahren, ist, daß er sich um die Gunst des delphischen Apollon bemüht hat, genau so, wie später die Mermnaden, deren Politik der seinen auffallend gleicht. Dem Gotte, dessen Macht über die Gemüter der Hellenen damals vielleicht stärker war als je nachher[110], hat Midas als erster unter allen Barbaren ein kostbares Weihgeschenk dargebracht. Noch Herodot sah im Schatzhause des Kypselos, das später den Namen der Korinther trug, I, 14 des Midas βασιλήιον θρόνον, ἐς τὸν προκατίζων ἐδίκαζε, ἐόντα ἀξιοθέητον. Ich hätte niemals mit Reichel an dem Zusammenhange des Thrones mit dem historischen Phrygerkönig zweifeln sollen[111], nur seine Bedeutung hat Herodot wohl nicht verstanden. Gerade in Phrygien sind leere Götterthrone mit Sicherheit nachgewiesen[112] und so wird auch das Weihgeschenk des Midas von vornherein für den Gott bestimmt, kein menschlicher Richterstuhl gewesen sein. Herodot gibt bei dieser Gelegenheit auch den Namen von Midas' Vater Gordios[113] an, es empfiehlt sich deshalb, die legendarischen Begründer des Phrygerreiches als Gordios I. und Midas I. von dem historischen Paare Gordios II. und Midas II. zu scheiden.

Nicht weniger wichtig ist eine zweite Nachrichtengruppe, die seine Vermählung mit einer hellenischen Fürstentochter angeht. Nach Pollux IX 83 hatte er Demodike, die Tochter des sonst unbekannten Königs Agamemnon von Kyme zur Frau; in den Exzerpten des Herakleides aus Aristoteles Politiceen (Arist. fr. 611, 37 ed. Rose) heißt die Frau Hermodike, an beiden Stellen wird ihr Name mit den Anfängen der Münzprägung in Verbindung gebracht. Auch diese griechische Heirat hat in der Geschichte der Mermnaden ihr Gegenstück. Alyattes hatte eine Jonierin zur Gemahlin (Her. I 92) und es erschien eine Zeitlang zweifelhaft, ob deren Sohn Pantaleon oder Kroisos, der Sohn einer Karerin, den väterlichen Thron besteigen

[110]) Vgl. Wilamowitz, *Aisch. Choeph.*, S. 15 ff. Hiller v. Gärtringen bei Pauly-Wissowa IV 2535 ff.

[111]) *Athen. Mitt.* XXIII 97, Reichel, *Vorhellenische Götterkulte*, S. 17.

[112]) *Athen. Mitt.* XXIII 118, Sarre, *Reise in Kleinasien*, S. 104, Anderson, *Annual of the British school at Athens* IV, S. 56 f.

[113]) Gordias lautet der Name stets bei Herodot (I 14, 35, VIII 138), dazu würde ein Städtename Gordiaeion wie Midaeion, Dorylaeion gehören, da diese Form aber nicht vorkommt, ist die von den Späteren bevorzugte Namensform Gordios die richtige.

würde[114]. Freilich ist Name und Geschlecht dieser jonischen Gattin des Alyattes unbekannt und ihre Aufnahme in den Harem des lydischen Herrschers ist wohl nur ein Zeichen der bereits weit fortgeschrittenen Hellenisierung der Mermnaden, während die Ehe des Midas als planmäßiger Anknüpfungsversuch mit den griechischen Machthabern der Küste angesehen werden darf. Die Verschwägerung ihres Fürstenhauses mit dem mächtigen Phrygerkönige haben die Kymäer nicht vergessen, sie haben seinen Namen sogar in die Homerlegende hinein verflochten. Aus kymäischer Tradition wissen die Pseudoherodoteische *vita Homeri* und der Agon Homers und Hesiods zu berichten, daß der Dichter auf Bitten der Schwiegereltern[115] des Midas oder auch seiner Söhne Xanthos und Gorgos[116] dem Phrygerkönige ein Grabepigramm gedichtet habe. Älter als diese Legende ist wohl das oft wiederholte Epigramm selbst[117].

Χαλκέη παρθένος εἰμί, Μίδεω δ' ἐπὶ σήματι κεῖμαι.
Ὄφρ' ἂν ὕδωρ τε νάῃ καὶ δένδρεα μακρὰ τεθήλῃ
αὐτοῦ τῇδε μένουσα πολυκλαύτῳ ἐπὶ τύμβῳ
ἀγγελέω παριοῦσι, Μίδης ὅτι τῇδε τέθαπται.

Plato im Phaidros 264 D führt das Epigramm ohne Verfassersnamen an, Simonides soll es dem Kleobulos von Lindos zugeschrieben haben[118], in der Anthologie VII, 153 wird Homer oder Kleobulos als Verfasser genannt. Auffallenderweise haben die meisten neueren Gelehrten an die wirkliche Existenz des Grabdenkmals mit dem Epigramm darauf geglaubt, wenn es auch einige wie Gutschmid a. a. O. und Duncker (*Gesch. d. Altert.*, I⁵ S. 454) dem Kleobulos zu Liebe einem jüngeren um 600 anzusetzenden Midas zuteilen wollen. Aber sehr mit Recht hat Preger das ganze Denkmal für fingiert erklärt: Weder um 700 noch auch — wie die großen Felsdenkmäler lehren — um 600 waren die Phryger soweit hellenisiert, daß sie ihrem Fürsten eine fremdsprachige Grabschrift hätten setzen können, und völlig undenkbar ist es, daß dem Königsgrabe der königliche Titel und der Vatersname gefehlt hätten. Das Epigramm ist offenbar eine freie Erfindung, so gut wie die Grabschrift des Sardanapal, aber es ist wertvoll als Zeugnis für den Eindruck, den die Gestalt des Midas auf die Phantasie der kleinasiatischen Griechen gemacht hat[119]. Auch in dieser Hinsicht erscheint Midas wie ein Vorläufer der Mermnaden, deren letzter Sproß die griechische Phantasie so stark und nachhaltig beschäftigt hat.

114) Vgl. auch Plut. *de Pyth. orac.* 16.

115) Vita 11.

116) *Certamen* 250 ed. Rzach. Gutschmid, *Kleine Schriften* III 466 ändert den Namen des Gorgos in Gordios. Da aber der andere Bruder einen nichtphrygischen Namen trägt und die Einmischung der Söhne überhaupt sekundär zu sein scheint, ist es mir höchst zweifelhaft, ob der Redaktor des Agons noch etwas von dem regelmäßigen Wechsel der Namen Midas und Gordios im phrygischen Königshause wußte. Schwerlich berechtigt uns gerade diese Nachricht, einen Gordios III. zu statuieren.

117) Die Literatur gesammelt bei Preger, *Inscriptiones Graecae metricae* No. 233, S. 188.

118) Bei Diog. La. I 90, vgl. darüber Preger S. 190 f.

119) Preger meint, das Epigramm sei als Musterbeispiel für den sogenannten κύκλος von einem Sophisten Ausgang des V. Jahrh. erfunden, das scheint mir doch gewagt; von Kyme ist es m. E. nicht zu trennen, wie sollte ein Sophist im V. Jahrh. gerade auf Midas verfallen sein?

Wäre die Entwicklung der kleinasiatischen Verhältnisse nicht durch die plötzlich hereinbrechenden Völkerschwärme aus ihrer Bahn gedrängt worden, so wäre vermutlich Midas und seiner Dynastie das gelungen, was ein Jahrhundert später die Mermnaden erreichten, die Vereinigung aller kleinasiatischen Stämme zu einem Großstaat, der den Mächten des Ostens ebenbürtig gegenübertrat und in seiner Kultur wesentlich von dem jugendfrischen Hellenismus beeinflußt war.

Wie in Midas' Zeit das Verhältnis Phrygiens zu Lydien war, läßt sich nicht genauer feststellen. Immerhin beweist die Tatsache, daß Midas gewissermaßen über die Köpfe der Lyder hinweg Verbindungen mit Kyme und dem delphischen Gotte anknüpfte, daß die Lyder damals nicht gewillt oder nicht im stande waren, dem Nachbarn den Zugang zum Meere gewaltsam zu versperren. Das erklärt sich leicht aus den inneren Verhältnissen Lydiens, dessen Kraft in der zweiten Hälfte des VIII. Jahrhunderts durch den blutigen Zwist dreier Geschlechter, der regierenden Herakliden, der Mermnaden und der Tyloniden gelähmt wurde[120]. Von kriegerischen Verwicklungen mit Phrygien ist in den auf Xanthos zurückgehenden Auszügen aus Nikolaos von Damaskos, denen wir ja ziemlich reichliche Nachrichten über die Geschichte Lydiens im VIII. Jahrhundert verdanken, niemals die Rede, dagegen wird ein friedlicher Verkehr zwischen beiden Ländern vorausgesetzt. So erfahren wir (Nik. Dam. fr. 49), daß die Großmutter des Gyges eine Phrygerin war, die nach der Ermordung ihres Gatten Daskylos in ihre Heimat zurückkehrte und dort ihren Sohn Daskylos gebar. Dieser jüngere Daskylos wuchs in Phrygien heran, flüchtete aber später aus Furcht vor den Nachstellungen der Herakliden nach Sinope, wo er den Gyges erzeugte. Als Gyges dann den letzten Herakliden entthronte, die Kraft Lydiens zusammenfaßte und durch eine energische Politik den Grund für die spätere Macht der Mermnaden legte[121], war Midas bereits den Kimmeriern erlegen.

Der Untergang des mächtigen Phrygerkönigs ist das einzige politische Ereignis der phrygischen Geschichte, das in die Jahrbücher der Hellenen aufgenommen worden ist. In einem jener gewaltigen Völkerzüge, die seitdem so oft gleich einer Sturmflut das unglückliche Kleinasien überschwemmt haben, brachen die Kimmerier in Phrygien ein und rannten das Reich des Midas über den Haufen. Als alles verloren war, gab Midas sich selbst den Tod, der Sage nach durch Trinken von Stierblut[122]. Diese Katastrophe wird von Eusebios in das Jahr 696/5, von Julius Africanus (Cramer, Anecd. Par. II 264) ins Jahr 676 gesetzt. Wenn auch keins der beiden Daten als gesichert gelten kann, so wird doch das Eusebianische gewiß der Wahrheit näher kommen. Wie wir sahen, geht aus den assyrischen

[120]) Vgl. besonders Rudolf Schubert, *Geschichte der Könige von Lydien*, S. 21 ff.

[121]) Daß unter den verschiedenen Ansätzen für den Regierungsantritt des Gyges der des Eusebios auf 687 v. Chr. den Vorzug verdient, scheinen mir Gelzer, *Rhein. Mus.* XXX 243 und Radet, *La Lydie et le monde grec* S. 143 ff. erwiesen zu haben.

[122]) Diese seltsame Todesart, über deren ursprüngliche Bedeutung Dümmler (*Kl. Schriften* II 129 ff.) geistreiche Vermutungen vorgebracht hat, wird gerade von Midas besonders oft erzählt. Strabo I 61, Plut. *vit. Flam.* 20, *de superst.* 8, Apollon. *lex. Hom.* 156, 18 Bk., Eust. *ad* λ 14, p. 1671, 13.

Urkunden hervor, daß Midas schon vor 728 auf den Thron gekommen ist, seine Regierung würde also über 50 Jahre gedauert haben, wenn der spätere Ansatz des Todesjahres zuträfe; eine solche Dauer ist ja freilich nicht unmöglich, aber doch unwahrscheinlich. Schwerlich darf man zu Gunsten der späteren Datierung anführen, daß ziemlich genau zu der von Julius Africanus für den Einfall in Phrygien angegebenen Zeit Kämpfe der Kimmerier mit den Assyrern bezeugt sind. Wenn Asarhaddon (681—668 v. Chr.) unter seinen frühesten Regierungstaten aufführt[123]: »Und Tíuspâ, den Gimiräer, einen Mandastreiter fernen Wohnsitzes, rannte ich auf der Erde des Landes Hubusna samt seinen Truppen mit der Waffe nieder«, so folgt daraus nicht, daß die Kimmerier damals noch nicht bis Phrygien gekommen waren[124]. Es entspricht durchaus den Gepflogenheiten wandernder Volksstämme, daß sie eine so starke, gefürchtete Militärmacht, wie es Assyrien war, zunächst meiden und lieber an ihren Grenzen vorbeiziehen, um schwächere Gegner zu suchen. Wenn dann freilich immer neue Schwärme nachdrängen, wird ein Zusammenstoß mit der anfangs gemiedenen Großmacht unvermeidlich, und so wäre es nicht im geringsten wunderbar, falls Asarhaddon erst etwa 20 Jahre nach Midas mit den Kimmeriern zu kämpfen gehabt hätte.

Eine zusammenhängende Darstellung der Eroberung Phrygiens durch die Kimmerier hat es im Altertum gewiß nicht gegeben, aber auch außer dem sagenhaft ausgeschmückten Tode des letzten Herrschers blieben Einzelheiten in der Tradition lebendig. So lesen wir bei Stephanos von Byzanz unter dem Namen Συασσός, daß die Kimmerier in diesem sonst ganz unbekannten Dorfe Phrygiens große Mengen Weizen aufgespeichert gefunden hätten ἀφ' ὧν αὐτοὺς ἐπὶ πολὺν χρόνον διατραφῆναι[125].

Mit Midas' Tod ist die politische Geschichte der Phryger im Grunde abgeschlossen, volle staatliche Selbständigkeit hat das Volk nie wieder gewonnen. Nur ganz vereinzelt taucht in den nächsten Jahrhunderten sein Name auf, und nur durch Kombination kann man eine Vorstellung von seinen Geschicken gewinnen. Sicher erscheint zunächst, daß bei der Vertreibung der Kimmerier aus Kleinasien die Phryger keine Rolle gespielt haben, den Befreiungskampf gegen die Barbaren führten vielmehr die lydischen Mermnaden mit siegreicher Energie zu glücklichem Ende. Mochten sie auch zeitweilig genötigt sein, die Oberhoheit Assyriens anzuerkennen, mochte der erste König Gyges im Kampfe fallen[126] und die Hauptstadt

---

[123]) Ich folge der Transskription von Abél in Schraders *Keilinschriftlicher Bibliothek* II, Inschrift der Prismen A und C col. II, 6—9, vgl. Prism. B col. III, 1—2.

[124]) Diesen Schluß ziehen Gelzer, *Rhein. Mus.* XXX 263, Radet S. 176 und entschiedener Winckler, *Die Völker Vorderasiens*, S. 29.

[125]) Eine ähnliche Einzelheit, den Tod vieler Kimmerier durch den Genuß giftiger Kräuter bei der Mariandynerstadt Herakleia, berichtete Arrian in den Bithyniaca, fr. 47.

[126]) Assurbanipals eingehender Bericht über Gyges' Verhältnis zu Assyrien und seinen Tod (*Annalen* col. II 95—125, jetzt bei Schrader, *Keilinschriftliche Bibliothek* II 173ff.), dem Gutschmid (*Fleckeisens Jahrb.* 1875, S. 584) und Schubert (*Könige von Lydien*, S. 38) noch so mißtrauisch gegenüberstanden, ist jetzt wohl allgemein als wichtigste Quelle anerkannt.

selbst vorübergehend in Feindeshand geraten (Her. I 15), sie hielten trotz alledem aus und der verdiente Preis war die Oberherrschaft über die den Kimmeriern entrissenen Landschaften. Nach Herodot (I 16) war es Gyges' dritter Nachfolger Alyattes (etwa 610—561), der die Kimmerier ganz aus Kleinasien verjagte, und es ist längst bemerkt worden[127], daß sein Zusammenstoß mit dem medischen Reiche (Her. I 74) die Ausdehnung der lydischen Herrschaft bis zum Halys voraussetzt, obwohl Herodot an anderer Stelle (I 28) die Unterwerfung der Völker diesseits des Halys erst seinem Sohne Kroisos zuschreibt. Um 600 sind also die Phryger unter lydische Herrschaft gekommen; wie es ihnen während der drei Menschenalter der Kimmerierinvasion ergangen ist, entzieht sich gänzlich unserer Kenntnis. Es scheint nun, daß die Mermnaden den Phrygern eine beschränkte Selbständigkeit unter der alten Dynastie gelassen haben, deren Mitglieder während der Kimmerierherrschaft in den unzugänglichen Waldtälern eine bescheidene Existenz gefristet haben mögen. Freilich besteht unser einziges direktes Zeugnis für den Fortbestand der Midas-Dynastie in einer durchaus mythischen Erzählung bei Herodot. Der phrygische Königssohn Adrastos, der unabsichtlich seinen Bruder getötet hat, von Kroisos entsühnt wird und dann wider Willen dessen Sohn Atys auf der Eberjagd tötlich verwundet, gibt bei der ersten Begegnung an (Her. I 35): Γορδίεω μὲν τοῦ Μίδεω εἰμι παῖς und Kroisos antwortet ihm: ἀνδρῶν τε φίλων τυγχάνεις ἔκγονος ἐὼν καὶ ἐλήλυθας ἐς φίλους. Man hat in der Erzählung eine rationalistische Umbildung des lydischen Attismythos erkannt[128], und da der Name Adrastos zweifellos griechisch, nicht phrygisch ist, so ist auch die ihm beigelegte Genealogie verdächtig. Unleugbar kann aber auch die Existenz jener phrygischen Könige trotz des mythischen Charakters ihres angeblichen Sprößlings historisch sein, und dafür scheint mir eine Einzelheit zu sprechen: Der gefeierte phrygische Königsname ist bei den Griechen damals Midas und wenn nun Adrastos nicht Sohn des Midas, sondern des Gordios heißt, so klingt das nach guter Tradition. Wer den Adrastosmythos in die Kroisoslegende einschob, konnte von den mit Kroisos gleichzeitigen Phrygerfürsten sehr wohl Kenntnis haben. An den letzten sicheren Midas lassen sich die beiden Namen zur Not anschließen: War etwa Gordios III. 700 geboren und hatte um 660 einen Sohn Midas III. gezeugt, so konnte dessen Sohn Gordios IV. um 620 geboren sein und um 560 noch in voller Frische leben[129].

Man könnte versucht sein, Herodots Angabe über Midas III. und Gordios IV. durch ein Aristotelisches Zeugnis stützen zu wollen. *Pol.* V 1315 b, 24 wird über die Dynastie des Kypselos berichtet: Κύψελος μὲν γὰρ ἐτυράννησεν ἔτη τριάκοντα, Περίανδρος δὲ τετταράκοντα καὶ τέτταρα, Ψαμμήτιχος δ' ὁ Γορδίου τρία ἔτη. Daß Psamme-

[127]) Schubert, *Geschichte der Könige von Lydien*, S. 38, Eduard Meyer, *Gesch. des Altert.* I, § 486 f., Radet, *La Lydie*, S. 191 ff.

[128]) Paus. VII 17, 9, vgl. Baumeister, *De Atye et Adrasto*, S. 8 ff. und Eduard Meyer bei Pauly-Wissowa II 2262.

[129]) Etwa zu demselben Ergebnis kommt Gutschmid, *Kl. Schr.* III 467, der freilich Reiner Reineccius' Vermutung (*hist. Jul.* I 160) für annehmbar hält, erst Kroisos habe nach dem Tode des kinderlosen Gordios IV. Phrygien seinem Reiche einverleibt.

tichos seinen ägyptischen Namen den Verbindungen der Kypseliden mit dem Nillande verdankt, ist selbstverständlich und so liegt es nahe, den Namen Gordios aus entsprechenden phrygischen Beziehungen herzuleiten. Die Annahme ist um so verführerischer, als lebhafter korinthischer Export nach Phrygien wenigstens für das VI. Jahrhundert durch unsere Ausgrabungen erwiesen wird. Der Kypselide muß bald nach 650 geboren sein und könnte seinen Namen dann von Gordios III. entlehnt haben. Aber leider hält die Kombination nicht Stich, denn der oft erwähnte Sohn des Kypselos heißt nur bei Aristoteles Gordios, sonst Gorgias[130] oder Gorgos[131], und historische Erwägungen machen es höchst unwahrscheinlich, daß etwa Aristoteles allein die richtige Namensform bewahrt habe. Als der Kypselide geboren wurde, war die Macht der wilden Kimmerier noch ungebrochen, wenige Jahre vorher hatten sie Sardes bis auf die Burg erobert, und die korinthischen Kaufleute, die rund 80 Jahre später so feine und zerbrechliche Ware bis ins Zentrum Kleinasiens bringen konnten[132], hätten damals weder freie Straßen zum Hochlande noch kaufkräftige Abnehmer in der phrygischen Königsstadt gefunden.

So gewährt die literarische Tradition keine Bestätigung für Herodots Angaben, deren unsichere Beglaubigung ich gerade deshalb betonen möchte, weil sie, so viel ich sehe, niemals angezweifelt worden sind, aber die monumentale Überlieferung kommt ihnen in gewisser Weise zu Hilfe. Die Denkmäler beweisen, wie ich schon früher gezeigt habe[133], und jetzt durch unsere Funde über allen Zweifel erhoben worden ist, daß Phrygien sich vom Ausgang des VII. bis zur Mitte des VI. Jahrhunderts einer erstaunlich hohen materiellen Blüte erfreut hat, und dieser Wohlstand, diese Regsamkeit auf künstlerischem Gebiete erklärt sich viel besser, wenn damals die einheimische Dynastie unter der wenig drückenden Oberhoheit ferner Herrscher das Land selbständig regierte, als wenn es fremden Satrapen überantwortet war. So ist es immerhin geraten, an Herodots Gordios IV. und Midas IV. festzuhalten, bis uns etwa neue Funde eines besseren belehren. Frei erfunden ist dagegen gewiß der König Artakamas von Großphrygien in Xenophons Cyropaedie II 1, 5 und VIII 6, 7. Wie unheilvoll ein Satrapenregiment wirken kann, zeigt recht deutlich die völlige Erstarrung Phrygiens unter persischer Herrschaft. Als das Land nach Kroisos' Sturz 546 von den westlichen hellenisierten Landschaften losgerissen und mit Bithynien, Paphlagonien, Mariandynien und Kappadokien zum νόμος δεύτερος des Perserreiches geschlagen wurde (Her. III 90), da verkümmerte das Volk rasch. Die Nation, die einst auf die Hellenen anregend gewirkt, die unter einem großen Herrscher den übermächtigen Assyrern viele Jahre widerstanden hatte, und die zur Führerin Kleinasiens berufen schien, sank bald zu einem Volke stumpfer Knechte herab. Niemals hören wir von einem Versuch der Auflehnung gegen die in den folgenden Jahrhunderten mannigfach wechselnden Herren; die starkknochigen Jünglinge des fruchtbaren Landes füllen die Sklavenmärkte des

[130]) Plut. *sept. sap. conv.* 17.

[131]) Nikol. Dam. fr. 60, Strabo VII 325, Scymn. 453. Stärker verderbt ist der Name Strabo X 452 in Γάργασος, Anton. Lib. 4 in Τόλγος.

[132]) Siehe Tum. I und II.

[133]) *Athen. Mitt.* XXIII 151 ff.

Westens, mit dem Namen ihres ruhmreichen Königs ruft in Aristophanes' Zeit der Athener seinen Sklaven[134], hellenischer Witz prägt das unbarmherzige Spottwort:

Φρὺξ ἀνὴρ πληγεὶς ἀμείνων καὶ διακονέστερος,

und wenn der Lyriker Timotheos die Barbaren in Xerxes' Heer der Lachlust seiner Landsleute preisgeben will, so läßt er einen Phryger radebrechen[135]. Das den Hellenen der Abstammung nach so nahestehende Volk ist für sie zum Typus alles dessen geworden, was sie als barbarisch verachten[136].

134) Ar. *Vesp.* 423. 135) Timotheos, *Die Perser* ed. Wilamowitz V 152 ff.
136) Vgl. den Phryger in Euripides' *Orestes* 1369 ff.

KAPITEL II.

TOPOGRAPHIE VON GORDION.

Die literarische Tradition über die Lage und die Geschichte von Gordion habe ich schon in den Athenischen Mitteilungen XXII, 1 ff. ziemlich ausführlich behandelt, es scheint aber geboten, das Material in diesem nach jener Stadt benannten Buche noch einmal im Zusammenhang vorzulegen, zumal da unsere Ausgrabungen keine direkte urkundliche Beglaubigung unseres Ansatzes von Gordion gebracht haben.

Die wichtigeren Nachrichten über Gordion lassen sich einteilen in solche, die aus geographischem, und solche, die aus historischem Interesse gemacht sind; ich beginne mit ersteren:

1. Strabo XII 567/8: Πλησίον δὲ (Πεσσινοῦντος) καὶ ὁ Σαγγάριος ποταμὸς ποιεῖται τὴν ῥύσιν· ἐπὶ δὲ τούτῳ τὰ παλαιὰ τῶν Φρυγῶν οἰκητήρια Μίδου καὶ ἔτι πρότερον Γορδίου καὶ ἄλλων τινῶν, οὐδ' ἴχνη σώζοντα πόλεων, ἀλλὰ κῶμαι μικρῷ μείζους τῶν ἄλλων οἷόν ἐστι τὸ Γόρδιον καὶ Γορβεοῦς κτέ.

2. Plin. *nat. hist.* V 146: *Simul dicendum videtur et de Galatia, quae superposita agros maiore ex parte Phrygiae tenet caputque quondam eius Gordium.*

3. Steph. Byz.: Γορδίειον, πόλις τῆς μεγάλης Φρυγίας πρὸς τῇ Καππαδοκίᾳ ἀπὸ Γορδίου τοῦ πατρὸς Μίδου. τὸ ἐθνικὸν Γορδιεύς, ὡς Κοτιάειον Κοτιαεύς, Δορυλάειον Δορυλαεύς. ἐχρῆν δ' ἰσοσύλλαβον· ἀλλὰ τὰ παρὰ τοῖς Φρυξὶ σημειώδη.

In geschichtlicher Darstellung wird Gordion zuerst bei Xenophon erwähnt:

4. Xen. *Hell.* I 4, 1: Φαρνάβαζος δὲ καὶ οἱ πρέσβεις τῆς Φρυγίας ἐν Γορδιείῳ ὄντες τὸν χειμῶνα τὰ περὶ τὸ Βυζάντιον πεπραγμένα ἤκουσαν. ἀρχομένου δὲ τοῦ ἔαρος πορευομένοις αὐτοῖς παρὰ βασιλέα ἀπήντησαν καταβαίνοντες οἵ τε Λακεδαιμονίων πρέσβεις Βοιώτιος καὶ οἱ μετ' αὐτοῦ καὶ οἱ ἄλλοι ἄγγελοι.

Am häufigsten wird Gordion in der Geschichte Alexanders genannt, dessen glücklichem Einfall es ja allein seinen Weltruhm verdankt:

5. Curt. *hist. Alex.* III 1, 11: *Phrygia erat, per quam ducebatur exercitus, pluribus vicis quam urbibus frequens. Tunc habebat nobilem quondam Midae regiam, Gordium nomen est urbi, quam Sangarius amnis interfluit*[1], *pari intervallo Pontico*

[1]) Ob *interfluit* oder *praeterfluit* besser beglaubigt ist, kann ich bei dem Fehlen einer vollständigen kritischen Ausgabe des Curtius nicht feststellen. Zumpt gibt *interfluit* und bemerkt: »*praeterfluit in nullo meorum praeter Bernensem A legitur*«; Hedicke schreibt *praeterfluit* ohne kritische Anmerkung, da sein kritischer Apparat aber unvollständig ist, gestattet sein Schweigen keine bündigen Schlüsse. Zu den von uns ermittelten örtlichen Verhältnissen würde *interfluit* nicht übel passen, vgl. S. 34, aber auch das andere Compositum wäre ohne Anstoß.

et Cilicio mari distantem .... Alexander urbe in dicionem suam redacta Jovis templum intrat.

6. Arr. *exped. Alex.* I 29, 3: (Von Kelainai) αὐτὸς ἐπὶ Γορδίου ἐστέλλετο καὶ Παρμενίωνι ἐπέστειλεν ἄγοντα ἅμα οἱ τὴν δύναμιν ἐκεῖσε ἀπαντᾶν· καὶ ἀπήντα ξὺν τῇ δυνάμει Παρμενίων. καὶ οἱ νεόγαμοι δὲ οἱ ἐπὶ Μακεδονίας σταλέντες εἰς Γόρδιον ἧκον καὶ ξὺν αὐτοῖς ἄλλη στρατιὰ καταλεχθεῖσα .... 5. Τὸ δὲ Γόρδιον ἔστι μὲν τῆς Φρυγίας τῆς ἐφ' Ἑλλησπόντου, κεῖται δὲ ἐπὶ τῷ Σαγγαρίῳ ποταμῷ .... ἐνταῦθα καὶ Ἀθηναίων πρεσβεία παρ' Ἀλέξανδρον ἀφίκετο κτέ.

II 3: Ἀλέξανδρος δὲ ὡς ἐς Γόρδιον παρῆλθε, πόθος λαμβάνει αὐτὸν ἀνελθόντα ἐς τὴν ἄκραν, ἵνα καὶ τὰ βασίλεια ἦν τὰ Γορδίου καὶ τοῦ παιδὸς αὐτοῦ Μίδου, τὴν ἅμαξαν ἰδεῖν τοῦ Γορδίου καὶ τοῦ ζυγοῦ τῆς ἁμάξης τὸν δεσμόν.

II 4: Αὐτὸς δὲ τῇ ὑστεραίᾳ ἐπ' Ἀγκύρας τῆς Γαλατικῆς ἐστέλλετο.

7. Plut. *Alex.* 18: Μετὰ ταῦτα Πισιδῶν τε τοὺς ἀντιστάντας ᾕρει καὶ Φρυγίαν ἐχειροῦτο. καὶ Γόρδιον πόλιν, ἑστίαν Μίδου τοῦ παλαιοῦ γενέσθαι λεγομένην, παραλαβὼν τὴν θρυλουμένην ἅμαξαν εἶδε κτέ.

8. Just. XI 7, 3: *Post haec Gordion*[2] *urbem petit, quae posita est inter Phrygiam maiorem et minorem; cuius urbis potiundae non tam propter praedam cupido eum cepit, sed quod audierat in ea urbe in templo Jovis iugum Gordii positum, cuius nexum si quis solvisset eum tota Asia regnaturum antiqua oracula cecinisse ... 15 Igitur Alexander capta urbe cum in templum Jovis venisset, iugum plaustri requisivit.*

Noch einmal spielt die Stadt dann eine, freilich bescheidene, Rolle in dem Feldzug des Manlius gegen die Galater im Jahre 189 v. Chr.

9. Pol. XXII 18, 8 D: Ὄντος δὲ τοῦ Γναίου πρὸς τὸ πολισμάτιον τὸ καλούμενον Γορδίειον ἧκον παρ' Ἐποσογνάτου πρέσβεις κτέ.

10. Liv. XXXVIII 18: *Postero die ad Gordium pervenit. Id haud magnum quidem oppidum est, sed plus quam mediterraneum celebre et frequens emporium. Tria maria pari ferme distantia intervallo habet Hellespontum et Pontum ad Sinopen et alterius orae litora, qua Cilices maritimi colunt; multarum magnarumque praeterea gentium fines contingit, quarum commercium in eum maxime locum mutui usus contraxere. Id tum desertum fuga incolarum oppidum, refertum idem copia rerum omnium invenerunt.*

Hinzukommen endlich noch ein paar Grammatikerstellen, die, ohne für Lage und Geschichte der Stadt etwas auszugeben, für die Feststellung ihrer Namensform von Interesse sind[3]. Die von Xenophon und Polybios gebrauchte Form Γορδίειον wird auch von Herodian (ed. Lentz I, p. 360, 373, II 460, 589, 892) und Suidas (s. v. Γορδίειον) bevorzugt, während die kürzere, bei Strabo, Arrian, Plutarch und den römischen Schriftstellern vorliegende Form Γόρδιον, die bei uns allein üblich geworden ist, von einem Grammatiker in Cramers *Anecdota Oxoniensia* II 197 verteidigt wird.

[2]) Die überlieferte Form *Gordien* wird von Ruehl beibehalten; ich möchte doch an einen Fehler der Handschriften glauben und mit Bongars Gordion einsetzen.

[3]) Hierher gehört im Grunde auch die dem Herodian entlehnte Notiz des Stephanos von Byzanz.

Zwei Tatsachen lassen sich aus den topographischen Angaben der Schriftsteller über die Stadt mit Sicherheit entnehmen, die Lage am Sangarios (Strabo, Curtius, Arrian) und die Lage an wichtigen Straßen nach dem Osten. Das geht schon aus Xenophons Angaben hervor, der die von Kyzikos (I 3, 13) mit Pharnabazos abgereisten Gesandten an den Großkönig in Gordion Halt machen und dort beim Aufbruch im nächsten Frühjahr andere aus Persien heimkehrende Gesandte treffen läßt, noch deutlicher wird es aber durch die genauen Mitteilungen Arrians über Alexanders Marsch im Frühjahr 333. Alexander marschierte von Kelainai[4] an auf der alten persischen Königstraße nach dem Osten, und wenn er Gordion zum Vereinigungspunkt seines Heeres mit den Truppen des Parmenion und vor allem dem Zuzug aus Makedonien bestimmt, wenn endlich auch die Gesandten der Athener ihn in Gordion erreichen, so folgt daraus, daß hier eine aus dem Nordwesten Kleinasiens kommende Straße mit der Königstraße zusammenstieß. Damit ist die Lage von Gordion schon beinahe mathematisch genau bestimmt, denn eine aus dem Nordwesten Kleinasiens nach dem Osten führende Straße, die den Sangarios schneidet und über Ankyra weitergeht, muß das breite Tal des Tembris (Porsuk) benutzen, wie das auch heute die Eisenbahn tut, bei der Mündung des Tembris in den Sangarios muß also Gordion gelegen haben, nur ein Spielraum weniger Kilometer stromauf und stromab bleibt für seinen Ansatz offen. Aus diesen Erwägungen heraus hat denn auch bereits Lolling (Iwan Müllers Handbuch III 272) Gordion zweifelnd da angesetzt, wo wir es später mit dem Spaten gesucht haben[5]. Ohne Lollings Ansatz zu kennen, haben dann Edmund Naumann und ich die gegenüber dem Dorfe Pebi gelegene Ruinenstätte, auf welche uns der inzwischen in China ermordete Oberingenieur Ossent hingewiesen hatte, sofort bei dem ersten Besuch im November 1893 als Gordion bezeichnet.

Da Mordtmann[6] und Ramsay[7] auf Grund des Livianischen Berichtes über den Marsch des Cn. Manlius Volso gegen die Galater (XXXVIII 12—18) zu wesentlich anderen Bestimmungen von Gordion gekommen waren, versuchte ich im Juni 1894 den Zug des Feldherrn von dem letzten festen Punkte Synnada aus bis Gordion zu verfolgen, um zu sehen, ob sich seine Angaben mit dem Ansatz bei Pebi vereinigen ließen. Obwohl ich durch den Argwohn der Behörden von Siwrihissar und

[4]) Meine von der herrschenden erheblich abweichende Ansicht über den Gang der Königstraße habe ich *Gött. gel. Anz.* 1897, S. 394 ff. zu begründen versucht. Da die Königstraße als d i e große Straße für ein nach Osten marschierendes Heer von Herodot V 52—54 so ausführlich geschildert wird, ist es selbstverständlich, daß Xerxes sie benutzt, und demnach ging sie über Kolossai und Kelainai (Her. VII 26 und Xen. an. I 2, 9). Mit Hilfe von Athen. XIII 574 f läßt sich weiter feststellen, daß sie von Metropolis aus nördlich über Synnada fortging, während die spätere Karawanenstraße (Strabo XIV 663) südlicher verlief. Zwischen Synnada und Gordion ist keine Zwischenstation bekannt, Pessinus kann ich nicht mehr dafür halten, seit ich es besucht habe.

[5]) Lolling schreibt Bebek für Pebi, bezeichnet aber die Lage richtig. Ob er durch Privatmitteilungen davon unterrichtet war, daß die Brüder v. Quast bereits 1887 den Hügel als Ruinenstätte erkannt hatten (v. Diest, *Ergänzungzheft 116 zu Petermanns Mitteilungen*, S. 34), weiß ich nicht.

[6]) *Sitzungsberichte der bayer. Akad.* 1860, S. 176.

[7]) *Historical geography of Asia Minor*, S. 225.

Angora, die in mir einen Agenten zur Aufreizung der Armenier witterten, verhindert wurde, dem Lauf des Sangarios von der Mündung des Lalandos (Bunarbaschi-su) bis Pebi zu folgen, kam ich doch zu dem Ergebnis, daß Livius' Marschbericht der Gleichung Pebi = Gordion nicht im Wege stehe. Ohne auf alle Einzelheiten des Marsches nochmals einzugehen, will ich die entscheidenden Beobachtungen wiederholen. Manlius hatte sich am fünften Tage nach seinem Abmarsch von Synnada, als er am Lalandos Halt machte (XXXVIII 18), dem Sangarios bereits bis auf etwa 16 km genähert; wenn er gleichwohl den Fluß erst fünf oder noch mehr Tage später erreichte, inzwischen vier Ortschaften berührte und durch eine holzlose Wüste marschierte, so muß er eine starke Digression nach Osten hin in die heute Haimaneh genannte Steppe gemacht haben. Dann darf aber der Punkt, an dem der Feldherr den Sangarios überbrückte, nicht mehr im Süden von Pessinus gesucht werden, und dazu nötigt auch das Eintreffen einer Priestergesandtschaft aus jener Stadt nicht, weil von Pessinus auch in östlicher Richtung ein Weg zum Sangarios führte. Vermutungsweise hatte ich (S. 14) die moderne Brücke Kawundschu-köprü als den Ort bezeichnet, an dem Manlius die Kybelepriester empfing und sein letztes Quartier vor Gordion hatte. Meine früheren Ansichten sind nun durch zwei Streifzüge, die wir von Beylik-köprü im Sommer 1900 unternahmen, im wesentlichen bestätigt, im einzelnen berichtigt worden. Am 4. Mai ritten wir von der Station Beylik-köprü auf dem linken Ufer des Sangarios stromaufwärts bis zur »Melonenhändler-Brücke« (Kawundschu-köprü), meist ganz nahe dem Fluß, vielfach ohne Weg, und kehrten dann auf dem rechten Ufer zur Station zurück. Dabei drängte sich uns die Überzeugung auf, daß Manlius seinen Flußübergang an der Stelle der heutigen Brücke vollzogen habe. Der Fluß fließt hier fast genau von West nach Ost, die Achse der Brücke ist rein nord-südlich gerichtet, die Flußbreite beträgt rund 24 m. Auf die Brücke zu öffnet sich von Südsüdwest her zwischen mäßigen Höhenrücken eine flache Talmulde, durch die Manlius aus der Axylos zum Flusse herangerückt sein wird. Genau im Westen der Brücke liegt in Entfernung von etwa 5 km der Hauptort des Bezirkes Günüs und von diesem aus führt ein später von uns benutzter Weg nach Pessinus. Früher habe ich aus der Livianischen Schilderung »*Transgressis ponte perfecto flumen praeter ripam euntibus Galli Matris Magnae a Pessinunte occurrere cum insignibus suis vaticinantes fanatico carmine Deam Romanis viam belli et victoriam dare imperiumque eius regionis. Accipere se omen cum dixisset consul, castra eo ipso loco posuit*« gefolgert, daß zwischen die Brücke und die Begegnung mit den Priestern ein Tagemarsch einzuschieben sei, aber Polybios' allein maßgebende Darstellung, die uns für diese Einzelheit gerade erhalten ist, widerstrebt dem. Pol. XXII 18, 4 D.: Γναῖος ὁ ὕπατος ῾Ρωμαίων διερχόμενος ἐγεφύρωσε τὸν Σαγγάριον ποταμὸν τελέως κοῖλον ὄντα καὶ δύσβατον. καὶ παρ' αὐτὸν τὸν ποταμὸν στρατοπεδευσαμένῳ παραγίγνονται Γάλλοι παρὰ Ἄττιδος καὶ Βαττάκου τῶν ἐκ Πεσσινοῦντος ἱερέων τῆς Μητρὸς τῶν θεῶν, ἔχοντες προστηθίδια καὶ τύπους, φάσκοντες προσαγγέλλειν τὴν θεὸν νίκην καὶ κράτος· οὓς ὁ Γναῖος φιλανθρώπως ὑπεδέξατο. Polybios sagt nichts von einem Entlangziehen am Fluß, unmittelbar bei der Brücke ist das Lager schon aufgeschlagen, als die Galli erscheinen, Livius hat die Erzählung etwas gemodelt, damit der Feldherr sein »*accipio omen*« sprechen kann[8]. Die topographischen Verhältnisse bei Kawundschu-köprü passen nun vortrefflich zu Polybios' Angaben, denn ebenda, wo aus der Axylos ein natürlicher Zugang an den Sangarios führt, erreicht ihn auch ein Weg von Pessinus her.

Auch die Beweggründe, die den Feldherrn zu dem Brückenbau veranlaßten, habe ich a. a. O. S. 13 nicht ganz zutreffend beurteilt. Bestehen bleibt, daß nur der Wunsch, seinen Marsch zu sichern, ihn bestimmen konnte, das linke Flußufer aufzusuchen, während das Gebiet des Feindes auf dem rechten lag, aber dies rechte Ufer ist nicht, wie ich annahm, von waldigen, bis an den Fluß herantretenden Bergen eingeschlossen, die dem Feinde als Hinterhalt dienen konnten. Das Tal ist vielmehr ziemlich breit und die sanften Höhen, die es begrenzen, waren wohl auch in Manlius' Zeit kahl. Höchst unangenehm für eine marschierende Truppe ist dagegen der stark sumpfige Boden des Flußtals, der gerade an den Stellen am schwierigsten zu passieren ist, wo schmale Seitentälchen einen überraschenden Angriff ortskundiger Feinde begünstigen würden. Auf dem linken Ufer sind zwar die Bodenverhältnisse keineswegs besser, aber der tiefe Fluß[9] mit seinen sumpfigen Ufern bildete doch eine gute Schutzwehr gegen plötzliche Angriffe von Osten. Ferner ist zu bemerken, daß die Entfernung von Kawundschu-köprü bis Pebi etwas weiter ist, als ich nach den für diese Gegend noch recht mangelhaften Karten voraussetzte, sie beträgt nicht 23, sondern 28—29 km, übersteigt damit aber noch keineswegs die für einen Tagesmarsch zulässige Länge[10]. Zwischen der Brücke und Pebi liegt am Fluß nirgends eine antike Ruinenstätte.

Als wir nach Beendigung unserer Ausgrabungen über Pessinus in den Bezirk der großen Felsdenkmäler ritten, hatten wir sodann Gelegenheit, den Weg der Kybelepriester von Günüs aus rückwärts zu verfolgen[11]. Von dem in reicher wohlbebauter Ebene liegenden Marktflecken führt ein leidlich bequemer Weg über Süres, Atlas und Kusviran in etwa 2 Stunden zur Paßhöhe des Araït-dagh und von dort in ungefähr 2½ Stunden nach Balahissar (Pessinus) hinab. Die Priester konnten den Weg bis zum Lager des Manlius also zu Fuß, zu Roß oder selbst zu Wagen[12] in höchstens 6 Stunden zurücklegen.

[8]) Eine andere willkürliche Entstellung des Polybianischen Berichtes, die sich Livius in demselben Kapitel erlaubt, die Einsetzung der Tektosagen für die Tolistobogier, habe ich *Wochenschrift für klass. Philol.* 1898, S. 4ff. besprochen. Auch die effektvolle Schilderung der günstigen Lage von Gordion (s. S. 29), die nicht zu Polybios' Bezeichnung πολισμάτιον paßt, ist nur der Rhetorik zuliebe eingeschoben.

[9]) An der Beybrücke stellten wir seine Tiefe auf 2—2½ m fest, an anderen Stellen soll sie noch größer sein; Furten gibt es an diesem Teile des Flusses nicht, wohl aber unterhalb der Porsuk-Mündung bei Kjösseler.

[10]) Herodot berechnet V 53 den Tagesmarsch auf 5 Parasangen = 29,6 km und genau so lang sind die normalen Übungsmärsche der römischen Legionen im Frieden (Veget. I 27); das Heer des jüngeren Kyros marschierte auf dem ersten Teil des Zuges bis Tarsos sogar durchschnittlich 6,5 Parasangen = 38,6 km.

[11]) Leider reichten unsere Zeit und unsere Kräfte nicht mehr aus, um ein Routier dieses Weges anzufertigen.

[12]) Wir schickten unsern Gepäckwagen aus Vorsicht in weitem Bogen südlich um den Araït-dagh herum, ich habe aber schon schlechtere Wege in Anatolien mit Wagen zurückgelegt, als den über diese Paßhöhe.

Das Ergebnis unserer Nachprüfung ist demnach, daß auch die Schilderung des Manliuszuges zu dem Ansatz von Gordion bei Pebi vortrefflich paßt, und das Gewicht der früher vorgetragenen Gründe wird noch durch die Feststellung erhöht, daß oberhalb Pebi 28 km weit keine Ruinenstätte am Flusse zu finden ist, die etwa auf den Namen Gordion Anspruch machen könnte. Auch die einzige Ruinenstätte, die wir stromabwärts von Pebi zu bemerken glaubten, kann den Ansatz nicht erschüttern. Wir sahen im Tale von Tschoban-ösü, etwa 10 km nordnordöstlich von Pebi und gegen 5 km vom Fluß entfernt einen breiten Hügel, der die für phrygische Ruinenstätten charakteristische Form zeigte. Ob wirklich dort antike Reste vorhanden sind, haben wir leider nicht festgestellt; unter dem lähmenden Einfluß der Augusthitze und der immer häufiger wiederkehrenden Fieberanfälle ist die geplante Tagestour dorthin unterblieben. Sollte dort eine antike Ansiedlung bestanden haben, was wir für wahrscheinlich halten, so ist sie doch mit den Angaben über Gordion nicht vereinbar, denn sie liegt vom Sangarios nicht unbeträchtlich entfernt und die Strecke bis zur Kawundschu-köprü ist zu weit für einen Tagesmarsch. Daß sie auch an Bedeutung der Ruinenstätte bei Pebi weit nachstand, zeigt das Fehlen der riesigen Hügelgräber, die dort sofort an alte Größe gemahnen. Da Strabo noch andere zu Dörfern herabgesunkene Phrygerstädte am Sangarios kennt, wie z. B. Gorbeus, wird man einen solchen Ort von geringerem Namen bei Tschoban-ösü zu suchen haben.

Ich gehe nun zu genauerer Betrachtung der Ruinenstätte bei Pebi und ihrer Umgebung über[13]. Verfolgt man von Beylik-köprü aus, wo die Eisenbahn Eskischehir—Angora den Fluß überschreitet und eine baufällige Holzbrücke dem nicht unerheblichen Wagenverkehr genügen muß, den Lauf des Sakaria, so sieht man den wasserreichen, viel gewundenen Fluß 5 km lang hart am Ostrande seines Tals einherziehen. Dann wendet er sich kurz vor dem am linken Ufer gelegenen armseligen Dorfe Pebi in einigen scharfen Windungen auf die andere Seite hinüber und fließt nun ganz am Westrande des Tals, eingeklemmt zwischen der geringen Bodenschwellung, auf der Pebi liegt, und dem Stadthügel von Gordion. Diese Wendung nach links ist überraschend, denn auf der Ostseite des Tals öffnet sich in der alten Richtung des Flusses ein viel breiterer Durchlaß zwischen dem Doppelhügel von Gordion und den Uferhöhen. Es kann nicht zweifelhaft sein, daß der Sakaria einst hier im Osten geflossen ist und die Ursache seiner Ablenkung ist auch noch wohl zu erkennen. Von Osten her tritt gegenüber dem Stadthügel ein Bach in die Sakariaebene ein, der von dem stattlichen Tschilek-dagh herabkommt. Im Sommer versiegt er, aber im Frühjahr und nach Gewitterregen bringt er sehr bedeutende Mengen von Wasser und Sinkstoffen aus dem Gebirge herunter. Wir erlebten es am 31. Mai, daß nach einem heftigen im Tschilek-dagh niedergegangenen Gewitter morgens die Ebene weithin unter Wasser stand, obwohl hier kein Regen gefallen war. Dieser Bach hat den Sakaria gezwungen, seinen Lauf allmählich

[13]) Vgl. den Plan Taf. I.

immer weiter nach Westen zu verschieben. Ohne Frage hat der Fluß zeitweise seinen Lauf auch zwischen den beiden Hügeln von Gordion hindurch genommen, so wie die punktierten Linien unseres Planes es andeuten, und die Lesart *interfluit* bei Curtius würde den örtlichen Verhältnissen gut entsprechen. Noch heute kommt es bei Hochwasser vor, daß ein Wasserarm beide Hügel scheidet, und nach den starken Regenfällen des Mai und Juni konnte unser Aufseher Georgios Paraskevopulos das Wasser zuweilen nur auf den Schultern eines stämmigen Kurden passieren. In welchen Zeiträumen die Verschiebung des Sakarialaufes eingetreten ist, läßt sich freilich nicht feststellen, aber unwahrscheinlich ist es nicht, daß vor 2—3000 Jahren beide, oder wenigstens der westliche Hügel auf dem linken Flußufer lagen.

Der vom Tschilek-dagh kommende Bach hat noch eine weitere Bedeutung für die Topographie der Ebene, denn sein Tal vermittelt ihr die Verbindung mit dem Osten. Nicht unmittelbar neben seinem sumpfigen Bette, aber parallel zu ihm auf der nördlichen Bodenschwellung, auf welcher die meisten Tumuli liegen, führt noch heute ein Weg nach Polatly, der nächsten Eisenbahnstation auf der Strecke nach Angora hinüber, auf dem das Brot für unsere Arbeiter von dort herbeigeschafft zu werden pflegte. Die Anlage der meisten größeren Tumuli zu beiden Seiten dieser Straße zeigt, daß sie im frühen Altertum Bedeutung hatte und es liegt nahe, in ihr die alte Königstraße zu vermuten, die, wie wir sahen, von Gordion nach Ankyra führte. Zu dieser Annahme passen vortrefflich die von v. Diest[14] verzeichneten Reste einer antiken Straße nördlich von Polatly, für deren hohes Alter zwei neben ihr liegende Tumuli sprechen. Leider haben wir es versäumt, uns an Ort und Stelle mit den antiken Straßenzügen zu beschäftigen, eine kleine Grabung zwischen den Tumulus-Reihen hätte möglicherweise Spuren der alten Straße kennen gelehrt.

Die Lage von Gordion ist wie die fast aller phrygischer Städte weder fest noch imposant; schwache Bodenerhebungen in fruchtbarer Ebene, gerade hoch genug, um die Ansiedlung gegen Überschwemmungen zu schützen, haben stets auf das Volk des Bauernkönigs Gordios die stärkste Anziehungskraft ausgeübt. Eine Besonderheit von Gordion gegenüber ähnlich gelegenen Städten wie Dorylaeion, Midaeion, Meiros, Prymnessos ist es, daß neben dem breiten Haupthügel, von ihm durch den erwähnten Einschnitt getrennt, noch ein zweiter spitzerer Hügel von viel geringerer Fläche liegt, der mit zu der Ansiedlung gehörte. Vor unsern Ausgrabungen lag der höchste Punkt des Haupthügels, dessen Südwestrand sich etwas über die übrige Fläche erhebt, 17,62 m über dem Spiegel des Flusses, der gewachsene Boden wurde in dem freigelegten Abschnitt durchschnittlich bei 11,50 m erreicht. Im Innern des Hügels mag der gewachsene Boden vielleicht etwas höher liegen, denn die Form des Hügels wird hier wie in Troja durch die Ansiedlung verändert worden sein, man wird auch voraussetzen müssen, daß die Ebene rings im Altertum etwas tiefer lag, so daß man für den ursprünglichen Höhenunterschied von Ebene und

[14]) *Ergänzungsheft 125 zu Petermanns Mitteil.*, Taf. III.

Hügel vielleicht auf 13—14 m kommt, — das ist immer noch eine äußerst bescheidene Höhe für eine Königsburg. Die Oberfläche des Hügels bildet ein schiefwinkliges Viereck von rund 400 m größter Länge und 250 m größter Breite, sein Flächeninhalt beträgt ungefähr 90000 qm[15]. Vergleicht man damit die Maßzahlen einiger altgriechischer Burgen nach Dörpfelds Berechnungen[16], Tiryns 20000 qm, Akropolis von Athen ohne Pelargikon 25000 qm, Mykenae 30000 qm, so erscheint die phrygische Ansiedlung ganz erstaunlich groß. Die Erklärung für die Weitläufigkeit der Anlage liegt wohl darin, daß Gordion nicht wie die genannten Plätze oder Troja (VI. Schicht = 20000 qm) eine ummauerte Feste war, bei der jeder Meter Umfang mehr eine Erhöhung der Arbeitsleistung und eine Erschwerung der Verteidigung bedeutet hätte.

Der Nebenhügel überragt den andern um fast 6 m, seine Höhe beträgt 23,70 m. Zur Ansiedlung bot seine Spitze fast gar keinen Platz und die weit vorspringenden Enden, in die er ausläuft, erheben sich nur ganz wenig über die Ebene, so daß er trotz der größeren Höhe neben der massiven Gestalt des Haupthügels ungleich weniger zur Geltung kommt, als man nach dem Plan annehmen sollte. Beim ersten Anblick könnte man ihn für einen Tumulus halten, aber bei genauerem Zusehen erkennt man leicht, daß Gestalt und Aufbau die eines natürlichen Hügels sind.

[15]) *Athen. Mitteil.* XXII 19 habe ich nach meiner früheren ungenauen Messung nur 75000 qm angegeben.
[16]) *Troja* 1893, S. 46.

Abb. 1. Die Ebene von Gordion von Südwesten aus.
Im Vordergrund der Sakaria, links der große, rechts der kleine Stadthügel; im Hintergrund Abhänge des Tschilek-Dagh.

KAPITEL III.

DIE NEKROPOLE.

Von den Gräbern, in denen die Bewohner von Gordion ihre letzte Ruhestätte gefunden haben, kennen wir bisher nur die noch äußerlich kenntlichen, nämlich die Hügelgräber (Tumuli). Daß neben dieser immerhin luxuriösen Art der Bestattung auch einfachere Grabformen im Gebrauch waren, ist sicherlich anzunehmen. Aber abgesehen von Nach- oder Nebenbestattungen in den Tumuli selbst, von denen unsere Ausgrabungen Spuren zutage gefördert haben, haben wir von dem Vorhandensein und der Art anderer Beisetzungsformen keine Kunde erlangt.

Tumuli, welche den Geschlechtern von Gordion mit Wahrscheinlichkeit zugeschrieben werden können, finden sich vereinzelt in der westlich vom Sangarios gelegenen, schwach gewellten und teilweise angebauten Ebene, welche sich bis zur Einmündung des Porsuk (Thymbres) in jenen hinzieht; auch der allem Anschein nach künstliche Hügel bei der Eisenbahnstation Beylik-köprü würde noch in den Bereich von Gordion gezogen werden können. In größerer Anzahl beieinander liegen solche künstlichen Grabhügel nur östlich des Stadthügels in dem nach der flachen Flußebene sich allmählich herabsenkenden hügeligen Gebiete, welches die letzten Ausläufer des Tschilek-Dagh bildet. Dieses, wie jetzt, so wohl auch im Altertum nur als Weideland benutzte, von vielen natürlichen Erhöhungen durchzogene Gelände mußte den Bewohnern von Gordion von jeher vorzugsweise für die Bestattung ihrer Toten geeignet erscheinen. Als die eigentliche Nekropole ist auf unserem Plane das Gelände nördlich des von Südosten kommenden Baches bezeichnet. Hier unterscheidet man bei genauerer Untersuchung unter den natürlichen Erdwellen und hügeligen Erhebungen 20 zweifellos künstlich aufgeschüttete Tumuli, welche auf unserem Plane durch einen ihrer relativen Größe entsprechenden Kreis, die von uns ausgegrabenen außerdem durch die Ziffern I—V bezeichnet sind. Unter ihnen ragt einer über alle andern beträchtlich hervor; seine Höhe über der jetzigen Oberfläche beträgt nach der von Herrn Ingenieur Sarrou in Angora gelegentlich eines Besuches unserer Ausgrabungsstätte freundlichst vorgenommenen Messung rund 52 m, der nächstgrößte, ihm gerade gegenüber gelegene, von uns ausgegrabene No. III mißt vom gewachsenen Boden an bis zur Spitze 23,05 m, die Höhe der übrigen wechselt von 5 bis zu 15-16 m.

Für die Anordnung der Tumuli scheint eine alte vom Sangarios nach Osten führende Verkehrsstraße maßgebend gewesen zu sein, deren Anfangslauf der jetzt nach der Bahnstation Polatly führende Weg ungefähr bezeichnen dürfte (s. oben S. 34). Längs dieses Weges nämlich sind 13 von den 20 im ganzen vorhandenen Tumuli angeordnet und auf eine kurze Strecke, ungefähr einen Kilometer, bilden die zu beiden Seiten (nördlich und südlich) des Weges verteilten Hügel eine Art Gräberstraße, von der die beifolgende Abb. 2 eine Vorstellung gibt. Die übrigen 7, darunter I, II, IV, V sind, ohne daß ein bestimmtes Prinzip für ihre Anordnung erkennbar ist, in einem nach der Ebene zu vorgeschobenen weiten Bogen verteilt. Die Abb. 3 läßt die Höhen- und Lageverhältnisse der ganzen Nekropole, von Süden aus gesehen, erkennen. Drei Tumuli liegen abgesondert von der eben besprochenen Gruppe in dem ebenfalls stark gewellten Gelände südlich des erwähnten Baches; einer endlich

Abb. 2.
Tumuli längs der alten Königstraße. Links der größte Tumulus, rechts Stück von Tumulus III.

in der Flußebene, nördlich der antiken Stadt, dicht an dem heutigen Bette des Sakaria, auf dessen rechtem Ufer; im Altertum lag er auf dem linken, etwa 500 m von dem Flußbette entfernt. Die Gesamtzahl der noch sicher erkennbaren, in nächster Nähe der antiken Stadt belegenen und darum ohne Zweifel von dort aus errichteten Tumuli beträgt mithin 24.

Bei näherer Erwägung, wie die Erforschung dieser Grabhügel nach Maßgabe der uns zur Verfügung stehenden Mittel am zweckmäßigsten einzurichten sei, sahen wir uns genötigt, auf die an sich lockendste Aufgabe, nämlich die Untersuchung des größten Tumulus, von vornherein zu verzichten, da zur Anlage eines unterirdischen Stollens uns sowohl technische Hilfskräfte als auch die erforderlichen Grubenhölzer fehlten, bezw. in der gegebenen Zeit nicht zu beschaffen waren, die Aushebung eines offenen Einschnittes bis zum Zentrum des Hügels aber unsere Kräfte zu übersteigen schien. In der Absicht, jedenfalls mehrere Tumuli zu untersuchen, um womöglich einen Einblick in verschiedene Kulturperioden zu gewinnen, beschlossen wir zunächst einen von mittlerer Größe in Angriff zu nehmen. Unsere

Wahl fiel auf den mit I bezeichneten, dessen vorgeschobene Lage nach der Flußebene hin, zunächst den Stadthügeln, zugleich auf eine frühe Entstehung zu deuten schien, eine Annahme, die sich freilich in der Folge als irrig erwiesen hat. Nachdem inzwischen die Zahl unserer Arbeiter erheblich gestiegen war, konnte bald gleichzeitig die Untersuchung des benachbarten Tumulus II in Angriff genommen und bei dessen erheblich geringerer Höhe in kurzer Zeit beendet werden. Alsdann wendeten wir uns am 4. Juni der Erforschung des zweitgrößten Tumulus III zu, welche mehr als zwei Monate in Anspruch nahm. Als die Arbeit hier endlich sich dem Abschluß näherte, konnten wir bei stark zusammengeschmolzener Arbeiterzahl und mit Rücksicht auf die noch zu beendenden Arbeiten auf dem Stadthügel nur noch einen kleineren und kleinsten Tumulus zu untersuchen uns vornehmen. So wurde Tumulus IV vom 4. bis 11. August und endlich Tumulus V vom 9. bis 16. desselben Monats ausgegraben.

Abb. 3. Gesamtansicht der Tumuli von Süden aus. Links Tumulus I im Beginn der Grabung.

Die nähere Schilderung dieser Arbeiten und ihrer Ergebnisse erfolgt wie in unserem vorläufigen Bericht so auch hier nach dem Alter der Anlage der einzelnen Tumuli, wie es sich aus dem Inhalt derselben ergeben hat.

TUMULUS III.

Die Ausgrabung wurde am 4. Juni begonnen und mit zwei Unterbrechungen (vom 10.—19. Juni und vom 8.—13. Juli) am 13. August zu Ende geführt. Sie erforderte im ganzen 48 Arbeitstage mit zusammen 1170 Schichten (also durchschnittlich 24,37 pro Tag). Die Ausführung geschah in der Weise, daß von der Kuppe des Hügels aus nach Südwesten hin ein oben 15 m breiter Einschnitt mit der nötigen Böschung an den Innenseiten nach dessen Fuß hinabgeführt wurde, eine Arbeit, welche durch die außerordentliche Härte des lehmigen Erdreiches sehr langwierig und mühevoll war. Am 17. Juli stießen wir auf eine im Zentrum des Hügels gelegene große Höhlung, unter welcher wir die Beisetzung vermuten mußten, denn nur durch deren teilweisen Einsturz konnte jene entstanden sein, indem die unmittelbar über der Beisetzung liegenden Erdmassen in diese hinabgefallen waren, während der obere Teil des Hügels eine derartige Festigkeit erlangt hatte, daß er dem Einsturz widerstand. Immerhin ließen Risse in diesem oberen Teil ein weiteres

Hinabgehen innerhalb der Höhlung selbst zu gefährlich erscheinen; es mußte vielmehr von oben her durch eine Verlängerung des ursprünglichen Einschnittes die ganze Erdmasse abgetragen und der Boden der Höhlung freigelegt werden, ehe wir an die Beisetzung gelangen konnten.

Im Gegensatz zu den bei Tumulus I und II gemachten Erfahrungen enthielt das Erdreich dieses Tumulus fast gar keine antiken Reste. Es wurden nur ganz wenige nicht verzierte Tonscherben, ebenso vereinzelte tierische Knochen und an einer Stelle in Tiefe von ungefähr 8 m einige Stückchen Kohle gefunden. Der sich hieraus ergebende Schluß, daß der Tumulus besonders schnell, in einem Zuge und mit Anstellung einer großen Arbeiterzahl aufgeschüttet worden sein muß, wird

Abb. 4. Tumulus III nach beendeter Ausgrabung von Westen aus.
Links Ansatz des größten Tumulus.

auch durch folgende, nur an diesem Tumulus gemachte Beobachtung bestätigt. Im Zentrum des Hügels stießen wir in geringer Tiefe auf eine senkrecht hinabgehende Röhre von 0,085 m Durchmesser, deren Wände vollkommen glatt und durch die Lehmerde des Tumulus selbst gebildet waren. Dieselbe konnte über 7 m weit verfolgt werden; ohne Zweifel reichte sie bis beinahe zur Beisetzung selbst hinab, denn in der durch Einsturz gebildeten Höhlung oberhalb dieser wurden Stücke derselben gefunden. Ihre Herstellung ist offenbar so erfolgt, daß man beim Beginne der Aufschüttung im Mittelpunkte des herzustellenden Tumulus eine Stange von entsprechender Dicke aufrichtete und um diese herum das Erdreich aufhäufte. Durch Feststampfen des lehmigen Bodens ist dann die Röhre entstanden, indem die Stange entweder nach Erreichung einer gewissen Höhe der Aufschüttung jeweils herausgezogen oder darin gelassen und durch eine neue ersetzt worden ist. Das Holz der Stangen würde im letzteren Falle mit der Zeit vergangen sein. Ob diese Einrichtung einen sakralen Zweck hatte, nämlich den, oben ausgegossene Spenden bis in die Nähe des Toten selbst hinab zu leiten, müssen wir dahingestellt sein lassen. Wahrscheinlicher ist wohl die Annahme, daß der Zweck ein rein technischer war, indem durch die Stange der Mittelpunkt des Hügels bezeichnet und so eine gleichmäßige Aufschüttung genau über der Beisetzung selbst gewährleistet wurde. Jedenfalls bekundet die Einrichtung eine besondere Sorgfalt für die regelmäßige Form des Hügels und die größtmögliche Sicherung der Beisetzung gegen Beraubung durch deren Lage genau im Mittelpunkte des Hügels. Auch die starke Beimengung von Lehm zu der Erde des Tumulus, welche bei den übrigen von uns ausgegrabenen nicht beobachtet wurde, ist wohl auf das Bestreben zurückzuführen, dem Grabhügel eine besondere Festigkeit zu verleihen und durch diese die Ruhe des Toten möglichst zu sichern. Wie schon bemerkt, ist uns in der Tat durch die so erzielte außerordentliche Härte des Erdreiches das Vordringen zur Beisetzung unendlich erschwert worden.

Die Grabanlage. Nach Ausführung der oben beschriebenen Erweiterungsarbeiten stießen wir bei weiterem Hinabgehen zunächst auf eine ungefähr 1,35 m mächtige Schicht kleiner (etwa faustgroßer) Steine, zwischen denen sich zahlreiche stark versinterte Scherben gewöhnlichen monochromen Geschirres befanden. Der obere Rand dieser Schicht lag 19,40 m unter dem Gipfel des Hügels, die Sohle unseres nach Südwesten verlaufenden Einschnittes 0,80 m höher. Unter dieser Steinschicht kam dann eine Zimmerung aus starken Holzbalken zutage, welche nach O 26 N orientiert war und 5,10 m in der Länge (Ost-West), 4,50 m in der Breite (Nord-Süd) maß. Die Balkendecke war an den Seiten noch wohl erhalten, in der Mitte dagegen eingedrückt, so daß Steine und Erde in das Innere gefallen und dadurch die oben erwähnte Höhlung im Körper des Hügels entstanden war. Die beifolgende Abb. 5 veranschaulicht den Zustand nach erfolgter Ausräumung der Grabkammer. Diese mußte von oben her erfolgen, da die Entfernung der ganzen die Zimmerung bedeckenden und umgebenden Steinschicht und die Vertiefung des nach Südwesten führenden Einschnittes bis auf den gewachsenen Boden einen allzu großen Arbeits- und Zeitaufwand erfordert haben würde. Auch würde die Zimmerung nach erfolgter vollständiger Freilegung sicherlich zusammengefallen sein. Nach den Messungen bei der Ausräumung der Beisetzung, die sich uns als Grube darstellte und so auch noch in unserem vorläufigen Bericht bezeichnet ist, und unter Berücksichtigung des nach Nordosten ansteigenden Terrains muß der Beginn des gewachsenen Bodens ungefähr 2,30 m unter der Decke der Grabkammer und 4,45 m unter dem Niveau unseres Einschnittes angenommen werden. Die Höhe des Tumulus über dem gewachsenen Boden betrug demnach 23,05 m.

Die Zusammenfassung unserer während der Ausgrabung gemachten Beobachtungen ergibt folgendes Bild von der Ausführung der Grabanlage: Es wurde zunächst in dem gewachsenen Boden eine $1^1/_2$—2 m tiefe Grube ausgehoben und, um einen durchaus trockenen Untergrund zu gewinnen, eine starke Schicht kleiner Steine darin ausgebreitet. Auf dieser Unterlage wurde dann ein im wesentlichen oberirdischer Bau aus starken Holzbalken errichtet, welcher einen zur Beisetzung dienenden Raum von 3,70 m Länge, 3,10 m Breite und 1,90 m Höhe (alle Maße im Lichten) umschloß. Dieser Bau war außen und innen, soweit zu erkennen, völlig schmucklos, jedoch waren die Innenwände sorgfältig geglättet; von einer Verbindung der einzelnen Balken untereinander durch Nägel oder einer Versteifung durch eiserne Bänder, wie sie in Tumulus IV und in geringeren Spuren auch in Tumulus II beobachtet wurde, haben wir keine Spur gefunden; eine Verzapfung muß jedenfalls angenommen werden; festgestellt haben wir sie nicht, weil dies ohne Abbruch der ganzen Grabkammer nicht möglich war. Jedenfalls war keine Öffnung in den Wänden vorhanden, welche den Zugang von der Seite her ermöglicht hätte. Sarkophag und Beigaben sind demnach höchst wahrscheinlich auf der den Boden

Abb. 5. Tumulus III. Die Grabanlage.

bildenden Balkenlage niedergelegt worden, ehe die Zusammenfügung der natürlich vorher zugeschnittenen und bearbeiteten Wände begonnen hatte, oder als sie noch im Anfange begriffen war. Der Boden war vorher anscheinend mit einer dünnen Schicht feinen Sandes bedeckt worden.

Der verhältnismäßig sehr großen Stärke der Wände (0,60—0,70 m) entsprach die der Decke. Sie bestand aus einer unteren quer- und einer oberen längslaufenden Balkenlage. Die obere bestand aus 11 Balken von 0,30 m Dicke und 0,35—0,40 m Breite (an den erhaltenen gemessen, die durchschnittliche Breite der einzelnen Balken betrug demnach 0,41 m); die Balken der unteren Lage waren weniger gut erhalten, an einzelnen konnte dieselbe Dicke von 0,30 m und eine Breite von 0,40—0,48 m gemessen werden, so daß also wahrscheinlich 12 Balken von durchschnittlich 0,425 m Breite anzunehmen sind. Von einer Einzapfung der Deckbalken in die Wände oder einer Verbindung derselben untereinander war keine Spur zu bemerken.

Das Holz bezeichneten unsere Arbeiter übereinstimmend als von dem türkisch *arditsch* genannten Baum stammend. Daß dieser, nämlich der Baumwacholder, noch jetzt in den Walddistrikten Phrygiens nicht selten vorkomme, wurde uns von einem türkischen Forstbeamten, den wir in Jasilikaja trafen, bestätigt. Die von meinem Rostocker botanischen Kollegen P. Falkenberg vorgenommene Untersuchung einer mitgebrachten Probe ergab mit Bestimmtheit, daß das Holz von einer Konifere stammt, möglicherweise vom Baumwacholder, *Juniperus excelsa* Bieberstein. Die antiken Bezeichnungen ἄρκευθος, *iuniperus* werden für die verschiedenen Arten der Gattung *Iuniperus* gebraucht, andrerseits die der »Ceder«, κέδρος, *iuniperus* vielfach auch für den Baumwacholder[1]). Die Angaben antiker Schriftsteller[2]) über die außerordentliche Widerstandsfähigkeit beider Holzarten gegen Fäulnis und Wurmfraß erfahren wenigstens für die erstere Eigenschaft durch die in unserem Tumulus gefundenen Hölzer eine glänzende Bestätigung. Nach rund 2600 Jahren fanden wir diese z. T. nur an der Oberfläche durch die Erdfeuchtigkeit angegriffen, aber im Innern noch so fest, daß über 5 m lange Balken an den Enden emporgehoben und fortgeschafft werden konnten. Dagegen waren sie allerdings durch Wurmfraß auch im Kern so mitgenommen, daß eine Verarbeitung zu feineren Tischlerarbeiten nicht mehr möglich ist.

Die so hergestellte Grabkammer, welche nach außen das Bild einer riesigen Kiste bot, wurde nun zunächst, um sie auch von oben und den Seiten her gegen die Erdfeuchtigkeit möglichst zu schützen, gänzlich mit kleinen Steinen umgeben und bedeckt, die ursprünglich eine Art inneren Tumulus gebildet haben werden. Aus den in der oberen Schicht zahlreich gefundenen Tonscherben (s. oben) ist zu schließen, daß bei oder nach Aufschüttung des Steinhügels ein Totenopfer dargebracht und die dabei benutzten Gefäße zerschlagen und an Ort und Stelle zurückgelassen worden sind. Alsdann erfolgte die Aufschüttung des großen Grabhügels aus lehmiger Erde.

Der Inhalt des Grabes.

Infolge des teilweisen Einbruches der Decke war die ganze Grabkammer bei der Auffindung mit den ursprünglich über dieser angehäuften kleinen Steinen und den von dem oben erwähnten Einsturz im Innern des Tumulus herrührenden Erdmassen angefüllt; auch Scherben groben Tongeschirres waren mit diesen hineingelangt. Naturgemäß nahmen diese eingedrungenen Massen nach den Seiten der Grabkammer zu an Mächtigkeit ab und zudem hatten die nach innen eingeknickten Balken der Decke ein natürliches Schutzdach für die dort bei der Beisetzung niedergelegten Gegenstände gebildet, wodurch sich deren zum Teil recht gute Erhaltung erklärt. Schädigend hat namentlich das Wasser gewirkt, das trotz der getroffenen

[1]) Vgl. Blümner, *Technologie* II 292 und 254. [2]) Ebenda S. 292 f.

Vorkehrungen in die Grabkammer eingedrungen ist und nach untrüglichen Anzeichen periodisch längere Zeit hindurch darin gestanden haben muß. Einige Tongefäße zeigen nämlich an ihrem unteren Teile starke Versinterung, namentlich an dem Topfe Nr. 31 ist deutlich erkennbar, daß er lange Zeit hindurch bis zu einer gewissen Höhe sich im Wasser befunden haben muß. Da die lehmige Erde des Grabhügels, zumal bei dessen bedeutender Höhe, atmosphärische Niederschläge nicht durchgelassen haben kann, so muß das Wasser von unten her, als Grundwasser während der Regenperioden eingedrungen sein. Eine Anzahl von Bronzegefäßen (die auf dem Boden der Grabkammer gelegen oder gestanden haben), ist durch dasselbe stark angegriffen, ja teilweise zerstört worden, auch viele Tongefäße zeigen reichliche Spuren von Kupferoxyd, da wo sie mit Bronzegegenständen in Berührung gekommen sind. Ebenso haben die Gegenstände aus Holz durch die Feuchtigkeit gelitten und endlich hat diese offenbar die fast gänzliche Zerstörung der Knochen des Leichnams bewirkt.

Die Verteilung der in der Grabkammer niedergelegten Gegenstände war diese: An der Nordwand, mit dem einem (Kopf-)Ende die Westwand berührend, stand der Sarkophag. Zu Füßen desselben, längs der Nordwand, fanden sich zahlreiche Scherben großer, grober Tongefäße, unter ihnen solche eines polierten schwarzen Gefäßes, und eine hölzerne Schale mit Ringhenkeln aus Bronze; zwei weitere bronzene Ringhenkel scheinen zu einem Tongefäße gehört zu haben.

Die übrigen unten näher beschriebenen Gegenstande befanden sich längs der Südseite; in der Mitte der Grabkammer endlich — durch den Einsturz gänzlich zertrümmert — eine Anzahl großer Vorratsgefäße von grobem Ton, deren Formen nicht mehr herzustellen waren. Sie sind in dem folgenden Verzeichnis nicht mit aufgeführt, ebensowenig wie die oben erwähnten von der Nordwand.

Der Sarkophag

war von der eingedrungenen Erde zusammengedrückt, nur die Länge (2 m) und Breite (0,80 m) noch meßbar. Bei diesem Zustand war die Herausschaffung des Ganzen nicht möglich und die glücklich geborgenen größeren Stücke zerfielen wenigstens zum Teil, sobald sie ausgetrocknet waren. Dennoch war es möglich, ein Bild von seiner Form und Verzierung zu gewinnen und über die Herstellung einiges zu ermitteln. Das durch Feuchtigkeit angegriffene Holz stammt anscheinend wie die Balken der Grabkammer vom Baumwacholder.

Der Körper des Sarkophages bestand aus schmalen 0,075 m breiten und 0,027 m dicken Streifen, welche in horizontaler und vertikaler Richtung durch 0,011 m dicke Zapfen miteinander verbunden waren (jene 0,03 m lang und 0,075 m, d. h. der ganzen Breite der Streifen entsprechend, breit, diese 0,014 m lang, 0,006 m breit). Die einzelnen Streifen sind in quadratische oder nahezu quadratische Felder von nicht immer genau gleicher Größe (die noch festzustellenden Maße sind 0,054 qm, 0,058 qm, 0,05 × 0,06 m) geteilt und diese abwechselnd senkrecht und wagerecht geriefelt, die glatten Umrahmungen dieser Felder an den Ecken und in der Mitte mit Bronzebuckeln (je acht um jedes Feld herum) verziert. Abb. 6 gibt ein besonders gut erhaltenes Stück zweier noch miteinander verbundener Streifen nach einer bald nach der Auffindung genommenen Photographie wieder. Man bemerkt, daß die glatte Umrahmung des rechten Feldes des oberen Streifens doppelt so breit ist wie die übrigen Umrahmungen, und daß oben ein glatter, nicht mit Buckeln verzierter Streifen ansetzt. Offenbar waren durch solche glatte Streifen bezw. breitere Umrahmungsleisten größere Teile innerhalb des Ganzen zusammengefaßt, um einer allzu einförmigen Wirkung der Gesamtverzierung zu entgehen. In welcher Weise dies geschehen ist, konnte nicht mehr festgestellt werden. Von den Bronzebuckeln ist nur einer auf dem abgebildeten Stück noch ganz erhalten, die übrigen abgefallen. Doch erkennt man deutlich die Art der Befestigung mittels in das Holz getriebener Stifte. Diese waren ihrerseits mit den Buckeln nicht durch Nietung oder Lötung verbunden, sondern mittels einer Füllmasse, welche den (wie auch

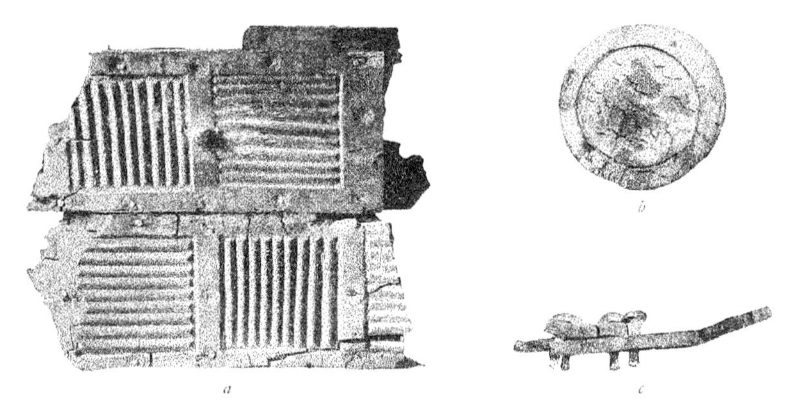

Abb. 6. Reste des Sarkophags: *a* vom Körper, *b* Fuß, *c* vom Deckel.

unsere Abbildung erkennen läßt) breitgeschlagenen Kopf des Stiftes innerhalb der Buckel festhielt. Um das Herausfallen der letzteren aus den Buckeln zu verhüten, sind diese am unteren Rande mit zwei Zapfen versehen, welche aus einem Stück mit dem ganzen Buckel gearbeitet, nach der Einfügung der Nadel und deren Befestigung durch die Füllmasse nach innen umgelegt wurden. Der auf diese Weise hergestellte Nagel mit großem Kopf (Buckel) wurde dann an der bestimmten Stelle eingeschlagen und zwar so kräftig, daß sich der Kontur des Buckels in dem Holze abzeichnete. Die Buckelnägel kamen in zwei Größen zur Verwendung; ob in regelmäßiger Abwechslung, ist nicht mehr sicher zu erkennen. Die meisten der von uns gesammelten Buckel haben einen Durchmesser von 0,015 m, einige nur 0,012 m.

Der Sarkophag ruhte auf niedrigen Füßen, runden 0,065 m hohen Holzscheiben, deren Durchmesser 0,165 m beträgt; sie sind auf der Oberfläche mit einer 0,01 m tiefen Einarbeitung von 0,125 m Durchmesser versehen, in welche runde am Sarkophag selbst befestigte Scheiben gepaßt haben müssen. Abb. 6b gibt einen dieser Füße in der Oberansicht wieder. Diese wiederum waren in quadratische Platten (von 0,25 qm Oberfläche und 0,08 m Höhe) mittels einer ihrem Durchmesser entsprechenden Vertiefung eingelassen.

Der Deckel des Sarkophags war flach und wie der Körper aus einzelnen Streifen zusammengesetzt. Man erkennt an dem vorstehend abgebildeten Fragment (Abb. 6c), daß drei einander kreuzende Lagen von solchen vorhanden waren[3], welche durch starke bronzene Niete zusammengehalten wurden. Deren mit Buckeln versehene Köpfe bildeten zugleich einen Schmuck des Deckels. Das abgebildete Stück (das einzige größere, das sich erhalten hat) ist ein Randstück; es zeigt, daß man auf eine Profilierung des Deckels verzichtet hat. Die Nieten stehen hier auffallend dicht nebeneinander; wahrscheinlich bildeten weitere Reihen derselben den einzigen Schmuck des Deckels. Reste von linnenem Stoff an den Köpfen der Nieten beweisen, daß der Sarkophag mit einem Leintuche bedeckt oder in ein solches eingehüllt gewesen ist.

Die Knochen des im Sarge beigesetzten Individuums sind unter dem Einfluß der Feuchtigkeit fast ganz zerfallen; nur geringe formlose Reste fanden sich vor.

An Beigaben enthielt der Sarkophag die beiden unter Nr. 97, 98 beschriebenen Stücke Roheisen, welche am Kopfende lagen, und 42 Bogenfibeln aus Bronze (unter Nr. 96, 1—42), deren ursprüngliche Lage nicht mehr festzustellen war.

Ferner fanden sich darin außer einem Stück Baumrinde, über dessen Bedeutung und Verwendung ich nichts Näheres zu sagen oder zu vermuten weiß, mehrere Stücke von Leder, oder, genauer gesagt, nach der im Anhang mitgeteilten Untersuchung meines Kollegen Professor R. Kobert, von mittels Salzen präparierter Rindshaut und damit zusammen geringe Überreste von dünnen Bronzeplatten, welche offenbar zum Beschlage des Leders gedient haben.

Endlich beträchtliche Überreste von Geweben, und zwar nach Feststellung desselben Sachverständigen, sicher nicht wollenen oder baumwollenen, sondern linnenen. Nach Feinfädigkeit und Dichtigkeit des Gewebes lassen sich drei verschiedene Sorten unterscheiden, nämlich 1. außerordentlich feinfädiges, dichtes Gewebe, unserem Battist nahekommend, 2. etwas stärkere Fäden, lockereres Gewebe, 3. noch grobfädigeres und lockereres, etwa den heutigen Étamine-Stoffen zu vergleichendes. Am meisten ist von der ersten Sorte erhalten.

Zwei Stücke erweckten ein besonderes Interesse und sind von Professor Kobert auf meine Bitte einer genauen Untersuchung unterzogen worden. Das eine, zur ersten Sorte gehörig, zeigte eine schmutzig braune Färbung, von der wir vermuteten, daß sie vielleicht von Durchtränkung mit Blut herrühren könnte. Die Untersuchung (s. Anhang) hat diese Vermutung nicht bestätigt, vielmehr ergeben, daß es sich um Kupferrostfärbung handelt.

[3]) Zu den zwei erhaltenen von je 1 cm Dicke muß nach Ausweis der genau 3 cm betragenden Länge der Niete (ohne Kopf) eine dritte von derselben Stärke ergänzt werden. Die Stärke der Niete beträgt 6—7 mm.

Das andere, zur zweiten Sorte gehörig, zeigte offenbar künstliche Färbung. Im jetzigen Zustand ist die Farbe ein ziemlich dunkles Grau. Die Untersuchung (s. Anhang) lieferte das hochinteressante Ergebnis, daß die Fäden vor der Verwebung in vorzüglich dauerhafter Weise, die einen blau, die andern rötlich blau gefärbt worden sind, so daß das fertige Gewebe durch das Zusammenwirken der verschieden gefärbten Längs- und Querfäden (»Kette« und »Einschlag«) ursprünglich einen zwischen Blau und Rot liegenden Purpurfarbenton gehabt haben muß. Der blaue Farbstoff ist als Indigoblau ermittelt worden, der rötliche als Indigorot. Ob wirklich pflanzlicher Indigo zur Färbung verwandt worden ist, ist damit freilich noch nicht dargetan; denn das aus dem Safte der Purpurschnecke gewonnene Blau und Rot ist nach neueren Forschern mit den aus dem Indigo gewonnenen Farbstoffen identisch, während andere die Identität bestreiten und nur eine große Ähnlichkeit zugeben. Ein abschließendes Urteil ist gegenwärtig noch nicht möglich. (Genaueres s. am Schluß der Untersuchung von R. Kobert im Anhang.) Erwiesen ist durch unseren Fund die von Plinius (XIX, 22) als etwas ganz Ungewöhnliches erwähnte Färbung der Leinwand[1]. Übrigens war in unserem Falle nicht das ganze Gewebe gefärbt, sondern nur ein Streifen, wie sich daraus ergibt, daß an die gefärbten ungefärbte Fäden anstoßen.

Daß das mit einem blau-rötlichen Streifen versehene Gewebstück von der Bekleidung des Toten herrührt, ist selbstverständlich. Aber auch für die übrigen Stücke muß dies angenommen werden: Eines der zur Sorte 1 gehörigen Gewebe hat einen deutlichen genähten Saum; ein solcher aber hat nur für ein Gewandstück Sinn, nicht bei einem zur Einhüllung (etwa einer der vielen Fibeln) gebrauchten Gewebstück. Daß ferner die im Sarge gefundenen Fibeln nicht, wie an zahlreichen andern im Grabe gefundenen Bronzegegenständen, namentlich den Trinkschalen, noch deutlich erkennbar ist, in Leinwand eingeschlagen bezw. eingenäht waren, ergibt sich daraus, daß an keiner derselben, obwohl sie großenteils stark oxydiert sind, anhaftende Stoffreste gefunden wurden. Nur in den beiden Fällen, wo die Nadel der Fibula ganz erhalten ist (Nr. 26 und 38), haften dieser Reste von Linnenstoff an. Daraus ergibt sich m. E. mit zwingender Sicherheit der Schluß, daß 1. der Tote mit linnenen Gewändern bekleidet war und 2. die Fibulae an diesen befestigt waren.

Man könnte einwenden, daß die ursprünglich vorhanden gewesenen Wollengewänder durch die periodische Einwirkung der Feuchtigkeit vollkommen zerstört sein könnten, da ja in der Tat Wolle gegen die abwechselnde Einwirkung von Feuchtigkeit und Austrocknung weit weniger widerstandsfähig ist wie Leinwand. Aber ist es denkbar, daß der Tote außer mit drei verschiedenen Qualitäten von leinenen auch noch mit einem vierten wollenen Gewand bekleidet gewesen sei? Zudem bleibt der Schluß aus den an den Nadeln der Fibeln beobachteten Lein-

[1]) Blümner, *Technologie* I 248, 221. »Wo aber die alten Schriftsteller von Färberei sprechen, meinen sie fast überall nur Wolle.«

wandresten bestehen. Übrigens erklärt sich auch die Kupferrostfärbung an dem einen Gewebstück am wahrscheinlichsten durch das Aufsitzen einer Fibula an dieser Stelle.

So viel ich sehe, müssen wir also die Tatsache verzeichnen, daß auch bei den Phrygern der von Herodot II, 81 für die Ägypter und Pythagoräer bezeugte Gebrauch herrschte, die Toten mit linnenen Gewändern zu bestatten. Vermutlich war dieser Gebrauch auf die Vornehmen beschränkt; sicherlich gestattet er keine Schlüsse auf die Tracht des gewöhnlichen Lebens: eine ausschließlich leinene Bekleidung ist für die Bewohner der kleinasiatischen Hochebene mit ihrem rauhen Winter schlechterdings undenkbar. Höchstens für hohe Feste und sakrale Verrichtungen kann sie von den Lebenden angelegt worden sein. Die Verwendung von Gewandnadeln an Gewändern aus Leinwand wird für die Griechen schon aus praktischen Gründen mit Recht in Abrede gestellt; die bekannte Herodotstelle (V, 87) schließt sie geradezu aus[5]. Auch die Phryger werden die Fibula im gewöhnlichen Leben für wollene Gewänder verwendet haben; auf die linnene Toten-(und Fest-?)Tracht werden sie nur übertragen sein, da man diese geschätzten Schmuckstücke auch dort nicht entbehren mochte. Ob übrigens alle 42 in diesem Grabe gefundenen Fibulae wirklich an den Gewändern des Toten angebracht und nicht vielmehr einige derselben nur als Schmuckstücke (zum Ersatz) lose mitgegeben waren, möchte ich dahingestellt sein lassen[6]. Bei der Zahl und der zum Teil beträchtlichen Größe der Fibulae erscheint jenes kaum möglich. Schlüsse auf den Schnitt der Gewandung sind, auch wenn man an der Anbringung so vieler Fibulae festhält, nur mit großer Vorsicht statthaft. Der eine ist wohl unabweislich, daß auch an dem feinfädigsten Gewebe, welches doch ohne Zweifel zu unterst getragen wurde, Gewandnadeln verwendet waren, denn der oben erwähnte Kupferrostfleck findet sich an einem Gewebstück der bezeichneten Sorte. Man wird also weite, mit Fibeln besetzte Ärmel anzunehmen haben. Ob die Leinengewebe im Lande gefertigt oder importiert worden sind, kann zweifelhaft erscheinen. Nahezu sicher erscheint letzteres für das mit einem bläulich-roten (purpurfarbenen?) Streifen verzierte Gewebe. Denn eine so ausgebildete Technik des Färbens mit einem weit her bezogenen Farbstoff ist den Phrygern sicher nicht zuzutrauen. Hier liegt wohl unzweifelhaft phönizischer Import vor und überwiegend wahrscheinlich ist dieser auch für die feinen ungefärbten Gewebe.

Eine besondere Bemerkung erheischt endlich der schon erwähnte Gegenstand aus Leder. Unsere erste Vermutung, daß es ein Panzer oder Koller sei, welche aus mündlicher Mitteilung auch in die Arbeit von Kobert[7] übergegangen ist, hält näherer Prüfung nicht stich. Sie wird ausgeschlossen durch das Fehlen aller und jeder Schutz- und Trutzwaffen im Grabe. Aber auch die Art der ohne

---

[5]) S. Studniczka, *Beitr. z. Gesch. d. altgriech. Tracht*, S. 14. In der Beurteilung der scheinbar im Widerspruch zu Herodot stehenden Stelle des Aelian *v. h.* I 18 kann ich St. nur beistimmen: offenbar liegt hier eine irrtümlich verwendete homerische Reminiszenz vor.

[6]) Vgl. Studniczka *a. a. O.* S. 107.

[7]) *Mitteilungen zur Gesch. der Medizin und Naturwissensch.* 1902, Heft 4.

Zweifel zugehörigen Bronzebeschläge paßt nicht zu dieser Verwendung. Es sind nämlich: 1. zwei aneinander passende Bruchstücke eines anscheinend schmalen Bandes (nur der obere Rand ist erhalten) aus ganz dünnem Bronzeblech mit gestanzten Verzierungen in Gestalt von kleinen Buckeln und dazwischen Reihen von nadelknopfähnlichen erhabenen Punkten; von jenen sind zwei Reihen erhalten, die (vermutlich) den unteren Rand bildende dritte fehlt, Breite des Erhaltenen 0,011 m (s. Abb. 7a); 2. zwei Stücke eines ebenfalls dünnen Bleches mit ausgeschnittenen Drei- und Vierecken und aufgenieteten Buckeln, darunter ein rechtwinklig geschnittenes Eckstück, gr. Br. 0,035 m, die des andern 0,032 m (Abb. 7b), in der Art der Verzierung also ganz ähnlich dem Stuhlsitz No. 2 (s. unten Abb. 9).

Abb. 7.
Reste des Bronzebeschlages der ledernen Brustplatte.

Von den erhaltenen Lederstücken, welche sämtlich stark verkümmert sind, zeigen zwei einen sorgfältig bearbeiteten Rand und längs desselben eine Reihe kleiner dicht nebeneinander befindlicher Löcher, welche nicht wohl als Verzierung betrachtet werden können, sondern von einer Naht herrühren, mittels deren das Lederstück auf ein Gewandstück aufgenäht war. Unterhalb dieser Nahtlöcher bemerkt man auf unserer Abb. 8 deutlich zwei dem Rand parallel laufende eingedrückte Linien. Die Form des ganzen Lederstückes ist natürlich nicht mehr festzustellen, doch hat es den Anschein, als wenn der obere Kontur eine leichte Biegung nach oben zeige, etwa so wie die bekannte goldene Brustdecke aus dem V. mykenischen Schachtgrabe (Schliemann, *Mykenae*, No. 458) oder die bronzene Brustplatte aus der *tomba del guerriero* aus Corneto, jetzt im Berliner Museum (*Mon. d. Inst.* X, tav. Xb, 1), auf welcher eine mit dünnem Bronzeblech gefütterte kleinere gestanzte Goldplatte lose auflag[8]. Diese bildet auch insofern die nächste Analogie zu der unsrigen, als sie am oberen und unteren Rande mit Löchern zum Aufnähen auf ein Gewand (oder etwa ein Lederkoller, von welchem jedoch keine Spur sich erhalten hat) versehen ist. Was das Material betrifft, so ist unser Brustschmuck bescheidener, denn als Grundlage dient statt der Bronze Leder, und die aufgelegten Zierbleche sind nicht aus Edelmetall, sondern aus Bronze. Von diesen wird das unter 1 beschriebene als Randverzierung, das durchbrochene No. 2 als Mittelstück gedient haben. Wir dürfen voraussetzen, daß diese Zierbleche auf der Leder-Unterlage befestigt waren, obwohl sich Löcher dazu an den erhaltenen Bruchstücken nicht finden.

Abb. 8. Randstück der Brustplatte aus Leder.

---

8) Vgl. Furtwängler, *Arch. Zeit.* 1884, S. 112.

Jedenfalls handelt es sich um ein Abzeichen einer staatlichen oder priesterlichen Würde. Man wird sich diesen Brustschmuck auf dem zweiten Gewandstück, einer Art Oberchiton, befestigt denken; darüber lag dann das grobfädige Obergewand derart, daß wenigstens ein Teil der Brust unbedeckt blieb. Zu den von Helbig (*Annali d. I.*, 1874, S. 255) nachgewiesenen ähnlichen erhaltenen Stücken (goldene Brustplatten aus einem Grabe von Praeneste, *Archaeologia* XLI, pl. 13, 1, dem Regulini-Galassi-Grabe von Caere, *Mus. Greg.* I 82, einer bronzenen von Hallstadt bei v. Sacken, *Gräberf. von H.*, T. VIII 8) hat Furtwängler ein reich ornamentiertes goldenes, mit Bronzeblech gefüttertes im Berliner Museum hinzugefügt (*Arch. Z.* 1884, Taf. 10, 2, S. 112f.), das ebenfalls aus Etrurien und wahrscheinlich aus derselben Fabrik wie das gleichzeitige Cornetaner Exemplar stammt. Seine Form ist abweichend; zur Befestigung auf der Gewandung oder einer Unterlage dienten eine Anzahl von kleinen Löchern[9].

Wir geben im folgenden ein Verzeichnis der in der Grabkammer gefundenen Gegenstände, nach dem Material geordnet.

1. HOLZ.

Gleich dem Sarkophag sind auch die übrigen Gegenstände aus Holz nicht nur durch die von oben in die Grabkammer eingedrungenen Erd- und Steinmassen mehr oder weniger stark beschädigt, sondern sie haben auch durch die Feuchtigkeit erheblich gelitten und sehr viele Stücke zerfielen trotz aller auf ihre Erhaltung verwandten Sorgfalt nach der Herausschaffung, so daß nur verhältnismäßig geringe Reste noch übrig sind und zur Nachprüfung der bei der Auffindung selbst gemachten Beobachtungen (und diese konnten bei dem Umfange des in kurzer Zeit und unter mancherlei Schwierigkeiten zu bergenden Materials nicht so gründlich sein, wie wir selbst wünschen mußten) herangezogen werden konnten. Manche Einzelheiten bleiben demnach unsicher und die folgenden Bemerkungen wollen nur ein ungefähres Bild von dem Aussehen und der Herstellung der dem Toten mitgegebenen Möbel und Geräte aus Holz übermitteln. Bei der großen Seltenheit derartiger Funde aus dem Altertum werden sie immerhin ein gewisses Interesse gewähren.

a) MÖBEL.

1. Kline. Sichere Reste sind nicht erhalten, doch läßt ein runder Fuß von 0,13 m Höhe und ungefähr 0,08 m Durchmesser, welcher bald nach der Herausschaffung gänzlich zerfallen ist, auf das Vorhandensein eines solchen größeren Möbels schließen, da er wegen der geringen Höhe und der im Verhältnis dazu beträchtlichen Stärke nicht zu einem der beiden Stühle gehört haben kann.

2. Stuhl mit durchbrochenem, mit Bronzenägeln beschlagenem Sitz. Das Holz desselben ist weicher und leichter, auch etwas heller gefärbt als das des zweiten Stuhls (Nr. 3) und rührt vermutlich von Baumwacholder her.

[9]) Auf eine Anzahl kleiner, ebenfalls mit Anheftungslöchern versehener Goldplättchen derselben Form im *Museo Gregoriano* weist F. S. 113 hin.

Abb. 9*a* gibt die unmittelbar nach der Auffindung zusammengestellten Reste des Sitzbrettes wieder, welche seitdem großenteils zerfallen sind. Die Anordnung der einzelnen Stücke kann nicht als sicher gelten; in einigen Punkten erscheint sie mir selbst als sehr zweifelhaft oder geradezu unrichtig, doch vermag ich eine andere, mich selbst durchweg befriedigende nicht vorzuschlagen. Die Verzierung ist durch Ausschneiden und Beschlag mit Bronzenägeln bewirkt, diese sind ebenso hergestellt wie die zur Verzierung des Sarkophags verwendeten. Längs der Vorderkante und anscheinend auch nach der Tiefe zu neben den breiten Rändern läuft ein Zickzackband; das Innere der Sitzfläche ist in quadratische Felder geteilt, von denen eins um das andere ausgeschnitten ist, jedoch, um eine gewisse Tragfähigkeit des Sitzbrettes zu ermöglichen, so, daß die stehen gebliebenen Felder etwas größer sind als die ausgeschnittenen. Jene sind mit je fünf Bronzenägeln beschlagen, von denen der die Mitte einnehmende mit beträchtlich größerer Kuppe versehen ist. Das Sitzbrett war 0,025 m stark, Breite und Tiefe desselben konnte nicht mehr festgestellt werden.

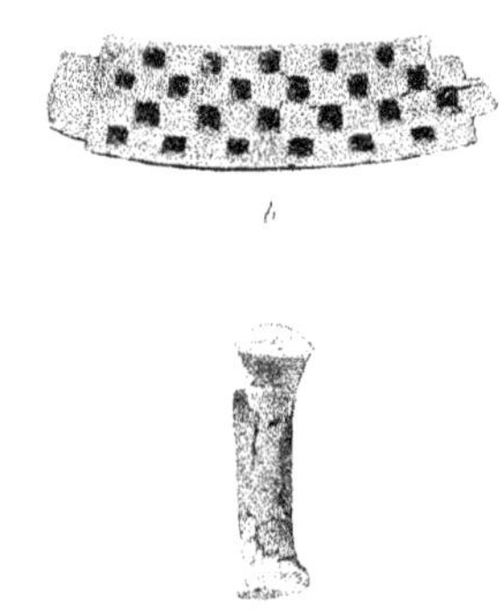

Abb. 9. Reste vom Stuhl Nr. 2. *a* Sitzbrett, *b* Lehne, *c* Stütze der Lehne.

Zwei ähnlich wie das Sitzbrett verzierte, 0,02 m starke und 0,05 m breite Bretter (Abb. 9*b*), an deren einem Ende je ein flacher Zapfen erhalten, deren anderes Ende unvollständig ist, müssen zum Oberbau des Stuhles gehört haben. Sie haben einen etwas ausgebogenen Grundriß und waren so in zwei runde unten glatt geschnittene, oben in einen etwas gewölbten Knopf endigende Säulchen (Abb. 9*c*) eingezapft, daß sie rechtwinklig zur Sitzfläche standen. Wir haben sie zunächst als Armlehnen aufgefaßt, doch scheint es mir jetzt wahrscheinlicher, daß beide zusammen vielmehr die Rücklehne des Stuhles gebildet haben. Die ausgeschnittenen Felder sind hier merklich kleiner wie die stehen gebliebenen und diese waren mit je einem Bronzenagel mit breitem Kopf verziert, deren Spuren unsere Abbildung deutlich erkennen läßt. Vermutlich war die so verzierte Seite nach dem Innern

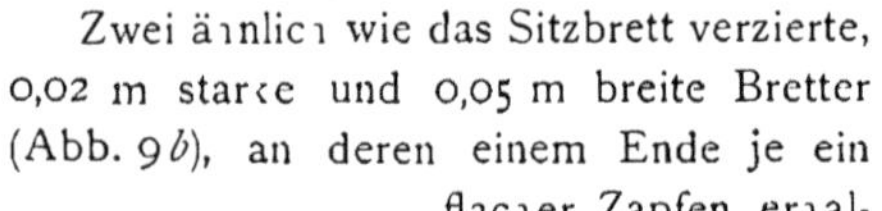

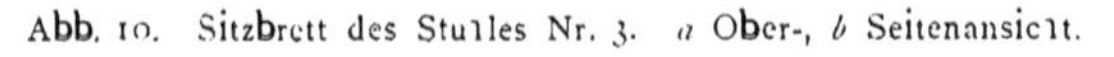
Abb. 10. Sitzbrett des Stuhles Nr. 3. *a* Ober-, *b* Seitenansicht.

des Stuhles zugekehrt. Die beiden Säulchen (Abb. 9*c*) zeigen außer den zur Aufnahme der an jenen vorhandenen Zapfen dienenden Einschnitten noch je einen anderen rechtwinklig dazu stehenden, welcher demnach zur Einzapfung der Armlehnen gedient haben würde. Während von diesen sichere Reste nicht beobachtet worden sind, waren ursprünglich noch zwei ähnliche Säulchen vorhanden, welche die Enden der Lehnen aufnahmen. Wo und wie diese Stützen am Sitzbrett befestigt waren, ist leider nicht mehr zu erkennen. Endlich sind der Holzart nach diesem Stuhle noch zwei rund geschnittene flache Scheiben (Durchmesser 0,05 m, Stärke 0,004 m) zuzuteilen, welche ringsum mit kleinen nach dem Mittelpunkt gerichteten Nägeln verziert waren. Wo diese angebracht waren, bleibt ungewiß.

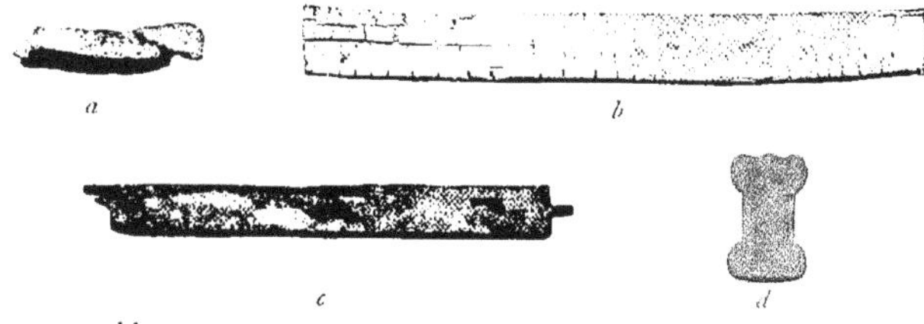

Abb. 11. *a* Armlehne, *b* Rücklehne, *c* Versteifungsleiste, *d* Verkleidungsstück, wahrscheinlich zum Stuhle Nr. 3 gehörig.

Die geringe Tragfähigkeit, welche das Sitzbrett des Stuhles infolge der durchbrochenen Arbeit nur gehabt haben kann, legt den Gedanken nahe, daß der Stuhl nicht zum praktischen Gebrauch, sondern als Prunkstück, vielleicht geradezu zum Zwecke der Beisetzung, gearbeitet worden sei.

3. Stuhl aus festerem, dunkler gefärbtem Holz; eine mitgebrachte Probe wurde von Professor Falkenberg mit Sicherheit als von der Eibe (*Taxus baccata L.*, μίλος, *taxus*) stammend bestimmt. Der Sitz bestand aus einem 0,025 m starken Brett, in welches Stäbe, die etwas konisch geschnitten sind, eingelegt sind, derart, daß eine Art Mäanderornament gebildet wird.

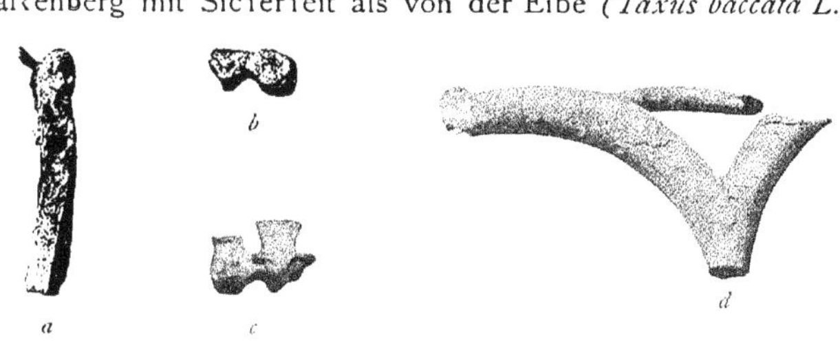

Abb. 12*a*—*d*. Unbestimmte Bruchstücke, vielleicht zu einem der beiden Stühle gehörig.

Abb. 10*a* gibt die Oberansicht, *b* die Seitenansicht des erhaltenen Stückes.

Der Holzart nach gehören ferner zu diesem Stuhle: ein Stück einer Armlehne (erhaltene Länge 0,14 m, Stärke 0,02 m), deren vorderes Ende erhalten ist; sie war leicht geschweift (Abb. 11*a*).

Eine ihrer ganzen Länge (0,45 m) nach erhaltene, 0,05 m breite und 0,015 m starke Leiste mit einem flachen Wulst an jedem Ende (Abb. 11*b*) bildete wahrscheinlich die Rücklehne des Stuhles; zwei Zapfenlöcher, 11 × 3 mm messend, dienten zur Einfügung der Stützen. Eine schmale und dünne Leiste (0,26 m lang, 0,025 m breit und 0,007 m stark), ohne jedes Zierglied (Abb. 11*c*), diente vermutlich

4*

zur Versteifung der Stuhlfüße unterhalb des Sitzbrettes; an dem einen Ende ist ein Zapfen erhalten; ein Zapfenloch diente zur Aufnahme einer rechtwinklig dazu angeordneten ähnlichen Leiste.

Das Plättchen (Abb. 11*d*) endlich (0,065 m lang, 0,042 m breit, 0,007 m stark) diente zur Verkleidung einer glatten Fläche, an der es mit zwei Holzstiften befestigt war.

Endlich sind noch einige Fragmente zu erwähnen, welche vielleicht zu einem der beiden Stühle gehört haben. Dieselben sind nicht mehr erhalten und es fehlen mir genauere Notizen. Die vorstehenden Abb. 12*a*—*c*, ungefähr in $^1/_6$ der nat. Gr., geben sie nach den unmittelbar nach der Auffindung gemachten Photographien wieder.

Auch bei dem Bruchstück *d* ist die Möglichkeit, daß es zu einem der bisher beschriebenen Möbel gehöre, nicht ausgeschlossen. Die Abbildung gibt es in $^1/_6$ der nat. Gr. wieder (größte Länge 0,28 m). Eine befriedigende Vermutung über seine Verwendung vermag ich nicht zu äußern.

b) GERÄTE.

4. Flache Schale mit glatten Ringhenkeln aus Bronze, durch den Druck der Erdmassen stark beschädigt und deformiert. Man erkennt links die Öse für den einen Henkel. Sie ist sorgfältig verziert und von ihr verläuft längs des Schalenrandes eine in eine Art Volute ausgehende Leiste. Eine ebensolche Verzierung ist auf der anderen Seite der Öse anzunehmen und unten rechts ist das Ende der von der zweiten Öse ausgehenden gleichen Zierleiste erhalten.

Die andere oben erwähnte in der Nordostecke der Grabkammer gefundene ähnliche Schale ist fast ganz zerstört.

5. Drei flache gebogene Holzstücke, 0,035 m dick; an dem einen befindet sich ein eigentümlich gestalteter Ansatz. Die beiden in Abb. 13*b* aneinandergelegten Stücke passen, wie eine Nachprüfung in Konstantinopel ergab, nicht aneinander. Die Bestimmung dieser Geräte bleibt unklar.

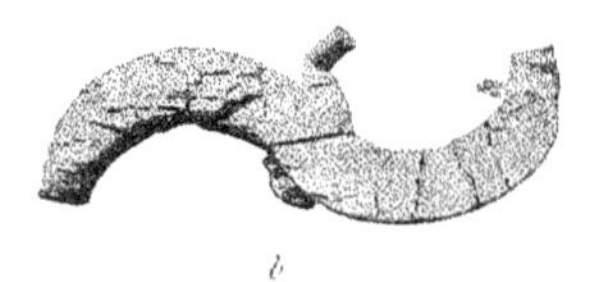

a *b*

Abb. 13*a*—*b*. Holzstücke unbekannter Bestimmung.

6. Bei der Entleerung der Grabkammer fanden sich Bruchstücke von runden 0,03 m starken Holzkränzen und in zweien derselben zwei der unten beschriebenen Bronzeschalen. Anscheinend waren zwei dieser Runde durch einen Handgriff verbunden, so daß wir vermuteten, es handle sich um ein Gerät zum Präsentieren der Trinkschalen. Möglicherweise sind aber die einzelnen Holzkränze nur als Untersätze gebraucht worden, um die gefüllten Trinkschalen beim Gelage aus der Hand setzen zu können. Leider war eine photographische Aufnahme nach der Herausschaffung nicht mehr möglich.

7. Dünner Stab aus sehr hartem (Taxus?) Holz, in vier Stücke zerbrochen, am einen Ende unvollständig (Abb. 14). Derselbe ist sehr sorgfältig gearbeitet und mit Ringen an zwei Stellen verziert, er endigt in eine Art Blumenkelch, welcher nicht aus einem Stück mit dem Schaft gearbeitet, sondern angesetzt ist. Die Endfläche ist leicht ausgehöhlt; vielleicht setzte noch ein weiteres Glied hier an, doch kann dies nicht als sicher gelten. Das entgegengesetzte dünnere Ende ist, wie die Abbildung erkennen läßt, gebrochen und hatte sicher noch eine Fortsetzung. Die Gesamtlänge des Erhaltenen beträgt in gerader Linie gemessen 0,315 m. Die Krümmung des Gerätes schien uns, wenn auch durch äußere Umstände etwas verändert, doch ursprünglich zu sein. Da eine Verwendung desselben zur Verzierung eines Möbels ausgeschlossen erscheint, so wird man zu der Annahme gedrängt, daß das Gerät ein Attribut des Toten ist. Leider ist die Gesamtform nicht mehr genau festzustellen; jedenfalls war es ein gebogener Stab, ähnlich denen, welche mehrere Figuren der merkwürdigen Felsenreliefs von Boghaz-köi[10] und eines Reliefs von Öyük[11] in der Hand hatten: ohne Zweifel Personen von fürstlichem oder priesterlichem Range.

Abb. 14. Gebogener Stab Nr. 7.

8. Quirl mit vier unregelmäßig gestellten, mit dem Stiel aus einem Stück gearbeiteten Zinken, von denen einer abgebrochen ist; der Stiel ist gebrochen. Länge des Erhaltenen 0,145 m (Abb. 15). Anscheinend ist der Quirl aus einem natürlich gewachsenen Nadelholzast hergestellt, indem die ansetzenden Nebenäste, in der nötigen Länge abgeschnitten, als Zinken dienen. Soviel ich sehe, ist es der erste sichere Beleg für die Verwendung dieses Küchengerätes im Altertum, dessen Bezeichnung im Griechischen κύκηθρον (lat. *rudis, rudicula*) zu sein scheint.

Abb. 15. Hölzerner Quirl Nr. 8.

Über den hölzernen Griff des großen Kessels s. unten Nr. 49.

2. TON.

a) GRÖSSERE VORRATSGEFÄSSE.

1. Große Amphora von schwärzlich grauer Färbung infolge schwacher Durchschmauchung. Höhe 0,70, größter Umfang 1,75 m. Das Gefäß ist dickwandig, schwach gebrannt, der Boden flach, die Mündung innen gut profiliert (Abb. 16). Es enthält in großer Menge einen etwas bräunlich gefärbten, krümeligen Stoff, welchen wir für Mehl zu halten geneigt waren. Eine sorgfältige Untersuchung einer mitgebrachten Probe, welche mein Kollege Professor Kobert in dem hiesigen Universitäts-Institut für Pharmakologie und physiologische Chemie vorzunehmen die Güte hatte, hat ergeben, daß diese Vermutung irrig war. Vielmehr läßt die sach-

[10]) Vgl. Perrot-Chipiez IV, pl. VIII D (die erste Figur von links), K (= S. 639, Fig. 314), S. 645, Fig. 321.

[11]) Ebenda S. 667, Fig. 328: Mann und Frau adorierend vor einem Altar.

verständige Untersuchung, deren Darstellung mit gütiger Erlaubnis des Verfassers im Anhang wieder abgedruckt ist, kaum einen Zweifel daran, daß es sich um quarkartige Butter handelt, welche mit einem organischen, in Alkalien gelblichbraun löslichen Farbstoff, offenbar pflanzlicher Natur, künstlich gefärbt ist.

2. Kleinere Amphora derselben Form und Technik; beide Henkel und ein Stück der Mündung fehlen. Höhe 0,42 m (Abb. 17).

Abb. 16 Große Amphora Nr. 1.

Abb. 17. Kleinere Amphora Nr. 2.

b) KLEINERE GEFÄSSE, WELCHE MIT EINER AUSNAHME (Nr. 4) IN DEM GROSSEN BRONZEKESSEL Nr. 49 VERPACKT WAREN.

α) Bemalte Gefäße.

Der Ton ist bei den meisten hell, nicht ganz rein und schwach gebrannt, daher ziemlich weich. Die Bemalung ist nach dem Brennen in matten Farben (Dunkelbraun bis Braunrot) ausgeführt. In einem Falle (Nr. 4) sind einzelne Teile zuvor mit rotbräunlicher Farbe überzogen und darauf dann Verzierungen in Violett aufgetragen. Zwei Exemplare zeigen roten Ton und violette (Nr. 5) oder schwarze (Nr. 11) Bemalung. Wo die Oberfläche einen matten Glanz zeigt, wie bei Nr. 7 und 10, ist dieser durch Überpolieren des fertigen, bemalten Gefäßes erzeugt; ich möchte vermuten, daß auch die übrigen ebenso behandelt waren und der Glanz nur infolge äußerer Einflüsse geschwunden ist. Die Verzierung ist eine rein geometrische: Maeander, Schachbrettmuster, Gitter- und Stabwerk, Winkel, dazu häufig Punkt- und Strichfüllung, endlich konzentrische Kreise sind die am häufigsten verwandten Motive. Nur bei drei Exemplaren (Nr. 3, 6, 10) treten stilisierte Tiere hinzu.

3. Schnabelkanne mit hohem Bandhenkel, fast kugelförmigem Körper und flachem, nicht ganz gerade geschnittenem Boden; die äußerste Spitze des Schnabels ist abgestoßen. Höhe 0,19 m (Abb. 18). Gelblicher Ton, dunkelbraune Malerei. Die Dekoration ist so angeordnet, daß für den Henkelansatz ein Streifen freibleibt,

jederseits begrenzt durch einen breiten Streifen mit Schachbrettmuster (Punktfüllung). An diesen setzt nach vorn an ein Streifen mit Gitterwerk (Punktfüllung), darüber ein Maeander. Der nun (nach oben) folgende Schulterstreifen ist durch senkrechte Schachbrettmuster in vier metopenartige Felder geteilt, in denen je ein unbeholflich stilisierter Adler nach rechts in zwischen je zwei konzentrischen Kreisen gemalt ist. Es folgt ein zweiter ganz umlaufender Maeander; der Hals ist durch schräg nach dem Schenkel des Gefäßes hin laufende einfache und doppelte Streifen (zwischen den letzteren Punkte) verziert, die sich auch längs des Schenkels fortsetzen. Nach unten ist die Verzierung durch umlaufende Linien, zwischen denen eine Reihe von Kreisgruppen, abgeschlossen.

Der Henkel endlich ist mit breiten Querbändern verziert, unter dem Ansatz desselben eine Reihe von einander berührenden Kreisgruppen.

Abb. 18. Schnabelkanne Nr. 3.

Kugelförmige Kannen mit Siebausguß.

Die folgenden Gefäße 4—11 haben miteinander Gesamtform und Zweck gemein. Allen sind annähernd kugelförmige Gestalt des Gefäßkörpers, hoher Henkel und mehr oder weniger ausladender, meist ein wenig nach oben gerichteter, schnabelförmiger Ausguß (Tülle) eigen, der nach dem Gefäßkörper hin durch ein Sieb abgeschlossen ist. Infolge der Länge und des Gewichtes des Ausgusses können die Gefäße nicht, oder doch nicht sicher stehen. Stets sind Henkel und Ausguß im spitzen Winkel zueinander angeordnet, offenbar mit Rücksicht auf den Zweck der Gefäße. Diese dienten anscheinend dazu, eine feste Bestandteile enthaltende Flüssigkeit aus einem größeren Behälter zu schöpfen und, unter Zurückhaltung jener durch das Sieb, in Trinkgefäße zu entleeren. Die eigentümliche Stellung von Henkel und Ausguß ermöglicht das Schöpfen, ohne den Ausguß mit einzutauchen, dabei kann die verdrängte Luft durch diesen ungehindert entweichen. Durch einzelne Besonderheiten trennen sich Nr. 4 und 5 von den enger zusammengehörigen Nr. 6—10, von sämtlichen übrigen Nr. 11.

4. Außerhalb des Bronzekessels gefunden. Höhe 0,145 m, mit Henkel 0,17 m. Ziemlich hoher, nach oben ausladender Hals, breite Lippe und doppelter Stabhenkel. Henkel, Lippe, oberer Teil des Halses und vorderer des Ausgusses

sind mit rotbräunlicher Farbe überzogen; an diesen Teilen ist die Verzierung auf diesen Überzug gemalt, sonst auf den hellen Tongrund, überall mit violetter Farbe.

Abb. 19. Siebkanne Nr. 4.

Abb. 20. Siebkanne Nr. 5.

Außer einfachen Streifen und Wellenlinien, Fischgrätenmuster (an dem der Mündung zugekehrten Teil des Henkels) sind große Winkel mit feineren Querlinien an der Schulter, ausgesparte Kreise mit Punktfüllung an jeder Seite des Ausgusses hervorzuheben.

5. Höhe 0,11 m, mit Henkel 0,14 m. Trichterförmige weite Mündung, einfacher Stabhenkel, roter Ton. Verzierung ähnlich dem vorhergehenden.

6. Höhe 0,10 m, mit Henkel 0,13 m. Taf. 2. Etwas abweichende Form mit kurzem, etwas ausladendem Hals, breitem Bandhenkel, an dessen höchstem Punkt ein in zwei Knöpfe (*rotelle*) ausgehender Querriegel; im Ausguß treppenförmige Absätze. Heller Ton, sehr reiche, alle Teile des Gefäßes bedeckende Verzierung in brauner Farbe. Der zu verzierende Raum am eigentlichen Gefäßkörper zerfällt naturgemäß durch die Anordnung des Ausgusses in zwei ungleiche Hälften. Die größere ist in zwei annähernd quadratische Felder geteilt, welche von breiten, senkrechten Ornamentstreifen eingefaßt und voneinander getrennt sind. Jedes derselben ist dann wiederum durch zwei sich kreuzende

Ornamentstreifen in vier Felder geteilt, diese — im ganzen acht — durch stilisierte Tiere ausgefüllt, nämlich abwechselnd nach rechtshin sitzende Adler und ein ebenfalls nach rechtshin schreitendes Tier aus dem Ziegengeschlecht mit kurzem Wedel, großen, nach abwärts und dann wieder ein wenig nach aufwärts gebogenen Hörnern, für das ich eine sichere Benennung nicht weiß. Vielleicht ist die Bezoarziege *(Capra Aegagrus)*, welche in den Bergen Kleinasiens vorkommt (ein von ihr stammendes Gehörn sahen wir in dem Dorfe Kusviran am Araït-dagh auf dem Wege nach Pessinus), gemeint.

Die andere kleinere Hälfte des Gefäßkörpers ist nur geometrisch verziert.

Unter den Dekorationsmotiven dieser Kanne sind Gitterwerk, sowohl mit Punkten wie auch mit kleinen Rechtecken gefüllt, ferner eine in wagerechter wie

Abb. 21. Siebkanne Nr. 7.

senkrechter Richtung verwendete Zusammenstellung von Winkelbalken mit Punktfüllung, endlich (unter dem Henkelansatz) ein gerades Gitterwerk mit Diagonalfüllung hervorzuheben. Auch der Boden ist mit sich kreuzenden Doppellinien, zwischen denen Punkte, verziert.

7. Dieselbe Form, etwas gedrückter. Höhe 0,085 m, mit Henkel 0,13 m. Heller, sehr weicher Ton, braune Malerei. Von der nach Vollendung der Malerei gegebenen Politur sind noch Spuren erhalten, obgleich die Oberfläche des Gefäßes vielfach angegriffen ist. Die Verzierung weist schon bekannte Motive auf; sie ist wesentlich einfacher als bei dem vorigen Gefäß. Das Innere des Ausgusses ist glatt, aber ornamentiert.

8. Höhe 0,085 m, mit Henkel 0,014 m. Besonders gut erhalten. In Form und Dekoration sehr ähnlich dem vorigen. Neu ist ein Ornamentmotiv unter dem Henkelansatz: in zwei nebeneinander befindlichen rechteckigen Feldern je zwei

gegeneinander gekehrte an Pfeilspitzen erinnernde Gebilde. Der Boden ist mit zwei sich im rechten Winkel schneidenden Streifen verziert.

Abb. 22. Siebkanne Nr. 8.

9. Dieselbe Form, einfachere Dekoration. Höhe 0,09 m, mit Henkel 0,13 m (s. *Archäol. Anz.* 1901, S. 7, Abb. 3).

10. (B. M.). Dieselbe Form mit niedrigem, sehr wenig ausladendem Hals, sehr langem und fast wagerechtem Ausguß. Höhe 0,08 m, mit Henkel 0,12 m. S. die farbige Abbildung, Tafel 3. Der Querriegel am Henkel ist abgebrochen, das ganze Gefäß, auch die Innenseite der Lippe, sorgfältig poliert nach Ausführung der Malerei; am Ende des Ausgusses bemerkt man Spuren von Kupferoxyd. Die äußerst sorgfältige Dekoration bedeckt das ganze Gefäß, einschließlich des Bodens. Ihre Anordnung weicht von den vorhergehenden ab, indem sechs parallele Ornamentstreifen den ganzen Gefäßkörper umziehen (die mittleren durch den Ausguß unterbrochen). Zu den bekannten Motiven treten neu hinzu Reihen von auf die Spitze gestellten Quadraten, die abwechselnd mit Farbe und mit Punkten gefüllt sind. Auf dem verdeckten Teile des Ausgusses über der Ansatzstelle ist endlich noch eine figürliche Darstellung gemalt: ein nach rechts gewandter Adler, der ein vierfüssiges Tier im Schnabel hält. Der Körper desselben ist mit Punkten gefüllt, die Hinterläufe sind stärker und länger als die Vorderläufe,

Abb. 23. Siebkanne Nr. 9.

auch erkennt man einen kleinen Schwanz (Blume): vermutlich ist also ein Hase gemeint.

11. Ähnliche Gesamtform, jedoch mit wesentlichen Verschiedenheiten im einzelnen. Ganz ohne Hals, die weite obere Mündung ist durch ein Sieb verschlossen, ebenso der Ausguß an der Ansatzstelle. Dieser ist kürzer, breiter und hinten hufeisenförmig erweitert. Statt des Bandhenkels der vorhergehenden Gefäße ein einfacher Stabhenkel. Höhe 0,10 m, mit Henkel 0,16 m. Roter Ton, nachlässige Verzierung in schwarzer Mattmalerei: Eine Art Maeander mit auf die Spitze gestellten Quadraten gefüllt, und eingefaßt von Wellenlinien.

Abb. 24. Siebkanne Nr. 11.

12. Fußlose Kanne mit weiter Mündung, hohem Bandhenkel mit Querriegel. Höhe 0,11 m, mit Henkel 0,135 m. Heller Ton, schwärzlich braune Malerei. Die Verzierung ist im Gegensatz zu den vorbeschriebenen Gefäßen großmustrig: Am Halse hängende und stehende Winkelbalken, dann ein umlaufender durch je zwei Linien begrenzter Streifen mit auf die Spitze gestellten Quadraten; am Bauche durch farbige oder mit Gitterwerk gefüllte breite Streifen in Felder abgeteilt, die durch schmalere, senkrechte Streifen mit Zickzackfüllung wiederum geteilt sind, darin konzentrische Kreise. Der Boden ist mit zwei sich kreuzenden Reihen konzentrischer Kreise geschmückt (Abb. 25).

Abb. 25. Kanne Nr. 12.

13. Tiefer henkelloser Teller mit niedrigem Fuß. Durchmesser 0,22 m, Höhe 0,06 m. Heller Ton, dunkelbraune Malerei. Die Außenseite ist nur mit drei Streifengruppen verziert, das Innere zeigt zwischen vier ebensolchen eine reiche geometrische Dekoration in drei konzentrischen Zonen. Innerhalb dieser wechseln

verschiedene Ornamentgruppen miteinander ab, die einzelnen sind keilförmig angelegt, eine durchgehende Radialteilung der ganzen Fläche fehlt jedoch. Die Lippe ist mit einfarbigen Bändern geschmückt. Unter den Ornamentmotiven ist ein komplizierter Maeander als neu hervorzuheben, der sich an Dipylonvasen wiederfindet. Im Mittelpunkt je zwei sich kreuzende Balken, die Schnittpunkte ausgespart. Die Malerei ist teilweise etwas verwischt (Abb. 26).

Abb. 26. Teller Nr. 13.

β) Einfarbige (schwärzlich graue bis schwarze) Gefäße.

Diese Gefäße, deren Farbe von schwärzlichem Grau bis zu tiefem Schwarz variiert, überwiegen an Zahl bedeutend die bemalten. Der Herstellung nach zerfallen sie in zwei deutlich voneinander unterschiedene Gruppen. Die eine, zu welcher die meisten der feineren Gefäße gehören, gleicht im Aussehen und auch in der Herstellung[12] den sogen. *vasi di bucchero:* die schwarze Farbe ist durch Durchschmauchung hergestellt und je nach dem Grade der letzteren mehr oder weniger vollkommen. Das fertige Gefäß hat dann eine Politur erhalten, und zwar auf kaltem Wege mittels glatter Steine wie die deutlich erkennbaren Politurstriche beweisen. Die andere Gruppe zeigt durchgängig eine mehr graue Färbung und einen von dem der ersten deutlich verschiedenen eigentümlich metallischen Glanz, der offenbar durch ein besonderes Verfahren erzielt wurde. Derselbe eigentümliche Glanz findet sich auch an einigen sicher alten Fundstücken vom Stadthügel wieder (s. Kap. IV

[12]) Über die Herstellung der Bucchero-Gefäße habe ich in Excurs II gehandelt.

»Keramische Funde« Nr. 90, 102, 102a). Dagegen ist es mir trotz eifrigen Bemühens nicht gelungen, ihn irgendwo sonst nachzuweisen; insbesondere ist er den italischen *vasi di bucchero* sicher fremd. Es handelt sich also, soweit unsere bisherige Kenntnis reicht, um ein der phrygischen Keramik eigentümliches Verfahren.

Mein lebhafter Wunsch, die Art desselben durch eine sachverständige Untersuchung womöglich festgestellt zu sehen, ist durch die unermüdliche Bereitwilligkeit meines Kollegen R. Kobert in dankenswertester Weise erfüllt worden. Die Untersuchung zweier Bruchstücke des zu einem großen Becken gehörigen Fragmentes 90b (s. unten Stadthügel, Keramik) lieferte folgendes hochinteressante Ergebnis (ich gebe die Mitteilungen von Kobert wörtlich wieder):

1. »Die Glasur [so ist der auf das fertige Gefäß aufgetragene Überzug vorgreifend hier bezeichnet] löst sich nicht in Äther, Alkohol, Chloroform, Terpentinöl — damit ist bewiesen, daß keines der Harze darin ist, welche man unter Umständen zum Glasieren benutzt. 2. Da die Flamme durch die Glasur und deren Auflösung nicht grün gefärbt wird, ist kein Bor vorhanden. 3. Da die Auflösung der Glasur sowie diese selbst durch Schwefel-Ammon nicht schwarz gefärbt wird, ist kein Blei und kein Kupfer darin. 4. Da die Glasur in der Hitze nicht verbrennt, so liegt kein Graphit vor [entgegen unserer ursprünglichen Annahme]. 5. Wohl aber enthält die Glasur Alkalien und zwar Chlor-Alkalien, denn beim Lösen in kochendem, mit Salpetersäure angesäuertem Wasser geht eine Substanz in Lösung, welche bei Zusatz von salpetersaurem Silber einen weißen, käsigen Niederschlag von Chlorsilber liefert (ein wenig geht auch bei nicht angesäuertem Wasser in Lösung).«

»Damit ist bewiesen, daß die Glasur bezw. die dicht unter derselben liegenden Teile einen Kochsalz-Zusatz erhalten haben, d. h. daß das Gefäß vermutlich mit Kochsalz in der Hitze glasiert worden ist.«

Im folgenden sind diese Gruppen äußerlich nicht geschieden, sondern die Gefäße nach ihrer Form angeordnet und nur die der zweiten Gruppe angehörigen durch die Bemerkung »Glasur« besonders gekennzeichnet.

Abb. 27. Schnabelkanne Nr. 14.

14. Schnabelkanne ähnlicher Form wie Nr. 3, jedoch mit Stabhenkel, niedrigerem Hals und steil aufwärts gerichteter Tülle, sowie mit ganz schwach abgesetztem Wulstfuß. Dunkelgraue Färbung mit metallischem Glanz (Glasur). Höhe 0,195 m (Abb. 27).

15. (B. M.). Dieselbe Form, nur etwas gedrückter (Glasur). Höhe 0,18 m.

Kugelige Kannen mit Siebausguß, nach Form und Zweck entsprechend den bemalten Nr. 4—11.

16. Ähnlich Nr. 6, am Henkel Rotellen. Höhe 0,09 m, mit Henkel 0,12 m. Der Henkel und ein Band über dem Ausguß sind mit ausgeschnittenen Dreiecken und Quadraten, also ähnlich wie der Stuhl Nr. 2, verziert. Im Innern der Tülle treppenförmige Riefelung. Kann stehen, weil die Bodenfläche größer und die Tülle der Dünnwandigkeit des ganzen Gefäßes entsprechend leicht ist. Farbe tief und glänzend schwarz, doch kommt schon bei geringen Abstoßungen der im Innern graue Ton zutage (Abb. 28 und Tafel 4).

Abb. 28. Siebkanne Nr. 16.

17. Dieselbe Form mit etwas höherem Hals und niedrigerem Stabhenkel mit Rotellen. Höhe 0,10 m, mit Henkel 0,12 m. Besondere Verzierung fehlt; nicht ganz so dünnwandig und gleichmäßig schwarz wie das vorhergehende. Die Tülle war gebrochen; einzelne Stellen leicht bestoßen (Abb. 29).

Abb. 29. Siebkanne Nr. 17.

18. Dieselbe Form mit niedrigerem Hals und schwach abgesetztem Fuß. Höhe 0,09 (0,13) m (Abb. 30 u. 31 r.). Vgl. *Arch. Anz.* 1901, S. 8, Abb. 4. Kantiger Henkel, der in einen Knopf ausläuft und durch einen hochstehenden Ring mit dem Halse verbunden ist. Der Bauch ist in großen Abständen senkrecht geriefelt. Tülle und Henkel waren mehrfach gebrochen, am Henkelring fehlen die zwei seitlich angebrachten Knöpfe. Gleichmäßig schwarze Färbung (innen grau) und gute Politur.

Abb. 30. Siebkanne Nr. 18

19. (B. M.). Dieselbe Form, fast ohne Hals. Höhe 0,09 (0,14) m. Henkel gleich dem vorigen, jedoch rund und oberhalb des hier kantigen Ringes schräg geriefelt. Ein Knopf am oberen Ende der Riefelung fehlt. Der geschlossene Teil des Ausgusses (Tülle) ist plastisch verziert. In der Tülle Treppenabsätze. Die Tülle war gebrochen, Henkel und Bauch sind vielfach bestoßen, der niedrige Fuß fehlt großenteils. Farbe und Politur gleich dem vorigen, der Henkel ist grau durch Versinterung (Abb. 31). Vgl. *Arch. Anz.* 1901, S. 8, Fig. 4.

20. Dieselbe Form, Mündung etwas höher und stark ausladend. Höhe 0,09 (0,11) m. Schwacher Wulstfuß. Stabhenkel, durch zwei voneinander getrennte nach auswärts geschweifte Enden mit dem Mündungsrand verbunden, unten mit auswärts gebogenem Fortsatz versehen. Über dem ganz offenen Ausguß ist ein

Abb. 31. Siebkannen Nr. 18 und 19.

frei gearbeiteter unbeholfen stilisierter Adler, ähnlich den gemalten auf Nr. 3 und 6, nur der Kopf ausgeführt, angebracht. Die Tülle war gebrochen, das Gefäß mehrfach bestoßen. Ziemlich gleichmäßiges Schwarz, gute Politur (Abb. 32 und Tafel 4).

Abb. 32. Siebkanne Nr. 20.

Abb. 33. Siebkanne Nr. 21.

21. (B. M.). Dieselbe Form, niedriger, profilierter Mündungsrand, scharf abgesetzter Fuß. Höhe 0,08 (0,13) m. Hoher Stabhenkel mit kleinen *rotelle*, der vordere Teil wagerecht geriefelt. Der Bauch des Gefäßes ist schräg geriefelt, der geschlossene Teil der Tülle verziert; in derselben schwache Treppenabsätze. Das

Gefäß ist sehr gut erhalten, aber nicht so fein gearbeitet wie die vorhergehenden. Graue Färbung mit metallischem Glanz (Glasur) (Abb. 33).

22. Fast dieselbe Form wie Nr. 11. Höhe 0,09 (0,12) m. Stabhenkel, im vorderen Teil vierkantig mit geschweiften Ansätzen. Die Mündung ist durch ein Sieb geschlossen (s. Abb.), die Tülle am Ansatz ausgebaucht, innen glatt, auf der

Abb. 34*a*, *b*. Siebkanne Nr. 22 in Seiten- und Oberansicht.

Unterseite mit zwei plastischen Streifen verziert. Niedriger schwach abgesetzter Fuß. Gleichmäßig schwarze Färbung, feine Politur, mehrfach bestoßen (Abb. 34).

23. Hohe bauchige K a n n e mit weiter Mündung, ohne Ausguß. Höhe 0,175 (0,225) m. Ziemlich hoher, scharf abgesetzter Fuß. Dreifacher Stabhenkel mit

Abb. 35. Kanne Nr. 23.

Abb. 36. Kanne Nr. 24.

zwei Querriegeln, vorn in einen Knopf endigend, der oberste Stab nur in seinem vorderen Teile erhalten. Der Körper des Gefäßes ist zu zwei Dritteln mit breiten vertikalen Riefelungen versehen, zwischen diesen laufen zwei schmale horizontale Reliefbänder. Schwärzlich graue Färbung, gute Politur, die oberste polierte Schicht ist an vielen Stellen abgeblättert (Abb. 35).

24. Kanne derselben Form, jedoch mit noch mehr ausladender Mündung und niedrigem Fuß. Höhe 0,15 (0,19) m. Einfacher Bandhenkel mit einem Querriegel. Schwarze Färbung, gute Politur (Abb. 36).

25. Niedrige bauchige Kanne mit Kleeblattmündung. Höhe 0,11 (0,145) m. Einfacher Stabhenkel mit Querriegel, niedriger Fuß. Gut gearbeitet, jedoch nicht gleichmäßig schwarz (Glasur) (Abb. 37).

Abb. 37. Kanne Nr. 25.

26—32. Einhenklige bauchige Töpfe (Becher) mit ausladender Lippe, von gewöhnlicher Arbeit, sämtlich mit Glasur. An einigen unten mehr oder weniger starker Ansatz von Kupferoxyd; offenbar war diese geringe Ware zu unterst in dem großen Bronzekessel verpackt.

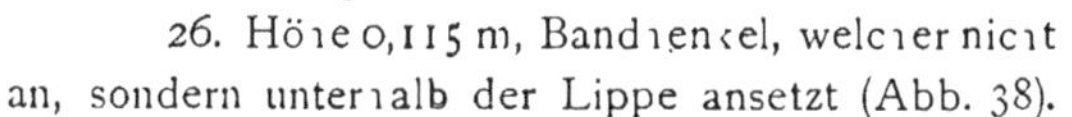

26. Höhe 0,115 m, Bandhenkel, welcher nicht an, sondern unterhalb der Lippe ansetzt (Abb. 38).

27. Höhe 0,09 (0,12) m, Stabhenkel, an der Lippe ansetzend, ebenso wie bei den folgenden.

28. Höhe 0,095 (0,13) grobe Arbeit.

29. (B. M.). Höhe 0,10 (0,12) m, etwas bessere Arbeit.

30. Höhe 0,09 (0,115) m, grob. Hierzu gehört wahrscheinlich der Deckel 33a (Abb. 39).

31. (B. M.). Höhe 0,085 (0,11) m, ganz grobe Arbeit, stark versintert, hat längere Zeit teilweise im Wasser gelegen; unten starker Ansatz von Kupferoxyd.

32. Höhe 0,082 (0,11) m, wie der vorige.

Abb. 38. Topf (Becher) Nr. 26.

Abb. 39 Topf (Becher) Nr. 30, mit Deckel Nr. 33*a*.

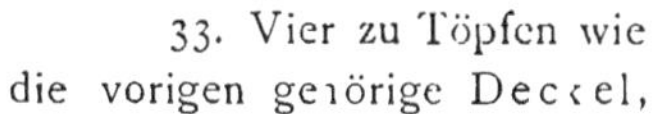

33. Vier zu Töpfen wie die vorigen gehörige Deckel, mit einem Ausschnitt für den Gefäßhenkel versehen, *a* und *b* mit Bogenhenkel, *c* und *d* mit Ringhenkel; alle grob gearbeitet, mit Glasur.

a) Durchmesser 0,095 m, wohl zu Nr. 30 gehörig (s. Abb. 39), in der Mitte ein Loch.

b) Durchmesser 0,10 m, vielleicht zu Nr. 28 gehörig; auf der Oberfläche drei Kreislinien eingeritzt.

c) Durchmesser 0,115 m. (B. M.).

d) Durchmesser 0,12 m.

34—38. Trinkschalen ohne Henkel mit ausgebildetem Fuß (meist mit Glasur).

34. Höhe 0,075 m, Durchmesser 0,195 m. Abgesetzter Rand und profilierte Lippe, Ring um den Fuß. Gute schwarze Politur; mehrfach gebrochen; am Fuße starke Kupferoxydation (Abb. 40).

35. Höhe 0,11 m, Durchmesser 0,20. Ähnlich, doch mit glatter Lippe. Sorgfältige Glasur. Starke Oxydationsspuren (Abb. 41).

36. (B. M.). Höhe 0,072, Durchmesser 0,20 m. Niedriger Fuß, glatter Rand, flacher. Fuß gebrochen. Glasur (Abb. 41).

Abb. 40. Trinkschalen Nr. 34 und 44.

37. Höhe 0,07 m, Durchmesser 0,19 m. Dieselbe Form. Glasur besonders sorgfältig und tief schwarz.

38. Höhe 0,07 m, Durchmesser 0,18 m. Dieselbe Form, schlechtere Glasur.

39—44. Trinkschalen mit niedrigem Wulstfuß (wie vorige).

39. Durchmesser 0,22 m. Mäßige Politur, die oberste Schicht mehrfach abgeblättert.

40. Durchmesser 0,20 m. Verhältnismäßig gute Politur.

41. (B. M.). Durchmesser 0,195. Oberfläche vielfach abgeblättert.

Abb. 41. Trinkschalen Nr. 35 und 36.

42. Durchmesser 0,20 m. Starke Oxydationsspuren.

43. Durchmesser 0,19 m. Oberfläche stark abgeblättert.

44. Durchmesser 0,18 m, gut erhalten (Abb. 44).

45. Dreifuß. Höhe 0,11, Durchmesser 0,11. Glatt, ohne jeden Schmuck. Glasur.

46. Flaches Becken zum Dreifuß gehörig. Durchmesser 0,22 m. Außen läuft ringsherum ein Reifen, über demselben sitzen zwei wagerechte Henkelattachen, von denen die eine, welche abgebrochen war, durchbohrt ist. Von vier weiteren senkrecht angebrachten Attachen sind nur Ansatzspuren, bezw. geringe Reste er-

halten. Das Becken ist dünnwandig, sehr sorgfältig gearbeitet und poliert, die Oberfläche vielfach abgeblättert (Abb. 42).

Die Nachahmung der Bronzetechnik ist augenfällig; ganz ähnliche Bronzebecken aus Curion sind bei Cesnola-Stern, *Cypern,* Taf. LXXI, ohne nähere Angabe im Texte abgebildet; das eine derselben zeigt auch die Abwechslung von wagerecht und senkrecht angebrachten Attachen.

Außerhalb des großen Bronzekessels wurden noch gefunden die Scherben von zwei tönernen schwarzen Kesseln mit beweglichen Ringhenkeln aus Ton, die in der gewöhnlichen

Abb. 42. Dreifuß Nr. 45 mit Becken Nr. 46.

Abb. 43. Kessel aus Ton Nr. 47, 48.

Bucchero-Technik hergestellt und glänzend poliert sind (Abb. 43). Sie entsprechen genau den gleich zu beschreibenden Bronzekesseln.

47. Höhe 0,215 m, oberer Durchmesser 0,17 m. Ließ sich bis auf kleine Lücken zusammensetzen.

48. (B. M.). Höhe 0,195, obere Durchmesser 0,165. Abgesetzter Wulstfuß. Verschiedene Lücken sind geblieben.

3. BRONZE.

a) GEFÄSSE.

Wie mir ein erfahrener Bronzetechniker, der als Restaurator am Kgl. Antiquarium zu Berlin beschäftigte Herr Tietz, welcher mehrere der in das Museum gelangten Stücke restauriert hat, bestätigt, sind sie, wenigstens der großen Mehrzahl nach, gegossen. Der profilierte Rand ist nämlich aus einem Stück mit dem Gefäß, nicht angelötet, ferner sind bei den Schalen mit Omphalos die diesen umgebenden Rillen nur an der Innenseite vorhanden, während die Außenseite glatt ist bis auf die dem Omphalos entsprechende Höhlung. Bei einigen Schalen, wie den Omphalos-Schalen Nr. 71, 72, wäre Herstellung durch Treiben an sich denkbar, doch ist Guß ebenso möglich, bei 73 ist Treiben wahrscheinlicher, bei den kleinen Gefäßen 89—91 fast sicher anzunehmen.

Die Gußtechnik erscheint als eine ungemein vorgeschrittene; nach dem Gusse müssen die Gefäße eine sorgfältige Nachbehandlung auf kaltem Wege erfahren haben, wodurch alle Spuren des Gusses getilgt sind. Die Ansatzteile (Henkel und Henkelösen) sind durchweg angenietet, Lötung ist anscheinend — vielleicht mit einer Ausnahme — überhaupt nicht zur Anwendung gekommen.

49—54. Kessel.

Abb. 44. Bronzekessel Nr. 49 mit Deckel und eisernem Dreifuß.

Abb. 45. Kessel Nr. 49 mit Deckel und hölzernem Griff.

49. Großer Kessel mit Deckel, auf eisernem Dreifuß ruhend. Umfang 2,68 m, Durchmesser (in Lichten, von Rand zu Rand) 0,54 m, Höhe 0,50 m. Wohl erhalten bis auf ein kleines Loch im Bauch. Abb. 44, 45; die Deckelgruppe auf Tafel 5.

Der Kessel ist mit zwei starken Ösen versehen, die an ebensolchen einfachen Schienen sitzen (mit ihnen zusammengegossen sind), welche ihrerseits mit Nieten am Kesselrande befestigt sind (vgl. Abb. 45). In den Ösen haben sich Reste eiserner Ringe erhalten.

Der Deckel ist schwach gewölbt und hat einen abgesetzten, 0,03 m breiten Rand mit viereckigen Ausschnitten für die Henkelösen. Er ragt etwas über den Kesselrand hinaus (Durchmesser 0,65 m); bei der Auffindung lag er nicht auf dem Kessel, sondern war neben diesem an die Wand der Grabkammer gelehnt. Wie der Kessel selbst ist er nicht weiter verziert, war aber, wie wir erst bei eingehender Untersuchung im Museum zu Konstantinopel erkannten, mit dem im folgenden beschriebenen figürlichen Griff aus Holz versehen (Abb. 45). Die Zugehörigkeit desselben zum Deckel ergibt sich mit Sicherheit daraus, daß man im Mittelpunkt von dessen Oberfläche deutlich erkennt, daß hier im rechten Winkel zu den beiden Henkelösen des Deckels eine rechteckige Platte aufsaß von der ungefähren[13] Größe der Eisenplatte, auf der die Deckelgruppe befestigt war. Die Unterseite dieser

[13]) Ein ganz scharfer und daher genau meßbarer Kontur ist nicht vorhanden.

Eisenplatte zeigt deutliche Spuren von Kupferoxyd, ist also ursprünglich auf einer bronzenen Fläche befestigt gewesen. Andererseits sind im Mittelpunkte des Deckels Reste eines starken eisernen Nietes und auf der Unterseite dessen Kopf erhalten. Zudem ist ein andrer bronzener Gegenstand, zu welchem die Deckelgruppe gehört haben könnte, unter den in der Grabkammer gefundenen nicht vorhanden. Daß man den Deckel des Kessels mit einem hölzernen Griff versehen, hatte offenbar einen praktischen Grund, nämlich um das Anfassen zu ermöglichen, wenn Kessel und Deckel beim Gebrauch stark erhitzt waren; aus demselben Grunde werden heute die Deckel metallener Tee- und andrer Kessel und Kannen mit einem Knopf aus Holz oder einem anderen schlechten Wärmeleiter versehen.

Der Griff hat die Form einer Gruppe von zwei Tieren, welche mit der hölzernen Plinthe aus einem Stück gearbeitet ist. Diese war durch vier an den Ecken befindliche Bronzenägel (Niete) auf einer Eisenplatte befestigt, die ihrerseits durch einen eisernen Niet (s. oben) mit dem Deckel des Kessels verbunden war. Die Eisenplatte mißt 0,07×0,055 m und ist stark vom Rost angegriffen, so daß die Ansatzstelle des vermutlich mit ihr zusammengegossenen Nietes nicht mehr erkennbar ist. Die hölzerne Plinthe hat sich geworfen, wobei eine Schicht des Holzes an der Eisenplatte haften geblieben ist. Die Dicke der Plinthe beträgt 0,01 m, die Gesamthöhe der Deckelgruppe 0,095 m. Die Gruppe selbst (s. Taf. 5) stellt einen Löwen dar, der den Kof eines kleineren vor ihm aufgerichteten Tieres, anscheinend eines Schafes (Lammes), im geöffneten Rachen hält, ohne Zweifel im Begriff es aufzufressen. Der Körper des letzteren springt über die Plinthe vor; es fehlen kleine Stücke seiner Vorderbeine, sein Kopf, der des Löwen und dessen rechtes Hinterbein sind gebrochen und durch Werfen des Holzes aus ihrer ursprünglichen Lage gebracht. Die Arbeit ist recht unbeholfen und plump; namentlich die Füße des Löwen gleichen eher denen eines Dickhäuters und das Einknicken der Vorderfüße ist völlig unnatürlich; nur die sorgfältig wiedergegebenen Tatzen weisen auf ein Raubtier. Anscheinend hat die Rücksicht auf die Festigkeit den Künstler zu dieser plumpen Bildung bewogen. Die Augen beider Tiere sitzen unrichtig, viel zu weit nach vorn und zu nahe beieinander. Sie sind bei beiden völlig gleich und schematisch gebildet, nämlich einfach kreisrund. Wie Taf. 5 deutlich zeigt, sind sie besonders gearbeitet und eingesetzt und an ihnen wiederum ebenso die Augensterne. Dagegen zeigen die Ohren eine charakteristisch verschiedene Bildung. Die des Löwen sind an der Basis breit und hatten vermutlich (der obere Teil ist abgestoßen) eine annähernd dreieckige Form, dagegen ist das rechte Ohr des Schafes (s. Taf. 5 oben) schmal und zurückliegend gebildet. Das Geschlecht ist bei beiden nicht deutlich gemacht. Der Schweif des Löwen lag auf dem Rücken und zwar — gänzlich unnatürlich — von der Wurzel an anliegend. Von einer gewissen Stilisierung kann man nur beim Kopf desselben reden: in dem weit geöffneten Rachen sind die Reißzähne stark betont und vom Ohr zur Kehle zieht sich ein namentlich auf der rechten Seite (Taf. 5 unten) deutlich erkennbarer Wulst und von ihm aus eine geschwungene Mähnenlocke, deren unterer Kontur den des geöffneten Rachens berührt

Die Nackenpartie ist leider stark bestoßen, aber wenigstens ein noch erhaltener Ansatz läßt vermuten, daß längs des Nackens stilisierte Mähnenlocken angegeben waren; doch bleibt diese Einzelheit unsicher.

In diesem Kessel waren die oben beschriebenen Tongefäße Nr. 3, 5—46 verpackt. Außerdem fanden sich darin Reste derselben roten pulverförmigen Masse, welche in größerer Menge in dem Becken Nr. 55 gefunden wurde (s. unten).

50. Dieselbe Form.: Umfang 1,14 m, oberer Durchmesser 0,29 m, Höhe 0,20 m. Von den beiden Henkelösen ist eine mit der zugehörigen halbrund profilierten Schiene noch mittels eiserner Nieten am Kessel befestigt; die Schiene ist mit Blei gefüttert. In der Öse sitzt ein noch erhaltener nur aufgebogener eiserner Ring. An der Ansatzstelle der zweiten Öse bemerkt man Oxydationsreste von einer dort aufsitzenden eisernen Schiene. Eine solche nebst der daran sitzenden Öse und dem in dieser befindlichen Ring aus Eisen ist auch gefunden worden. Es scheint, daß die ursprüngliche Öse aus Bronze im Gebrauche schadhaft geworden und dann durch eine eiserne ersetzt worden ist. Der Bauch des Kessels ist teilweise von unten eingedrückt. Das Innere zeigt durchweg metallischen Glanz (Abb. 46).

Abb. 46. Bronzekessel Nr. 50.

Abb. 47. Bronzekessel Nr. 51.

51. Dieselbe Form; die Einziehung des Kesselrundes etwas stärker. Umfang 0,85, oberer Durchmesser 0,18 m, Höhe 0,15 m. Die eisernen Ringe laufen in Ösen, welche mittels flacher, mit einem runden Fortsatz unten versehener Schienen angenietet sind. Der Kessel ist an der einen Seite etwas eingedrückt, ein Randstück ausgebrochen. Im Innern fanden sich zwei hölzerne Knebel 0,15 m bzw. 0,12 m lang, welche offenbar beim Tragen des Kessels durch die Ringe gesteckt wurden (Abb. 47).

52. (B. M.). Dieselbe Form; die Einziehung nach oben hin wesentlich schwächer. Umfang 0,71 m, oberer Durchmesser 0,175 m, Höhe 0,15 m. Die eisernen Ringe sind beide (der eine nur zur Hälfte) erhalten, Ösen und Schienen einfach, diese mit je 2 Nieten befestigt. Ganz unversehrt, das Metall innen noch goldglänzend.

53. Dieselbe Form. Oberer Durchmesser 0,155 m, Höhe 0,15 m. Kleine Bronzeringe in Ösen, die mittels T-förmiger Schienen angenietet sind. Der obere Teil des Kessels unmittelbar unter dem Rande ist durch einen Metallstreifen verstärkt, welcher mittels der die Henkelschienen haltenden Niete mit dem Körper des Kessels

verbunden ist (außerdem durch Lötung?). Auf diesen Streifen ist ein einfaches Flechtband (Kreise mit Mittelpunkt, in gleichem Abstand voneinander und verbunden durch eine zweite Reihe aus denselben Mittelpunkten, aber mit größeren Radien geschlagener) graviert. Etwa ein Viertel des Gefäßes ist zerbrochen, doch sind die Stücke vorhanden. Die Innen- und Außenseite hat vielfach noch hellen Metallglanz. Auf der Außenseite ist nahe dem einen Henkel grobes Netzwerk abgezeichnet, als wäre das Gefäß in einer Art weitmaschigem Netz aufbewahrt gewesen (Abb. 48).

Abb. 48. Bronzekessel mit Flechtband Nr. 53.

54. Kleineres, stark zerstörtes Exemplar, in Form und Technik gleich den übrigen. Die abgebrochenen Stücke sind vorhanden; auch hier ist das Metall noch vielfach hellglänzend.

Ihrer Form nach gleichen diese Kessel den in Olympia und sonst gefundenen, welche mit Greifenprotomen geschmückt sind, und zwar der älteren Gruppe mit getriebenen Greifen, welche sich durch einen schmalen Kesselrand und geringere Einziehung von der jüngeren mit gegossenen Greifen unterscheidet, welcher eine stärkere Einziehung und ein breiter Kesselrand eigentümlich ist. Vgl. Furtwängler, *Bronzen von Olympia*, S. 124 und Reconstruction beider Kesseltypen Taf. XLIX b und c.

55—59) Becken.

55. Großes Becken, Durchmesser 0,48 m zwischen den Henkeln, Höhe 0,23 m. Die beiden wagerecht abstehenden Henkel sind mit dem Körper des Gefäßes zusammengegossen, ihr Kontur ausgeschnitten, sie sind mit je drei Buckeln verziert und außerdem mit einem Querriegel versehen. Je eine röhrenförmige Stütze dient zur sicheren Verbindung dieser Henkelplatten mit der Gefäßwandung, an die ihre ausgeschweiften Enden mit je drei Nieten befestigt sind. Der Rand des Beckens ist durch eine schmale angenietete Schiene verstärkt. Das Gefäß ist bis auf einige kleine Randstücke und ein Stück des Bodens vollständig.

Abb. 49. Bronzebecken Nr. 55.

Bei der Auffindung war es zum guten Teil gefüllt mit einer dunkelroten Masse, welche uns an geronnenes Blut von einem zu Ehren des Toten geschlachteten Opfertiere denken ließ, durch die von meinem Kollegen R. Kobert angestellte Untersuchung (s. Anhang) aber als fein zerkleinertes und künstlich gefärbtes

Koniferenholz erwiesen worden ist, welches offenbar als Räucherpulver gedient hat. Dem Toten ist es ebenso wie die in der Amphora Nr. 1 enthaltene Butter ins Jenseits mitgegeben worden. Außerdem enthielt das Becken reichliche Stoffreste.

Abb. 50. Bronzebecken Nr. 56.

56. Durchmesser 0,49 m, Höhe 0,19 m. Zwei aufrecht stehende Griffhenkel sind mittels einer Schiene angenietet. Der ganze Rand war durch eine ebenfalls angenietete eiserne Schiene verstärkt. Das Gefäß ist quer gerissen, größere Stücke fehlen (Abb. 50).

57. Durchmesser 0,35 m, Höhe 0,13 m. Zwei aufrechte Griffhenkel, auf denen oben eine geöffnete Lotosknospe aufsetzt, sind mittels einer ausgeschweiften Schiene durch vier, bezw. fünf Niete am Gefäß befestigt. Die auffallend großen Nietköpfe sitzen im Innern des Gefäßes. Große Stücke des Bodens fehlen; das eine erhaltene zeigt eine antike Ausbesserung: um ein Loch zu flicken, ist ein 0,03 m im Durchmesser haltendes Stück Bronzeblech aufgenietet (Abb. 51).

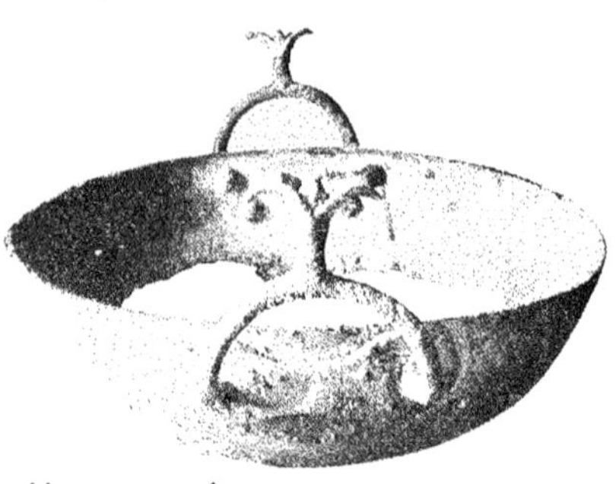
Abb. 51. Bronzebecken Nr. 57 mit Lotosknospen auf den Henkeln.

58. Tiefes Becken mit eisernen Ringhenkeln; Durchmesser 0,425 m. Die Ringe laufen in einfachen Ösen, die mittels hufeisenförmiger Schienen durch je sechs Niete am Gefäß befestigt sind. Stark zerstört, an einem Stück eine Ausbesserung wie bei dem vorhergehenden, Durchmesser des Flickstückes 0,05 m. Im Innern Reste von Stoff.

59. (B. M.). Flaches Becken, Durchmesser 0,245 m, mit zwei großen, aufrecht stehenden, direkt an den Körper des Gefäßes genieteten Ringhenkeln. Das Gefäß war stark zerstört, konnte aber vollständig wieder hergestellt werden; das Metall hat an manchen Stellen den ursprünglichen hellen Glanz bewahrt (Abb. 52).

Abb. 52. Bronzebecken mit Ringhenkeln Nr. 59.

60—86. Schalen, welche sämtlich, und zwar anscheinend jede Schale einzeln, in Leinwand eingeschlagen oder vielmehr, wie wenigstens bei Nr. 81 noch erkennbar, eingenäht waren; Reste der feinen Leinwand haben sich noch an mehreren erhalten. Der Form nach sind, von geringeren Verschiedenheiten abgesehen, zwei große Gruppen zu scheiden, nämlich solche mit und ohne Omphalos.

60—72 mit Omphalos.

Alle diese Schalen haben einen glatten nach der Innenseite ein wenig abgesetzten Rand, als einzige Verzierung ein bis vier Rillen um den Omphalos, welche, im Durchschnitt dreieckig, sehr sauber und scharf ausgeführt sind; nur Nr. 70 entbehrt dieses Schmuckes, Nr. 71, 72 weichen in der Gesamtform von den übrigen ab.

60. Durchmesser 0,19 m. Vier Rillen; außen geringe Stoffreste, der Rand an einer Stelle verletzt.

61. Durchmesser 0,18 m. Ebenso, etwas tiefer, Omphalos ausgebrochen, aber vorhanden; außen erhebliche Stoffreste.

62. (B. M.). Durchmesser 0,177 m. Drei Rillen.

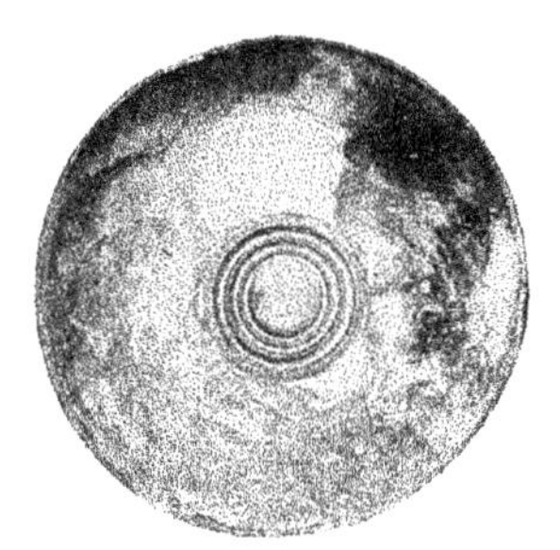

Abb. 53. Schale mit Omphalos Nr. 64.

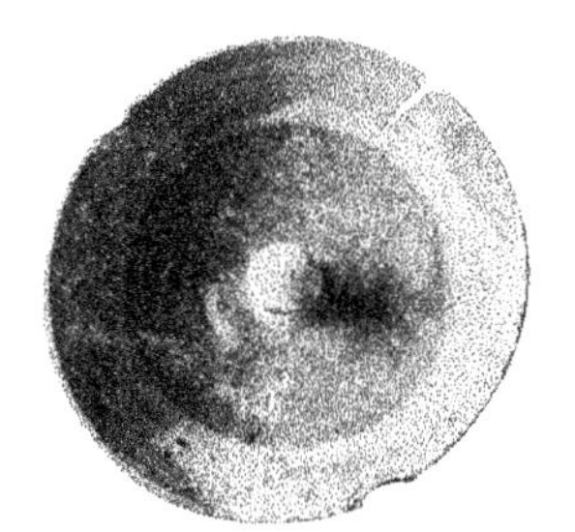

Abb. 54. Schale mit Omphalos Nr. 72.

63. Durchmesser 0,165 m, ebenso. Besonders wohl erhalten mit z. T. hellem Metallglanz.

64. Durchmesser 0,165 m, ebenso, stellenweise Metallglanz erhalten (Abb. 53).

65. Durchmesser 0,155 m, ebenso; mehrfach eingebrochen, nicht ganz vollständig.

66. Durchmesser 0,14, ebenso, sehr wohl erhalten, außen Metallglanz.

67. Durchmesser 0,14 m; eine Rille; nur zur Hälfte erhalten.

68. Durchmesser 0,18; eine Rille, sehr dünnwandig, stark zerstört.

69. Reste einer ähnlichen Schale wie die vorige.

70. Durchmesser 0,175 m. Einfacher Omphalos, ohne Rille, sehr dünnwandig, Boden stark zerstört.

71. (B. M.). Durchmesser 0,16 m. Etwas abweichende Gesamtform mit flachem abgesetzten Boden, einfacher Omphalos ohne Rillen. Sehr dünnwandig, vielleicht getrieben.

72. Durchmesser 0,15 m. Dieselbe Form; der Omphalos hat die Gestalt eines hohen Knopfes; dessen oberer Teil ist von der Außenseite her mit Blei ausgefüllt; innen zwei umlaufende Riefeln (Abb. 54).

73—86 ohne Omphalos.

73. (B. M.). Durchmesser 0,18 m. Ziemlich flach, scharf abgesetzter, nach außen etwas umgebogener Rand. Das Randprofil und die Dünnwandigkeit machen es wahrscheinlich, daß dieses Exemplar getrieben ist. Metallglanz teilweise erhalten (Abb. 55).

74. Durchmesser 0,185. Glatter Rand, flach, an zwei Stellen verletzt, Metallglanz teilweise erhalten.

75. Durchmesser 0,185 m. Ebenso, tiefer; an einer Stelle verletzt, außen starke Leinwandreste.

76. Durchmesser 0,17 m. Ebenso; außen vielfach Metallglanz.

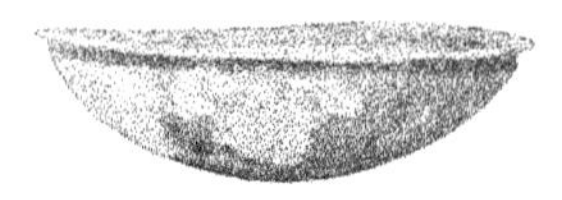

Abb. 55. Schale Nr. 73.

Abb. 56. Schale Nr. 81, eingenäht in feine Leinwand.

77. (B. M.). Durchmesser 0,19 m. Ebenso, außen erhebliche Reste der umhüllenden Leinwand.

78. Durchmesser 0,185 m. Ebenso; eingebrochen.

79. Durchmesser 0,185 m. Ebenso; stellenweise Metallglanz.

80. Durchmesser 0,155 m. Ebenso; außen Metallglanz.

81. (B. M.). Durchmesser 0,15 m. Ebenso. An der noch die Hälfte der Außenseite einhüllenden feinfädigen Leinwand ist eine Naht erkennbar (Abb. 56).

82. Durchmesser 0,155 m. Ebenso; innen und außen mehrfach Metallglanz.

83. Durchmesser 0,16 m. Ebenso.

84. Durchmesser 0,165 m. Ebenso.

85. Durchmesser 0,195 m. Der Boden fehlt großenteils.

86. Durchmesser 0,145 m. Ein großer Teil fehlt.

87—92. Gefäße verschiedener Form.

87. Bauchige Kanne, die Lippe etwas nach außen umgebogen. Höhe 0,15 m. Der Henkel besteht aus zwei übereinandergreifenden Streifen, die durch Niete miteinander vereinigt und ebenso am Gefäß befestigt waren; er ist inwendig verstärkt durch zwei eingelegte Metallstreifen. Die obere Nietstelle für den Henkel ist noch erkennbar, die untere mit einem beträchtlichen Stück des Bodens ausgebrochen. Das Gefäß ist eingedrückt und mehrfach gerissen; an einzelnen Stellen, besonders am Henkel ist Metallglanz erhalten (Abb. 57).

Abb. 57. Kanne Nr. 87.

Abb. 58. Kanne Nr. 89.

88. Niedrigere Kanne mit weiter Mündung. Höhe 0,10 m, am Henkel 0,135 m. Henkel derselben Technik wie bei der vorigen (doch ohne innere Verstärkung). Das Gefäß ist dickwandig, ein Stück des Randes ausgebrochen.

89. Bauchiges Kännchen mit hohem Hals und enger Mündung, flachem, vom Bauch etwas abgesetztem Boden. Höhe 0,15 m. Die Lippe ist durch einen Metallstreifen verstärkt, der durch Niete befestigt ist, der Henkel ähnlicher Technik wie bei den beiden vorhergehenden. Das Gefäß ist so dünnwandig, daß es nur getrieben sein kann (Abb. 58).

90. Geringe Reste eines ähnlichen Kännchens; erhalten ist besonders der Henkel ähnlicher Technik wie die vorhergehenden, der Ansatz mit Metallbuckeln verziert.

91. Schöpfkelle. Länge des Stiels 0,135 m, Durchmesser der Kelle 0,10 m. Das Gerät ist aus ziemlich dünnem Bronzeblech gearbeitet und zwar beide Teile für sich, anscheinend getrieben. Der Henkel geht in einen roh angedeuteten Tierkopf aus; er ist durch eine viereckige Ansatzplatte mit dem Gefäß verbunden und zwar, da Niete nicht vorhanden sind, anscheinend durch sehr sorgfältige und wohlgelungene (Hart?-)Lötung (Abb. 59).

Abb. 59. Schöpfkelle Nr. 91.

92. Rest eines großen Gefäßes mit offenem Ausguß; dazu gehörig glatte, durchbohrte Henkelöse, vielleicht auch die eisernen Bügelhenkel Nr. 108. Dieses Gefäß ist des Ausgusses wegen wohl als Waschbecken (λουτήριον) aufzufassen.

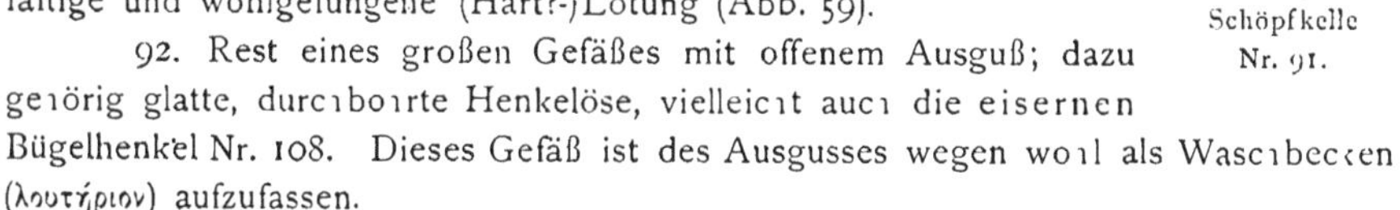

b) GERÄTE.

93. Kleineres Gerät unsicherer Bestimmung. Länge 0,15 m. An einem runden Stiel mit Öse sitzt ein schaufelförmiges Glied, dessen nach außen umgebogener Rand mit Zähnen versehen ist. Die eigentümliche Form dieses Gerätes ist, so viel mir bekannt, ganz neu und ohne Analogie unter den aus dem Altertum auf uns gekommenen. Nach vielem Überlegen erschien uns die, wenn ich nicht irre, von einem unserer Besucher im Museum zu Konstantinopel zuerst hingeworfene Vermutung am meisten beachtenswert, daß das kleine Gerät zu der Reinigung der eigentümlichen Siebkannen unseres Tumulus gedient habe. In der Tat ist es einmal geeignet, im Innern dieser Gefäße etwa anhaftende feste Bestandteile zu entfernen, das schaufelförmige Ende oben würde, mit Leinwand oder etwa mit Werg umhüllt, zu dessen Festhaltung die Zähne dienen würden, sehr wohl zur gründlichen Reinigung der großen Tüllen jener Gefäße verwendet werden können. Durch diese Erklärung werden die durch ihre Form am meisten singulären Fundstücke unseres Tumulus miteinander in Verbindung gebracht (Abb. 60).

Abb. 60. Gerät unsicherer Bestimmung Nr. 93.

94. Feuerkratzer, Länge 0,89 m. Das obere Ende ist wie bei dem vorhergehenden Gerät mit einem, hier in der Achse des Stieles, statt, wie man erwarten sollte, quer zu demselben angebrachten Ringe versehen, an beiden Enden und in der Mitte der Stiel mit feinem Ringprofil verziert. Die Erhaltung ist vorzüglich (s. unten Abb. 70a).

95. Bruchstücke eines Spiegels. Dünne runde Metallscheibe von 0,195 m Durchmesser mit schwach aufgebogenem Rand, ohne Verzierung; der untere Teil fehlt. An der Verwendung als Spiegel kann nicht gezweifelt werden.

96. FIBELN.

Die Fibeln sind sämtlich gegossen, und zwar die Nadel wenigstens der Regel nach aus einem Stück mit dem Bügel, worauf sie unter mehrfachem Glühen ausgehämmert wurde[14]. Die feinen Endprofile des Bügels und die der Ösen sind dann auf kaltem Wege, vorzugsweise mit der Feile und dem Punzen hergestellt und schließlich bei einigen besonders sorgfältig verzierten Exemplaren noch Ornamente mit dem Grabstichel eingegraben.

Der Form nach gehören alle zur Gattung der Bogenfibeln, zerfallen aber nach der Form des Bügels in mehrere Gruppen.

α) Flacher, schmaler, bandförmiger Bügel mit aufgesetzten Buckeln.

Abb. 61. Fibula Nr. 1.

1. Größte Länge 0,11 m. Die Buckel sind durch Niete befestigt und waren vermutlich wie die bei dem Holzsarkophage verwandten mit einer Füllmasse versehen. Der Bügel endet jederseits in einen Würfel, der an drei Seiten ebenfalls mit Buckeln besetzt ist, daran schließt sich, durch ein profiliertes Zwischenglied getrennt, einerseits (rechts) die Nadel, anderseits (links) die Öse, auf deren Oberseite ebenfalls Buckel sitzen (Abb. 61).

[14]) Die gesonderte Herstellung der Nadel und ihre Einsenkung in das Bügelende, wie sie durch v. Luschan (*Verh. d. Berl. anthropol. Ges.* 1893, S. 388 ff.) zuerst beobachtet worden ist, findet sich an den ins Berliner Museum gelangten Fibeln von Gordion, die ich genau daraufhin untersucht habe, nur in einem Falle, nämlich Tum. IV, Nr. 2. In Konstantinopel haben wir auf diesen Punkt nicht speziell geachtet, so daß ich das Vorkommen weiterer analoger Fälle nicht schlechthin in Abrede zu stellen vermag. In dem einen konstatierten Falle denkt man zunächst an Reparatur.

Einige weitere Beispiele desselben Verfahrens konnte ich an einigen Fibeln italischen und griechischen Fundorts mit gütiger Hilfe von E. Pernice im Antiquarium des Berliner Museums feststellen, so bei der Kahnfibel Friederichs 250[b]; D 72 S. Bartholdi; einer Bogenfibula (= den unsrigen, Typus δ) Misc. Inv. 8471, in Athen erworben.

Von den fünf Fibeln aus Sendjirli, die ich durch Dr. Messerschmidts Güte in der vorderasiatischen Abteilung des Kgl. Museums untersuchen konnte, war bei der einen kreisförmigen, S 659, die Nadel eingesetzt, bei einer andern derselben Form, S 1312, sicher aus einem Stück mit dem Bügel, ebenso bei einer mit rundem Bügel, S 883.

Ob man in allen diesen Fällen an Reparatur (Ersatz der zerbrochenen Nadel) zu denken habe, lasse ich dahingestellt. In bewußter Absicht scheint das Verfahren der Einsenkung der Nadel jedenfalls nur ausnahmsweise geübt worden zu sein.

β) Ähnlicher Bügel von annähernd derselben Größe, ohne Buckel. Die Profile sind auch auf der Rückseite durchgeführt.

2. Größte Länge 0,115 m, in zwei Stücke gebrochen. Öse links.

3. Größte Länge 0,087 m, Bügel besonders schmal (0,006 m breit), in zwei Stücke gebrochen. Öse links.

4. (B. M.). Größte Länge 0,095 m, Bügel 0,007 m breit, in zwei Stücke gebrochen. Öse links.

5. Größte Länge 0,095 m, in drei Stücke gebrochen, von denen eines fehlt, Öse links.

Abb. 62. Fibula Nr. 6.

Abb. 63. Fibula Nr. 7.

6. Größte Länge 0,095 m, in drei Stücke gebrochen, mit Doppelnadel. Öse links (Abb. 62).

7. Größte Länge 0,135 m. Bügel in der Mitte erheblich breiter werdend, geht an den Enden in einen Rundstab über. Öse links (Abb. 63).

γ) Breiter flacher Bügel. Die Profile fehlen auf der Rückseite, oder sind dort nicht sorgfältig ausgeführt. Die Fibeln sind dicker und trotz der geringeren Größe schwerer als die vorhergehenden.

Öse links:

8. Größte Länge 0,085 m. Kleines Stück der Nadel erhalten.
9. (B. M.). Größte Länge 0,08 m.
10. Größte Länge 0,08 m. Stück der Nadel erhalten.
11. Größte Länge 0,073 m.
12. (B. M.). Größte Länge 0,07 m. Stück der Nadel erhalten.
13. (B. M.). Größte Länge 0,07 m.
14. Größte Länge 0,06 m.
15. Größte Länge 0,06 m.
16. Größte Länge 0,06 m. Fein gravierte Linien auf den Endstücken.
17. Größte Länge 0,055 m. Ebenso, Stück der Nadel erhalten.
18. Größte Länge 0,05 m.

Öse rechts:

19. Größte Länge 0,065 m. Stück der Nadel erhalten.
20. (B. M.). Größte Länge 0,075 m. Stück der Nadel erhalten.
21. Größte Länge 0,083 m. Schlecht erhalten.
22. (B. M.). Größte Länge 0,082. Stück der Nadel erhalten.
23. Größte Länge 0,06 m. Feine Linien auf den Endstücken.
24. (B. M.). Größte Länge 0,069 m.

Abb. 64. Fibula Nr. 25.

Abb. 65. Fibula Nr. 26.

25. Größte Länge 0,065 m. Feine Linien auf den Endstücken (Abb. 64).
26. Größte Länge 0,072 m. Nadel mit daran haftendem Rest von Leinwand erhalten (Abb. 65).
27. Größte Länge 0,064 m. Besonders dünn gegossen (0,0025 m dick), gut erhalten.
28. Größte Länge 0,055 m. Fein gravierte Linien auf den Endstücken, gut erhalten.
29. Größte Länge 0,06 m. In zwei Stücke gebrochen.
30. Größte Länge 0,056 m.
31. Größte Länge 0,05 m.

δ) Bügel mit flach gewölbtem, eine Art Rippe bildendem Querschnitt; die Rückseite flach.

32. Größte Länge 0,072 m. Öse rechts.
33. Größte Länge 0,055 m. Ebenso; fein gravierte Zickzacklinien auf den Endstücken. (Abb. 66).

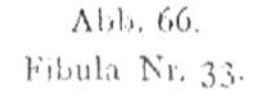

Abb. 66. Fibula Nr. 33.

34. Größte Länge 0,075 m. Öse links.
35. Größte Länge 0,06 m. Ebenso.
36. Größte Länge 0,063 m. Ebenso.
37. Größte Länge 0,11 m. Ebenso. Besonders flache Wölbung ohne Rippe; der Bügel wird nach den Enden zu rund; teilweise erhaltene Doppelnadel. In drei Stücke zerbrochen.

ε) Runder Bügel, glatt, oder mit Umschnürung.

Abb. 67. Fibula Nr. 38.

Abb. 68. Fibula Nr. 40.

38. Größte Länge 0,047 m, Nadel mit Stoffresten erhalten. Öse rechts (Abb. 67).
39. (B. M.). Größte Länge 0,048 m. Öse rechts.
40. Größte Länge 0,049 m. Bügel mit Umschnürung. Öse links (Abb. 68).
41. Größte Länge 0,048 m. Ebenso.

42. Ferner sind noch einige nicht sicher einer der beschriebenen zuzuweisende Reste vorhanden, nämlich: *a*, ein Ösenstück von einer sehr großen Fibula

am untersten Gliede drei gravierte Linien. *b*, *c*, *d* drei Reste von Doppelnadeln, von denen eine auf der Scheibe zwischen den Nadeln zwei sich kreuzende Linien aufweist, *e* sechs einfache Nadeln oder Bruchstücke von solchen. Die Gesamtzahl der vorhanden gewesenen Fibeln beträgt demnach mindestens 42.

4. EISEN.

97. Flache runde Scheibe, stark oxydiert; in der Mitte fühlt und erkennt man auch auf der Abbildung eine rundliche Erhebung, welche offenbar beabsichtigt ist. Durchmesser 0,16 m, Dicke 0,35 m, Gewicht (nach der in der Kaiserlich Ottomanischen Münze vorgenommenen Wägung) 4,8745 kg.

98. Scheibe von unregelmäßig länglich viereckiger Form. In der Mitte senkrecht zur Längsseite ein erhabener Grat oder Strich. Maße: 0,115 × 0,095 × 0,04 m. Gewicht: 2,6996 kg.

Beide Stücke sind, wie oben angegeben, innerhalb des Sarkophages am Kopfende gefunden worden. Das beweist, daß sie als wertvoller Besitz galten. Da das Material den Gedanken an Gewichte ausschließt, so können sie nur als zu weiterer Verarbeitung bestimmte Stücke Roheisen aufgefaßt werden.

Abb. 69 *a*, *b*. Stücke Roheisen.

Das größere Stück (97) erinnert uns an eine bekannte Stelle der Ilias (Ψ 826 ff.): Achill setzt als Kampfpreis für den Diskoswurf ein Stück Roheisen, σόλον αὐτοχόωνον, aus mit dem Bemerken, es werde dem Gewinner auf fünf Jahre das in seiner Wirtschaft benötigte Eisen liefern. Da es zugleich selbst als Diskos benutzt wird, so wird es ungefähr die Form einer Scheibe gehabt haben. Blümner faßt es (*Technologie* IV, 220) als einen nicht weiter bearbeiteten Gußkuchen (techn. »Luppe« oder »Rohluppe«) auf, wie er bei einem einfachen Schmelzprozeß im Wind- oder Gebläseofen (S. 221 ff., 223 ff.) gewonnen wird. Unsere Stücke haben offenbar die von Blümner S. 225 f. angegebene weitere Bearbeitung erfahren, d. h. sie sind durch Klopfen mit großen Holzhämmern von der Schlacke gereinigt und dicht gemacht und dann zum zweiten Male erhitzt und in weißglühendem Zustand auf dem Ambos mit Handhämmern ausgeschmiedet worden. Es scheint mir wahrscheinlich, daß der Dichter der ἆθλα ἐπὶ Πατρόκλῳ ebenfalls diesen Zustand des noch ungebrauchten, aber gebrauchsfertigen Roheisens, wie es von den Eisen produzierenden Ländern aus in den Handel gebracht wurde, vor Augen hatte und daß αὐτοχόωνος ohne Bedenken übersetzt werden kann »wie es vom Gießer kommt«, da diesem ja ohne Zweifel die angegebene Zurichtung des Gußstückes für den Markt zufiel.

Die Formen unserer Roheisenstücke beruhen aller Wahrscheinlichkeit nach auf festem, alteingewurzeltem Gebrauch, und stehen im Verhältnis zu deren verschiedenem Wert. Darauf führen auch die auf beiden offenbar absichtlich angebrachten, der Form nach anscheinend verschiedenen Beizeichen, nämlich ein rundlicher Knopf (Punkt) auf dem größeren, ein Grat (Strich) auf dem kleinen Stück, Wir werden sie eben ihrer Verschiedenheit halber als Wertbezeichnungen aufzufassen haben.

Freilich stehen die Gewichte beider Stücke, auch wenn man den Gewichtsverlust berücksichtigt, den beide durch die starke Oxydation erlitten haben müssen, nicht in einem durch einfache Ziffern auszudrückenden Verhältnis zueinander. Das Gewicht des kleineren (98) beträgt zwar annähernd 8/15 des größen (97)[15], aber dieser Bruch kann schwerlich als beabsichtigtes Wertverhältnis gelten. Es erscheint aber bei näherer Erwägung überhaupt ausgeschlossen, daß man in so alter Zeit mittels des oben angegebenen immerhin unvollkommenen Verfahrens Eisenstücke von genau bestimmtem Gewicht herzustellen vermocht habe. Ist doch auch im späteren Altertum, so weit unsere Kenntnis reicht, Eisen zur Herstellung von Gewichten niemals verwendet worden. Somit muß angenommen werden, daß unsere Stücke nur annähernde Normalgrößen darstellen, wie sie im Handel üblich waren, und daß der genaue Wert des einzelnen Stückes jedesmal durch Wägung ermittelt wurde, wenn sie nicht etwa unabhängig von ihrem genauen Gewicht einen festen Tauschwert hatten.

Ob die Stücke im Lande selbst hergestellt, oder von auswärts eingeführt worden sind, muß dahingestellt bleiben. Die erstere Möglichkeit erscheint keineswegs ausgeschlossen. Scheinen doch die Phryger schon in viel früherer, prähistorischer Zeit die Eisengewinnung gekannt zu haben: im Tumulus von Bos-öjük ist eine Eisenschlacke gefunden worden, welche nach sachverständigem Urteil von einem Verhüttungsprozeß herrührt, bei dem aus Eisenerzen Eisen abgeschieden wurde[16]. In den gleichzeitigen trojanischen Schichten II—V ist der Gebrauch des Eisens zwar nicht sicher nachzuweisen, aber immerhin als möglich anzuerkennen[17].

Für die Zeit unseres Tumulus steht inländische Verarbeitung von Eisen, und zwar in ziemlich ausgedehntem Maße, fest. Das Vorkommen von Eisenerzen im Lande ist zwar nicht ausdrücklich bezeugt, aber gewiß möglich[18]. Andererseits kann gerade die hohe Wertschätzung des Rohmaterials, welche wir oben aus den näheren Fundumständen für unsere Stücke erschlossen haben, dafür geltend gemacht werden, daß diese von auswärts eingeführt worden sind. Man denkt dann zunächst an das Land der Chalyber am Pontus, dessen Eisen im Altertum den größten Ruf hatte; aber auch für Kappadokien und Andeira in der Troas ist Eisengewinnung bezeugt[19].

99. Dreifuß, zu dem großen Bronzekessel Nr. 49 gehörig. Er besteht aus einem Ring von 0,48 m Durchmesser, mit welchem die drei Füße durch Schweißen verbunden sind; sie sind 0,30 m hoch, im Durchschnitt viereckig und unten etwas nach außen geschweift. Der eine Fuß ist nahe dem unteren Ende eingeknickt. S. oben Abb. 44.

---

15) 8/15 · 4,8745 = 2,5997 kg, also 0,0999 kg weniger als das wirkliche Gewicht von Nr. 98.

16) *Athen. Mitt.* XXIV (1899), S. 19 (A. Körte).

17) A. Götze, *Troja und Ilion*, S. 367 f.

18) Vgl. *Athen. Mitt.* a. a. O. S. 20.

19) Nachweise bei Blümner, *Technologie* IV, 71 u. 73.

100. Kleinerer Dreifuß, derselben einfachen Form und Technik. Durchmesser 0,32 m, Höhe 0,23 m. Zwei Füße fehlen teilweise.

101. Noch kleinerer desgl. Durchmesser 0,185 m, Höhe 0,15 m. Ein Fuß fehlt (Abb. 70*b*).

102. Vier Bruchstücke, welche anscheinend zu einem weiteren Dreifuß gehörten. Erhalten ist ein 0,39 m hoher Fuß, mit welchem ein anderer Stab (nur durch Rost?) verbunden ist (Abb. 70*c*).

103. Runder Eisenstab, 0,38 m lang, oben zu einem Haken gebogen, unten spitz zugehend (Abb. 70*d*); an das obere gebogene Ende ist ein flaches Eisenstück angerostet.

Außer diesem Exemplar sind noch geringe Reste eines zweiten gleichen erhalten und auch ein dritter in einer Länge von 0,26 m erhaltener Stab, der oben umgebogen ist, scheint ebenso zu ergänzen. Diese Stäbe dienten, zu je zweien in die Erde gesteckt, anscheinend dazu, einen der mit Ringhenkeln versehenen Bronzekessel daran aufzuhängen. Wenn wir zu dem letzterwähnten Stabe noch einen notwendig dazu gehörigen hinzuzählen (vgl. die am Schluß dieser Gruppe erwähnten Bruchstücke), so würden für alle sechs im Grabe gefundenen Kessel die dazu gehörigen (4) Dreifüße, bezw. (2 Paar) Stützen zum Aufhängen vorhanden sein.

Abb. 70. Feuerkratzer aus Bronze (*a*) und Geräte aus Eisen (*b*—*h*).

104. Feuerkratzer, 0,78 m lang. Die einzige Verzierung sind zwei ringförmige Aufsätze auf der Schaufel zu beiden Seiten des Schaftansatzes. Der glatte Schaft ist in seinem unteren Teile viereckig, in dem weit längeren oberen Teile rund. Wie es scheint, ist jener mit dem Querbrett aus einem Stücke geschmiedet und mit dem gesondert gearbeiteten runden Schaft durch Schweißung verbunden (Abb. 70*e*).

105. Feuerzange, 0,72 m lang, der eine Schenkel unvollständig (Abb. 70*f*).

106. Desgl., 0,755 m lang, zerbrochen, der eine Schenkel unvollständig.

107. Zwei unvollständige Geräte unbekannter Bestimmung. Bei dem einen in Abb. 70*g* dargestellten ist der dünnere Schenkel an drei Stellen mit auf der Drehbank hergestellten Verzierungen versehen.

108. Zwei Bügelhenkel von einem großen Gefäß, 0,11 m breit, 0,10 m hoch; der eine in zwei Stücke zerbrochen Abb. 70*h*, der andere nur zur Hälfte erhalten.

Vielleicht gehörten diese Henkel zu dem fast ganz zerstörten Bronzegefäß mit Ausguß Nr. 12.

Außer den zu den Bronzekesseln und -becken gehörigen Ringen, welche bei den Nummern 49, 50, 51, 52, 56, beschrieben sind, ist noch ein Bruchstück eines ähnlichen zu erwähnen, welches nicht mit Sicherheit unterzubringen ist. Dasselbe gilt von einigen Stücken von runden Eisenstäben.

Die ungewöhnlich reichhaltige Ausstattung des Grabes entspricht der (oben S. 46f.) aus der Bekleidung der Leiche mit kostbaren, höchstwahrscheinlich von fernher importierten Linnengewändern, deren eines sogar mit einem Purpurstreif verziert war, und dem eigenartigen Brustschmuck erschlossenen fürstlichen oder priesterlichen Würde des Toten. Als ein Attribut derselben darf auch der fein gearbeitete, eigentümlich gekrümmte Stab (S. 53 Nr. 7) angesehen werden, vielleicht auch der besonders reich verzierte, zum praktischen Gebrauch seiner geringen Tragfähigkeit wegen wenig geeignete Prunkstuhl (S. 49 Nr. 2). Im übrigen ist dem Toten alles mitgegeben worden, dessen er im Jenseits nicht nur für seinen persönlichen Gebrauch, sondern auch zur Unterhaltung eines standesgemäßen Haushaltes bedürfen konnte. Außer der Kline, die allerdings nur aus geringen Resten erschlossen worden ist (S. 49), sind ein Stuhl (Nr. 3), ein Metallspiegel (Nr. 95) und die Fibeln für den ersteren Zweck bestimmte; auch das leider fast ganz zerstörte große Waschbecken aus Bronze (Nr. 92) ist dahin zu rechnen. Verschiedenen Zwecken des Haushaltes dienen die 6 Kessel und 5 Becken aus Bronze, die zu jenen gehörigen vier eisernen Dreifüße (99—102) und zwei Paar Eisenstäbe zum Aufhängen von Kesseln (103); an weiterem Haus- und Küchengerät sind ein eherner (94) und ein eiserner (104) Feuerkratzer vorhanden, auch der hölzerne Quirl fehlt nicht (Holzgerät Nr. 8), soviel ich sehe das einzige aus dem ganzen Altertum auf uns gekommene Exemplar. Von grobem Tongeschirr sind nur die beiden Amphoren erhalten, andere Vorratsgefäße wie gewöhnliches Kochgeschirr werden unter der gänzlich zerstörten, in der Mitte des Grabes aufgestellten Tonware gewesen sein.

Die übrigen Ton- und Bronzegefäße können der beträchtlichen Zahl von Exemplaren ein und derselben Gattung nach nur zur Bewirtung von Gästen bestimmt sein, wie sie sein Rang und Reichtum dem Grabinhaber bei Lebzeiten gestattet und zur Pflicht gemacht hatten.

Eine völlig naive Übertragung der Bedürfnisse des Lebens auf die des Jenseits liegt hier in einem sonst kaum zu belegenden Umfange vor. Sie spricht sich auch darin aus, daß alle die dem Toten mitgegebenen Gegenstände gebrauchsfähig, zum Teil, wie die Reparaturen (s. zu Nr. 50, 56—58) beweisen, wirklich lange Zeit in Gebrauch gewesen, zum Teil neu waren, wie die Trinkschalen aus Bronze, welche in ihrer Mehrzahl noch jetzt den Metallglanz bewahren: dank den Hüllen aus feiner Leinwand, in welche sie (wofür ich kein anderes Beispiel kenne) eingenäht waren. Nur bezüglich der beiden Kessel aus Ton (47, 48), welche offensichtlich denen aus Bronze nachgebildet sind, könnte man an Scheingeräte für den

Grabgebrauch denken; sie sind jedoch für den praktischen Gebrauch gleichfalls ohne Zweifel geeignet und höchstwahrscheinlich auch bestimmt gewesen.

Unter den Bronzegefäßen nimmt der Kessel Nr. 49 ein besonderes Interesse in Anspruch: er überragt die übrigen erheblich an Größe, ist als einziger von allen mit einem Deckel versehen und enthielt in seinem Innern nicht weniger wie 42 kleine Tongefäße (Nr. 3, 5—46. Die unter Nr. 33 aufgeführten Deckel gehörten vermutlich zu den Töpfen (Bechern) Nr. 26—32 und sind deshalb in der Gesamtzahl nicht mitgerechnet). Diese sind offenbar nicht aus Raummangel, oder um sie möglichst vor Beschädigung zu schützen, in den Kessel verpackt worden, denn sonst würde man die kleineren Metallgefäße und -geräte sowie die Tonkanne Nr. 4 in die größeren Kessel und Becken, und diese an- oder aufeinander verpackt haben, was nicht der Fall gewesen ist. Vielmehr ist der Schluß unabweislich, daß die 42 Tongefäße untereinander und mit dem großen Bronzekessel durch einen gemeinsamen Zweck verbunden sein müssen. Als solcher ist nur die Herstellung und der Genuß eines Getränkes denkbar. Und zwar muß jene in dem großen Kessel unter starker Erhitzung erfolgt sein, darauf weist der Deckel und dessen aus Holz gefertigter Griff (s. oben S. 68), der die Handhabung, auch wenn der Deckel sehr heiß war, ermöglichte.

Wir erinnern uns nun, daß das Nationalgetränk der Thraker und der ihnen stammverwandten Phryger das Bier[20] war, κρίθινος οἶνος, »Gerstenwein«, wie es die Griechen nannten, oder mit einem phrygisch-thrakischen Worte βρῦτον, für welches Athenaeus X, 447b als ältestes Zeugnis eine Stelle des Archilochos[21] (fr. 32 Bgk.) anführt, dem thrakische Gebräuche durch seinen Aufenthalt auf Thasos geläufig waren.

Der große Kessel ist also als Braukessel[22] aufzufassen, in welchem das Gerstenmalz mit Wasser gekocht wurde; alsdann kam das Gebräu zur Abkühlung und Gärung vermutlich in ein anderes, wohl tönernes Gefäß, aus welchem es für den Gebrauch geschöpft wurde. Dies geschah mittels der Siebkannen (Nr. 4—11 und 16—21), welche, wie oben S. 55 ausgeführt, zum Schöpfen einer noch feste Bestandteile enthaltenden Flüssigkeit und zum Entleeren dieser in die Trinkgefäße, unter Zurückhaltung jener Bestandteile, gedient haben müssen. Ein Bier, welches

---

20) Über das Bier der Alten s. Olck unter »Bier« bei Pauly-Wissowa III, Sp. 457 f., V. Hehn, *Kulturpflanzen und Haustiere*⁶, 141 ff. (Nur weil auch die neueste Auflage dieses trefflichen Buches S. 144 noch die Angabe enthält, nach Hekataios in den Κτίσεις sei Bier auch aus Wurzeln bereitet worden, erwähne ich die von Kaibel zu Athenaeus X, 447c mitgeteilte schlagende Besserung von Wilamowitz ἐκ τῶν βριζῶν: aus Roggen, statt ἔκ τινων ῥιζῶν, wie Athenaeus gelesen hat.) Richtig erinnert R. Kobert in einem inhaltreichen und interessanten Vortrag »*Zur Geschichte des Bieres*« (Sep.-Abdr. aus Bd. V der *Historischen Studien aus dem pharmakol. Inst. der Kais. Univ. Dorpat*), Halle a. S. 1896, S. 2, daß diese Bezeichnung für das hopfenlose Getränk der Alten eigentlich ungenau und zutreffender durch »Kwaß« zu ersetzen sei. Vgl. desselben Schrift: *Über den Kwaß und dessen Bereitung*, Halle a. S. 1896 (*Histor. Stud.*, Bd. V).

21) Zur Chronologie des Dichters vgl. Crusius s. v. Archilochos bei Pauly-Wissowa II, Sp. 486—490: seine Lebenszeit ist etwa 680—640 zu setzen.

22) βρῦτον stammt wie unser »brauen« von einer indog. Grundform *bhru*, s. Olck a. a. O., Sp. 458 nach O. Schrader und Fr. Kluge.

diese Eigenschaft in besonders hohem Maße besaß, fand Xenophon in Armenien, nahe dem Gebiete der Chalyber. *Anab.* IV, 5. 26: — καὶ οἶνος κρίθινος ἐν κρατῆρσιν. ἐνῆσαν δὲ καὶ αὐταὶ αἱ κριθαὶ ἰσοχειλεῖς, καὶ κάλαμοι ἐνέκειντο, οἱ μὲν μείζους οἱ δὲ ἐλάττους, γόνατα οὐκ ἔχοντες. (27) τούτους δὲ ἔδει ὁπότε τις διψῴη λαβόντα εἰς τὸ στόμα μύζειν. καὶ πάνυ ἄκρατος ἦν, εἰ μή τις ὕδωρ ἐπιχέοι· καὶ πάνυ ἡδὺ συμμαθόντι τὸ πῶμα ἦν.

Von ähnlicher Beschaffenheit werden wir uns auch das phrygische Bier zu denken haben; der primitive Trinkkomment der armenischen Dorfbewohner aber, den der Athener gleich darauf nicht ohne Humor erwähnt (ib. § 32 ὁπότε δέ τις φιλοφρονούμενός τῳ βούλοιτο προπιεῖν, εἷλκεν ἐπὶ τὸν κρατῆρα, ἔνθεν ἐπικύψαντα ἔδει ῥοφοῦντα πίνειν ὥσπερ βοῦν), bestand bei den Gelagen der vornehmen Phryger schon zur Zeit unseres Tumulus, d.h. rund 300 Jahre vor Xenophon, nicht mehr. Der Gast hatte nicht nötig sich zum Vorratsgefäß zu begeben und den Trank durch einen Rohrhalm zu saugen[23], sondern jedem wurde eine der Siebkannen vorgesetzt, aus welcher dann der Stoff gereinigt in die Trinkgefäße gelangte, sei es, daß der Trinker selbst oder ein aufwartender Diener das Eingießen besorgte. Auch die stark berauschende Kraft, die Xenophon an dem armenischen Gerstenwein hervorhebt (πάνυ ἄκρατος ἦν), wird dem phrygischen eigen gewesen sein, denn zu dem »Bierservice« unseres Grabes gehören auch eine entsprechende Anzahl von nicht mit Sieben versehenen Kannen, welche vermutlich Wasser zur Verdünnung des Getränkes enthielten, wie sie Xenophon, doch wohl als Regel, erwähnt.

Überhaupt ist es von Interesse, die einzelnen Stücke des Bierservices genauer nach Form und Zahl zu betrachten. Es sind zunächst sieben bemalte Siebkannen vorhanden (Nr. 4 wurde außerhalb des Kessels gefunden und ist also nur als Ersatzstück zu rechnen), ihnen entsprechen sieben schwarze. Je eine dieser beiden Sätze von Siebkannen unterscheidet sich dadurch von den übrigen, daß die ganze obere Öffnung durch ein Sieb verschlossen ist, wodurch der Zweck des Gerätes, nämlich die festen Bestandteile der Flüssigkeit zurückzuhalten, noch vollkommener erfüllt wurde. Wasserkannen, ohne Sieb, sind in beiden Sätzen zusammen ebenfalls sieben vorhanden, nämlich eine bemalte (Nr. 3) und zwei schwarze Schnabelkannen (14, 15), ferner eine bemalte (12) und drei schwarze Kannen mit weiter Mündung (23, 24, 25).

Die Siebenzahl kehrt endlich wieder bei den einhenkligen Töpfen oder Bechern Nr. 26—32. In diesen dürfen wir die alteinheimische Form des Trinkgefäßes erkennen; sie entspricht, nur in vergrößertem Maßstabe, der im Tumulus

[23]) Dies scheint indessen die Sitte des gemeinen Volkes auch bei Thrakern und Phrygern gewesen zu sein. Das oben zitierte Archilochos-Fragment (32 Bgk.) ist so überliefert:

> Ὥσπερ — αὐλῷ βρῦτον ἢ Θρῆϊξ ἀνὴρ
> ἢ Φρὺξ ἔβρυζε, κύβδα δ᾽ἦν πονευμένη.

Dindorf und Hermann haben παρ᾽ in die Lücke eingesetzt, auch Kaibel hat es mit entsprechender Bezeichnung aufgenommen. Sie übersetzten offenbar »beim Flötenspiel«. Der sehr obscöne Sinn — es handelt sich um das *»ore morigerari«* verlangt aber die Verbindung αὐλῷ βρύζειν (?), »durch eine Röhre schlürfen«. Da das Zitat nicht vollständig ist, darf man wohl statt παρ᾽ γὰρ einsetzen. Vgl. von Wilamowitz, *Hermes* XXXIII, 515, welcher v. 2 ἔμυζε schreibt, mit Berufung auf die oben an erster Stelle zitierte Xenophon-Stelle.

von Bos-öjük vorkommenden, wo sie die am häufigsten vertretene Gefäßform überhaupt ist (vgl. A. Körte, *Athen. Mitt.* XXIV, 1899, S. 31f. Taf. III, 9, 10, 12). Auffällig ist freilich, daß zu diesen Trinkgefäßen Deckel gehören, denn die unter Nr. 33 beschriebenen vier Deckel können keiner anderen Sorte von Gefäßen unter den zum Bierservice gehörigen zugewiesen werden. Andererseits schließt eben die Zugehörigkeit zum Bierservice für die Gefäße selbst den Gedanken an Kochtöpfe aus; auch pflegen diese größer zu sein.

Neben diesen altmodischen Bechern finden wir aber noch eine elegantere Form des Trinkgefäßes vertreten, nämlich die henkellose Trinkschale mit und ohne Fuß (Nr. 34—38 und 39—44): sie ist in elf Exemplaren vertreten.

Es sind nun noch übrig der bemalte Teller Nr. 13 und das Becken nebst zugehörigem Dreifuß Nr. 46, 45. Jener ist vielleicht als Untersatz für die Schnabelkanne Nr. 3 zu betrachten, dieses kann schwerlich als Trinkgefäß aufgefaßt werden, sondern nur in einem loseren Zusammenhange mit dem Bierservice stehen. Mir scheint mindestens wahrscheinlich, daß es als Räucherbecken diente. Bei der Beschreibung des großen Bronzekessels (S. 70) ist darauf hingewiesen, daß derselbe eine kleinere Quantität des aus stark zerkleinertem Koniferenholz hergestellten künstlich rotgefärbten Räucherpulvers enthielt, wie es sich in beträchtlicher Menge in dem großen Bronzebecken Nr. 55 gefunden hat. Ich vermute, daß dieses offenbar beliebte Räucherpulver auch beim Biergelage eine Rolle spielte.

Schließlich sei noch bemerkt, daß auch die Gesamtzahl der zum Service gehörigen Gefäße, 42, ein Vielfaches der sieben darstellt.

Daß die für die einzelnen Teilnehmer am Biergelage bestimmten Schenk- und Trinkgefäße je in sieben Exemplaren vorhanden sind, von den Siebkannen sogar ein doppelter Satz in verschiedener Ausstattung, kann nicht zufällig sein. Wir dürfen daraus schließen, daß das Service auf sieben Personen berechnet war; von den elf henkellosen Trinkschalen sind vier als überzählig zu betrachten. Man fühlt sich zu der Vermutung gedrängt, daß diese Siebenzahl einen religiösen Hintergrund habe. Einen Beleg für ihre Heiligkeit bei den Phrygern habe ich freilich nicht auffinden können. Sie könnte aber sehr wohl von Assyrien her eingedrungen sein. Denn dort und bei den Semiten überhaupt ist sie uralt. Bei den Griechen spielt sie wenigstens nicht von den ältesten Zeiten her eine Rolle[24]. Ob die außerhalb des Kessels gefundenen, demnach nicht zum Bierservice im engeren Sinne gehörigen bronzenen Trinkschalen mit und ohne Omphalos ebenfalls für Bier oder für Wein bestimmt waren, ist nicht mit Gewißheit zu sagen. Bei den Armeniern fand Xenophon (*Anab.* IV, 5. 29) diesen neben jenem in Gebrauch, nnd in Phrygien wird heute noch Wein in ziemlich bedeutendem Umfange gebaut, wenn auch die Trauben unter der Herrschaft des Islam nur zum Teil (von Griechen und Armeniern)

[24]) Den Hinweis auf diese kulturgeschichtlich äußerst wichtige Frage verdanke ich dem schönen Aufsatz von H. Diels: »Ein orphischer Demeterhymnus« in der Festschrift für Th. Gomperz, S. 9, wo auch weitere Literatur angegeben ist, die aber für unseren Zweck nichts ergibt.

gekeltert werden. Dem vornehmeren Getränk würden die Trinkgefäße aus kostbarerem Material entsprechen.

Übrigens kehrt auch bei den Metallschalen die (doppelte) Siebenzahl wieder: es sind 14 Schalen ohne Omphalos vorhanden (73—86), von denen mit Omphalos allerdings nur 13 (60—72), doch ist es wohl möglich, daß eine durch die Feuchtigkeit so zerstört worden ist, daß die geringen Überreste unserer Aufmerksamkeit entgangen sind. —

Außer den zahlreichen Gefäßen und Geräten sind, in weiterer Konsequenz der Übertragung der Bedürfnisse des irdischen Lebens auf das Leben im Jenseits dem Toten auch wenigstens zwei zum wirklichen Verbrauch bestimmte Produkte in natura mitgegeben worden.

Das eine ist das schon oben erwähnte Räucherpulver aus zerkleinertem Koniferenholz, in größerer Menge gefunden in dem Bronzebecken Nr. 55, in geringerer in dem Kessel Nr. 49.

Wie dieses, so ist in noch höherem Maße für die phrygische Kultur charakteristisch die in der großen Amphora Nr. 1 enthaltene quarkartige Butter.

»Die Geschichte der Butter geht der des Bieres parallel. Die Butter kann eine Kunst und Gewohnheit des Hirten genannt werden, wie das Bier die des Ackerbauers ist« (V. Hehn, *Kulturpflanzen und Haustiere*[6], S. 153, wo auch die Belegstellen für das Folgende gesammelt sind): Die Phryger waren beides, und so finden wir beide Produkte von altersher bei ihnen heimisch, während die Öl und Wein produzierenden Griechen sie nur als etwas Fremdes, Barbarisches kennen. Sogar eine phrygische Bezeichnung für Butter ist uns aus Hippokrates überliefert: πικέριον. Und zwar diente sie, wenn wir das von den Thrakern bezeugte auf deren Stammverwandte übertragen dürfen, was keinem Bedenken unterliegt, sowohl als Nahrungsmittel, wie als Salbe. Der Komiker Anaxandridas nennt die Thraker »Butteresser«, βουτυροφάγους (Athenaeus IV, p. 131b. fr. 151 v. 8 K.) und von den Paeonern am Strymon, deren engen Zusammenhang mit den Phrygern Strabo VII, p. 131 fr. 33 ausdrücklich bezeugt, berichtete schon Hekataios, daß sie Bier (βρῦτον) aus Gerste tränken und sich mit »Öl von Milch« (ἐλαίῳ ἀπὸ γάλακτος) salbten.

Welchem von beiden Zwecken die unserem Toten mitgegebene Butter zu dienen bestimmt war, muß dahingestellt bleiben. Für den Gebrauch als Genußmittel spricht die recht beträchtliche Quantität, die eine ungewöhnlich große Amphora noch bei der Auffindung mehr als zur Hälfte füllte. Dagegen scheint die künstliche Färbung mit einem gelblich braunen Farbstoff besser für die Verwendung als Salbe zu passen. Möglicherweise war nach den angeführten Zeugnissen sogar die eine wie die andere Verwendung beabsichtigt. Man würde in diesem Falle begreiflich finden, daß beim festlichen Gelage auch das Räucherbecken nicht fehlen durfte. Unseren Nasen wenigstens würde der Geruch ranziger Butter, den die Festgenossen verbreiten mußten, ebensowenig angenehm gewesen sein wie der Lakonierin, welche die Tochter des galatischen Häuptlings Deiotaros besuchte (Plutarch, *adv. Colot* 4, 5).

Es liegt uns nunmehr die Aufgabe ob, durch eine genauere Untersuchung der Fundstücke nach Form und Herstellung Anhaltspunkte für die Zeitbestimmung zu gewinnen, zugleich eine Entscheidung der wichtigen Frage, inwieweit dieselben im Lande gefertigt, oder von auswärts eingeführt worden sind und wo der Ursprung der letzteren Klasse zu suchen ist. Wir gehen zu diesem Zwecke die einzelnen Gruppen nach dem Material durch.

Daß die aus Holz hergestellten Gegenstände einheimischen Ursprungs sind, wird niemand bezweifeln. Wenn auch in sehr einfachen Formen gehalten, lassen sie doch eine nicht ganz unerhebliche Gewandtheit in der Tischlerei und Drechslerei (vgl. den gekrümmten Stab, die hölzernen Schalen) und wohl einen gewerbsmäßigen Betrieb dieser Handwerke erkennen.

Das einzige Werk der Schnitzkunst in Holz, die Gruppe von Löwe und Schaf, welche den Griff des Deckels des Braukessels bildet (Taf. 5), kann von dem Stande dieser Kunst bei den Phrygern zur Zeit unseres Tumulus keine hohe Vorstellung erwecken. Auch wenn man den praktischen Zweck in Rechnung zieht, dem die Gruppe diente, und mit Rücksicht darauf dem Künstler die unförmig dicken Beine und den fest am Rücken anliegenden Schweif des Löwen zu gute hält, kann man doch die Arbeit nicht anders als plump und unbeholfen nennen. Von selbständiger Naturbeobachtung kann nicht die Rede sein; anscheinend hat der Künstler einen ihm nur obenhin bekannten Typus wiedergegeben und mit Einzelheiten eigener willkürlicher Erfindung ausgestattet. Wenigstens weiß ich für die von dem Kehlwulst ausgehende, den unteren Kontur des Rachens berührende Locke (s. S. 69) irgend eine Analogie nicht anzugeben. Die Heimat dieses unbeholfen und ungenau wiedergegebenen Typus ist doch wohl in Assyrien zu suchen. Näher stehen demselben die in der Umgegend von Angora gefundenen Reliefs mit je einem schreitenden Löwen. Das eine, jetzt in Konstantinopel befindliche Exemplar aus Kalaba hat schon Perrot (*Exploration de la Galatie* pl. 32, jetzt auch Perrot-Chipiez V, Abb. 350, S. 713) veröffentlicht; zwei neue J. W. Crowfoot (*Exploration in Galatia cis Halym* in *Journ. of hell. st.* XIX, 1899, S. 45ff.) in Jalandjak und in Amaksiz-köi gefunden und von dem letzteren, wohl erhaltenen, eine Abbildung (S. 46 Abb. 5) gegeben. Mit vollem Recht bezeichnet Crowfoot die Arbeit als konventionell und hinter der lebensvollen Naturwahrheit der assyrischen Löwen weit zurückstehend. Aber der Typus ist unverkennbar der assyrische: man vergleiche nur den Kopf mit Ohren und Kehlwulst, sowie die echt assyrische Wiedergabe der Muskeln, namentlich bei dem Exemplare von Kalaba. Es sind Werke phrygischer Künstler, die ein assyrisches Vorbild, flau und oberflächlich genug, wiedergeben. Unsere Holzschnitzerei entfernt sich noch weiter von dem Typus, aber sie steht ungefähr auf demselben künstlerischen Niveau; die größere Unbeholfenheit erklärt sich vielleicht daraus, daß ein Rundwerk nach einem Reliefvorbild (oder aus der oberflächlichen Kenntnis eines solchen) gefertigt ist.

Jedenfalls stehe ich nicht an, diese Reliefs von Angora ungefähr derselben Zeit wie unsere Holzgruppe zuzuweisen. Ein sehr weiter Abstand trennt diese

Löwendarstellungen von dem Felsrelief des »zertrümmerten Löwengrabes« bei Hairanveli (vgl. Alfred Körte, *Athen. Mitt.* XXIII, S. 126ff., Taf. III), dem einzigen, dessen Erhaltung (wenigstens was den oberen Teil des Körpers betrifft, eine stilistische Beurteilung der Einzelformen ermöglicht, während der nahe dabei gelegene Arslantasch und die Löwen an der Felsfassade von Arslan-kaja nur ein Gesamtbild der Löwen noch erkennen lassen. Auch mir scheint in diesem streng stilisierten und doch lebensvollen Werke der Einfluß ostgriechischer Kunst unverkennbar. Freilich geht deren Löwentypus im letzten Grunde wieder auf den assyrischen zurück, aber sie hat ihn in eigentümlicher Weise weitergebildet. Die Bildung von Augen und Lefzen aber, wie sie der Löwenkopf des zertrümmerten Grabes aufweist, findet sich so in der assyrischen Kunst nicht, wohl aber schlagend ähnlich in ostgriechischen Monumenten (vgl. a. a. O. S. 127f., sowie den Exkurs I am Schluß dieses Werkes). Wir befinden uns hier in einer neuen Periode der phrygischen Kultur, der des griechischen Einflusses von der Westküste Kleinasiens her. Sie beginnt, wie unsere Funde aus Tumulus II und den anschließenden I und V noch klarer und gleichsam handgreiflich beweisen, rund mit der Wende des VII. und VI. Jahrhunderts.

Die Reliefs von Angora und unser Tumulus müssen beträchtlich, wie ich im folgenden näher nachzuweisen hoffe, um ungefähr ein Jahrhundert älter sein.

Die keramischen Funde. Allem Anschein nach haben die Phryger schon bei der Besitzergreifung der kleinasiatischen Hochebene eine ziemlich ausgebildete Fertigkeit in der Töpferarbeit mitgebracht. Die Funde aus dem Tumulus von Bosöjük, deren völlige Gleichartigkeit mit der alttroischen Keramik außer Zweifel steht (vgl. *Athen. Mitt.* XXIV, 1899, S. 21ff., besonders 38), zeigen bereits eine große Mannigfaltigkeit der Gefäßformen und technische Geschicklichkeit, dabei in der Bevorzugung gewisser Dekorationsweisen, wie der Doppelfarbigkeit und der Politurstreifen, welche iu Troja nicht oder nur ausnahmsweise angewendet worden sind, eine selbständige, lokale Fortentwicklung. In der langen Zeit, welche zwischen diesen ältesten Erzeugnissen der binnenphrygischen Keramik und unserem Tumulus liegen muß, sind weitere erhebliche Fortschritte gemacht worden. Zunächst sehen wir die Töpferscheibe, welche in Bos-öjük noch als etwas Neues, ausnahmsweise angewandtes erscheint, zur allgemeinen Annahme gelangt. Die feineren Gefäße unseres Tumulus zeigen eine außerordentliche Dünnwandigkeit und die altgewohnte Handpolitur ist bei der besten monochromen Ware zu großer Vollkommenheit gebracht. Eine besonders auffallende Neuerung ist der teilweise Ersatz dieses mühsamen Verfahrens durch Kochsalz-Glasur. Bisher in alter Zeit nur hier nachweisbar, müssen wir dieses Verfahren geradezu für eine phrygische Erfindung halten: die reichen Salzschätze, welche die Natur fertig darbot und die noch heute einen großen Teil Kleinasiens versorgen, werden dazu geführt haben. Die außerordentliche Tragweite dieser Erfindung wurde von den phrygischen Töpfern freilich nicht erkannt und durch allmähliche Vervollkommnung ausgenutzt. Die glasierten Gefäße zeigen nur matten Glanz, ihre Farbe ist mehr grau als schwarz, die mit dem neuen Verfahren erzielten Leistungen bleiben also in der Wirkung hinter dem altgewohnten entschieden zurück. Es scheint, so weit unsere Funde ein Urteil gestatten, daß jenes sich nur verhältnismäßig kurze Zeit behauptet habe. Die jüngeren Tumuli haben keine glasierte Ware geliefert, wohl aber in der alten Weise mit Handpolitur hergestellte, und zwar diese in einer über die entsprechenden Gefäße unseres Tumulus noch weit hinausgehenden Vollendung. Im allgemeinen zeigen die Gefäßformen unseres Tumulus einen deutlichen Zusammenhang mit denen von Bos-öjük. Hier wie dort ist die Kugelform entschieden bevorzugt. Von den besonders beliebten Gefäßformen kehrt die Schnabelkanne in mehreren Varianten wieder, neu scheint der horizontal gerichtete Schnabel der bemalten Kanne Nr. 3. Auf die Ähnlichkeit der Becherform (Nr. 26—32) mit der in Bos-öjük beliebtesten Form des Trinkgefäßes ist schon oben hingewiesen. Die beiden großen Amphoren finden in einer alttroischen Amphorenform (Schliemann-Sammlung 2495) ihr nächstes Gegenstück.

Neu in ihrer Gesamtform sind die Siebkannen, die am meisten in die Augen fallende Form unter unseren Gefäßen. Aber der Ausguß, der ihr das entscheidende Gepräge verleiht, findet sich, nur als geschlossene Röhre, auch schon unter den Gefäßen von Bos-öjük (s. *Ath. Mitt.* XXIV, 33), einmal auch mit einem Sieb am Ansatz verbunden. Aus dieser Röhre aber hat sich der offene Ausguß zweifellos entwickelt, wie Dümmler nachgewiesen hat (*Athen. Mitt.* XIII, 1888, 289).

Bauchige Kannen oder Krüge mit derartigem offenem Ausguß und Sieb an dessen Ansatz sind namentlich auf Cypern gefunden werden[25]). Von den unsrigen unterscheiden sie sich durch den höheren Hals, mehr oder weniger enge Mündung und wesentlich kürzeren Ausguß. Nur ein Gefäß aus Kameiros auf Rhodos im Brit. Museum A 669, dessen Nachweis nebst einer Skizze und Angaben über die Technik ich R. Zahn verdanke, entspricht in der Gesamtform denjenigen Siebkannen unseres Tumulus, bei welchen der Hals fast ganz geschwunden ist, d. h. der Mehrzahl der Exemplare. Der Ausguß ist wesentlich kürzer, die Technik völlig abweichend[26].

[25]) Dümmler führt die folgenden an: 1. Tiryns, Schliemann, *Tiryns*, Fig. 30 (die im Text angeführten Beispiele ähnlicher Gefäße aus Thera, Jalysos und Kameiros scheinen sich nur auf die Gesamtform zu beziehen), ohne Bemalung; 2. Cypern, Idalion, mit kurzem, aber engem Hals, auf der Schulter laufende Vögel und Spiralranke; 3. ebenda, Lapathos, Schulterornament: gegitterte Dreiecke. Mir sind außerdem bekannt geworden: 4. Kanne im Louvre A 97, Pottier, *vases ant.*, pl. 7, aus Cypern. Wellenlinie am Hals, gegitterte Dreiecke auf der Schulter. 5. Desgl. im Berliner Museum, Furtwängler Nr. 95. Dieselbe Schulterverzierung. 6. Murray, *excav. in Cyprus*, S. 75, Fig. 34, aus Curium. Hoher Hals, die ganze Form schlanker, auf der Schulter Halbkreise. Noch erwähne ich als verwandt eine kleine Amphora aus Kreta im Otlom. Museum in Konstantinopel. Höhe 0,13 m, vorn kurzer Ausguß mit Sieb, auch die Mündung durch ein Sieb verschlossen; auf der Rückseite Ansatz eines kleinen Querhenkels. Ziemlich kurzer Hals, Henkel hoch geschwungen, auf dem erhaltenen ein aufgesetzter Knopf. Aufgemalt in schwarzer bis roter Firnisfarbe eine Verzierung aus Teilkreislinien. Spät-mykenisch.

[26]) »Höhe 0,085 m (mit Henkel 0,12 m), Länge des Ausgusses 0,05 m, Sieb mit 3 Löchern. Grauer Ton, gut geglättet, auf die Oberfläche scheint mir eine streifige, dunkle, graubraune Farbe aufgestrichen zu sein, die ganz ungleichmäßig deckt. Innenseite ohne Überzug, grau« (Z.). Der Kontur ist eigentümlich eckig, oben und unten eingezogen, abgesetzter Rand, Wulstfuß (nach der Skizze).

Wenn also Gefäße verwandter Form und ähnlicher Bestimmung (nämlich zum Ausschänken von Flüssigkeiten mit festen Bestandteilen — man kann etwa an Most denken) anderswo und anscheinend besonders häufig auf Cypern vorkommen, und zwar bis zur mykenischen Epoche zurückreichend (die S. 89 aufgeführten cyprischen Gefäße gehören wohl sämtlich der auf die mykenische folgenden »gräkophönikischen« Epoche an), so scheint doch die im einzelnen abweichende Form unserer Siebkannen unabhängig von fremden Vorbildern aus älteren einheimischen Anfängen sich entwickelt zu haben.

Im allgemeinen sind die Gefäßformen eleganter geworden, namentlich was Form und Verzierung der Henkel betrifft; an diesen sind namentlich die »Rotellen« hervorzuheben, etwas Verwandtes zeigt schon der Henkel Taf. III, 26 von Bos-öjük. Die dort reichlich vorliegenden Verzierungen der Gefäßkörper mittels stumpfer und spitzer Instrumente (Ritztechnik) fehlen bei den unsrigen durchaus, ebenso die durch Teilpolitur (Politurstreifen) hervorgebrachten. Dagegen ist die in B. schon in den Rudimenten vorhandene Riefelung (vgl. Taf. II, 5) bei den monochromen Gefäßen unseres Tumulus zu einem Ziermotiv von eigenartiger Wirkung ausgebildet. Das Fehlen von Ritzornamenten bei denselben hängt wohl mit der Freude am Glanze der schön polierten Oberfläche zusammen, welche an Metallgefäße erinnert. Die Nachahmung von solchen ist bei den monochromen Gefäßen überhaupt viel deutlicher wie an den älteren von B. Für einige sind die metallenen Vorbilder sogar unter den Fundstücken des Tumulus selbst vorhanden. So für die tönernen Kessel 47, 48, in den aus Bronze gegossenen 49—54, für die Kanne 24 in 87. Für das Weihrauchbecken 46 ist schon bei der Beschreibung auf ein völlig entsprechendes Exemplar in Bronze aus Cypern hingewiesen (S. 67).

Hervorzuheben ist noch die durchbrochene Arbeit an der Siebkanne Nr. 16, welche auch in der Form der an dem Prunkstuhle Nr. 2 zur Anwendung gekommenen entspricht. Reiche Verzierung in Mattmalerei zeigen die 11 bemalten Gefäße und damit ein den Funden von Bos-öjük noch völlig fehlendes Dekorationselement. Sie ist rein geometrisch; orientalisierende Motive fehlen durchaus, nur drei Gefäße weisen außerdem Tierfiguren (Adler, Bezoarziege(?) und einmal einen Hasen) auf.

Mattmalerei kommt ja auch in Troja in der VI. und VII. Ansiedlung vor (Schliemann-Sammlung Nr. 3502—3550) aber in deutlicher Anlehnung an mykenische Motive (vgl. Hub. Schmidt, *Troja und Ilion*, S. 284ff.). Das gänzliche Fehlen solcher auf unseren Gefäßen und die Ausbildung eines rein geometrischen Systems zeigt wiederum, wie selbständig und ohne Zusammenhang mit der Kunst der in der alten Heimat länger verbliebenen Stammesgenossen sich die Keramik bei den Phrygern der Hochebene entwickelt hat.

Das geometrische Dekorationssystem unserer Gefäße enthält keine nur ihm allein eigentümlichen Elemente. Das vereinzelt (auf Nr. 8) vorkommende »Pfeilspitzen«-Motiv kann man kaum als solches bezeichnen; sehr ähnlich, als mit der Spitze gegeneinander gekehrte Dreiecke, kommt es auf Rhodos und Thera vor. Die übrigen Einzelmotive kehren sämtlich in andern geometrischen Systemen wieder.

In Technik und Tonfarbe (Mattmalerei, heller und roter Ton), namentlich auch in der dem fertig bemalten Gefäß gegebenen Handpolitur ähneln unsere Gefäße am meisten den cyprischen geometrischen Stils. Die auf dem Stadthügel gefundenen echt cyprischen Scherben beweisen, daß auch Tonware von dort importiert worden ist. Anregungen durch diese fremde Keramik mögen also die phrygischen Töpfer erfahren haben, aber im wesentlichen scheinen sie doch ihre einfachen geometrischen Muster selbständig zusammengestellt zu haben. Die reicher verzierten Gefäße, namentlich Nr. 3, 6, 10, 13 zeigen entschiedenes dekoratives Geschick und verwenden neben der Streifen- auch schon die Metopendekoration. Eigentümlich und zwar streng geometrisch sind auch die Tiere stilisiert. Weder diese Tiergattungen, noch diese Art der Stilisierung kommen, soviel ich weiß, auf cyprisch-geometrischen Vasen vor.

Nur eine Auswahl der hier vorliegenden Ornamente, nämlich Mäander, Schachbrett und auf die Spitze gestellte Quadrate, finden wir an den phrygischen Felsfassaden wieder. Das Hinzutreten griechischer Elemente, als deren vornehmstes die Schriftzeichen gelten müssen, beweist, daß diese einer jüngeren Periode angehören. Eine genauere Zeitbestimmung nach oben hin ist aus den keramischen Fundstücken als im engeren Sinne autochthonen Erzeugnissen, nicht zu gewinnen. Einen terminus ante quem ergibt die jüngere Gruppe der Tumuli durch die darin gefundenen griechischen Vasen des VI., vielleicht des ausgehenden VII. Jahrhunderts.

Wie die Gegenstände aus Holz und Ton, so sind auch die aus Eisen bestehenden Geräte zweifellos im Lande selbst gefertigt worden: ist doch dem Toten zur Verarbeitung bestimmtes Roheisen mitgegeben worden. Ihre verhältnismäßig große Zahl und bei allerdings meist äußerst einfachen Formen doch schon entwickelte Technik (Kenntnis des Schweißverfahrens) läßt auf einen ausgedehnten Betrieb des Schmiedehandwerkes schließen.

Zu dem entgegengesetzten Schluß werden wir bezüglich der Gegenstände aus Bronze gedrängt.

Sehr auffällig ist das häufige Vorkommen von Eisenteilen an den Bronzegefäßen. Von den sechs Kesseln (49—54) hat nur einer (53) Ringhenkel von Bronze, bei einem Exemplar (54) ist nichts von den Ringhenkeln erhalten, die übrigen vier (49, 50, 51, 52) haben solche von Eisen. Das gleiche ist der Fall bei dem Becken Nr. 58 und wahrscheinlich gehörten zu dem großen Ausgußbecken (Waschbecken) Nr. 92 die eisernen Bügelhenkel Nr. 108. Nun kann freilich in allen diesen Fällen die Wahl des widerstandsfähigeren Materials für die Ringe, welche das ganze Gewicht der gefüllten Gefäße gelegentlich zu tragen haben, gleich bei der ursprünglichen Anfertigung absichtlich erfolgt sein[27]. Allein in Berücksichtigung der folgenden Erscheinungen wird man es wahrscheinlich finden, daß die Einfügung

[27]) Auch in Olympia sind in Ösen von Bronze Reste der beweglichen Ringhenkel aus Eisen gefunden worden, s. *Olympia* IV zu Nr. 825, 837, 844.

eiserner Ringe erst nachträglich, im Lande erfolgt sei, als Ersatz für unbrauchbar gewordene Bronzeringe oder als Zutat zu ohne Ringe erworbenen Gefäßen.

Es sind nämlich auch andere Teile der Bronzegefäße in Eisen ersetzt worden: An dem Kessel Nr. 50 besteht die eine Henkelöse und Schiene aus Bronze, ist aber mit eisernen Nieten am Gefäße befestigt, die andere Öse und Schiene dagegen bestand ganz aus Eisen und ist abgetrennt vom Kessel gefunden worden. Ebenso ist der Rand des Bodens Nr. 56 durch eine eiserne Schiene verstärkt worden. In beiden Fällen handelt es sich zweifellos um eine Reparatur, bezw. den Ersatz schadhaft gewordener Teile. Weshalb ist diese nun in Eisen ausgeführt, statt in Bronze? Zweckmäßigkeitsgründe können nicht zu der Wahl des anderen Metalls geführt haben und an Ansehnlichkeit mußten die so reparierten Gefäße entschieden leiden, waren sie doch auf den ersten Blick als ausgebessert zu erkennen.

Der Grund kann also nur der gewesen sein, daß der reparierende Künstler zwar in Eisen aber nicht in Bronze zu arbeiten verstand. Daraus ergibt sich die weitere unabweisbare Folgerung, daß die Bronzegefäße von auswärts bezogen, nicht im Lande gearbeitet sind.

Auf denselben Schluß führt der bei dem großen Braukessel Nr. 49 vorliegende Tatbestand. Die hölzerne Deckelgruppe ist unzweifelhaft im Lande gearbeitet: sie sticht in ihrer Unbeholfenheit und Plumpheit von der vollendet sauberen Gußtechnik des Kessels und Deckels empfindlich ab. Sie ist also entweder ein praktischer Ersatz für einen ursprünglich vorhanden gewesenen Griff aus Metall, oder, da keinerlei Spuren auf das ehemalige Vorhandensein eines solchen hinweisen, weit wahrscheinlicher einfach hinzugefügt. Und zwar ist die Befestigung, was besondere Beachtung verdient, wiederum unter Benutzung einer Eisenplatte und mittels eines eisernen Nietes erfolgt.

Zur Verbindung der hölzernen Plinthe mit der darunter gelegten Eisenplatte dienen allerdings Niete aus Bronze. Diese können fertig bezogen, ebenso gut aber aus importiertem Rohmaterial im Lande geschmiedet sein. Solche ihrem Gewerbe verwandte Arbeit zu liefern waren die phrygischen Schmiede zweifellos imstande: auch andere Anzeichen liegen vor, daß sie es verstanden, Bronzebleche zu schmieden und aus starkem Draht Nägel und Niete herzustellen. In dieser Weise sind die Flickstücke an den Becken Nr. 57 und 58 hergestellt — daß man geflickte Kessel von auswärts erworben habe, ist nicht anzunehmen —, ferner die Beschlagnägel und Niete an dem hölzernen Sarkophag (jene aus zwei Stücken, Schaft und Kopf getrennt s. S. 44). Auch das mit ausgeschnittenen Drei- und Vierecken verzierte Blech auf der Brust des Toten, sowie der dazu gehörige schmale Blechstreifen mit herausgetriebenen runden Erhebungen (S. 48) werden im Lande hergestellt sein.

Die Kunst des Bronzegusses dagegen war den Phrygern zur Zeit unseres Tumulus unbekannt. Das ist, bei gleichzeitiger bedeutender Fertigkeit in der Kunst

Eisen zu schmieden, keineswegs verwunderlich, wenn man bedenkt, daß bei jener erheblich größere technische Schwierigkeiten zu überwinden sind[28].

In der Tat können wir nun für eine Anzahl von Bronzegefäßen und -geräten unseres Tumulus genau übereinstimmende Exemplare von anderen weit entfernten Orten der alten Welt nachweisen — schon das würde zum Beweise dafür genügen, daß die unsrigen ausländischen Ursprungs sind, denn, daß sie umgekehrt von dem weltabgelegenen Phrygien weithin exportiert seien, wird niemand annehmen wollen.

Zierformen im engeren Sinne weisen unsere Bronzegefäße nur zwei auf. Die eine, das Flechtband unter dem Rande des Kessels Nr. 53, ist ein im Kunstgebiete des Ostens so weit verbreitetes und frühzeitig so häufig angewendetes Ornament, daß es zur Ermittlung des Ursprungsortes des betreffenden Gefäßes nicht verwendet werden kann. Anders steht es mit den Lotosknospen, mit denen die Henkel des Beckens Nr. 57 geschmückt sind.

Ganz ähnlich verzierte Henkel sind in Cypern gefunden worden: 1. ein Exemplar im Museum zu New-York, abgeb. Perrot-Chipiez III, S. 797, Fig. 557; 2. ein gleiches aus Curium, an welchem noch ein Stück des Beckens ansitzt, bei Cesnola-Stern, *Cyprus,* Taf. LXXI oben; 3. ein ganz erhaltenes Becken mit ähnlichem Henkel, ebenda, Taf. LXVI, 2. Zwei andere aus Kreta stammende kenne ich aus eigener Anschauung. Beide sind etwas kleiner, gleichen aber im übrigen bis auf geringfügige Einzelheiten dem Exemplar von Gordion; besonders hervorzuheben ist, daß auch die Gefäße selbst ebenso wie die Henkel gegossen sind. Nämlich 4. Athen, Nationalmuseum Vitrine 178, aus der idäischen Zeus-Grotte, mit der Sammlung Mitsotakis nach Athen gekommen. Henkel und Ansatzplatten etwas dünner wie bei unserem Exemplar, jeder Henkel mit sechs Nieten, Köpfe auf der Innenseite des Beckens, befestigt; Durchmesser 0,26 m; 5. Museum zu Heraklion auf Kreta, gefunden in Kavussi (Bez. Sitia). Henkel kleiner, weniger fein gearbeitet, Ansatzplatten etwas weniger ausgeschweift wie bei unserem. Nietung wie beim vorigen. Durchmesser 0,21 m.

Die Übereinstimmung dieser Exemplare untereinander und mit dem von Gordion ist so groß, daß ein gemeinsamer Ursprung für alle sechs gefolgert werden muß. Als Verfertigungsort kann nur Cypern, das Kupferland κατ' ἐξοχήν, in Frage kommen.

Einen ungefähren Anhalt für die Zeitbestimmung liefert leider nur das Exemplar von Kavussi. Die Gräber, aus denen dasselbe stammt, enthielten, worauf der hochverdiente Direktor und eigentliche Schöpfer des Museums in Heraklion, Herr Hatzidakis, mich aufmerksam machte, geometrische Vasen; mit diesen zusammen wurden einfache Fibeln des Villanova-Typus gefunden, welcher in Griechenland vom Ende der mykenischen Epoche an vorkommt[29]. Das ergibt als untere Zeitgrenze etwa das Ende des VIII. Jahrhunderts.

[28]) Daß die Gewinnung eines schmiedbaren Roheisens weit leichter und einfacher ist als die Ausbringung der Kupfererze, steht fest (vgl. Blümner, *Technologie* IV, 49). Doch können wir diese Frage hier beiseite lassen, da möglicherweise auch das Roheisen gebrauchsfertig von auswärts eingeführt worden ist (so oben S. 80).

[29]) Dragendorff, *Thera* II, Abb. 489a, S. 300.

Nur indirekt läßt sich cyprischer Ursprung wahrscheinlich machen für eine andere Gruppe unserer Bronzegefäße, nämlich die Kessel Nr. 49—54. Zugleich ergibt sich eine mit der eben gewonnenen übereinstimmende Zeitbestimmung. Ihrer Form nach (schmaler Rand und geringe Einziehung des Körpers nach oben) gleichen sie der älteren Gruppe der olympischen Kessel mit getriebenen Greifenköpfen (s. die Wiederherstellung eines solchen *Olympia* IV, Taf. XLIX b mit Furtwänglers Bemerkungen S. 124); die jüngere Gruppe mit gegossenen Greifenköpfen (a. a. O. Typus C) hat breiteren Rand bei geringerer Einziehung des Körpers. Jene gehört wohl ganz dem VII. Jahrhundert an, diese wenigstens noch in ihren älteren Gliedern[30].

Unzweifelhaft entstammt der Typus dieser Greifenkessel dem griechischen Osten, der unten zitierte Bericht des Herodot weist direkt nach Samos, dem bedeutendsten Kunstzentrum, speziell für die Arbeit in Erz. Die samischen Erzwerkstätten aber haben wichtige Anregungen von Ägypten her empfangen — zunächst aller Wahrscheinlichkeit nach durch Vermittlung von Cypern[31]; von dorther werden sie auch ihr Rohmaterial bezogen haben und mit diesem mag die eigentümliche Kesselform nach Samos gewandert sein, wo man dann den imponierenden Schmuck der Greifenköpfe hinzufügte. Unsere Kessel, denen dieser Schmuck noch fehlt, werden unbedenklich als älter gelten dürfen. Das führt uns mindestens bis zum Anfang des VII. Jahrhunderts, oder gar noch höher hinauf. Die in Olympia und anderwärts gefundenen Greifenkessel sind sämtlich bis auf den Rand getrieben, die unsrigen mit dem Rande zusammen gegossen. An sich ist das natürlich kein Zeichen höheren Alters. Wohl aber ist die Anwendung des Gußverfahrens auf solche große Gefäße (der Braukessel Nr. 49 ist wohl das größte ganz erhaltene Exemplar aus dem Altertum) recht schwierig und umständlich, wenn, wie in unserem Falle, starke Unterschneidungen vorliegen[32]. Diese Schwierigkeiten sind glänzend überwunden: die Kessel sind so dünnwandig, daß man sie ohne genaue Prüfung für getrieben hält. Im allgemeinen hat man eben wegen dieser Schwierigkeiten, dann wohl auch, um an dem immerhin kostbaren Material zu sparen, seit den ältesten Zeiten für größere Gefäße die einfachere Technik des Treibens bevorzugt. Mir sind nicht sehr viele gegossene Gefäße älterer Zeit bekannt geworden (die Literatur versagt leider in der Regel für diesen Punkt, wie für technische Details überhaupt). Es wird kaum ein Zufall sein, daß zu diesen gerade eine Anzahl von Exemplaren aus Cypern gehören. Sie stammen aus Gräbern von Tamassos und sind mit dem übrigen Grabinhalt (darunter eine Fibel ähnlich unserer Nr. 96, 40. 41) ins Berliner

[30]) Wenn der Kessel von Leontinoi (Winnefeld, *59. Berliner Winckelmanns-Programm*), der doch nur mit den jüngsten olympischen Exemplaren verglichen werden kann, wie ich glaube mit Recht, um die Wende des VII. und VI. Jahrhunderts gesetzt wird, so rückt sogar der größere Teil der jüngeren Gruppe noch ins VII. Jahrhundert hinauf. Es scheint mir sehr wohl möglich, daß der von den Samiern nach der Tartessos-Fahrt (um 630) in ihr Heraion geweihte Kessel (Herodot IV, 152) schon mit gegossenen Greifenköpfen verziert war. Vgl. Furtwängler, *Neue Denkm. ant. Kunst* in *S.-Ber. d. bayer. Ak. d. W.* 1897, S. 115.

[31]) Furtwängler a. a. O. S. 114.

[32]) S. Blümner, *Technologie* IV, 285.

Museum gelangt (Misc. Inv. 8142). Daß neben den gegossenen auch einige getriebene Bronzegefäße sich befinden, ist nicht auffällig. Der Zeit nach mögen sie in das VI. Jahrhundert gehören; sicher sind sie nicht jünger, schwerlich wesentlich älter. Die mitgefundenen Vasen zeigen geometrische Motive in Mattmalerei.

Kaum an einem anderen Orte im Mittelmeergebiet wird man um die Wende des VIII. und VII. Jahrhunderts über eine so ausgebildete Technik des Bronzegusses verfügt haben, um Gefäße wie die unsrigen zu gießen.

Aus Cypern stammt aller Wahrscheinlichkeit nach auch der von Dragendorff in Grab 17 der archaischen Nekropole von Thera gefundene Kessel[33]. Er ist den unsrigen in der Form völlig gleich und besaß einen flachen Deckel wie Nr. 49 unseres Tumulus. Nach eigener Untersuchung des Originales in dem neugegründeten Museum der Insel kann ich hinzufügen, daß auch dieser Kessel gegossen ist. Handelsverbindungen zwischen Thera und Cypern, vielleicht über Kreta, werden durch den Inhalt des diesem Grabe gleichzeitigen von Schiff entdeckten Grabes erwiesen (s. Dragendorff, S. 322). Die Übereinstimmung der Form des Kessels mit der älteren Gruppe der Greifenkessel von Olympia führt Dragendorff dazu, ihn ins VII. Jahrhundert zu setzen, mit der Bemerkung, »er könnte auch älter sein«. Das stimmt völlig mit unseren Ausführungen überein. Übrigens haben solche Gefäßtypen natürlich ein langes Leben und das einzelne Exemplar kann Jahrzehnte hindurch im Gebrauche gewesen sein, ehe man es einem Toten mit ins Grab gab.

Die übrigen Bronzegefäße bieten weniger sichere Anhaltspunkte zur Vergleichung mit den anderen. Immerhin sei darauf hingewiesen, daß der Henkel des Beckens Nr. 56 sich ebenfalls auf Cypern wiederfindet (Cesnola-Stern, *Cyprus*, Taf. LXXI) und das merkwürdige kleine Gerät Nr. 93 mit ringförmigem Griff gleicht am meisten zwei Exemplaren derselben Provenienz (a. a. O. Tafel XI aus Idalion und LVII aus Curium), deren Verwendung ebenso unsicher, übrigens wohl eine andere gewesen ist[34].

Reiches Vergleichsmaterial ist hingegen vorhanden für die Fibeln (Nr. 96. 1 bis 42).

Schon oben S. 76 ist darauf hingewiesen, daß alle einen und denselben Typus zeigen, den der ostgriechischen Bogenfibel, welche in dieser Form dem italischen Westen fremd ist. Nur in Größe, Gestalt und Verzierung des Bügels zeigen sie wesentliche Unterschiede. Man würde an sich kaum die 0,11 m lange, mit Buckeln besetzte Fibel 1 und die kleinen (0,49 m langen) zierlich gearbeiteten 40, 41 für gleichaltrig halten. Das ist auch für die Verfertigungszeit nicht unbedingt nötig, trotz gleichzeitiger Niederlegung in einem und demselben Grabe, wie der Befund im Grabe Schiff der Nekropole von Thera, welches auch nur eine Be-

[33]) S. *Thera* II, S. 29, Abb. 78.

[34]) Man denkt wegen der Scheibe in der Mitte des Schaftes an eine zugleich als Deckel und zum tropfenweisen Herausholen des Inhaltes aus einem kleinen Salbgefäß dienendes Instrument.

stattung enthielt, deutlich zeigt. Fibeln sind offenbar lange im Gebrauch gewesen und noch längeres Leben hatten die Typen. Besonders sei auf die Exemplare mit Doppelnadel hingewiesen (Nr. 6, 37 und die nicht mit Sicherheit einer bestimmten Fibel zuzuweisenden Reste 42 b—d).

Die Öse ist bald rechts bald links angebracht (vom Beschauer aus), doch läßt sich eine paarweise Entsprechung nach dieser Anordnung innerhalb der einzelnen Gruppen nicht nachweisen.

Das folgende Verzeichnis der an anderen Orten gefundenen ähnlichen Exemplare kann auf Vollständigkeit keinen Anspruch machen. Es ist nach den Gruppen bezw. Nummern unserer Beschreibung geordnet, mit Heranziehung auch der im wesentlichen gleichaltrigen Fibeln aus Tumulus IV.

Gruppe α) (flacher schmaler bandförmiger Bügel mit aufgesetzten Buckeln) 1: *Olympia* IV, Nr. 373—375 (vgl. Tum. IV, 1—4); Paros, Delion (Ausgrabung von O. Rubensohn, die Fibeln für die Veröffentlichung gezeichnet, Originale im National-Museum in Athen) die Form des Bügels ist die unserer Gruppe γ, doch sind Stifte zur Befestigung von Buckeln erhalten (genau entsprechen: Tum. IV, 1—4).

Gruppe ε (runder Bügel) 38—39: Troja, Schliemann-Sammlung Nr. 6497 (die Nadel scheint eingesenkt zu sein). Häufiger vertreten ist die Variante mit einer, bezw. drei und mehr Umschnürungen des Bügels (unsere Nr. 40. 41, Tum. IV, 16—23) nämlich an folgenden Orten: Troja, Schliemann-Sammmlung Nr. 6498; Troas: zwei vollständige und ein fragmentiertes Exemplar aus Thymbra, sowie zehn aus Neandria in der Sammlung Calvert kenne ich aus Alfred Brückners freundlichst mitgeteilten Scheden; Cypern, Grabfunde aus Tamassos im Berliner Museum Misc. Inv. 8142, Sect. IV, Grab 16 (s. oben); Thera, Grab Schiff, Dragendorff, *Thera* II, S. 299, Nr. 3, Abb. 489t; Rhodos, kleine Fibel im Berliner Museum, erwähnt von Furtwängler *Olympia* IV, S. 55 zu Nr. 370; Paros, Delion (1 Exemplar); Samos, Boehlau, *Nekropolen* XV, 11. 12; Megara: drei aus der Ausgrabung des Brunnenhauses des Theagenes stammende Exemplare sah ich noch in Verwahrung des athenischen Institutes; an einem derselben waren Öse und Nadel besonders gearbeitet und in den Schaft eingesenkt, ein weiteres befindet sich in der Archäologischen Sammlung zu Heidelberg; Lusoi in Arkadien: ein Exemplar im Berliner Museum; Olympia IV, Nr. 370 (= unserer Nr. 40), 371 (= Tumulus IV, 16); verwandter Typus mit Kugeln statt der Umschnürungen: ebenda Nr. 372, ein besonders reich verziertes Exemplar aus Dodona bei Carapanos, Taf. 51, 5; unsicheren Fundortes: Berliner Museum 8471, aus Athen erworben, Nadel eingesenkt; andere Exemplare im athenischen Kunsthandel erwähnt Furtwängler, *Olympia* IV, S. 55.

Nach dem mir bekannt gewordenen Material erfreut sich also diejenige Gruppe unserer Fibeln, welche man nach Form und Größe für die jüngste halten möchte, der weitesten Verbreitung; die meisten Exemplare sind im griechischen Osten gefunden. Hier ist zweifellos die Heimat des Typus; den Herstellungsort genauer zu ermitteln gestattet das vorliegende Material nicht, auch brauchen die einzelnen Exemplare nicht an ein und demselben Orte gefertigt zu sein. Für die unsrigen ist der Bezug aus Cypern am wahrscheinlichsten, während Handelsbeziehungen zu den Griechenstädten der Westküste erst für die jüngere Gruppe unserer Tumuli nachweisbar sind[35]. Ebenso ist für das in Thera gefundene Exemplar Import aus Cypern wahrscheinlich: es ist das einzige ostgriechische unter einer großen Zahl von Fibeln des Dipylon- und zweien des Villanova-Typus; ferner enthielt das Grab Schiff zwei sicher cyprische Scherben (s. Dragendorff a. a. O. S. 313).

Für die Zeitbestimmung gibt ebenfalls das letztgenannte Exemplar einen Anhalt. Das Grab Schiff wird von Dragendorff mit guten Gründen ins VII. Jahrhundert gesetzt (S. 320f.). Auf die Verschiedenartigkeit der Fibeltypen in diesem, nur eine Bestattung enthaltenden Grabe und die daraus zu folgernde lange Dauer der Fibeltypen macht er sehr richtig aufmerksam. Einen schon von D. herangezogenen Beleg dafür geben auch unsere Funde: Fibeln der Gruppe ε sind auch in der Erde von Tumulus I und V gefunden worden, welche sicher dem VI. Jahrhundert angehören. Die, allerdings anscheinend nachlässiger gearbeiteten Exemplare von Samos gehören nach Boehlaus Datierung der dortigen Nekropole sogar erst in die zweite Hälfte desselben Jahrhunderts. Wenn nun im Grabe Schiff mit einem Exemplar dieses Typus sich ein anderer findet, den man ohne Bedenken bis ins IX. Jahrhundert hinaufdatieren kann, so ist es sicher gestattet, anzunehmen, daß unser Tumulus, in welchem die anscheinend jüngste Fibelgruppe (ε) nur durch vier

[35]) Aus dem gewöhnlichen Typus der Bogenfibel abgeleitet ist ein anderer, bei welchem die beiden Bügelenden durch einen Querbalken verbunden sind: *Olympia* IV, Nr. 376 (und 377, wo noch ein vertikaler Steg von dem Querbalken zum Bügel geht). Furtwängler a. a. O. S. 55 weist mit Recht auf die große Ähnlichkeit des so erhaltenen Typus mit der Nadel hin, welche auf dem Felsrelief von Ibriz in Lykaonien (Perrot-Chipiez IV, S. 725, Fig. 354) das Obergewand des adorierenden Mannes unterhalb der rechten Schulter zusammenhält. (Genauer entspricht, abgesehen von dem fehlenden Querbalken, unser Typus Tumulus IV, 1—4). Schon früher hatte F. Studniczka (*Ath. Mitt.* XII, S. 10) zur Erläuterung jener Darstellung eine in der Troas gefundene Gewandnadel (Virchow, *Gräberfeld von Koban*, S. 28, Fig. 12, 13, danach *Ath. Mitt.* XII, S. 11, Fig. 2a und b) herangezogen, deren Doppelnadel nicht federt, sondern sich um einen Dorn bewegt. (Jetzt im Berliner Mus. f. Völkerkunde Nr. 10425; zwei mit ihr zusammengefundene Fibeln des Dipylon-Typus, ebenda Nr. 10424 = Virchow a. a. O. Fig. 10 und 10426 = Virchow Fig. 11, bestimmen die Zeit auf das VIII.—VII. Jahrh.) Studniczka betrachtet diesen Typus als eine Schöpfung des phrygisch-lydischen Kunstgewerbes. Das ist nach unseren Funden nicht mehr möglich, und es liegt kein Grund vor, jene troische Gewandnadel wegen des Bügels und der nicht federnden Nadel für ungriechisch zu halten. Die letztere findet sich z. B. auch an einem Exemplar von Lusoi (*Österr. Jahresh.* IV, S. 53, Fig. 86). Man muß sich damit abfinden, daß der zweifellos semitische Herrscher des Reliefs von Ibriz eine Gewandnadel griechischer Arbeit trägt. Dieselbe Form ist auch nach Sendjirli in Nordsyrien gelangt, wie ein neuerdings dort gefundenes Relief, dessen Photographie mir von Luschan zeigte, beweist. Auch die in Sendjirli und in Nimrud gefundenen Fibeln in Gestalt eines gebogenen Armes scheinen importiert und, da der Typus auch in Griechenland vorkommt (s. von Luschan, *Verh. d. Berl. Anthropol. Ges.* 1893, S. 388ff.), griechischen Ursprungs. Vermutlich sind diese echten Fibeln wie jene »Broschen« von Cypern aus in den Handel gekommen; cyprische Exemplare kann ich freilich nicht nachweisen, aber cyprische Tonware ist, wie die Funde beweisen, auch nach Sendjirli gelangt.

Exemplare unter 42 vertreten ist, etwa um die Wende des VII. und VIII. Jahrhunderts errichtet sei. Höher in das VIII. Jahrhundert hinaufzugehen hindert eben dieser noch im VI. verbreitete Fibeltypus.

Diese Datierung ist völlig unabhängig von der in Kapitel I gegebenen historischen Untersuchung gewonnen worden. Sie stimmt aber aufs beste zu deren Ergebnissen. Während der Dauer der Kimmerierherrschaft ist eine so reiche Grabausstattung kaum denkbar. Der Tumulus ist vielmehr noch während der Herrschaft des letzten und zugleich glänzendsten phrygischen Königs errichtet worden, jenes Midas, welcher der Kimmerierinvasion im Jahre 695 (dieser ältere Ansatz ist wahrscheinlich der richtige) zum Opfer fiel und dessen Namen die griechische Geschichtsschreibung aus diesem Anlaß bewahrt hat. Sein, nur für kurze Zeit erfolgreiches Streben, sich einen Zugang zum Meere nach Süden hin zu bahnen, hing unzweifelhaft zusammen mit den nach derselben Richtung hin bestehenden Handelsbeziehungen, deren Endpunkt Cypern war. Von dorther kamen jene vollendet sauber gearbeiteten Bronzegefäße, die man dem Inhaber unseres Tumulus mit ins Grab gegeben hat. Als Austauschwerte wird Phrygien Getreide und Produkte der Viehzucht geliefert haben.

Im übrigen gewinnt man aus unserem Grabfund das Bild eines behäbigen Wohlstandes, zugleich aber noch einfacher Verhältnisse. Es wird kein Zufall sein, daß in der alle Bedürfnisse des Lebens berücksichtigenden Grabausstattung Gegenstände aus Edelmetall gänzlich fehlen. Wären die phrygischen Edeln gewöhnt gewesen, sich solcher zu bedienen, so würden sie sie gewiß auch mit ins Grab gegenommen haben. Fibeln und Gefäße aus glänzender Bronze waren offenbar der vornehmste Besitz, selbst der Brustschmuck des Toten trägt nur einen Bronzebeschlag. Daneben führte man feine Leinwand, wohl auch von Cypern her, ein. Nur schwache Spuren weisen auf einen Zusammenhang mit den »Hittitern« von Pteria und mit dem mächtigen Assyrer-Reich. Im ganzen scheint man auch in dieser glänzendsten Zeit nationaler Unabhängigkeit ein einfaches, in sich geschlossenes Leben geführt zu haben. Erst unter lydischer Herrschaft dringt für kurze Zeit der Strom griechischer Kultur in das Land ein und erweckt es vorübergehend zu neuem Leben.

TUMULUS IV.

Die Ausgrabung wurde am 4. August begonnen und am 11. August zu Ende geführt; sie erforderte 7 Arbeitstage mit im ganzen 107 Schichten (durchschnittlich 15,3 pro Tag). Die Ausführung geschah in derselben Weise, wie bei Tumulus III, d. h. es wurde von dem Gipfel des Hügels nach Süden ein 6,70 m breiter Einschnitt ausgehoben, dessen Breite jedoch, um Arbeit zu sparen, nach der Peripherie des Hügels zu auf das für die Hinausschaffung der Erde notwendige Maß beschränkt. Die weiche Beschaffenheit der letzteren erleichterte die Arbeit sehr. Wie bei Tumulus III fanden sich in der aufgeschütteten Erde, von ganz vereinzelten Scherben gewöhnlicher monochromer Tonware abgesehen, keinerlei antike Reste. Schon am vierten Tage stießen wir in einer Tiefe von rund 5 m unter dem Gipfel des Hügels auf die die Beisetzung umgebende Steinpackung. Dieselbe liegt aber nicht im Mittelpunkte des Hügels, sondern 9,10 m südlich desselben und mit ihrer Westseite die Mittellinie berührend. Zu ihrer Freilegung war eine Erweiterung des Einschnittes um 4 × 5 m nach Osten hin erforderlich (vgl. Abb. 71). Die Herrichtung der Beisetzung war im wesentlichen gleich der bei Tumulus III beobachteten. Aus Holzbalken ist eine viereckige Grabkammer errichtet worden. Der Boden war mit 4 cm starken Brettern gedielt, von denen sich noch Reste erhalten haben; darunter fand sich eine Schicht kleiner Steine. Die Decke bestand aus einer Reihe von quer gelegten Balken, deren einer sich noch *in situ* vorfand, so daß die lichte Höhe der Grabkammer auf 1,70 m bestimmt werden konnte. Die Länge und Breite

Abb. 71. Tumulus IV nach der Ausgrabung. Die Beisetzung in dem Quereinschnitt rechts.

beträgt 3,70 bezw. 2,50 m im Lichten. Die Orientierung ist Nordwest-Südost. Das Holzwerk der Wände und der Decke war sehr viel schlechter erhalten als in Tumulus III, die Balken der letzteren bis auf den äußersten, auf der Westwand aufliegenden, gebrochen und großenteils vergangen. Ein größeres Stück hatte eine Stärke von 30 qcm, das Holz ist gleich dem in Tumulus III verwandten (Baumwacholder). Von den Wänden war die nördliche am besten erhalten (Abb. 72); in der Südwest- und Nordost-Ecke gefundene Eisenstücke rühren offenbar von flachen eisernen Bändern her, welche zur Versteifung der Wände gedient haben. Eine Türöffnung ist nicht vorhanden gewesen. Rings um die hölzerne Grabkammer war eine Packung aus unbehauenen Steinen unregelmäßiger Form hergestellt, über die Deckbalken flache, mehr plattenförmige Steine gelegt, welche nach dem Bruche jener ins Innere der Grabkammer gefallen waren. Zwischen ihnen fanden sich Scherben gewöhnlichen monochromen Tongeschirrs, welche offenbar von dem nach Schließung des Grabes dargebrachten Totenopfer herrühren; vermutlich sind die dabei gebrauchten Gefäße absichtlich zerbrochen worden.

Bei der Ausräumung der Grabkammer fanden sich stark vergangene Knochenreste (Stücke vom Schädel, Wirbel, Rippen, Röhrenknochen), sicher nur eines Individuums, und zwar vorwiegend in der westlichen Hälfte. Es ist nicht sicher, aber wahrscheinlich, daß der Tote mit dem Gesicht nach Osten schauend bestattet war. Zahlreiche größere und kleinere Bronzebuckel scheinen zur Verzierung eines hölzernen Sarkophags gedient zu haben, ähnlich dem in Tumulus III gefundenen. Die Buckel werden als Köpfe von Ziernägeln aufzufassen sein, deren Verbindung mit dem Stift durch eine Füllmasse bewirkt wurde. Leinwandreste an einigen der Buckel weisen darauf hin, daß der Sarkophag mit einem Leintuch bedeckt, oder in ein solches eingehüllt war, wie in Tumulus III. Vielleicht gehören auch die unter Nr. 5 beschriebenen Reste des Beschlages einer runden Holzscheibe zur Verzierung des Sarkophages.

Abb. 72. Tumulus IV, Nordost-Ecke der Beisetzung mit Resten der Holzbalken *in situ*.

Von den Beigaben wurden drei Bronzekessel dicht an der Westwand, und zwar deren nördlicher Hälfte gefunden. Der erste (ungefähr in der Mitte der Wand) war ganz zerstört, in dem wohl erhaltenen dritten (an der Nordwestecke) lag in drei Stücke zerbrochen ein Schöpflöffel. Von den 24 Fibeln wurden neun nahe der Südwestecke, acht längs der Südwand gefunden, die übrigen zerstreut. Eine größere Zahl von Scherben, welche zu wenigstens vier dem Toten mitgegebenen Gefäßen gehören, wurde nur in der Südostecke gefunden.

FUNDE.

1. BRONZE.

1. Reste eines Kessels, dessen Form nicht mehr herzustellen war.

2. (B. M.) Kessel, mehrfach gebrochen, im Berliner Museum zusammengesetzt (Abb. 73). Höhe 0,15 m, Durchmesser der Mündung 0,225 m. Die Form ist ganz die der in Tumulus III gefundenen. Sicher gegossen.

3. Wohl erhaltener Kessel etwas abweichender Form (Abb. 74). Die Verjüngung nach oben ist geringer. Höhe 0,155 m, Durchmesser der Mündung 0,21 m. Gegossen.

4. Schöpfkelle, in Nr. 3 gefunden. Länge des Ganzen 0,255 m, des Stiels 0,175 m, Durchmesser der Kelle 0,10 m. Aus einem Stück gegossen; einfache Verzierung des Stiels durch vertiefte Linien. Der Stiel ist nach hinten umgebogen. Er war zweimal gebrochen.

Abb. 73. Tumulus IV. Kessel Nr. 2.

Abb. 74. Tumulus IV. Kessel Nr. 3 und darin gefundene Schöpfkelle Nr. 4.

5. Geringe Reste eines Beschlages von ganz dünnem Bronzeblech, zu einer dünnen (ungefähr 5 mm starken), runden Scheibe (doch wohl von Holz), von ungefähr 20 cm Durchmesser gehörig. Der Beschlag umfaßte deren Rand und war dort mit kleinen Buckelnägeln befestigt. Die Oberfläche des Rundes ist mit zwei Gruppen von je drei erhabenen konzentrischen Streifen verziert, zwischen denen ein Streifen mit Gitterwerk (Zacken) angeordnet war, nach dem Mittelpunkt zu folgten wieder Buckel, doch ist das Mittelstück nicht erhalten.

Der Umstand, daß der Beschlag den Rand der Scheibe umfaßte, scheint den ursprünglich von uns gehegten Gedanken an den Deckel einer Schachtel auszuschließen. Vielleicht gehörte das Ganze zur Verzierung des Sarkophages.

6. FIBELN.

Die allgemeinen Bemerkungen über die Herstellung der in Tumulus III gefundenen Fibeln gelten auch für diese. Zwei besondere Verfahrungsweisen treten neu auf. Die Rückseite ist bei allen flach.

Der Form nach sind es ebenfalls Bogenfibeln; nach der Gestalt des Bügels zerfallen sie in folgende Gruppen, welche sich nur zum Teil mit den bei Tumulus III beobachteten decken.

a) Breiter, flacher, vierkantiger Bügel mit Buckeln verziert.

1. Größte Länge 0,098 m, in zwei Stücke zerbrochen. Von den Buckeln sind nur die zur Befestigung dienenden Stifte erhalten. Die Endstücke des Bügels sind mit je vier ebenfalls aufgenieteten kleineren Buckeln verziert, ein fünfter befand sich auf der Vorderseite der Öse. Die zugehörige Nadel ist, in zwei Stücke zerbrochen, erhalten. Öse rechts (Abb. 75, s. folgende Seite).

2. (B. M.) Größte Länge 0,10 m, in zwei Stücke zerbrochen. Wie 1. Öse links (Abb. 76, s. folgende Seite).

3. Größte Länge 0,065 m, in zwei Stücke zerbrochen. Zwei große Buckel sind erhalten und mit einer weißlichen Masse (anscheinend Blei) gefüllt). Die kleinen Buckel an den Endstücken und der auf der Öse sind sämtlich erhalten; ebenso die zugehörige Nadel. Öse links (Abb. 77).

4. Größte Länge 0,064 m, intakt. Füllung wie bei 3. Öse rechts (Abb. 78).

5. Bruchstück einer kleinen ähnlichen Fibel; etwa zur Hälfte erhalten. Die fehlende Öse war rechts.

Abb. 77. Fibula Nr. 3.

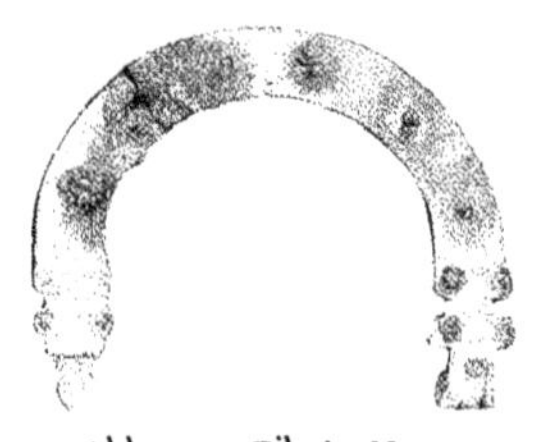

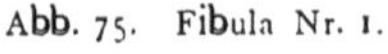

Abb. 75. Fibula Nr. 1.

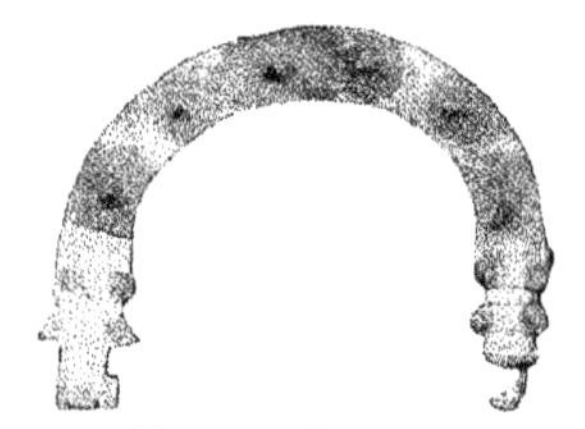

Abb. 76. Fibula Nr. 2.

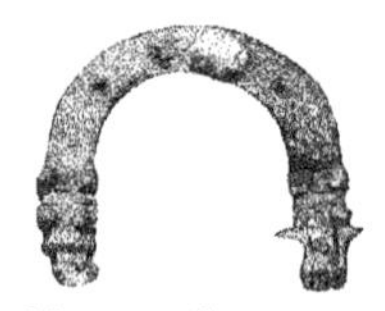

Abb. 78. Fibula Nr. 4.

b) Bügel derselben Form, ohne Buckeln = Tum. III, γ.

Öse rechts:

6. Größte Länge 0,085 m. Nadel erhalten.

7. Größte Länge 0,07 m. Desgleichen.

8. Größte Länge 0,07 m. Desgleichen (abgebrochen).

9. Größte Länge 0,068 m. Desgleichen (teilweise).

10. Größte Länge 0,065 m. In zwei Stücke zerbrochen.

Öse links:

11. Größte Länge 0,085 m. Besonders gut erhalten mit Nadel (Abb. 79).

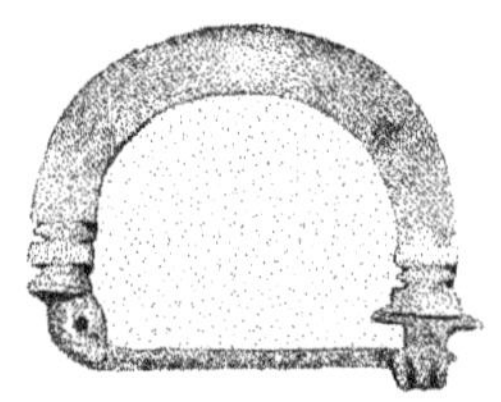

Abb. 79. Fibula Nr. 11 (Rückseite).

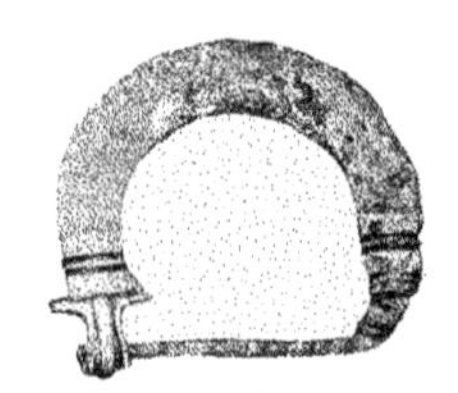

Abb. 80. Fibula Nr. 12.

12. (B. M.) Größte Länge 0,07 m. Desgleichen. Profilierung besonders scharf und sorgfältig (Abb. 80).

13. Größte Länge 0,07 m. Nadel abgebrochen, wahrscheinlich zugehörige vorhanden.

14. Größte Länge 0,065 m. Desgleichen. Nadel fehlt.

15. Größte Länge 0,067 m. Stark oxydiert (hellgrün). Nadel fehlt.

15a. Rechtes Endstück eines ähnlichen Exemplars, stark oxydiert.

c) Runder Bügel mit Umschnürung in der Mitte und an den ebenfalls runden Endstücken.

Die runden Wulste an diesen bestehen aus ziemlich starkem rundem Draht, der herumgelegt und angelötet ist; die sie einrahmenden Scheiben sind durch sauberes Abdrehen des Bügelkernes hergestellt. Die Verzierung der umgelegten Wulste mit feinen Vertikalstrichen bei 17a, 18—23 ist durch sogen. »Kordeln« des Drahtes, d. h. Hineinhämmern desselben in eine Form aus gehärtetem Material hergestellt (Mitteilung des Herrn C. Tietz).

Öse rechts:

16. Größte Länge 0,052 m. Gut erhalten (Abb. 81).

Abb. 81.
Fibula Nr. 16.

17. (B. M.) Breite etwa 0,06 m. Bruchstück eines ähnlichen Exemplars.

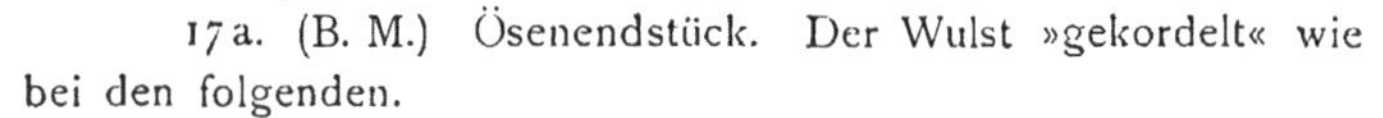

17a. (B. M.) Ösenendstück. Der Wulst »gekordelt« wie bei den folgenden.

18. Größte Länge 0,04 m. Außer der Mittelumschnürung ist der Bügel noch jederseits mit einem schmalen Ringe verziert. Die Wulste an den Endstücken sind »gekordelt«.

19. Größte Länge etwa 0,035 m. Bruchstück, etwa $^2/_3$ des Ganzen, eines ähnlichen Exemplars.

Öse links:

20. Breite 0,04 m. Besonders gut erhalten, wie 18 (Abb. 82).

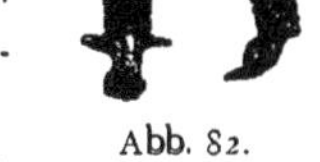

Abb. 82.
Fibula Nr. 20.

21. Breite 0,037 m. Desgleichen. Zugehörige Nadel vorhanden.

22. (B. M.) Breite 0,037 m. Desgleichen. Nadel teilweise erhalten.

23. Breite 0,037 m. Desgleichen. Stärker oxydiert.

d) Facettierter Bügel.

24. Größte Länge 0,055 m. Besonders fein und sorgfältig gearbeitet. Der Bügel endigt in je zwei durch eine Einziehung von einander getrennte kugelförmige Glieder. Die beiden oberen weisen je zwei runde Löcher auf, die beide mit einer andersfarbigen Masse gefüllt waren; alle vier Kugeln sind mit aufgelöteten kleinen Metallperlen verziert. Die Windungen der Nadel sind sorgfältig ziseliert, die Nadel selbst ist doppelt, zum Teil erhalten. Auf den Nadeln läuft ein viereckiger Schieber, der mit Vertikalstreifen verziert ist (Abb. 83).

Abb. 83.
Fibula Nr. 24.

2. TON.

Die in der Südostecke der Grabkammer gefundenen monochromen Tonscherben, sämtlich schlecht erhalten und nicht mehr zusammensetzbar, erweisen wenigstens das Vorhandensein von vier Gefäßen, deren Form zum Teil nicht mehr sicher erkennbar ist.

7. 8. Zwei grobe Töpfe mit flachem Boden, graubrauner Ton.

9. Ein ziemlich dickwandiges schwarzes Gefäß mit ziemlich guter Politur.

10. Randstück eines größeren Gefäßes (Abb. 84) aus braunem, wenig gebranntem, daher ziemlich weichen, übrigens gut geschlämmtem, von fremden Beimischungen freiem Ton (Länge des Bruchstückes 0,10 m). Die Oberfläche zeigt eine durch Polieren mit einem glatten Stein erzeugte dunklere Färbung. Die Gefäßlippe ist mit einer Art eingedrücktem Wellenornament verziert, welches durch Aneinandersetzen eines Stempels, der je einen kleinen Kreis und zwei größere Halbkreise enthielt, hergestellt ist. Eine genau gleiche Verzierungsart und -form kehrt unter den übrigen Funden nicht wieder. Am nächsten steht formell das gravierte Flechtband an dem Kessel Nr. 53 aus Tumulus III. Das Gefäß, von welchem unser Bruchstück stammt, ahmte wahrscheinlich ein Metallgefäß nach, wie die beiden Kessel aus Ton, Tumulus III, Nr. 47. 48.

Abb. 84.
Randstück mit eingedrücktem Ornament.

Für die Bestimmung der Zeit des Tumulus geben die Formen der Kessel und der Fibeln einen Anhalt. Sie gleichen im allgemeinen durchaus den in Tumulus III gefundenen; das führt zu dem Schlusse, daß unser Tumulus zeitlich von jenem nicht durch einen langen Zwischenraum getrennt sein kann. Freilich ist hier die jüngere Form der Bogenfibula mit rundem Bügel und Umschnürung (Gruppe c = Tumulus III, Gruppe e), welche, wie oben S. 97 ausgeführt, sich das ganze VI. Jahrhundert hindurch erhalten hat, verhältnismäßig sehr viel zahlreicher (nämlich mit 9 Exemplaren unter 26) vertreten als in Tumulus III (2 Exemplare unter 42), und im allgemeinen stehen die sehr großen Fibelformen hinter den zierlichen kleinen an Zahl entschieden mehr zurück. Andererseits finden wir zwei neue Zierformen bezw. Herstellungsverfahren, nämlich das sogen. »Kordeln« der um den Bügel herumgelegten Drähte und die Verzierung mit aufgelöteten Perlen (bei Nr. 24), welche unter den in Tumulus III gefundenen Exemplaren noch nicht vertreten sind. Daraus darf gefolgert werden, daß der Tumulus etwas jünger sei als der vorher besprochene, vielleicht auch jünger als die Kimmerier-Invasion (696/5). Von den drei übrigen, sicher ins VI. Jahrhundert gehörenden Tumuli unterscheidet er sich scharf durch den verhältnismäßig noch großen Reichtum von Bronzegegenständen, andererseits durch das Fehlen von Gegenständen aus Griechenland und den griechischen Kolonien an der Westküste Kleinasiens.

Im Vergleich mit Tumulus III ist wie seine Größe, so auch die Ausstattung der Grabkammer mit Beigaben bescheiden: es ist das Grab eines gewöhnlichen Adligen, nicht eines Mannes von hohem priesterlichem oder fürstlichem Range.

TUMULUS II.

Die Ausgrabung wurde am 16. Mai begonnen und, mehrmals durch heftige Regengüsse auf halbe, einmal einen ganzen Tag unterbrochen, am 3. Juni zu Ende geführt in 15 Arbeitstagen mit 158 Schichten, also durchschnittlich 10,5 pro Tag. Da das Gelände nach Süden zu stark abfällt, wie Abb. 85 erkennen läßt, so erschien es uns zweckmäßiger, von Norden, genauer Nordosten, her einen Einschnitt von 4 m Breite quer durch die Mitte des Hügels zu machen. Dieser stieß schon am 20. Mai auf die die Beisetzung umgebende Steinpackung. Um sie vollständig freizulegen, mußte der Einschnitt nach Osten hin durch einen Quereinschnitt erweitert werden; auch wurde von Süden aus zu demselben Zwecke von oben nach unten gearbeitet. Sehr viel Arbeit machte endlich das Herausschaffen der in die Grabkammer hineingefallenen zum Teil sehr schweren Steine. Eine Zusammenfassung der bei diesen Arbeiten gemachten Beobachtungen ergibt folgendes Bild von der Grabanlage.

Dieselbe liegt, wie bei Tumulus IV, nicht genau im Mittelpunkte des Hügels, sondern etwa 2 m südlich von diesem. In einer flachen Grube, deren Wände nach innen zu sanft geböscht waren, ist die Grabkammer aus starken Balken derselben

Abb. 85. Tumulus II, Beginn der Ausgrabung (von Süden aus).
Im Hintergrunde höherer Hügel, links Zelte der Arbeiter.

Holzart (Baumwacholder), die auch bei Tumulus III und IV verwandt worden ist, errichtet worden. Die Balken der Wände waren mittels Holzdübel vertikal miteinander verbunden; der Boden scheint mit dünnen (0,02 m dicken) Brettern gedielt gewesen zu sein, von denen sich noch geringe Reste vorfanden. Sie liegen unmittelbar auf dem gewachsenen Boden, nicht, wie bei den beiden schon besprochenen Tumuli, auf einer auf diesem ausgebreiteten Schicht kleiner Steine. Wie die Wände, so war auch die Decke der Grabkammer ganz besonders sorgfältig hergestellt. Es fanden sich im Innern der Grabkammer erhebliche Reste von längs- und querliegenden Holzbalken: die Decke der Grabkammer bestand also wie bei Tumulus III aus einer doppelten Balkenlage. Nach einer Beobachtung an einem der Querbalken waren die einzelnen Balken durch hölzerne Dübel verbunden; eine Anzahl großer eiserner Nägel, von denen einer noch in einem flachen Eisenstück steckte, sowie andere flache Eisenbänder haben offenbar ebenfalls zur festeren Verbindung der Deckbalken untereinander gedient. Von einem seitlichen Zugang zur Grabkammer hat sich auch hier keine Spur gefunden. Die Beisetzung muß also stattgefunden haben, ehe die Grabkammer vollendet war.

Sie ist O 10 N orientiert und mißt 3,30 (von Osten nach Westen) × 2,25 m (in Lichten). Ihre lichte Höhe konnte nicht mehr genau festgestellt werden; die Balken der Wände waren 1,10 m hoch erhalten, bezw. meßbar, die Höhe vom Boden bis zur Oberkante der Steinpackung betrug 1,80 m: innerhalb dieser beiden Maße muß also die ursprüngliche Höhe der Grabkammer angenommen werden und zwar nach Analogie der beiden anderen Tumuli näher dem letzteren.

Um die Grabkammer herum wurde eine sorgfältige und besonders starke (sie mißt durchschnittlich rund 1,50 m) Packung aus teilweise recht großen unbehauenen Steinen hergestellt und solche ebenfalls über der Decke geschichtet, so daß die ganze Grabkammer von den aufgeschichteten Steinen bedeckt war. Darüber ist dann

Abb. 86. Tumulus II nach Beendigung der Ausgrabung von Norden aus. Die Grabkammer in dem Quereinschnitt links. Im Haupteinschnitt und vorn herausgeschaffte Steine der die Grabkammer umgebenden Steinpackung.

der Grabhügel aufgeschüttet worden, aber, offenbar mit Absicht (um die Decke nicht einem allzu großen Druck auszusetzen), nicht mit der Grabkammer als Mittelpunkt, sondern so, daß der Gipfel nördlich von ihr zu liegen kam. Er liegt rund 4 m über der Packung und ungefähr 5 m über dem Niveau des antiken Bodens (in der Mitte des Hügels, denn nach Süden fiel das Gelände offenbar auch zur Zeit der Errichtung des Grabes ziemlich stark ab).

Der Zweck der Einschließung der Grabkammer in einen Steinmantel war zweifellos deren größtmögliche Festigung und Sicherung. Tatsächlich hat die Steinpackung rings um die Wände diesen Zweck erfüllt, indem sie eine beträchtliche Verstärkung derselben bewirkt hat. Die Steine sind mit Sorgfalt, mauerartig, geschichtet; ja, es scheint, daß, um dies noch vollkommener zu ermöglichen, Stangenhölzer der Länge nach in gewissen Abständen zwischen die Steinschichten gelegt worden sind. Wenigstens weiß ich die zwischen den Steinen bei der für die Ausräumung des Innern der Grabkammer notwendig gewordenen teilweisen Abtragung der Steinpackung gefundenen zahlreichen, unverkohlten Holzstücke nicht anders zu erklären. Verhängnisvoll ist dagegen die über der Decke aufgehäufte Steinlast geworden. Ihr hat auch die doppelte, sorgfältig gefugte Balkendecke auf die Dauer nicht widerstehen können, zumal da durch die lose Erde des Tumulus, welche nicht wie bei Tumulus III durch starken Zusatz von Lehm undurchlässig gemacht war, Feuchtigkeit von oben durchsickern und durch die Fugen der Steinplatten an die Deckbalken gelangen und deren Morschwerden bewirken mußte. So erklärt sich ohne weiteres die fortgeschrittene Zerstörung allen Holzwerkes hier wie bei Tumulus IV, gegenüber der relativ vorzüglichen Erhaltung desselben in Tumulus III. Zwischen den nach dem Zusammenbruch der Decke in das Innere der Grabkammer gefallenen Steinen haben sich ebenfalls Reste von Holzstangen gefunden, die also, wie bei der ringsumlaufenden Steinpackung, so auch bei der über der Grabkammer hergestellten in Anwendung gekommen zu sein scheinen. Innerhalb der Grabkammer wurden nahe der Südwest-Ecke, und zwar nur an dieser einen Stelle, beieinander die stark vermorschten Knochenreste eines Individuums gefunden. Es darf als sicher bezeichnet werden, daß nur ein Toter hier bestattet worden ist.

Außerdem wurden aber an verschiedenen Stellen innerhalb des Grabes vereinzelte menschliche offenbar nicht zu den Resten des Bestatteten gehörige und tierische (Rind- und Schaf-) Knochen gefunden. Auch auf und in der Nähe der Steinpackung wurden menschliche und tierische Knochen gefunden, jene auch zwischen den Steinen der Packung selbst, u. a. der ziemlich wohl erhaltene Schädel eines jugendlichen Individuums. Die tierischen Knochen rühren ohne Zweifel von Opfern an den Toten her, welche nach der Schließung des Grabes dargebracht worden sind; durch das Zusammenbrechen der Decke sind sie zum Teil mit den Steinen in das Innere der Grabkammer gelangt. Aber wie erklärt sich die Anwesenheit der menschlichen Knochen? Wir haben ursprünglich angenommen (so auch noch in dem vorläufigen Bericht), daß sie von älteren Bestattungen an derselben Stelle herrühren. Aber dieser Annahme stehen ernstliche Bedenken entgegen. Einmal ist bei der Herstellung der Grabkammer nur eine flache Grube ausgehoben, nicht der Boden in größerem Umfange umgewühlt worden. Es wäre ein seltsamer Zufall, daß man dabei auf eine ältere Beisetzung, die doch wohl irgendwie auf der damaligen Oberfläche des Bodens kenntlich war, gestoßen sein und diese dann nicht geschont haben sollte. Ferner, wenn auch für eine solche pietätlose Behandlung älterer Grabreste zahlreiche Belege aus verschiedenen Gegenden der alten Welt vorliegen, so müßte man doch erwarten, daß sich außer den Knochenresten auch wenigstens vereinzelte Reste von Beigaben aus den älteren Gräbern gefunden hätten. Das ist nicht der Fall: es ist bei der Ausgrabung des Tumulus (ebenso wie bei den vier anderen) nichts zutage gekommen, was für älter gehalten werden müßte als die Anlage des Tumulus selbst. Endlich ist nicht recht abzusehen, weshalb man die Gebeine von früher hier bestatteten Volksgenossen zwischen die Steine der Packung und auf diese gelegt haben sollte, statt sie etwa in einem Winkel der ausgehobenen Grube zu sammeln. Gerade die Art der Auffindung dieser menschlichen Reste führt zu der Vermutung, daß sie vielmehr von Menschenopfern herrühren, die wie die tierischen bei der Beisetzung zu Ehren des Toten dargebracht worden, und daß sie gleich jenen, als die Grabkammer zusammenbrach, zum Teil in das Innere hineingelangt sind. Ganz sichere Beweise dafür, daß dieser barbarische Gebrauch bei den Phrygern noch während des VI. Jahrhunderts bestanden hat, haben unsere Ausgrabungen nicht ergeben, aber auch die bei der Ausgrabung von Tumulus I und V gemachten Beobachtungen lassen es allerdings wahrscheinlich erscheinen (s. unten). Für die älteren Tumuli III und IV liegen solche nicht vor, aber es ist auch nicht das ganze Erdreich durchsucht worden und wir können mithin für die ältere Zeit das Bestehen des Gebrauches nicht ohne weiteres ausschließen. Nur das steht fest, daß bei diesen Tumuli nicht unmittelbar an oder über der Grabkammer Menschenopfer dargebracht worden sind.

In der Erde unseres Tumulus sind außerdem noch an drei Stellen die annähernd vollständigen Überreste menschlicher Leichen gefunden worden, doch scheint es sich in allen Fällen um Beisetzungen von Individuen zu handeln, die zu dem Grabherrn oder seinem Geschlechte in irgendwelchen Beziehungen gestanden haben. Sicher darf dies für den ersten Fall angenommen werden: in der Nähe der an demselben Tage zuerst erreichten Steinpackung, etwas nördlich von derselben und ungefähr in derselben Höhe fand sich am 20. Mai ein stark vermorschtes menschliches Skelett. Es lag in der Richtung Südost—Nordwest auf mehreren rohen, ungefähr 50 cm im Quadrat messenden Steinplatten und war anscheinend mit einer Packung von faustgroßen Steinen bedeckt. In der Nähe des Kopfes fanden sich vier antik gebrochene aneinanderpassende Scherben (Mündung und Hals) der unter Nr. 26 beschriebenen und abgebildeten Amphora. Ein weiteres anpassendes Stück desselben Gefäßes wurde am 29. Mai etwas weiter südöstlich in dem zur Freilegung der Steinpackung ausgehobenen Quereinschnitt (s. oben) oberhalb dieser, weitere zugehörige Stücke später im Innern des Grabes gefunden. Es ist anzunehmen, daß dieses Gefäß bei dem nach der Schließung des Hauptgrabes dargebrachten Totenopfer gebraucht und zerbrochen ist. Das eben beschriebene Skelett aber muß von einem während der Aufschüttung des Tumulus hier in unmittelbarer Nähe des Grabherrn **bestatteten** Toten herrühren. Die übrigen menschlichen Knochenreste wurden in der bloßen Erde, ohne jede Spur einer Beisetzung und zwar am äußeren Ende des Einschnittes, nahe dem Rande des Tumulus gefunden: nämlich am 20. Mai zu beiden Seiten des Einschnittes die Reste von mindestens zwei Individuen und am 19. in derselben Gegend, aber in geringerer Tiefe, d. h. oberhalb jener, die von anscheinend einem Toten. Viele Kohlen und selbst unverkohlte Holzreste, darunter ein Stück eines Nadelholzstammes von ungefähr 10 cm Durchschnitt, sowie tierische Knochen, unter denen der Kiefer eines Schweines, wurden in der Nähe der letzterwähnten menschlichen Reste, jedoch nicht unmittelbar mit diesen zusammen, gefunden. Sie rühren offenbar von Totenopfern her, die menschlichen Reste (von mindestens drei Individuen) etwa von Sklaven, die hier zu verschiedenen Zeiten ohne weitere Beisetzungszeremonien verscharrt worden sind.

Endlich rührt von einer selbständigen Nachbestattung der unter Nr. 30 beschriebene und abgebildete Topf mit den Resten eines neugeborenen Kindes her. Nach Form und Technik kann er der Errichtung des Tumulus sehr wohl gleichzeitig sein und dürfte kaum aus wesentlich jüngerer Zeit stammen.

Inhalt der Grabkammer. Bei dem Zustand völliger Zerstörung, in welchem wir die Grabkammer fanden, bedarf es einer besonderen Feststellung, welche von den Gegenständen, deren Bruchstücke bei der Ausräumung (in durch die eingedrungene Feuchtigkeit großenteils stark beschädigtem Zustande) zutage kamen, ursprünglich bei der Beisetzung in ihr niedergelegt waren, und welche vielmehr erst nach dem Zusammenbruch der Decke nachträglich von oben her in sie hineingelangt sind. Die Scheidung ist keine absolut sichere. Ohne weiteres müssen zu der zweiten Kategorie diejenigen Gegenstände gehören, deren Bruchstücke teils innerhalb, teils außerhalb der Beisetzung gefunden worden sind, nämlich das skulpierte Alabastron Nr. 59 und die milesische Amphora Nr. 26. Sie sind bei dem nach Schließung des Grabes dargebrachten Opfer an den Toten gebraucht und wahrscheinlich damals absichtlich zerbrochen worden, ihre Bruchstücke später zum Teil in die Grabkammer hineingefallen. Möglich ist dies aber auch für diejenigen Gegenstände, deren sämtliche gefundene Bruchstücke sich im Innern gefunden haben, nämlich die milesische Kanne Nr. 27 und das unverzierte Alabastron Nr. 60, sowie die sehr schlecht erhaltenen, weil durch die Feuchtigkeit aufgeweichten Bruchstücke einer Anzahl unverzierter monochromer Gefäße. So bleiben als sichere Bestandteile der ursprünglichen Ausstattung nur der lediglich aus den Überresten seiner Elfenbeinverzierungen zu erschließende Holzsarkophag und die nicht zu diesem gehörigen kleinen Gegenstände aus Elfenbein (s. unten), sowie ein Stückchen Bernstein übrig, welche vielleicht in diesem sich befunden haben. Immerhin legt die Größe der Grabkammer und der Rückschluß aus dem Befunde von Tumulus III und IV die Vermutung nahe, daß dem Toten auch noch anderes Gerät in seine letzte Behausung mitgegeben worden ist, namentlich einige gewöhnliche Vorrats- und Gebrauchsgefäße der einheimischen monochromen Tonware. Von dieser sind folgende, unten nicht näher beschriebene Stücke mit Wahrscheinlichkeit festzustellen (keins vollständig):

Drei bauchige Gefäße mit niedrigem Hals aus braun-rötlichem Ton mit ziemlich guter (Hand-)Politur;

ein größerer bauchiger Topf aus grobem Ton von schwarzer Farbe mit Hand-Politur;

ein kleineres schwarzes Gefäß von feinerer Technik;

mehrere gewöhnliche schwarze Töpfe.

Hervorgehoben sei, daß die mit größter Sorgfalt vorgenommene Ausräumung der Grabkammer keine Reste von Bronzegefäßen zutage gefördert hat. Abgesehen von den oben erwähnten eisernen Nägeln und Bändern fand sich von Metall nur ein formloses Stück Bronze mit anhaftendem Blei (Verguß) und vier dünne kantige Stäbe von Blei.

Auch wenn man das durch seine Größe und sorgfältige Arbeit immerhin bemerkenswerte und seinem einstigen Besitzer gewiß kostbare glatte Alabastron und die milesische Kanne hinzurechnet, ist die Ausstattung des Grabes selbst doch, im Vergleich zu der von Tumulus III und selbst IV, als eine dürftige zu bezeichnen. Eine frühere Beraubung erscheint nach dem Befunde ausgeschlossen.

Die in der aufgeschütteten Erde zerstreut gefundenen Gegenstände, unter denen die Scherben von bemalter und monochromer Tonware bei weitem überwiegen, rühren wie die Tierknochen und vereinzelten Holzkohlen von Opfern, vielleicht auch von den Mahlzeiten der Arbeiter her. Ohne Zweifel ist der nicht hohe Tumulus, wie die schon beschriebenen älteren, in einem Zuge errichtet worden. Irgend welche Anzeichen einer allmählichen Schichtung oder fortgesetzter Totenopfer waren nicht erkennbar.

Wir geben im folgenden ein Verzeichnis sämtlicher Fundstücke nach dem Material geordnet; bemerkenswerte Fundstellen und -umstände sind besonders angemerkt, die übrigen Scherben und Gegenstände sind in der losen Erde des Tumulus gefunden worden.

FUNDE.

1. ELFENBEIN.

a) ZUR VERZIERUNG EINES HOLZSARKOPHAGS GEHÖRIGE STÜCKE.

1. Kymation (Abb. 87), bestehend aus Stücken, deren ursprüngliche Länge nicht mehr festgestellt werden kann, da keins der erhaltenen vollständig ist. Die einzelnen Stücke stießen mit glatten Schnittflächen aneinander; diese liegen zwischen den Rändern je zweier Blätter, so daß das unten, zwischen deren runden Enden eingeschobene Zwickelblättchen (Spitze) halbiert wird, wie die Abbildung der Rück-

Abb. 87. Kymation aus Elfenbein.

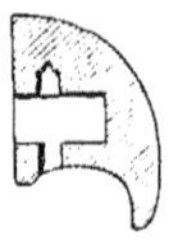

Abb. 88. Kymation, Durchschnitt (1/2).

seite (Abb. 89) erkennen läßt. Untereinander waren die einzelnen Stücke nicht durch Zapfen verbunden. Die Stücke waren an einer glatten Fläche wagerecht befestigt, so daß die unteren unterhöhlten Teile frei standen (die Fläche nicht berührten). Zu diesem Zwecke weist die glatte Rückseite längliche viereckige Zapfenlöcher (0,016 × 0,007 m; 0,015 m tief) auf, deren Stellen durch feine Ritzlinien vorgezeichnet waren. Mit diesen Zapfenlöchern stehen rechtwinklig zu ihnen nach unten gehende runde Löcher in Verbindung, welche zur Einfügung von Stiften gedient haben müssen, die von unten (dem unterhöhlten Teile) her in die Zapfen eingriffen, um eine sichere Befestigung der Kymationstücke an der Anheftungsfläche herzustellen (vgl. den von M. Lübke gezeichneten Durchschnitt Abb. 88). Der Abstand zwischen je zwei

Zapfenlöchern beträgt an dem einzigen Stück, an welchem zwei derselben erhalten sind, 0,04 m; doch ist dieser Abstand nicht regelmäßig eingehalten, denn an einem 0,05 m langen Bruchstück ist kein Rest eines Zapfenloches erhalten. Die vier in Abb. 89 abgebildeten Stücke zeigen neben den Zapfenlöchern griechische Buchstaben, die man nur als Versatzmarken auffassen kann: X (+)[36], >, B, X. Von diesen Buchstaben ist der letzte das nur in den Alphabeten von Sekyon und Korinth[37] vorkommende Zeichen für den e-Laut, die übrigen stimmen gleichfalls zu diesem Alphabet, ohne jedoch für dasselbe charakteristisch zu sein. An zwei Stücken finden sich außer den Zapfenlöchern noch kleine runde, flache Löcher auf der Rückseite.

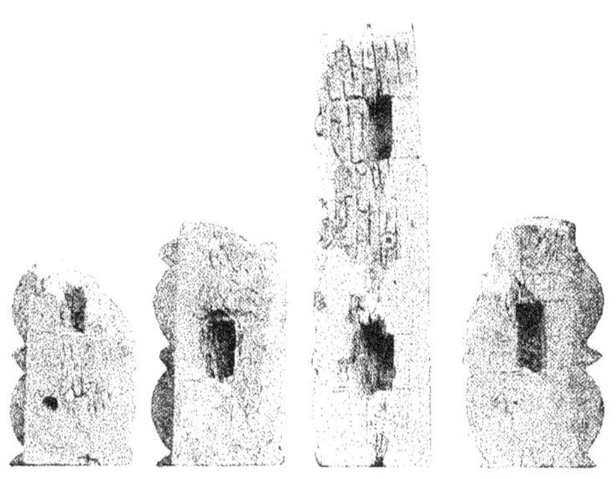

Abb. 89. Rückseiten von Kymation-Stücken mit Versatzmarken.

Durch die Einwirkung der Feuchtigkeit war das Elfenbein weich und bröckelig geworden, so daß die Herausschaffung sehr schwierig war und einzelne Stücke trotz größter Vorsicht zerbrachen. Die besser erhaltenen weisen an der Außenseite sorgfältige Politur auf, Spuren von Färbung waren nirgends festzustellen. Die Höhe der glatten Rückseite (Anheftungsfläche) beträgt 0,025 m, die des ganzen Kymation incl. des überhängenden Teiles 0,035 m, die Breite der Unterseite 0,02 m.

Von kleineren Fragmenten abgesehen, sind im ganzen 14 Stücke vorhanden, deren Länge von 0,10 bis zu 0,045 m wechselt. Im ganzen sind 0,934 laufende Meter erhalten.

Weisen schon die Größenverhältnisse des Kymation darauf hin, daß dasselbe an dem die Gebeine des Toten enthaltenden Sarkophag angebracht war, so wird dies ferner durch die Fundumstände bestätigt. Die meisten Stücke wurden am 30. und 31. Mai gefunden und zwar an zwei Fundstellen, die erste näher der Nordwand, die zweite längs der Südwand der Grabkammer, von der Westwand an nach

[36]) Dieser Buchstabe ist in unserer Abbildung (das erste Stück von links) nicht ganz herausgekommen; auf dem Original und ebenso in der Photographie sind zwei sich im rechten Winkel kreuzende Linien deutlich erkennbar.

[37]) Hier allerdings nur neben B, der gewöhnlichen Form, und seltener als diese im Gebrauch. Kirchhoff, *Studien z. Gesch. d. gr. Alph.*[4], S. 102, hat es mit Recht unter die Zeichen des korinthischen Alphabets aufgenommen: außer dem im Gebiet von Korinth gefundenen Pinax n. 842 der Berliner Vasensammlung (Furtwängler) erscheint es auch auf der zweifellos korinthischen Amphora n. 1147 (ebenda) und die eingeritzte Inschrift auf einem Gefäß des Exekias, welche ebenfalls konstant X für den e-Laut verwendet, kann nur in Korinth oder (wahrscheinlicher) dessen Kolonie Syrakus geschrieben sein. Vergl. Helbigs Bemerkung *Sopra le relazioni commerciali degli Ateniesi coll' Italia, Rendic. dell' accad. d. Lincei* 1889 (V), S. 89, 1 gegen Kretschmer, welcher die Verwendung des X auf Sekyon beschränken möchte.

Osten hin. An dieser letzten Stelle lagen die Stücke unmittelbar auf den Resten der Dielung (s. oben) in gerader Linie, deren Länge einschließlich der Lücken 1,32 m betrug. Den Kymationstücken hafteten Bruchstücke der dünnen Plättchen mit Maeander und mit Flechtband (s. Nr. 2—3) an; darüber fanden sich, und zwar in senkrechter Lage, eine Anzahl der Lotosknospen Nr. 18. Augenscheinlich sind diese Verzierungsstücke der Längswand des Sarkophages bei seiner Zerstörung durch den Zusammenbruch der Decke der Grabkammer herabgeglitten und haben sich unterhalb ihrer Anheftungsstelle gelagert. Die an der anderen, nach Norden gelegenen Längswand befindlichen Verzierungen sind, da hier freier Raum vorhanden war, nicht so gleichmäßig gefallen und weiter verstreut. Es darf als sicher gelten, daß der Sarkophag längs der Süd- und nahe der Westwand der Grabkammer gestanden hat. Hier sind auch, wie oben erwähnt, die Reste der Gebeine des Toten gefunden worden.

Dünne Plättchen mit und ohne Gravierung:

Bei allen ist die Oberfläche sorgfältig geglättet, während an der Unterseite die Spuren der Säge nicht getilgt sind.

2. Maeanderband, 0,023 m breit (Abb. 90). Oben und unten am Rande je drei gravierte Linien. Der Maeander bildet nicht eine fortlaufende Kette, sondern zerfällt in einzelne Glieder, die abwechselnd oben und unten ansetzen; je zwei derselben bilden eine zusammengehörige Gruppe, die durch schmale Streifen begrenzt ist. Der Grund ist gekörnt. Kleine Löcher von 2 mm Durchmesser dienten zur Anheftung mittels Stifte.

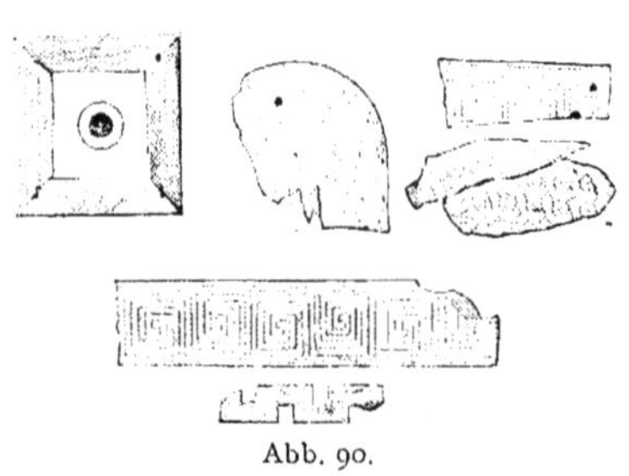

Abb. 90.
Elfenbeinplättchen Nr. 2. 3. 4. 8. 9. 16. 21.

Die ursprüngliche Länge der einzelnen Stücke ist nicht mehr festzustellen; 3 Stücke, die in voller Breite erhalten sind, messen 0,10 m, 0,108 m (in zwei Stücke zerbrochen, mit Anheftungsloch), 0,022 m (mit Anheftungsloch). Außerdem sind noch eine Anzahl kleiner Fragmente, bis 0,045 m lang, erhalten.

3. Schmaleres Band mit offenem Maeander (Abb. 90). Die Breite ist nicht mehr meßbar. Der durch Ritzlinien begrenzte verhältnismäßig breite Rand (nur oben erhalten) ist mit zahnartig angeordneten Quadraten mit Diagonallinien verziert. Die einzelnen Ornamentglieder setzen wie bei Nr. 2 abwechselnd oben und unten an, Trennungsstreifen fehlen. Das 0,045 m lange abgebildete Stück weist ein Anheftungsloch von 2 mm und den Rest eines größeren von 4 mm Durchmesser auf. Ein anderes Stück ist 0,029 m lang.

4. Streifen mit doppeltem Flechtband, 0,025 m breit (Abb. 90). Schmaler glatter Rand durch zwei Linien begrenzt, der Grund gekörnt, der Mittelpunkt der Augen angegeben. Paarweise angeordnete Anheftungslöcher von 4 mm Durchmesser,

an zwei kleinen Fragmenten sind auch die Befestigungsstifte aus Elfenbein (10 bezw. 11 mm lang) erhalten. Nur an zwei Stücken ist die Breite meßbar; sie weisen beide einen schräg laufenden Bruch auf. Außerdem mehrere kleinere Bruchstücke.

5. Schmale Leiste mit groben, der Länge nach laufenden Ritzlinien, 0,007 m breit. Zwei Bruchstücke erhalten, eins mit Befestigungsloch.

6. Ähnliche mit groben Zickzacklinien, 0,013 m breit. Zwei kleine Bruchstücke erhalten.

7. Fünf kleine Bruchstücke einer ähnlichen Leiste mit sich kreuzenden Ritzlinien, Breite nicht meßbar. Eins mit Anheftungsloch.

8. Schmale glatte Streifen mit Zahnausschnitten, 0,01 m breit. Zahlreiche kleine Bruchstücke, zusammen etwa 0,25 m lang erhalten (Abb. 90).

9. Glatte Stäbe auf Gehrung geschnitten, so daß je vier ein Quadrat bilden; sie sind je 0,043 m lang, 0,01 m breit; in den Gehrungen kleine Löcher (Abb. 90). Etwa 25 Stück erhalten.

10. Quadratische Plättchen (0,013 m) mit runden Löchern in der Mitte jeder Seite. Vier Stück erhalten, von denen zwei zerbrochen.

11. Bruchstück einer aus mehreren Stücken zusammengesetzten, einen Kreis bildenden, glatten, 0,02 m breiten Leiste. Die einzelnen Stücke waren auf Gehrung geschnitten und an den Stoßkanten mit Falzen versehen, um einen genauen Zusammenschluß zu ermöglichen; ein Anheftungsloch ist erhalten. Außerdem ist noch ein kleineres Bruchstück vorhanden.

12. Bruchstücke von vier Plättchen mit ausgeschnittenem Kontur und Gravierung: Zacken und Bänder, deren Enden nach außen zusammengerollt sind (Abb. 91 und 92, ergänzt), Durchmesser 0,03 m.

13. Runde Scheibe, Durchmesser 0,045 m, mit gravierter Rosette (Abb. 91).

14. Zwei kleinere runde Scheiben, Durchmesser 0,017 m, darauf ein Kreis und Radien eingeschnitten (Abb. 91).

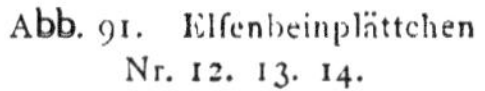

Abb. 91. Elfenbeinplättchen Nr. 12. 13. 14.

15. Zwei ähnliche ohne Gravierung. Durchmesser 0,019 m.

16. Schmaler Ring, 0,012 m breit (Abb. 90 oben l.).

Abb. 92. Nr. 12 ergänzt (1/2).

17. Zwei runde Plättchen, Durchmesser 0,03 m, mit sechs bogenförmigen Ausschnitten um den Rand herum; im Mittelpunkt ein 5 mm großes (Anheftungs-?) Loch (s. Abb. 93).

18. Plättchen in Form von Lotosknospen, in drei verschiedenen Größen: a) 0,044 m, b) 0,04 m, c) 0,03 m lang. Von Größe a und b sind zusammen 12 Exemplare vorhanden, einige derselben mit Anheftungsloch versehen; von c 5 Exemplare, sämtlich mit Anheftungsloch (s. Abb. 93 und 94).

19. Ähnlich, 0,043 m lang, jedoch mit bogenförmigem Ausschnitt statt der Spitze. 16 Exemplare sind vorhanden. Um runde Plättchen wie 14 oder 15 herum

angeordnet, mit dem Ausschnitt nach innen, würden sie eine Rosette wie Nr. 13 bilden, je nach der Zahl der verwendeten Exemplare von 8, 10 oder (wenn man die Glieder ohne Zwischenraum aneinander legt) 12 Gliedern.

20. Plättchen wie Nr. 18, jedoch mit Ausschnitten am einen Ende, so daß die Form einer Lanzenspitze entsteht, deren Basis mit je zwei tiefen Quereinschnitten verziert ist. Die meisten Plättchen sind 0,042 m lang, einige etwas kürzer. Eine genaue Angabe der Zahl der erhaltenen Exemplare fehlt leider unter unseren Notizen.

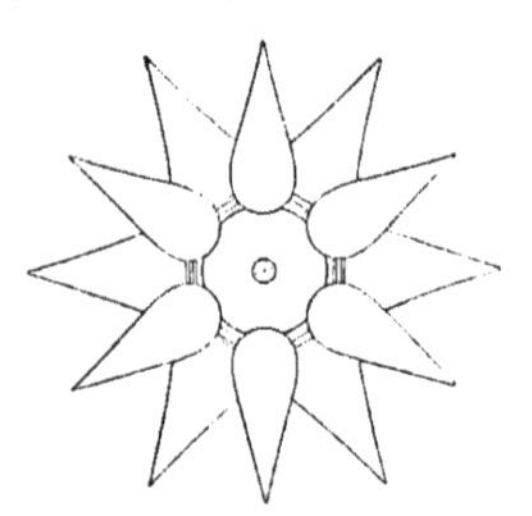

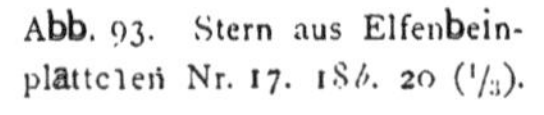

Abb. 93. Stern aus Elfenbeinplättchen Nr. 17. 18*b*. 20 (1/3).

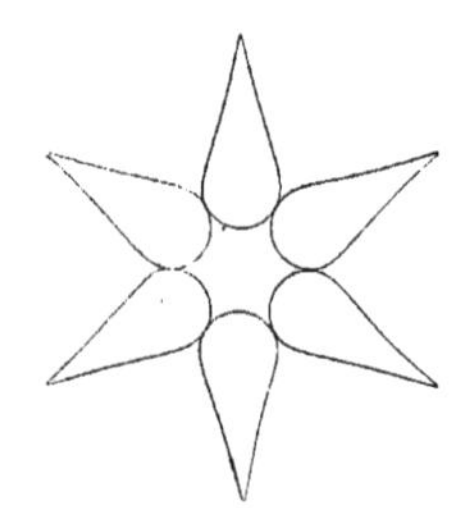

Abb. 94. Lotosstern aus Elfenbeinplättchen Nr. 18*a*.

Die Plättchen Nr. 14—20 waren augenscheinlich zu Ornamenten zusammengesetzt. Eines derselben läßt sich mit Sicherheit wieder herstellen: Die Aneinandersetzung von einem Plättchen Nr. 17 und je sechs Nr. 18*b* und 20 ergibt einen zwölfgliedrigen Stern (Abb. 93 nach einer Zeichnung von M. Lübke). Wenigstens zwei solche (vermutlich mehr) waren vorhanden. Je sechs Plättchen Nr. 18*a* ergeben einen Lotosstern wie Abb. 94. Es sind aber auch andere Kombinationen möglich, ebenso wie mehrfache Formen von Rosetten durch Zusammensetzung aus Nr. 14, 15 und 19 (s. zu dieser Nr.).

21. Bruchstück eines größeren Plättchens mit eingeritzter figürlicher Darstellung (Abb. 90). Das Erhaltene scheint als Mähne und glatter Vorderkopf eines Tieres (Löwen?) aufgefaßt werden zu müssen. Der Kontur ist ausgeschnitten. An Stelle des Ohres, welches durch einen Kranz kleiner Striche angedeutet zu sein scheint, ein Anheftungsloch. Größte Höhe 0,043 m.

Nach den zu Nr. 1 mitgeteilten Fundumständen unterliegt es keinem Zweifel, daß diese dünnen Elfenbeinplättchen verschiedener Form, ebenso wie das Kymation an dem hölzernen Sarkophag angebracht waren, von welchem sich keinerlei Reste erhalten haben. Wir dürfen ferner annehmen, daß alle vier Außenseiten des Sarkophages mit Elfenbein inkrustiert waren, wenn dies auch nur für die Langseiten durch bestimmte äußere Anzeichen erwiesen ist. Ob etwa auch der Deckel in derselben Weise verziert war, muß ungewiß bleiben. Die Art der Befestigung am Sarkophag ist für das plastisch gearbeitete Kymation sicher bezeugt; für die Plättchen fragt es sich, ob sie auf der Grundfläche befestigt, oder in diese eingelassen waren. Der Schnitt der kleinen Einzelteile, namentlich der Lotosknospen entscheidet anscheinend für das letztere. Die Ränder sind nämlich ein wenig unterschnitten, so daß die Unterseite etwas geringere Maße aufweist wie die obere. Die Verbindung mit der Grundfläche muß durch Leim hergestellt gewesen sein, außerdem wurde ein Teil der Plättchen, nicht alle, noch durch Stifte aus Elfenbein an ihr festgehalten. Namentlich für die längeren Streifen, überhaupt alle größeren Stücke, mag dies zur festeren Verbindung erforderlich erschienen sein.

Über die Verteilung der einzelnen Elemente der Dekoration können wir bei der Unvollständigkeit des Erhaltenen nichts Genaues angeben. Nur ein ungefähres Gesamtbild ergibt sich: Einteilung der Fläche in mehrere Horizontalstreifen, die vielleicht durch Vertikalbänder in verschiedene Felder geteilt waren. Dem breiteren Mittelstreifen werden wir die figürliche Darstellung Nr. 21, die runde Umrahmungsleiste Nr. 11, zu der vermutlich eine Füllung gehörte, zuweisen, die kleineren teils aus einem Stück bestehenden, teils zusammengesetzten Ornamente auf den breiteren und die schmaleren Streifen verteilt denken dürfen. Das Kymation bildete vermutlich den oberen Abschluß, vielleicht außerdem auch den unteren[38].

Das so gewonnene Bild erinnert uns unwillkürlich an ein berühmtes Werk der archaischen griechischen Kunst: den sog. Kasten des Kypselos. Wenn auch die Verzierung unseres Sarkophages in jeder Beziehung eine weit einfachere war als die jenes vielbewunderten Werkes, so müssen doch beide wenigstens in dem Dekorationsprinzip nahe verwandt gewesen sein. Furtwängler, dem wir die beste Erörterung über das Dekorationssystem der Lade in Olympia verdanken[39], hat m. E. endgiltig nachgewiesen, daß diese mit den Kypseliden erst durch die olympischen Exegeten in Verbindung gebracht worden ist; als korinthisches Erzeugnis aber dürfen wir sie aus inneren Gründen betrachten und mit den spätkorinthischen rottonigen Vasen der ersten Hälfte des VI. Jahrhunderts zuweisen (a. a. O. S. 727 u. 732).

Gilt dies nun auch für unseren Sarkophag? Die Ornamentformen der Inkrustationsstücke geben keine entscheidende Antwort auf diese Frage. Das Kymation mit den breiten wulstigen Blättern und den zwischen deren runde Enden eingeschobenen Zwickelblättchen findet sich allerdings im altionischen Kunstkreise wieder[40], aber auch an altdorischen Architekturstücken, so dem Kapitell der Grabsäule des Xenvares in Kerkyra, welches ungefähr in den Anfang des VI. Jahrhunderts gesetzt werden muß[41], und am Echinus paestanischer Kapitelle[42]. Aus dem beiden Baustilen ursprünglich gemeinsamen Ornamente hat sich dann, wie Furtwängler a. a. O. richtig sagt, das ionische Eierstabkymation entwickelt und zwar anscheinend gegen die Mitte des VI. Jahrhunderts hin[43].

38) So an dem Sarkophag aus Amathus, Perrot-Chipiez III, Fig. 415—418, Cesnola-Stern, *Cyprus* Taf. 44, 45. Die zwischen die unteren Enden der Blätter eingeschobenen Spitzen fehlen hier. Der Sarkophag ist offenbar nicht unbeträchtlich jünger als unser Tumulus.

39) Vgl. Furtwängler, *Meisterw.*, S. 723 ff.

40) Furtwängler, *S.-B. d. bayer. Ak. d. W.* 1897, II, S. 137, der auf Taf. IX ein sehr merkwürdiges Stück einer Traufsima kleinasiatischen Ursprungs mit diesem Motiv veröffentlicht, weist auf die Reste des alten Tempels von Ephesos, den alten Apollotempel von Naukratis, sowie auf Stirnziegel aus Italien hin.

41) Vgl. Puchstein, *Das ionische Kapitell, 47. Berliner Winckelmanns-Progr.* (1887), S. 47, Fig. 39.

42) Ebenda, Fig. 40, 41.

43) Einen Vorläufer desselben erkennt Dümmler, *Arch. Jahrb.* X, 1895, S. 44 richtig in dem Ornament einer Hydria von Tell Defenneh (Daphnai): *Ant. Denkm.* II, 21, wo an Stelle der Zwickelblättchen weiße Punkte, von Winkeln überdacht, sich finden. Die Vasen von Daphnai sind, wie Zahn überzeugend nachgewiesen hat (*Athen. Mitt.* XXIII, 1898, S. 51 ff.), aus Ionien importiert und etwa zwischen 595 und 565 zu datieren. Die ihnen nächstverwandten Sarkophage von Klazomenai (um die Mitte des VI. Jahrhunderts) bieten die ältesten Beispiele des ionischen Eierstabkymations »und gleich in der für immer typischen Form« (Winter, *Ant. Denkm.* II, Heft 3, S. 2 zu Taf. 25).

Der Lotosknospenstern (Abb. 93, 94) kehrt auf einem aus Gordion selbst stammenden Architekturgliede, nämlich der tönernen Sima vom Tempel wieder (s. Kap. IV, Abb. 138). Um ein ähnlich wie bei unserer Abb. 93 ausgeschnittenes Mittelstück sind dort vier Lotosknospen strahlenförmig angeordnet, zwischen ihnen ebenso viele fünfblättrige Palmetten. Zweifellos steht diese wie die architektonischen Terrakotten vom Tempel überhaupt unter dem direkten Einfluß der altionischen Kunst. Aber der einfache Lotosknospenstern (Abb. 94) ohne oder mit verkümmerter Palmettenfüllung gehört bekanntlich auch zu den beliebtesten Ornamenten der älteren korinthischen Aryballoi. Der reicheren Form desselben wie Abb. 93 steht am nächsten das von Winter mitgeteilte Ornament einer Marmorsima von der Akropolis[44], etwas ferner das des Grabmals von Lamptrai[45] mit eingeschobenen Palmettenblättern. An den letzteren weisen die Punkte innerhalb der einzelnen Ornamentteile, welche ganz den Anheftungslöchern unserer Elfenbeinplättchen entsprechen, auf Vorbilder in Inkrustationsarbeit hin. Ebenso gehören die übrigen Ornamente: Rosette, Flechtband, Maeander wie dem ionischen Kunstkreise, so auch der korinthischen Vasenmalerei an. Der Blattstab ohne Zwickelblättchen kommt schon auf altkorinthischen Gefäßen vor und ist auf den jüngeren häufig.

Ohne die auf den Rückseiten der Kymationstücke angebrachten Versatzmarken würde es nahe liegen, alle diese Inkrustationsstücke im griechischen Osten, etwa in Milet, oder in dessen Kolonie Naukratis gefertigt zu denken. Von den als Versatzmarken dienenden Buchstaben ist ferner nur einer, Ϻ, der ausschließlich dem Alphabet von Korinth oder Sekyon angehört. Dennoch scheint er mir beweisend dafür, daß nur ein Korinther oder Sekyonier diese Zeichen geschrieben und die Inkrustationsstücke angefertigt haben kann. Daß ein solcher in Milet, Naukratis oder gar in Gordion selbst ansässig gewesen sein kann, ist nicht schlechthin zu leugnen. Beweist uns doch wenigstens eine auf dem Stadthügel gefundene einheimisch-monochrome Scherbe mit eingeritzter griechischer Inschrift (s. Kap. IV »Inschriften« Nr. 14), daß im VI. Jahrhundert dort Griechisch, doch wohl schwerlich von Eingeborenen, geschrieben worden ist. Aber wahrscheinlicher bleibt doch immer, daß die Inkrustationsstücke aus dem griechischen Mutterlande, und zwar aus Korinth, der alten Vermittlerin zwischen dem Orient und Griechenland, eher als aus Sekyon, importiert worden sind. Ein Import korinthischer Tonware nach Gordion während des VI. Jahrhunderts wird ja ohnehin durch unsere Funde in Tumulus I und auf dem Stadthügel erwiesen.

Ob der ganze Sarkophag fertig aus Korinth bezogen worden ist, kann fraglich erscheinen: der weite Landtransport mußte jedenfalls große Schwierigkeiten bieten, andrerseits war, wie der Sarkophag und die übrigen Holzgegenstände aus

[44]) *Athen. Mitt.* XII, 1887, S. 115, Fig. 2. Die Angabe, daß die Sima zum alten Athena-Tempel gehöre, hat sich wohl nicht bestätigt und überhaupt findet sich dieses Ornament unter den von Wiegand, *Ant. Denkm.* I, 50 publizierten nicht, sondern nur die von Winter damit zusammengestellte achtblättrige sowie die zehnblättrige Rosette auf den Simen B_1, B_2 und C.

[45]) *Athen. Mitt.* XII, Taf. 2; *Attische Grabreliefs*, Taf. XI.

Tumulus III beweisen, die Tischlerei in Phrygien schon früher entwickelt. Es ist also sehr wohl möglich, daß der Sarkophag im Lande verfertigt und mit den von auswärts bezogenen Inkrustationsstücken verziert worden ist. Für diese Annahme scheint noch ein weiterer Umstand zu sprechen: Von den oben unter Nr. 18 beschriebenen Plättchen sind mehrere außerhalb des Grabes, auf und in der Nähe der Steinpackung, gefunden worden. Das ist wohl nur so zu erklären, daß einige dieser kostbaren, von fernher bezogenen Inkrustationsplättchen lose, nach Schließung des Grabes dem Toten geweiht worden sind, in gleicher Weise wie das skulpierte Alabastron Nr. 59.

b) ANDERE FUNDSTÜCKE AUS ELFENBEIN.

Diese Stücke können nicht zur Verzierung des Sarkophages gehört haben; ihre Verwendung ist mit Sicherheit nicht festzustellen, möglicherweise haben sie als Steine eines Brettspiels gedient, wie die mit der »Situla« von Chiusi zusammen gefundenen Löwenköpfe nach H. Graevens wahrscheinlicher Vermutung (s. *Antike Schnitzereien aus Elfenbein und Knochen*, Hannover 1903, S. 11).

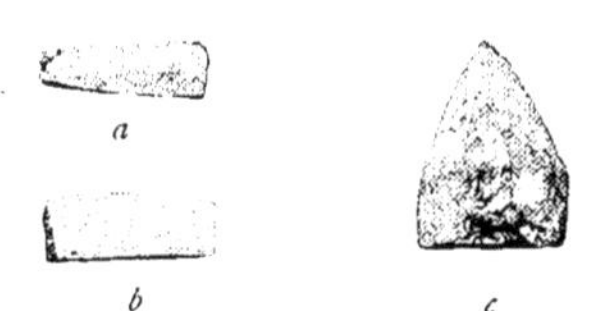

Abb. 95.
Spielsteine (?) aus Elfenbein.

22. Kleine, unten flache, oben gewölbte Stücke mit geradlinigen Kanten, ungefähr von gleicher Größe, nämlich 0,017 – 0,018 m lang, 0,015 m breit und 0,007 m hoch. 22 Stück erhalten (Abb. 95*a*, *b*.)

23. Vier konische Gebilde, 0,22 m hoch (Abb. 95*c*).

24. Zwei aneinanderpassende Bruchstücke einer stehenden Figur. Der Kopf fehlt und der obere Teil der Vorderseite ist abgesplittert, Füße waren nicht angegeben. Die Figur, deren Geschlecht nicht bestimmbar ist, ist ganz in einen langen Mantel gehüllt, dessen Säume mit Ritzlinien ornamentiert sind. Sie ist ganz flach gehalten; unten eine 0,011 m hohe Plinthe. Höhe 0,07 m (Abb. 96*a*, *b*).

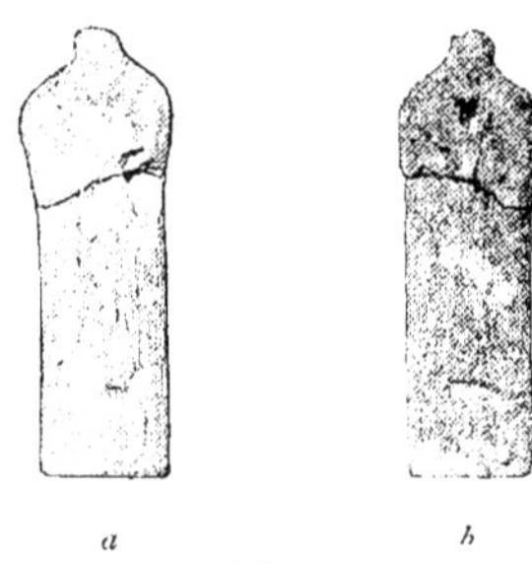

Abb. 96.
Elfenbeinfigur, *a* Vorder-, *b* Rückseite.

25. Vogelkopf (Eule?), unten unvollständig und sehr stark beschädigt. Die Augen waren besonders gearbeitet (aus demselben Material) und eingesetzt. Höhe 0,02 m.

2. TONGEFÄSSE.

a) VASEN MIT FIRNISMALEREI.

Stücke davon sind teils innerhalb, teils in unmittelbarer Nähe der Grabkammer gefunden.

26. Stücke einer großen Amphora (Hals, 0,10 m hoch, mit Mündung, Durchmesser 0,155 m, und ein Henkel, sowie ein Teil des Bauches erhalten). Hell-

gelblicher Ton, gut gebrannt. Am Halse ist eine flüchtige Wellenlinie gemalt, die Mündung schwarz gefirnißt, darunter ein schmales umlaufendes Band, ein ebensolches am unteren Ende des Halses und um den oberen Ansatz des Henkels, alles mit schwärzlichem, nicht ganz gleichmäßigem Firnis (Abb. 97a).

27. Bauchige Kanne mit enger Mündung, niedrigem, abgesetztem Fuß und Bandhenkel. Höhe 0,22 m, Durchmesser der Mündung 0,045; große Stücke des Gefäßkörpers fehlen. Ton und Firnis wie bei der vorigen. Die Verzierung ist auf umlaufende Streifen, breitere und schmalere, beschränkt (Abb. 97b).

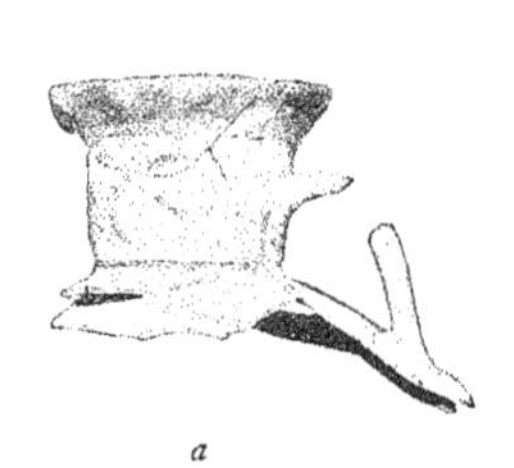

a *b*

Abb. 97. Amphora (*a*) und Kanne (*b*) milesischer Fabrik. Nr. 26, 27.

Eine ähnliche Amphora des Berliner Museums aus Rhodos ist von Furtwängler, *Jahrb.* I, 149 abgebildet; die Biliottischen Ausgrabungen haben große Mengen dieser Gefäße ergeben. Sie kommen nach Furtwängler schon zusammen mit Vasen der altkorinthischen und altrhodischen Art vor, doch überdauert ihre Fabrikation gewiß diese. Eine ähnliche Amphora des Bonner Museums aus Olbia hat Loeschcke, *Arch. Anz.* VI, 18 veröffentlicht. Mit Bezugnahme auf andere gleicher Art, die in Tell Defenneh (Daphnai) und im Bezirke des milesischen Apollo in Naukratis gefunden sind, vermutet er, daß diese Gattung in Milet fabriziert und von dort in dessen Kolonien exportiert worden sei. Diese Vermutung wird fast zur Gewißheit dadurch, daß zahlreiche Scherben dieser oder einer nahe verwandten Gattung von Wiegand in Milet selbst gefunden worden sind. Die mir durch seine Güte zugänglich gewordenen zeigen eine durchaus ähnliche Beschaffenheit von Ton und Firnis und verwandtes Dekor, mit breitem Pinsel gemalt; der übrigens gut gebrannte und homogene Ton ist stark glimmerhaltig. Dasselbe Ornament in mattem Schwarz kehrt auch wieder, auf der Schulter einer Amphora etwas abweichender Form und anscheinend italischer Fabrik aus Caere, Pottier, *v. ant. d. Louvre*, D 40 pl. 30.

b) SCHERBEN VON VASEN MIT MATTMALEREI[46],

sämtlich außerhalb der Bestattung in der Erde gefunden.

Sie zerfallen in zwei Klassen, mit und ohne weißlichen Überzug (engobe). Die Qualität des Tons variiert bei den vorangestellten ohne Überzug beträchtlich; bei einigen Stücken ist er grob, mit fremden Beimischungen, bei der Mehrzahl homogen, fein geschlämmt und gut gebrannt. Die Färbung wechselt von Dunkelrot bis zu mehr gelblicher Farbe. Allem Anschein nach waltet nicht ein Zeit-, sondern

[46]) Die Scherben sind fast sämtlich ins Berliner Museum gekommen, die wenigen in Konstantinopel verbliebenen Stücke sind im Texte bezeichnet.

nur ein Qualitätsunterschied zwischen beiden Gattungen ob. Sie scheinen beide im Lande verfertigt zu sein.

Scherben ohne Überzug:

28. Grober, im Bruch ziegelroter, nach innen zu gräulicher Ton, Oberfläche blaßrot, nicht geglättet, darauf umlaufende Streifen, der eine leicht gewellt, in schwärzlicher Farbe. Das Gefäß war mit der Töpferscheibe gemacht, wie alle folgenden.

29. Randstück eines großen, sehr dickwandigen (0,015 m) Gefäßes (Amphora?). Ebenfalls ziemlich grober Ton, im Bruche ziegelrot; die Oberfläche ist sorgfältig geglättet und zeigt ein etwas dunkleres Rot. Darauf in dunkler Farbe breite Streifen und der Ansatz eines mit Netzwerk gefüllten Ornamentes. Die Töpferarbeit ist sauber, der Rand auch nach innen zu abgesetzt.

30. Stück vom Henkel eines großen Napfes mit Ansatz des Gefäßrundes selbst. Der Henkel stieg vom Gefäßrande auf und war nach außen umgebogen, so daß er die Gefäßrundung unten an der Außenseite wieder berührte. Der Henkel ist an der Bruchstelle 11, die Gefäßwand 4 mm dick; Breite des Henkels 0,035 bis 0,04 m. Gut geschlemmter Ton ohne fremde Beimischungen, die Oberfläche auf beiden Seiten sorgfältig poliert und mit breiten Streifen in schwarzer Farbe bemalt, auf der nach innen gekehrten Seite ein Rechteck mit Diagonalen (Abb. 98).

Abb. 98. Scherben mit Mattmalerei ohne Überzug Nr. 30, 31.

31. Schulterstück mit Halsansatz von einer kleinen Kanne. Dünnwandig, homogener, gut gebrannter Ton, die Außenseite zeigt dunkelrote Färbung und matten Glanz. Flüchtig gemalter Maeander in schwarzer Farbe, an einer Stelle, vermutlich der des Henkels, unterbrochen (Abb. 98).

32. Randstück eines großen Gefäßes, ziemlich dickwandig (9 mm). Homogener Ton, im Bruche blaßrot, die Oberfläche zeigt matten Glanz, darauf Wellenlinie und umlaufender Streifen in dünn aufgetragener, schwärzlicher Farbe. Die Lippe des Gefäßes war an der Innenseite schwarz bemalt, darunter ebenfalls eine Wellenlinie in ganz dünner Farbe.

33. Innenstück von einem flachen Teller mit Wulstfuß. Homogener gut gebrannter Ton, im Bruche ziegelrot. Die Außen- und Innenseite ist sorgfältig geglättet, zeigt matten Glanz und ist mit konzentrischen Streifen in dünner Farbe verziert.

34. Kleines Bruchstück, wahrscheinlich von einem ähnlichen Teller; die Oberfläche hat eine mehr braunrote, die auf beiden Seiten gemalten konzentrischen Streifen dunkelbraune Färbung.

35. Randstück vom Halse einer Kanne (?) mit Ansatz des Bauches, dünnwandig; blaßroter homogener Ton. Verzierung: drei Wellenlinien zwischen zwei schmalen Streifen, mit dünner Farbe gemalt. Matter Glanz.

36. Bruchstück eines ähnlichen Gefäßes mit verwandter Verzierung. Stark verscheuert.

37. Mündungsstück einer Kanne. Sehr blasser homogener Ton; flüchtig gemalte Streifen und anschließende Wellenlinien in schwarzer Farbe. Sehr matter Glanz (Abb. 99).

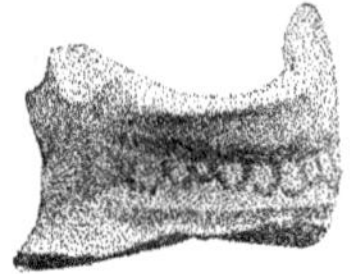

Abb. 99. Scherben mit Mattmalerei ohne Überzug Nr. 37, 38.

38. Kleines Bruchstück eines dünnwandigen Gefäßes. Ton fein, im Bruch blaßrot, Oberfläche fast gelblich. Streifen und Zähne, sowie mit Netzwerk gefüllte Winkel und Dreiecke in Schwarz (Abb. 99).

39. Kleines Bruchstück von ähnlichem Gefäß; Ton fein, im Bruche gelblich; ähnliche Verzierung wie beim vorigen.

Scherben mit Überzug, Ton im Bruch gräulich, schwacher Brand:

40. Bruchstück eines großen Gefäßes mit Halsansatz. Ton grob, im Bruch innen grau, nach außen hin rötlich. Weißlicher Überzug, darauf geometrische Verzierung (metopenartige Motive) in Schwarz. Sehr verscheuert.

41. Kleines Bruchstück eines großen dickwandigen Gefäßes (Durchmesser 0,01 m), Ton feiner geschlämmt, im Bruch grau. In Schwarz aufgemalt: ein stilisierter Flügel (?) (Abb. 100).

Abb. 100. Scherben mit Mattmalerei auf engobe Nr. 41, 42.

42. Größeres Bruchstück eines bauchigen Gefäßes mit Halsansatz (von Kanne?). Ton fein geschlämmt, im Bruche grau. Der Überzug fehlt auf dem Halse, der tongrundig gelassen ist. Verzierung in Hellrot und Schwarz; geometrische Motive. Stellenweise matter Glanz erhalten; ursprünglich scheint das fertig bemalte Gefäß überpoliert gewesen zu sein (Abb. 100).

c) MONOCHROME WARE.

Alle Stücke sind lose in der Erde des Tumulus gefunden (über die im Innern der Beisetzung gefundenen Scherben s. oben).

Feine schwarze Ware mit lebhafter Politur:

Abb. 101. Ausguß einer feinpolierten schwarzen Kanne Nr. 43.

43. Zwei anpassende Stücke vom Ausguß (Tülle) einer Kanne wie die Siebkannen aus Tumulus III, doch nach außen gebogen; beide Seiten und vorderer Rand großenteils erhalten. Sorgfältige Durchschmauchung von beiden Seiten her, im Bruch fast rein schwarz; feinster Politurglanz, unzweifelhaft durch Polieren mit glattem Stein erzielt (Abb. 101).

44. Zwei anpassende Stücke von kleinerem bauchigem Gefäß (Kanne?) mit abgesetztem, flachem Boden (Ansatz erhalten), mit horizontal umlaufender Riefelung (weit voneinander abstehende Rippen). Von beiden Seiten durchschmaucht, im Bruch dunkelgrau mit schwarzen Rändern. Innen stumpf, außen fein poliert wie das vorige.

Abb. 102. Bruchstücke einer schwarzen Kanne mit Riefelung und feinster Politur Nr. 45.

45. Vier zum Teil größere Bruchstücke eines ähnlichen größeren Gefäßes (Kanne?) mit flachem, abgesetztem Boden, horizontaler Riefelung am Bauch und vertikaler an der Schulter. Nur von außen her angeschmaucht, innen und im Bruch hellgrau mit mit schwarzem Außenrand. Die Außenseite zeigt feinste Politur durch Reiben mit glattem Stein und tief. schwarze, an einigen Stellen hellgraue Färbung, letzteres eher infolge mangelhafter Durchschmauchung als Einwirkung offenen Feuers (Abb. 102).

46. Mehrere ähnliche Scherben mit Riefelung, darunter eine mit eingedrücktem Zickzackmuster.

47. Bruchstück eines Griffes von einer Pfanne oder dergleichen, der Länge nach durchbohrt. Schwarz, im Bruche grau, außen poliert. Konstantinopel (Abb. 103).

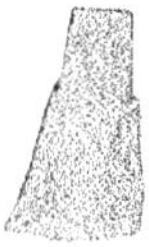

Abb. 103. Schwarzer Griff Nr. 47.

Graue Ware, zum Teil mit Politurstreifen:

48. Zwei anpassende Bruchstücke eines grauen Napfes (der größere Teil erhalten) mit flachem, abgesetztem Boden. Auf der Außenseite Politurstreifen. Durchmesser 0,155 m. Konstantinopel (Abb. 104).

49. Randstück eines großen dickwandigen (0,01 m) Gefäßes mit weiter Mündung (Lippe abgesetzt). Grauer Ton, keine Durchschmauchung. Außen poliert, am Halse der Grund matt, breite senkrechte Politurstreifen. Die Innenseite ist bis zum Halsansatz ebenfalls fein poliert. Die polierten Stellen haben eine dunklere, beinahe schwärzliche Färbung.

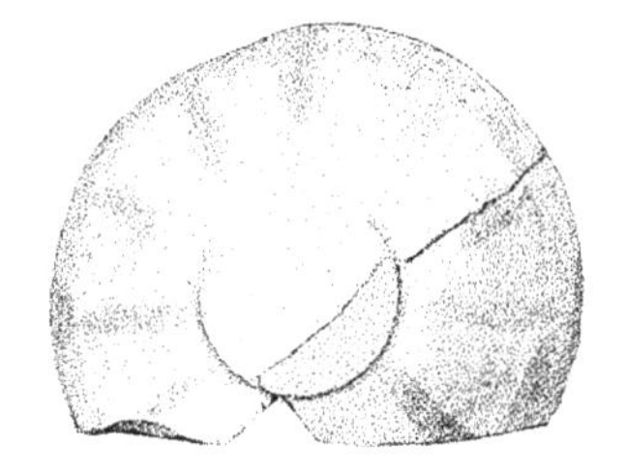
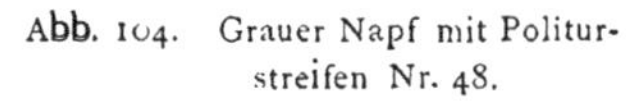

Abb. 104. Grauer Napf mit Politurstreifen Nr. 48.

Abb. 105. Grauer Bandhenkel Nr. 51.

50. Randstück eines ziemlich dickwandigen Napfes von grauem Ton, das Innere und der äußere Rand angeschmaucht und dadurch tief schwarz gefärbt, die Außenseite grau. Das Ganze sorgfältig poliert.

51. Stück eines grauen Bandhenkels mit eingeritzten Zickzacklinien, poliert (Abb. 105).

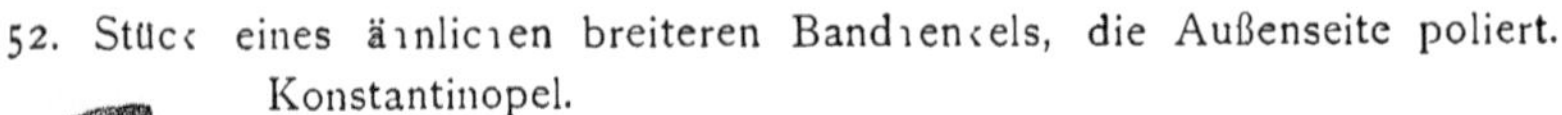

52. Stück eines ähnlichen breiteren Bandhenkels, die Außenseite poliert. Konstantinopel.

Abb. 106. Graue Scherbe mit Einritzung Nr. 54.

53. Oberteil einer bauchigen Kanne mit Kleeblattmündung. Grauer Ton, teilweise rötlich infolge stärkeren Brandes, ziemlich dünnwandig. An der Schulter eingedrückte triglyphenartige Liniengruppen. Stark versintert. Konstantinopel.

54. Bruchstück eines groben, grauen, dickwandigen Gefäßes mit eingeritztem Kreis und Fächerornament. Konstantinopel (Abb. 106).

Grobe, graue Ware:

55. Topf ohne Henkel 0,30 m hoch, Durchmesser der Mündung 0,19 m; in der Mitte des Bodens sogen. »Seelenloch«[47]. Sehr grober Ton mit Kieselbeimischung, auf der Drehscheibe hergestellt (Abb. 107). Gleich bei Beginn der Ausgrabung ganz an der Peripherie des Tumulus gefunden. Enthält Asche und die Knochen eines neugeborenen Kindes. Diese sind von uns der Sammlung des pathologischen Instituts in Berlin überwiesen worden. Den Herren Jürgens und Rud. Virchow verdanken wir folgende nähere Angaben: »Für die Kritik, ob die Knochen von einem ausgetragenen Kinde stammen, kommen in Betracht: 1. die vollständig erhaltene, aber etwas schief gebildete squama occipitalis, 2. der große rechte Flügel des hinteren Keilbeines, welcher in allen seinen Teilen normal gebildet erscheint, 3. ein os petrosum sin., weit vorgeschritten in der Verknöcherung, aber etwas defekt, 4. linke Hälfte des Unterkiefers, normal gebildet, mit auffallend weiten Alveolen, 5. eine linke scapula, 6. zwei kräftig gebildete Rippen, 7. Fragmente von Knochen des Schädeldaches, wobei ein linkes os parietale, an dem ein großes Stück, etwa $^1/_3$, fehlt. Bei dem Vergleich dieser einzelnen Knochen mit den Knochen eines 50 cm langen Fötus ergibt sich, daß die Größenverhältnisse bei beiden die gleichen sind, und daß es sich um die Schädelknochen eines ausgetragenen Kindes handelt, bei denen nur die Stärke des erwähnten Unterkiefers auffallend ist« [jedoch befindet sich diese noch innerhalb der physiologischen Verhältnisse, R. Virchow]. Daß das Kind nach der Geburt noch gelebt hat, ist nach Rud. Virchows Urteil jedenfalls möglich, aber doch nur für kurze Zeit.

Abb. 107. Grober Grauer Topf Nr. 55.

56. Kleiner grauer Topf ohne Henkel, 0,07 m hoch; gleich bei Beginn der Ausgrabung in geringer Tiefe gefunden. Sehr grober Ton; Oberfläche vielfach abgesplittert (Abb. 108).

Abb. 108. Kleiner grauer Topf Nr. 56.

[47]) Siehe hierzu die Nachweise von A. Körte, *Ath. Mitt.* XXIV, 1899, S. 29.

57. Grober bauchiger Topf mit Henkel, 0,10 m hoch, Durchmesser 0,10 m, mit starken Brandspuren, enthielt Erde, Asche und Kohle. In Tiefe von etwa 1,50 m, ungefähr in der Mitte des Tumulus gefunden.

58. Scherben eines bauchigen Topfes aus grobem, schwärzlichem Ton, in geringer Tiefe gefunden; enthielt etwas Kohle.

Außerdem wurden noch viele Scherben von grobem, kieselhaltigem Ton gefunden, die offenbar von geringwertigem Gebrauchsgeschirr stammen.

3. GEGENSTÄNDE AUS VERSCHIEDENEM MATERIAL.

59. Alabastron aus orientalischem Alabaster, in drei Stücke zerbrochen, jedes getrennt, gefunden und zwar das untere am 23. Mai außerhalb des Grabes, das mittlere (mit dem Löwen) am Nachmittag desselben Tages am oberen Rand der Steinpackung, das obere endlich am 31. Mai im Innern des Grabes in der Südwest-Ecke. Die Brüche passen genau aneinander und waren leicht zu kitten. Die Bohrung des Gefäßes ist unregelmäßig und im Vergleich zu dem Umfang desselben von geringer Weite. Höhe 0,44 m (Tafel 6).

Der obere Teil ist in Gestalt einer Frau gebildet, welche mit beiden vor dem Leib liegenden Händen einen Löwen an den Pranken hält, so daß dessen Körper wie ein Sack in horizontaler Lage herabhängt. Wie sie das Tier gepackt hat, ist nicht ganz klar zur Darstellung gebracht; die Krallen desselben sind nicht genau wiedergegeben, sondern oberhalb der Hände nur je zwei viereckige Stümpfe erkennbar. Vermutlich war es die Absicht des Künstlers, darzustellen, daß die Frau mit jeder Hand die beiden Vorder- bezw. Hinterpranken umfaßt, wie es ja das Natürliche ist, wenn man ein vierfüßiges Tier in dieser Lage tragen will. Es beruht dann auf einem Versehen bezw. Flüchtigkeit, daß unter dem rechten Arm der Trägerin die rechte Vorderpranke des Löwen, hier mit deutlicher Angabe der Krallen, noch einmal wiedergegeben ist, wie namentlich die Profilansicht erkennen läßt.

Die Göttin, denn daß eine solche dargestellt ist, geht schon aus dem Attribut des Löwen hervor, ist reich geschmückt. Sehr hoch am Halse trägt sie eine Kette aus zwei Reihen rundlicher, je mit einem Horizontaleinschnitt versehener Glieder (etwa Muscheln?), über welche in der Mitte ein runder Schieber (aus Gold zu denken) befestigt ist. Tiefer hängen eine zweite Kette aus länglichen und eine dritte aus etwas stärkeren, mehr viereckigen Gliedern bestehend (es sind wohl die bekannten phönizischen Glasperlen gemeint), jede mit einem viereckigen Anhenker in der Mitte. Endlich sind die Handgelenke mit einem schmalen Armreif geschmückt. Das Haar fällt als eine glatte, eng an die Körperformen anschließende Masse über die Schultern bis auf die Brüste herab, die nur an der Vorderseite, nicht auf dem Rücken deutlich begrenzt ist. Es ist im einzelnen durch ein eigentümliches System eingeritzter Linien charakterisiert, an welche sich auf der Stirn eine Reihe schematisch behandelter Löckchen anschließt, welche bis beinahe auf die Augenbrauen herabhängen. Die beiden seitlichen Haarmassen, welche jetzt wie ein Kopftuch wirken, sind glatt gelassen; ohne Zweifel waren sie ursprünglich bemalt. Auch sonst ist nach Analogie des überhaupt sehr ähnlichen Exemplares aus *grotta d'Iside* (s. unten) Bemalung zur Ergänzung des durch die Plastik Gegebenen anzunehmen, so an den Augen, den Augenbrauen und vermutlich an dem Schmuck.

Die Arbeit ist keineswegs fein und läßt ein organisches Verständnis der Formen vermissen: die Augen sind außerordentlich groß, die inneren Augenwinkel mit den Tränenkarunkeln nicht ausgeführt, die Ohren ebenfalls unverhältnismäßig groß und ganz schematisch gestaltet.

Die nächsten Analogien zu diesem Fundstück nach Material und Stil liefern uns italische Funde. Die sogen. *grotta d'Iside*, 1840 in dem »Polledrara« genannten Teil der Nekropole von Vulci entdeckt, enthielt drei Alabastra, derselben Art und gleichen Materials[48], welche mit dem gesamten Inhalt des Grabes in das British

Abb. 109. Oberteil des Alabastron b aus *grotta d'Iside* im Brit. Museum (Micali, *Mon. ined.* IV, 2) in Vorder- und Seitenansicht.

Abb. 110. Alabastron c aus *grotta d'Iside* im Brit. Museum (Micali IV, 3).

Museum gelangt sind. Sie sind, jedoch in ungenügender Weise, von Micali, *Monum. ined.* Taf. IV, 2—4 publiziert worden. Der gütigen Vermittlung von A. S. Murray verdanke ich Photographien derselben, nach denen die folgenden Abbildungen hergestellt sind; die Wichtigkeit dieser Stücke ließ deren stilgetreue Wiedergabe erwünscht erscheinen.

Dem Alabastron von Gordion (a) am ähnlichsten ist b, das einzige vollständig erhaltene (Micali n. 2). Länge nach dem bei Micali gegebenen Maßstab 0,48 m (s. Abb. 109). Die Göttin hält die geflügelte Sonnenscheibe, Haartracht und Detailausführung des Haares entsprechen genau dem neugefundenen Exemplar (a). Nach

48) Bei Micali richtig angegeben. Perrots Angabe, *Hist. de l'art* III, 845, Anm. 1: »*en terre emaillée*«, beruht offenbar auf einer Verwechslung seiner über diese und das gleich darauf erwähnte Alabastron von Kameiros gemachten Notizen. Dieses ist, wie mir A. S. Murray mitteilt, aus Ton.

ägyptischer Sitte[49]) ist der untere Rand des Haares fransenartig behandelt. Sehr ähnlich a ist der Halsschmuck, an den Handgelenken Armbänder mit drei Windungen, ein ähnliches (anscheinend gemaltes) am linken Oberarm. Augenbrauen, Augenstern und je eine Linie oberhalb der Brüste waren bemalt. Die Bildung von Auge und Ohr ist fast ganz gleich a, die des Gesichtes noch etwas breiter und rundlicher. Bei den beiden anderen fehlt der untere Teil, der obere skulpierte ist stark beschädigt.

c) (Micali n, 3). Länge des Erhaltenen 0,14 m. Der rechte Arm hängt herab, die auf der Brust liegende Linke hält einen Vogel. Das Haar ist in einzelne Flechten geteilt, die über der Stirn kurz, an den Seiten und hinten lang herabhängen mit aufgerollten Enden. Der Halsschmuck einfacher als in a und b: ein glatter Reif und darunter an einen dünnen Draht gereihte bullae. Das Gesicht ist eckiger und mehr durchmodelliert als in a und b, die Stirn höher, an Augenbrauen und -stern Farbspuren erhalten. Die Brust ist auffallend flach (Abb. 110).

d) (Micali n. 4). Länge des Erhaltenen 0,074 m. Stark beschädigt; beide Hände fassen die lang herabhängenden dicken Flechten. Auf dem Rücken wird die Haarmasse durch ein breites Band zusammengehalten. Form und Modellierung des Gesichtes ähnlich c, der Mund auffallend breit (Abb. 111).

Abb. 111. Alabastron d aus *grotta d'Iside* im Brit. Museum (Micali IV, 4).

Abb. 112. Alabastron c aus Cervetri.

Zwei weitere Exemplare hat W. Helbig in seinem tief einschneidenden Aufsatz *Cenni sopra l'arte fenicia* (*Ann. d. I.* 1876) nachgewiesen:

e) Aus einem Grabe von Cervetri (scavi Calabresi), jetzt im Besitze des Herrn Aug. Castellani in Rom. Die Abb. 112 ist nach einer durch Helbigs gütige Vermittlung beschafften Photographie hergestellt. Höhe 0,21 m (vgl. Helbig a. a. O. S. 243f.). Wie der Größe, so auch der Ausführung nach geringer als die bisher besprochenen. Die Göttin hält in der Rechten eine (wohl durch Bemalung weiter ausgeführte) Blume (anscheinend Lotosblüte), die Linke hängt herab. Die Haartracht ist dieselbe wie in a, b, der Schmuck auf eine Halskette mit Anhenker beschränkt. Die Arme sind mit langen Ärmeln bekleidet. Gesichtsform und Bildung des Ohres ähnlich a, b.

[49]) Vgl. Ad. Erman, *Ägypten* I, S. 308.

f) Aus einem Grabe von Sovana. Helbig, welcher die Fundstücke nur flüchtig in Rom gesehen hat, vergleicht (a. a. O. S. 242) die Alabastra aus *grotta d'Iside*, b—d.

Endlich ist noch ein Exemplar aus dem griechischen Osten zu erwähnen:

g) Aus den Biliottischen Ausgrabungen auf Rhodos, 1885 für das Berliner Museum erworben, s. Furtwängler, *Jahrb.* I (1886) S. 156. Höhe (ohne die fehlende Mündung) 0,21 m. Leider ist namentlich der obere skulpierte Teil so zerfressen, daß man nur eben noch das Motiv erkennen kann. Die rechte Hand hält einen zwischen den Brüsten befindlichen Gegenstand, der linke Arm hängt herab. Angaben über die mit dem Alabastron zusammen gefundenen Gegenstände liegen leider nicht vor.

Die Gräber, denen die Alabastra b—f entstammen, bilden ihrem Inhalt nach eine zusammenhängende Gruppe. Für deren Datierung geben die darin gefundenen Gegenstände ägyptischer Fabrik, nämlich Salbgefäße aus sogen. ägyptischem Porzellan und eine kleine *ubschti*-Figur aus demselben Material und wie jene mit Hieroglyphen-Inschrift versehen, einen ungefähren Anhalt: sie gehören nach dem Urteil von R. Lepsius der 26. Dynastie (663—525 nach Ed. Meyer, *Gesch. d. Altert.* I, 601) an. Ferner ist in der *grotta d'Iside* ein Skarabäus mit dem Namen Psammetichs I. (663—610) gefunden worden. Da ferner in allen altkorinthische Vasen gefunden worden sind, so dürfen wir diese Gräber mit ziemlicher Sicherheit der ersten Hälfte des VI. Jahrhunderts und zwar wohl eher dem Anfang desselben zuschreiben. Zu diesem Ansatz stimmt, was oben S. 118 über die Zeit der milesischen Gefäße unseres Tumulus (Nr. 26, 27) bemerkt worden ist.

Die skulpierten Alabastra sind von Helbig für phönizische Arbeiten erklärt worden und diese Ansicht scheint im Zusammenhange seiner scharfsinnigen, auf ein großes Monumenten-Material gestützten Untersuchung über die Kunsttätigkeit der Phönizier und ihre Vermittlerrolle in den ältesten Handelsbeziehungen zwischen den Völkern des Mittelmeerbeckens allgemeine Zustimmung gefunden zu haben[50]. Es ist hier nicht der Ort, in eine Nachprüfung dieser ganzen Frage einzutreten, welche, wie ich glaube, zu einer wesentlichen Einschränkung der Helbigschen Ansicht führen würde. Jedenfalls scheint diese für die skulpierten Alabastra nicht haltbar. Gewiß zeigen die Alabastra b und e ägyptischen Einfluß in Haartracht und Attributen (geflügelte Sonnenscheibe und Lotosblume), während der Stil ebenso zweifellos eine fremde, nicht ägyptische Hand erkennen läßt. Dagegen haben c und d nichts eigentlich Ägyptisches an sich, der Gesichtstypus ist ein völlig anderer und die Arbeit jedes von ihnen hat einen verschiedenen, individuellen Charakter. Der phönizischen Kunst ein so selbständiges, individuelles Arbeiten zuzutrauen, liegt keine Veranlassung vor. Wären diese Stücke isoliert gefunden, so würde wohl niemand sie als phönizische Erzeugnisse ansprechen, sondern — ohne Zweifel als archaisch-griechische, oder, wenn das Material nicht auf den Orient wiese, als etruskische Nachahmungen von solchen. Da sie nun aber von b nicht wohl getrennt werden können, so scheint mir der Schluß geboten, daß alle drei (und

50) Vgl. Perrot-Chipiez III, 845.

ebenso e) in Ägypten, wo bekanntlich Alabaster gewonnen und seit alter Zeit in ziemlichem Umfang verarbeitet wurde, von Griechen verfertigt worden sind, welche von der einheimischen Kunst und Sitte in ihren eigenen Arbeiten bald mehr, bald weniger beeinflußt wurden. Auch das glatte Alabastron von S. Marinella und die gleichartigen in Leyden[51], welche hieroglyphische Inschriften tragen, sind doch eben wegen dieser gewiß eher in Ägypten (sei es von einheimischen, sei es von griechischen Arbeitern) verfertigt zu denken als in Phönizien. Zudem ist auch in Ägypten von altersher ein ausgedehnter Gebrauch von Salben und wohlriechenden Ölen gemacht worden[52], welche dorthin in großem Umfang importiert und gewiß auch wiederum von diesem Zentrum des Luxus exportiert worden sind. Daß der Export allein in den Händen der Phönizier gelegen habe, ist nicht anzunehmen: geben doch die Funde von Naukratis gerade für die hier in Betracht kommende Zeit ein lebendiges Bild von den regen Handelsbeziehungen der Griechen, namentlich der östlichen Kolonien zu dem ägyptischen Emporium. Durch ihre Vermittlung werden außer den eigenen auch die Erzeugnisse ihrer in Ägypten angesiedelten Stammesgenossen nach Italien gelangt sein, zusammen mit echt ägyptischen. Was wir so für die Alabastra wahrscheinlich gemacht zu haben glauben, gilt sicher von den mit gravierten Darstellungen versehenen Straußeneiern der *grotta d'Iside,* welche Helbig und ihm folgend Perrot (III, S. 855) für phönizisch halten. Diese Darstellungen, von denen Perrot (III, Fig. 624—627) stilgetreue Abbildungen veröffentlicht hat, sind, wie Furtwängler erkannt hat[53], »rein griechischer Art«, den Gedanken an etruskische Nachahmung schließen die von Perrot S. 855 nachgewiesenen Versatzmarken (für die Fassung aus Metall) aus: es sind griechische Buchstaben A, Λ, von denen wenigstens der zweite dem etruskischen Alphabet fremd ist, während beide zu dem archaisch-ionischen, wie es in Naukratis herrschte, stimmen. Nicht Phönizier, sondern ionische Griechen haben also diese Naturprodukte Afrikas in Ägypten mit jenen eigentümlichen Darstellungen versehen[54]. Unser Alabastron von Gordion (a) ist nach Material und Stil von b, e nicht zu trennen; wir dürfen es ebenfalls als ein griechisch-ägyptisches Erzeugnis in Anspruch nehmen, das von Naukratis in dessen Mutterstadt Milet und von da in das Innere Kleinasiens gelangt sein wird (um den wahrscheinlichsten, nicht den einzig möglichen Weg anzuführen).

Es erübrigt, ein Wort über die Deutung der dargestellten Göttin hinzuzufügen. Der nächstliegende Gedanke an die große phrygische Göttermutter, deren heiliges Tier der Löwe ist, kann nach dem vorstehend Ausgeführten nur für den

---

51) Helbig, a. a. O. 241, Abeken, *Mittelitalien*, S. 269 f.

52) Vgl. Erman, *Ägypten* I, 316.

53) Artikel »Gryps« in Roschers *Lexikon* I, Sp. 1761.

54) Vermutlich gilt das auch von dem bemalten Straußenei, Perrot-Chipiez III, Fig. 628, obwohl hier die Malerei, dem Stile nach den Wandgemälden des Campana-Grabes bei Veji verwandt, auch in Etrurien ausgeführt sein könnte.

Daß ferner auch die Alabastronstatuette einer Göttin (Micali a. a. O. VI, 1) und die zu einer solchen erst durch willkürliche Restauration gewordene Bronze-»Büste« (Micali VI, 2) griechische Typen sind, habe ich *Arch. Studien für H. Brunn*, S. 32 f.) nachgewiesen. In diesen Zusammenhang gehört auch die Marmorstatuette der nackten Aphrodite aus der Nekropole von Orvieto (ebenda Taf. I), ebenfalls ein Erzeugnis der Kunst des griechischen Ostens.

phrygischen Besitzer des Alabastron Geltung haben. Der Verfertiger wird, wenn überhaupt an eine bestimmte Göttin, an Aphrodite gedacht haben, deren Macht auch über die stärksten und wildesten Tiere vielleicht der von ihr gehaltene Löwe versinnlichen soll[55]. Diese Göttin, deren Bild für ein zur Aufnahme von Salböl bestimmtes Gefäß ein besonders angemessener Schmuck war, ist auch an den übrigen Alabastren zu erkennen; b mag unter Einwirkung der ägyptischen Hathor-Bilder entstanden sein.

60. (B. M.) Unverziertes Alabastron aus orientalischem Alabaster, aus einer großen Zahl von Bruchstücken, mit Ergänzung des Fehlenden in Gips, im Berliner Museum zusammengesetzt. Länge 0,47 m, größter Umfang 0,34 m. Weite, sehr sorgfältige Bohrung; namentlich im oberen Teil ist die Gefäßwand sehr dünn. Die Bruchstücke wurden sämtlich im Innern des Grabes, jedoch nicht eng beieinander, gefunden.

Der Herstellungsort ist möglicher-, aber nicht notwendigerweise derselbe wie bei dem vorhergehenden.

61. Keilförmiges, 0,016 m langes Stück eines hellen, an einzelnen Stellen roten Halbedelsteins (Carneol?), am oberen Ende durchbohrt. Gefunden westlich von der Steinpackung in Tiefe von 3,50 m, zusammen mit einem sehr stark oxydierten Bronzestift (0,05 m lang), an welchem ein ganz dünner, noch elastischer Silberdraht angerostet war. Die ursprüngliche Form des Schmuckstückes (Fibula?), an welchem der Stein als Anhenker befestigt war, ist nicht mehr festzustellen (Abb. 113).

Abb. 113.
Schmuckstück mit Anhenker aus Halbedelstein Nr. 61.

62. Mandelförmiges Stück Bernstein, 0,02 m lang, Oberfläche stark verwittert. Im Innern des Grabes gefunden (Abb. 114).

Abb. 114. Mandelförmiges Stück Bernstein Nr. 62.

63. (B. M.) Keilförmiges Stück Bernstein, 0,02 m lang, von unregelmäßiger Gestalt (bearbeitet?). Außerhalb des Grabes, in der Nähe der Steinpackung gefunden.

Auf Veranlassung des Herrn Dr. O. Olshausen in Berlin ist dieses Stück von einem hervorragenden Bernsteinkenner, Herrn Dr. Helm in Danzig, untersucht worden. Die Analyse des mehr verwitterten Teiles (der frischere Kern wurde geschont) ergab, nach gütiger Mitteilung des erstgenannten Herrn, 3,3 Proz. Bernsteinsäure. »Wäre der Kern mitverbraucht, würde der Gehalt vielleicht etwas höher sich ergeben haben. Aber die angegebene Menge genügte auch zur Unterscheidung von fossilen Harzen des Mittelmeerbodens, und die physikalischen Eigenschaften usw. stimmen nach Helm durchaus mit denen des baltischen Succinits überein. Also nordischer Import!«

[55]) Vergl. den Standspiegel des Antiquariums in München mit der auf einem zusammengerollt liegenden Löwen stehenden nackten Aphrodite als Stütze. *Archäol. Anz.* 1890, 94, *Verh. der 41. Philol.-Vers. zu M.*, S. 256 f., *Arch. Studien f. H. Brunn*, S. 26, 29.

Außer dem oben S. 109 erwähnten formlosen Bronzestück ist nur noch der folgende Gegenstand aus demselben Metall in der Erde des Tumulus gefunden worden:

64. Kopf eines Tieres (wahrscheinlich Löwen), gegossen, soweit die sehr starke Oxydation ein Urteil erlaubt, von guter Arbeit. Offenbar tektonisch verwendet, anscheinend Ende eines wagerecht angebrachten viereckigen Stabes.

Für die Zeitbestimmung dieses Tumulus sind die milesischen Gefäße Nr. 26 und 27, sowie das skulpierte Alabastron Nr. 59 maßgebend. Jene wie dieses sind ungefähr um die Wende des VII. und VI. Jahrhunderts zu datieren, auch für die wahrscheinlich aus Korinth bezogenen Inkrustationsstücke paßt diese Ansetzung am besten.

Höchst wahrscheinlich fällt die Errichtung des Tumulus schon in die Zeit der lydischen Oberherrschaft über Phrygien (um 600, s. S. 25). Sie brachte dem Lande nach dem Kimmerier-Sturm Ruhe und Sicherheit bei anscheinend beschränkter Selbständigkeit unter der alten Dynastie. Der Weg nach der Westküste Kleinasiens lag nun offen und mit den Handelsprodukten begann die griechische Kultur ins Land zu dringen. Die ein Jahrhundert früher so lebhaften Beziehungen zu Cypern haben aufgehört; damit hängt wohl das Fehlen der in den beiden älteren Tumuli so zahlreichen Bronzegefäße und -geräte zusammen. Immerhin zeugen der mit Elfenbein inkrustierte Sarkophag und die beiden großen Alabastra von dem Wohlstand des Grabherrn.

Auch die alteinheimische Keramik hat sich weiter entwickelt. Sie fährt fort, Gefäße in Mattmalerei mit vorwiegend geometrischen Mustern zu verzieren. Die monochrome Keramik erreicht mit der alten Technik der Handpolitur und mit neuen, eleganten Formen ihren Höhepunkt in Produkten wie Nr. 44, 45, während andererseits mit seltener Zähigkeit die uralte Ritztechnik (Nr. 51, 53, 54) und die der Politurstreifen (Nr. 48, 49) festgehalten, bezw. wieder hervorgesucht werden. Dagegen sind Scherben mit Kochsalzglasur nicht gefunden worden und es hat den Anschein, daß man diese Erfindung wieder fallen gelassen, jedenfalls nicht in größerem Umfang ausgenutzt habe (s. S. 89).

TUMULUS I.

Die Ausgrabung wurde am 8. Mai begonnen und am 28. Juni zu Ende geführt. Sie erforderte im ganzen 44 Arbeitstage (die allerdings mehrmals wegen Regens nur zur Hälfte ausgenutzt werden konnten) mit 1356 Schichten (durchschnittlich 30,82 pro Tag). Wie bei Tumulus III wurde von der Kuppe des Hügels in südwestlicher Richtung ein Einschnitt nach dessen Fuß hin ausgeführt, um so den Mittelpunkt des Tumulus freizulegen. Zuerst zu schmal angelegt (rund 4 m breit), mußte dieser Einschnitt, als die zu wenig abgeböschte östliche Wand, nachdem eine größte Tiefe von 10,40 m erreicht war, plötzlich einstürzte (am 22. Mai), beträchtlich erweitert werden und am 4. Juni nötigten zu beiden Seiten desselben, nahe dem

Mittelpunkte des Hügels sich zeigende Höhlungen[56] zur Ausführung eines Quereinschnittes), so daß schließlich eine Fläche von rund 80 Quadratmetern auf der Sohle freigelegt wurde. Hier war, fast genau im Mittelpunkt des späteren Tumulus, in dem gewachsenen Boden eine Grube ausgehoben worden und im Zusammenhang mit ihr, dicht unter ihrem oberen Rand, in den Grubenwänden selbst eine Nische und ein stollenförmiger Gang angelegt (Abb. 116). Jene, an der Ostseite gelegen, ist 1,10 m breit, 1,20 m tief und 1,50 m hoch, dieser, an der Südseite und fast genau Nord-Süd verlaufend, 1,20 m breit, 3,95 m lang und 1,40 m hoch.

Abb. 115. Tumulus I bei Beginn der Ausgrabung (*Arch. Anz.* 1901, S. 5, Fig. 2).

Der Beginn des gewachsenen Bodens konnte ebensowenig wie die Ausdehnung der Grube genau festgestellt werden, da das bewegte Erdreich durch den gewaltigen Druck eine der des gewachsenen Bodens gleiche Festigkeit und Härte erlangt hatte. Für eine ungefähre Bestimmung des oberen Grubenrandes geben die oberen Ränder der Nische und des Stollens einen festen Anhalt. Danach liegt jener ungefähr 12,30 m unter dem Gipfel des Tumulus. Innerhalb der Grube stießen wir in Tiefe von 2,50 m auf eine ungefähr 0,15 m dicke, der Form nach elliptische Brandschicht (größte Ausdehnung 1,15 × 1,50 m). Dieselbe bestand aus Holzkohle, Asche und kalcinierten Knochen. In ihr fanden sich die unten beschriebenen, teils aus Griechenland importierten, teils einheimischen (monochromen). Gefäße und Scherben, außerdem formlose Bronzestücke, die anscheinend ebenfalls von Gefäßen herrühren, sowie verkohlte Reste eines dünnen Stoffes. Nach sorg-

[56]) Leider hingen dieselben nicht, wie bei Tum. III, mit der Beisetzung zusammen, sondern müssen auf eine nicht näher zu erklärende Ursache zurückgeführt werden.

fältiger Durchsuchung der Brandschicht gruben wir noch tiefer, in der Hoffnung, unter derselben (die dann von einem großen Opfer an den Toten hätte herrühren müssen) die eigentliche Beisetzung zu finden. Diese Hoffnung, durch Funde vereinzelter monochromer Scherben und Kohlenstücke immer wieder belebt, erwies sich als trügerisch und die Grabung mußte aufgegeben werden, als sich in Tiefe von 6 m unter dem mutmaßlichen Oberrand der Grube Grundwasser zeigte.

Der Stollen erwies sich als leer, in der Nische wurden, außer vereinzelten Knochen und Kohlenstücken, nur die unten am Schluß erwähnten monochromen Scherben gefunden.

Der Schluß erscheint unabweisbar, daß die erwähnte Brandschicht die eigentliche Bestattung enthält, die demnach nicht, wie in den bisher beschriebenen Tumuli, durch Beisetzung, sondern, mit einem Wechsel des Ritus, durch Verbrennung erfolgt ist. Sicher hat diese nicht an Ort und Stelle stattgefunden, sonst müßten Spuren des Feuers in dem Erdreich selbst erkennbar sein, sondern der Scheiterhaufen war anderswo errichtet und man hat in der, tiefer als bei der Anlage einer Grabkammer üblich, ausgehobenen Grube nur die Reste des niedergebrannten Scheiterhaufens mit den Beigaben niedergelegt. Die Knochenreste mögen ursprünglich in einem Gefäße beigesetzt gewesen sein und zur Umhüllung desselben Linnenstoff gedient haben, dessen durch die noch zum Teil glimmenden Kohlen angegriffene Reste sich erhalten haben. Die Grube ist dann einfach mit (festgestampfter?) Erde gefüllt und darüber der Grabhügel in der stattlichen Höhe von mehr als 12 m aufgeschüttet worden.

Abb. 116.
Grube im Mittelpunkt von Tumulus I mit Nische (links) und Stollen. Die Einschnitte in den Grubenwänden sind moderne Steiglöcher.

Welchem Zwecke Nische und Stollen gedient haben, bleibt unsicher. Auch für das Vorhandensein der erwähnten vereinzelten Kohlenstücke und Scherben unter der Brandschicht vermögen wir eine befriedigende Erklärung nicht zu geben.

Die im Verhältnis zu der aufgewandten Arbeitszeit nach Zahl und Einzelwert durftigen Fundergebnisse dieses Tumulus haben unsere Erwartungen arg getäuscht; immerhin darf das kulturgeschichtliche Gesamtergebnis im Zusammenhange unserer ganzen Ausgrabung ein nicht unerhebliches Interesse beanspruchen.

Die in der Erde des Tumulus gemachten Einzelfunde sind unten beschrieben. Hier ist zusammenfassend auf einige Beobachtungen symptomatischer Art hinzuweisen. An mehreren Stellen und in verschiedener Tiefe, nämlich nahe der Oberfläche und 3, 4,80, 6,60, 7,60 und 9 m tief wurden stärkere Ansammlungen von

Asche und namentlich Kohle gefunden, welche mehr als 1 m weit zu verfolgen waren. Eine regelmäßige Schichtung, wie in dem Tumulus von Bos-öjük, liegt indessen nirgends vor. Tierische Knochen wurden mehr vereinzelt gefunden; es ist zu bemerken, daß sich darunter Astragalknochen von einem größeren Tier, anscheinend vom Rind, befinden, wie denn auch mehrfach Zähne, sowie ein Horn vom Rind beobachtet wurden. Ohne Zweifel handelt es sich um Reste der dem Toten geopferten und gleich an Ort und Stelle verzehrten Tiere. Auch die zahlreich gefundenen Scherben von Kochtöpfen und flachen Näpfen in grober einheimischer Ware rühren offenbar von dem bei den Opfermahlzeiten benutzten und dann, zerbrochen, dem Toten geweihten Koch- und Eßgeschirr her. Die unten näher beschriebenen Fragmente von zwei steinernen flachen Becken dürften ebenfalls von bei diesen Opfermahlzeiten benutzten Geräten, vermutlich Kohlenbecken, stammen. Jedenfalls ist der Tumulus nicht, wie die älteren III und IV, in einem Zuge, sondern wie II, langsamer aufgeschüttet worden und haben statt des einen großen Totenopfers nach Schließung der Grabkammer deren mehrere, auf verschiedene Tage verteilte stattgefunden. Von ihnen rühren auch die übrigen Fundstücke her und zwar sind wenigstens die an Zahl weit überwiegenden Tongefäße dabei zerbrochen worden, denn wenigstens in dem einen Falle, wo mehrere zu einem Gefäß gehörige Stücke aufgefunden sind (ihre Zahl würde gewiß größer sein, wenn wir die ganze Erdmasse hätten durchsuchen wollen und können), kamen sie zu verschiedenen Zeiten und an verschiedenen Stellen zutage (vgl. Nr. 16); das gleiche gilt von den anscheinend zu einem Gefäße gehörigen Bruchstücken aus ägyptischem Porzellan (unten Nr. 38). Von besonderem Interesse ist endlich die Auffindung von menschlichen Knochen, die wenigstens an zwei Stellen sicher beobachtet worden ist. In dem einen Fall ist die Annahme einer späteren, von der Errichtung des Tumulus unabhängigen Bestattung zulässig und überwiegend wahrscheinlich: am 7. Juni wurden nämlich in geringer Tiefe der Unterkiefer eines Kindes und ein Stück Schädeldecke gefunden. Bei dem zweiten ist diese Annahme ausgeschlossen: einige sicher menschliche Knochen, darunter die Kinnlade eines jugendlichen Individuums (Kindes?) kamen in beträchtlicher Tiefe (ungefähr in der Mitte des auf eine größte Tiefe von über 9 m gebrachten Einschnittes) am 20. Mai zutage. Hier liegt zweifellos eine Beisetzung nicht vor und wenigstens als Möglichkeit muß, wie schon bei Tumulus II, in Betracht gezogen werden, daß dem Toten auch ein Menschenopfer dargebracht worden ist. Denn die Annahme, daß man die zum Tumulus verwendete Erde von einem früheren Begräbnisplatze genommen habe und auf diese Weise die menschlichen Überreste hierher gelangt seien, muß als überaus unwahrscheinlich, um nicht zu sagen unmöglich, bezeichnet werden.

Dagegen rühren die in dem Topfe Nr. 13 gefundene Asche und kalcinierten Knochen offenbar von einem durch Feuer bestatteten Individuum her, welches in irgend einer Beziehung zu dem Grabherrn gestanden haben wird. Wie das diesem bei den Totenopfern geweihte Geschirr zerbrochen wurde, so ist auch in diesem Falle zu den Überresten, die man vom Scheiterhaufen gesammelt und in dem Topfe geborgen hatte, ein vorher zerbrochenes Gefäß, eine Kanne mit hohem Henkel (Nr. 14) als Beigabe hinzugefügt worden.

Der Topf wurde am 21. Mai im äußeren Drittel des Einschnittes und zwar in mit Kohlenstücken stark durchsetzter Erde, 2 m unter der Oberfläche gefunden; die größte Tiefe des Einschnittes betrug damals über 9 m.

FUNDE.

1. IN DER BRANDSCHICHT IM MITTELPUNKT DES TUMULUS.

a) IMPORTIERTE GEFÄSSE MIT FIRNISMALEREI.

Korinthisch:

1. Kleines schlauchförmiges Alabastron, 0,065 m hoch. Der Ton hat durch die Einwirkung des Feuers eine grünliche Färbung angenommen. Einfache Verzierung: Strahlen am Hals, um den Bauch drei Gruppen von je drei Streifen, dazwischen je zwei Reihen Punkte (Abb. 117).

2. Kugelförmiger Aryballos, 0,055 m hoch. Farbe des Tones wie bei Nr. 1. Umlaufendes Band mit figürlicher Darstellung. Der Firnis ist bis auf geringe Reste abgesprungen, der Kontur nicht überall klar zu erkennen; die eingeritzten Innenkonture decken sich nicht mit jenem. Man erkennt Borsten und Hinterfüße eines Schweines; ferner den geringelten Schwanz, der zum Teil eingeritzt ist, und den Kopf. Einzelheiten bleiben unklar, namentlich eine Ritzzeichnung auf dem vorderen Teil des Leibes. Füllmotive: nachlässig gezeichnete Rosetten. Am Boden Rosettenstern, oben um die Mündung Strahlen. Die ganze Ausführung war flüchtig (Abb. 117).

Abb. 117. Korinthische Salbgefäße Nr. 1 und 2.

3. (B. M.) Scherben eines größeren Gefäßes derselben Form; Mündung, Hals und Stücke des Bauches fehlen. Ursprüngliche Höhe etwa 0,10 m. Gelber Ton, die eine Hälfte des Gefäßes stark verbrannt. Firnis erhalten, auf der einen Hälfte auch das aufgesetzte Rot. Umlaufendes Band mit figürlicher Darstellung zwischen Streifen. Schwan mit geschlossenen Flügeln nach rechts (Vorderteil des Körpers und Hals rot gemalt) und Vogel (Kopf fehlt, vermutlich ebenfalls Schwan) mit ausgebreiteten Flügeln. Füllung: sehr flüchtige Rosetten. Am Boden Strahlen.

4. (B. M.) Scherben eines kleineren Gefäßes derselben Form; viele Stücke fehlen. Höhe etwa 0,065 m. Stark durch Feuer beschädigt. Umlaufendes Band mit figürlicher Darstellung, zwischen Streifen und (oben) Doppelpunktreihe. Man erkennt noch einen Krieger mit großem Schild nach rechts (nur das Unterteil erhalten), neben dem oberen Schildrand den Kopf anscheinend eines Fabeltieres nach links, ferner eine geflügelte bärtige Sphinx nach links, auf diese folgte ein Tier mit

langem gebogenen Schwanz (Löwe oder Panther) nach rechts; außerdem ist noch ein Stück eines Flügels erhalten. Am Boden Stern mit gekrümmten Strahlen; auf der Schulter und der Mündungsfläche Strahlen. Am Henkel sechs horizontale zwischen je zwei senkrechten Streifen. Um den Mündungsrand Punkte. Flüchtige Füllrosetten, nachlässige Zeichnung. Spuren von aufgesetztem Rot haben sich nicht erhalten.

5. (B. M.) Scherben eines gleichen Gefäßes ungefähr derselben Größe; es fehlt viel, u. a. das ganze Bodenstück. Sehr stark durch Feuer beschädigt. Von der figürlichen Darstellung ist nur ein großer Flügel erhalten. Flüchtige Füllrosetten, auch auf der Schulter; auf der Mündungsfläche Strahlen. Um den Mündungsrand Punkte.

6. Scherben eines ähnlichen, noch kleineren Gefäßes; vom Körper fast nichts erhalten. Sehr stark durch Feuer beschädigt. Auf der Schulter Strahlen, anschließend Maeander. Um den Mündungsrand eingeritzte Zickzacklinien.

Nicht korinthischer, unbekannter Fabrik:

7. Lekythos, Mündung und Henkel gleich den korinthischen Aryballoi, Schulter ausladend, Körper nach unten stark verjüngt, abgesetzter Fuß. Nur der obere Teil nahezu vollständig zusammenzusetzen. Stark verbrannt, ursprüngliche Farbe des Tones ziegelrot. Durchmesser 0,09 m, der Mündungsplatte 0,045 m. Auf der Mündungsplatte, um den Hals und auf der Schulter sind schmale schwarze Streifen gezogen und durch Zähne miteinander verbunden. Der Körper ist nur mit schmalen Streifen in aufgesetztem Violettrot verziert, von denen einer dicht über dem Fuß läuft.

b) EINHEIMISCHE MONOCHROME WARE.

8. Kleiner bauchiger Topf, mit abgesetzter Lippe und flachem Boden. Höhe 0,05 m. Schwarzer bis grauer grober Ton, dickwandig (Abb. 118).

9. Ähnlich, schlankere Form, engere Mündung. Höhe 0,06 m. Dieselbe Technik (Abb. 118).

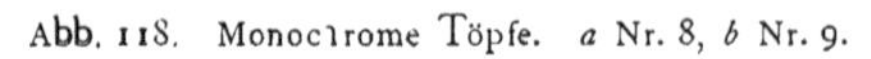

a b

Abb. 118. Monochrome Töpfe. *a* Nr. 8, *b* Nr. 9.

a b

Abb. 119. Kleine monochrome Töpfchen. *a* Nr. 10, *b* Nr. 11.

10. Ganz kleines Töpfchen. Höhe 0,025 m. Grauer Ton, an einer Seite rot (durch das Feuer des Scheiterhaufens) (Abb. 119).

11. (B. M.) Ähnlich, etwas längerer Hals. Höhe 0,025 m. Der Mündungsrand nur zum Teil erhalten. Beinahe schwarz, an einer Seite rotgebrannt (Abb. 119).

12. Bruchstücke eines Gefäßes von blaßrötlichem Ton, schlecht gebrannt und daher durch Einwirkung der Feuchtigkeit außerordentlich weich geworden. Vor dem Brennen sind Zackenornamente eingedrückt worden.

Außerdem: vereinzelte Scherben von grauer, heller (gelblicher) und schwarzer Ware; unter den letzteren zwei mit guter Politur.

In der östlichen Nische sind mehrere Scherben eines guten schwarzen Gefäßes mit Politurstreifen gefunden.

2. FUNDE IN DER ERDE DES TUMULUS.[57]

a) VON BEMALTEN GEFÄSSEN.

Die nicht sehr zahlreichen bemalten Scherben zeigen sämtlich Mattmalerei, teils auf dem natürlichen Tongrund, teils auf einem Überzuge (engobe). Der Ton ist bei jenen fein geschlämmt und gut gebrannt, bei diesen gröber. Sie sind den in Tumulus II gefundenen sehr ähnlich und offenbar aus einheimischer Fabrik. Der matte Glanz, den die meisten zeigen, rührt vom Überpolieren des fertigen Gefäßes her.

Wir beginnen mit der ersten Klasse.

13. Randstück einer Kanne, gelblicher Ton. Einfache Verzierung in bräunlicher Farbe, matter Glanz. Ein anderes Bruchstück mit derselben Umrahmung gehört zu demselben oder einem ähnlichen Gefäß (Abb. 120*a*).

14. Schulterstück, ähnlicher Ton. Verzierung: umlaufende Streifen und senkrecht dazu stehende Linien.

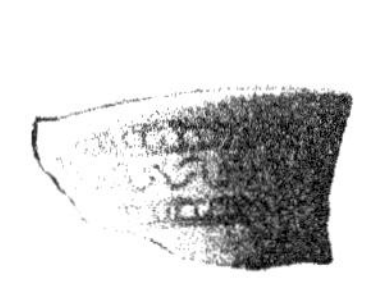
a

b

c

Abb. 120. Scherben mit Mattmalerei auf Tongrund. *a* Nr. 13, *b* Nr. 15, *c* Nr. 17.

15. Hellerer Ton (weißlich, mit Stich ins Graue). Streifen und mit Strichelung gefüllte Zacken in bräunlicher Farbe (Abb. 120*b*).

16. Zwei Scherben von demselben, ziemlich dickwandigen, also größeren Gefäße. Umlaufende breite und schmale Streifen, darauf senkrechte Linien. Von Erdfeuchtigkeit stark angegriffen. An zwei verschiedenen Stellen am 15. Mai und 12. Juni gefunden.

17. Blaßroter Ton. An einem ähnlichen Streifen wie bei 13 ansetzend eine Art Maeanderornament in schwärzlicher Farbe. Matter Glanz (Abb. 120*c*).

18. Ebenso. Dekor ähnlich Tumulus II, 37 (Abb. 99).

[57]) Sämtlich in Konstantinopel, bis auf wenige besonders bezeichnete Stücke.

Mit Überzug:

19. Von großem, sehr dickwandigem Gefäß, grober unreiner Ton, gelblichweißer Überzug. Horizontalstreifen und Gitterwerk in Schwarz, Braun und Rot (Abb. 121 *a*).

20. Ähnliche Technik und Verzierung in Braun und Rötlich (Abb. 121 *b*).

21—23. Ebenso. Verzierung: umlaufende braune bis schwarz-braune Streifen.

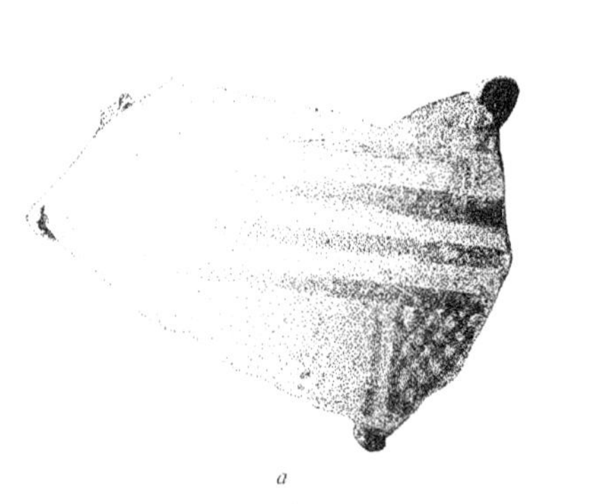

a

b

Abb. 121. Scherben mit Mattmalerei auf engobe. *a* Nr. 19, *b* Nr. 20.

24. Ebenso, sehr dickwandig, Streifen in Rotbraun.

25. Zwei Randstücke von großem Gefäß, weißer Überzug. Streifen innerhalb der Mündung und außen. Am 10. Mai, nicht an derselben Stelle, gefunden.

26. Grober Ton, bräunlich-rötlicher Überzug. Streifen und Triglyphenmuster in dunkelbrauner Farbe.

b) MONOCHROME GEFÄSSE UND SCHERBEN.

Wir stellen die beiden schon oben erwähnten ganzen Gefäße voran, welche zu einer Sonderbestattung (durch Leichenbrand) gehört haben.

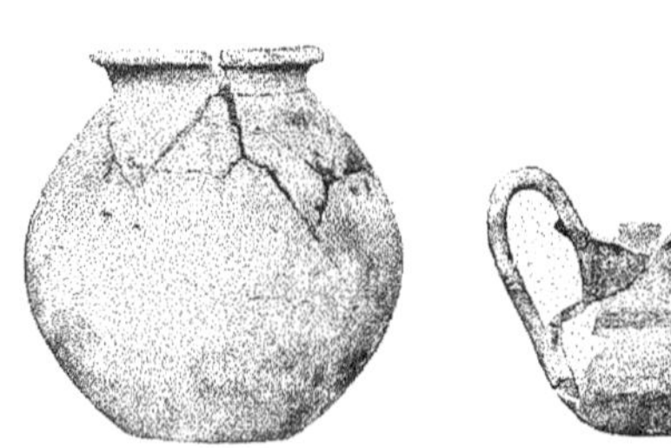

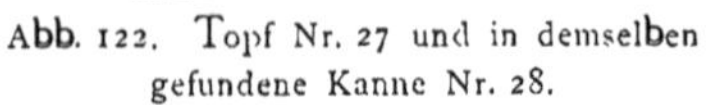

Abb. 122. Topf Nr. 27 und in demselben gefundene Kanne Nr. 28.

27. Topf mit flachem Boden, ohne Henkel, Mündung etwas ausladend. Höhe 0,19 m, Durchmesser (äußerer) der Mündung ca. 0,12 m. Grober, grau-brauner Ton, schlecht gebrannt. Der obere Teil war zerbrochen, infolge der durch den starken Druck erlittenen Pressung berühren sich die Bruchstücke nicht genau (Abb. 122).

28. Kanne mit hohem, rundem Henkel, Höhe 0,125 m (ohne den Henkel 0,10 m). Schwarzer bis grauer, ziemlich sorgfältig polierter Ton. Das Gefäß ist dünnwandiger, feiner gearbeitet als das vorgenannte, in welchem die Scherben

gefunden sind. Es muß vor dem Hineinlegen in Nr. 13 zerbrochen sein, da es mit dem Henkel die Mündung jenes nicht passieren konnte; auch haben sich nicht alle Scherben gefunden (Abb. 122). Über den Fundort s. oben S. 133.

Die ziemlich zahlreichen Scherben monochromer Ware führen wir nach Gattungen geordnet auf und beschreiben nur besonders beachtenswerte Einzelstücke genauer.

Schwarze Ware mit Handpolitur:

29. Tülle (Ausguß), anscheinend von einer Siebkanne, gleich denen aus Tumulus III, aber kürzer (0,05 m lang, statt 0,07—0,085 m).

30. Bruchstück eines größeren Gefäßes mit horizontaler Riefelung, ähnlich wie Tumulus II, Nr. 45 (Abb. 102).

31. Scherbe mit eingedrückten Ornamenten (Abb. 123).

32. Außerdem eine Anzahl von Scherben größerer Gefäße und mehrere von solchen herrührende Stab- und Bandhenkel; Scherben von Tellern und Näpfen.

Abb. 123. Schwarze Scherbe mit eingedrückten Ornamenten Nr. 31.

Graue Ware:

33. Mehrere Scherben mit Handpolitur, darunter kleine Kanne mit Kleeblattmündung.

34. Zahlreiche Scherben aus gröberem bis grobem grauem Ton, darunter zwei nicht vollständige Tüllen und ein Stück vom Körper (versintert, Sieb erhalten) von Siebkannen, Scherben von Kochtöpfen, Kannen, flacheren und tieferen Näpfen, flachem Teller.

35. Scherbe von Napf; innen eingeritzter Buchstabe **D**, außen und unter dem Boden flüchtig eingeritzte, sich kreuzende Linien (Kochsalz-Glasur?).

36. Mehrere Stücke von brauner bis rötlicher Ware, teils aus grobem unreinem, teils aus feinerem Ton, letztere mit Handpolitur, darunter zwei Randstücke von Napf.

37. Künstlich zurechtgeschnittene monochrome Scherben: Zwei durchlochte (in Berlin), die eine von unregelmäßig viereckiger Gestalt (größte Breite 0,06 m), die andere annähernd rund (Durchmesser 0,04 m), beide im Bruche grau; zwei undurchbohrte, viereckig (0,035 × 0,03) bezw. rhombisch (0,025 × 0,02), ebenfalls von grauem Ton.

38. Sogen. ägyptisches Porzellan. Vier Bruchstücke, anscheinend alle zu demselben Gefäß, einer bauchigen Flasche, gehörig. An verschiedenen Stellen (ein Stück in der Grube über der Brandschicht) am 20. Mai, 13. Juni und 20. Juni gefunden.

c) FUNDSTÜCKE AUS VERSCHIEDENEM MATERIAL.

Bronze:

39. Kleine Bogenfibula mit flachem Bügel, Öse links. Das rechte Bügelende läuft in eine Rosette aus; die hier ansetzende (eingesenkte?) Nadel fehlt.

Größte Länge 0,035 m. Stark oxydiert. Die Form entspricht bis auf die Rosette der aus Tumulus III, Nr. 8ff. und IV, Nr. 6ff. bekannten (Abb. 124).

Abb. 124. Fibula Nr. 39.

40. Desgleichen mit rundem Bügel, der in der Mitte eine Umschnürung aufweist. Öse links, Ansatz der Nadelwindungen erhalten. Größte Länge 0,035 m. Sehr stark oxydiert. Die Form gleicht Tumulus III, Nr. 40 und IV, Nr. 16.

41. Nadel, oben in eine Schleife ausgehend, in drei Stücke zerbrochen. Länge 0,07 m (Abb. 125).

42. Nagel ohne Kopf, 0,06 m lang.

Eisen:

43. Mehrere Eisenstücke, das eine vielleicht von einer Messerklinge stammend, die übrigen von Beschlägen (?), bis auf eins in beträchtlicher Tiefe gefunden.

Blei:

44. Kleines Stück eines viereckigen Stabes, gleich dem in Tumulus II gefundenen (s. oben S. 109).

Stein:

Abb. 125. Bronzenadel Nr. 41.

45. Bruchstück eines runden flachen Beckens aus grauem Stein mit niedrigem Fuß, von dem zwei stabartige Wülste an der Unterseite des Beckens ausgehen.

46. Ähnlich, vollständiger erhalten; ursprünglicher Durchmesser 0,20 m. Vielleicht als Kohlenbecken aufzufassen; zu vergleichen ein vollständiges Becken mit drei Füßen aus Enkomi-Salamis auf Cypern bei A. S. Murray, *Excav. in Cyprus*, S. 25, Fig. 46 (»*greenish stone*«).

47. Rundes, dünnes Steinplättchen, durchlocht (Durchm. 0,06 m), der Form (und wohl auch Verwendung) nach gleich den zugeschnittenen Tonscherben Nr. 23.

Die Zeit dieses Tumulus wird durch die spät-korinthischen Salbgefäße, von denen sechs Stück dem Toten auf den Scheiterhaufen mitgegeben sind, bestimmt, und zwar auf die erste Hälfte des VI. Jahrhunderts. Sehr auffallend ist der Wechsel im Bestattungsritus, der Übergang vom Begraben zur Verbrennung. Auch Tumulus V zeigt die letztere Form der Bestattung, ein Beweis dafür, daß hier nicht nur ein vereinzelter Fall vorliegt. Man denkt zunächst an auswärtigen Einfluß. Von den kimmerischen Eroberern kann dieser indessen schwerlich ausgegangen sein, denn der sicher nach deren Vertreibung errichtete Tumulus II weist noch die alte Bestattungsart auf. Auch auf griechischen Einfluß ist der Wechsel nicht zurückzuführen, zeigen doch die griechischen Nekropolen Kleinasiens gerade seit dem Anfang des VI. Jahrhunderts ein starkes Zunehmen des Begrabens[58]. Ebenso herrschte in Lydien, wie die zahlreichen Tumuli mit Grabkammern beweisen, die letztere Sitte wenigstens in den Kreisen der Vornehmen. Inwieweit dort und in Phrygien

[58]) Dragendorff, *Thera* II, S. 86.

selbst schon in früher Zeit Verbrennung neben dem Begraben üblich gewesen ist, entzieht sich unserer Kenntnis. Jedenfalls erweist sich Tumulus II schon durch die Bestattungsart als etwas älter.

Die Beigaben lassen ein starkes Zunehmen des Importes aus dem griechischen Mutterlande erkennen. Unter den in der Erde des Tumulus gemachten Funden überwiegen bei weitem die Scherben einheimischer in Mattmalerei verzierter und monochromer Tonware. Sie ergeben dasselbe Bild von dem Stande der einheimischen Töpferei wie die in Tumulus II gefundenen. Interessant ist, daß in Tumulus I wenigstens eine Scherbe die phrygische Kochsalzglasur aufzuweisen scheint (Nr. 35). Importiert ist das Gefäß aus sogen. ägyptischem Porzellan (Nr. 38), vermutlich von Milet aus, dessen Kolonie Naukratis diese Ware in größerem Umfange fabriziert und exportiert zu haben scheint. Ebenso sind die wenigen Gegenstände aus Bronze, namentlich die Fibeln (Nr. 39, 40), gewiß importiert, von woher, bleibt einstweilen unbekannt.

TUMULUS V.

Abb. 126. Tumulus V während der Ausgrabung, von Süden aus.

Die Ausgrabung wurde am 9. August begonnen und am 16. mittags beendigt, in $6\frac{1}{2}$ Tagen mit zusammen 183 Schichten (durchschnittlich 28,15 pro Tag). Bei der geringen Höhe des Tumulus beschlossen wir, einen Einschnitt (fast genau Nord—Süd) quer durch den ganzen Erdhügel zu ziehen. Trotz des ziemlich harten und mit Kieseln stark vermischten Erdreiches wurde mit verhältnismäßig zahlreichen, an der Nord- und Südhälfte gleichzeitig tätigen Arbeitern schon am Morgen des siebenten Arbeitstages der gewachsene Boden erreicht, in einer Tiefe von 4,30 m unter der Spitze. In diesem war, etwa 3 m südlich vom Mittelpunkt des Hügels, schräg zu unserem Einschnitte eine nach Nordnordwest orientierte 2,80 m lange, 1,20 m breite und 0,50 m tiefe Grube ausgehoben. In ihr fanden sich geringe, stark verbrannte menschliche Knochenreste; rings um sie, quer über den größten Teil unseres Einschnittes lief eine dünne Brandschicht mit zahlreichen Resten von tierischen Knochen, groben und feinen Scherben und formlosen Bronzepartikelchen. Die unten beschriebenen Beigaben wurden teils in, teils neben der Grube gefunden.

Es scheint demnach, daß die Verbrennung des Toten in der flachen Grube selbst stattgefunden hat. Mit ihm sind Opfertiere verbrannt und allerlei Weihegaben an den Toten auf den brennenden oder schon niedergebrannten Scheiterhaufen geworfen worden. Ihre Reste zeigen mehr oder weniger starke Spuren des Feuers; immerhin hat sich das hölzerne Schälchen (Nr. 6) ziemlich gut erhalten.

In der Erde des nach dem Verbrennungsakte über den Resten des Toten — jedoch so, daß diese nicht im Mittelpunkt zu liegen kamen — aufgeschütteten Tumulus fanden sich nur verschwindend wenige antike Reste. Nur in der Mitte Brandspuren (Kohlen), in der südlichen Hälfte (über der Verbrennungsstätte) einige grobe monochrome Scherben, ein Bruchstück einer kleinen **Bogenfibula** mit rundem Bügel (wie Tum. III, Nr. 40 und IV, Nr. 16 ff.) und einige formlose Bronzestückchen; ferner ein Rindszahn. Außerdem aber, zusammen mit diesen Resten, menschliche Knochen (Schädelknochen, Wirbel, Gelenkkopf, Röhrenknochen). Da diese zweifellos nicht von einer Bestattung herrühren können, so wird auch hier wieder, wie bei Tumulus II und I, der Gedanke an ein, nachdem die Reste des verbrannten Toten mit Erde überdeckt waren, diesem dargebrachtes Menschenopfer nahegelegt.

Ob aus dem Toilettegerät (Nr. 6 der Funde), für welches ich keine wahrscheinlichere Verwendung weiß als die unten frageweise angegebene als Schminkbüchse, geschlossen werden darf, daß der Tote weiblichen Geschlechts gewesen sei, lasse ich dahingestellt. Nicht unmöglich ist es wohl, daß auch die phrygischen Männer derartige Verschönerungsmittel angewandt haben, wenn dies auch für die Griechen, selbst die prunkliebenden Ionier, meines Wissens nicht bezeugt wird. Andererseits scheint die Mitgabe zweier attischer Trinkschalen entschieden eher auf einen Mann zu weisen.

FUNDE.

1. (B. M.) Schale des Ergotimos und Klitias. Höhe 0,105 m, Durchmesser 0,177 m (Tafel 7). Aus vielen kleinen und kleinsten Bruchstücken im Berliner Museum zusammengesetzt, das Fehlende (darunter ein Henkel) in Gips ergänzt. Der größere Teil der Bruchstücke ist durch Einwirkung des Feuers grau gefärbt, nur verhältnismäßig wenige haben die rote Tonfarbe bewahrt. Die Schale zeigt in Form und Dekoration im ganzen die Eigentümlichkeiten der zweiten Gruppe bei Furtwängler, *Beschr. d. Berl. Vasens.* S. 289: hohen trichterförmigen Fuß mit breiter, glatter Standfläche, die untere Bauchhälfte gefirnißt mit Ausnahme eines schmalen Streifens; auf dem Bauchstreifen nur die Inschrift und, an die Henkel ansetzend, je eine Palmette. Doch weicht sie darin ab, daß auch der Rand gefirnißt ist; er ist abgesetzt und an der Grenzlinie des Bauches sowohl längs des äußeren Randes wie innen ein ganz schmaler tongrundiger Streifen stehen gelassen.

Außenseiten: a) 'Εργότ[ιμος ⁝ μ' ἐποί]εσεν. Der in der Lücke vorhandene Raum verlangt die Ergänzung des Trennungszeichens nach dem Namen und des μ. Beides nach Analogie von b: Κλιτ]ίας ⁝ μ' ἔγραφσεν.

Die Buchstaben sind, wie das Facsimile (Abb. 127) erkennen läßt, außerordentlich sorgfältig und gleichmäßig geschrieben; in noch höherem Grade, als dies bei der Künstlerinschrift der François-Vase der Fall ist: die Inschriften der Schale bilden eben den einzigen Schmuck der Außenseite. Rechtsläufig, wie hier, ist auch die Wiederholung der Künstlerinschrift auf dem großen Florentiner Gefäß über dem Schiffe des Theseus geschrieben. Die Palmetten sind sehr sauber, die einzelnen Blätter abwechselnd schwarz und rot gezeichnet und streng stilisiert. Abweichend von allen anderen mir bekannten Kleinmeisterschalen, sind sie horizontal vom Henkelansatz ausgehend gestellt; es ist bezeichnend, daß eben diese Anordnung auch auf der fußlosen Schale mit Knopfhenkeln aus der Werkstatt des Ergotimos (Berlin, Inv. 3151). wiederkehrt.

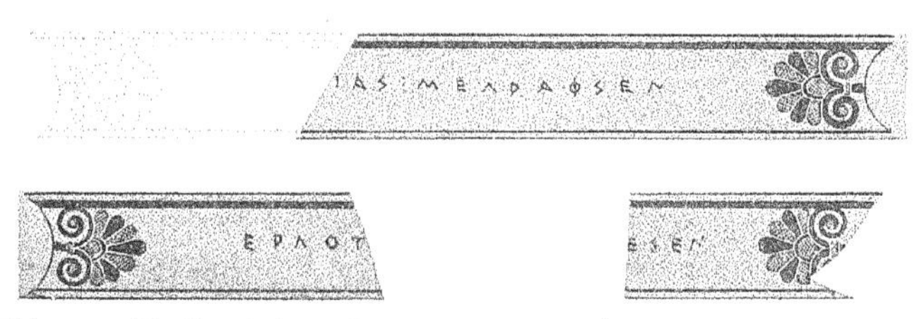

Abb. 127. Die Künstlerinschriften auf den Außenseiten der Schale Nr. 1 (1/2).

Innenbild: Drei sich im Wasser tummelnde Delphine und ein schwimmender Fisch sind so zusammengestellt, daß dadurch das runde Feld in vollkommener und zwangloser Weise ausgefüllt wird. Die Delphine zeichnen sich vor allen anderen mir bekannten derselben Zeit durch Lebendigkeit und Sorgfalt in der Wiedergabe des Details aus. Sie sind viel weniger ornamental erstarrt als auf anderen schwarzfigurigen Vasen; so ist die große Kopfflosse naturgemäß gezeichnet, nicht dreieckig, wie meist sonst. Das Detail ist sorgfältig graviert, der Bauchstreifen rot, seine innere Begrenzung durch eine eingeritzte Linie gegeben. So erscheint auch dieses einfache Bild nach Anordnung und Ausführung des Meisters der François-Vase würdig.

Als Umrahmung dient das typische Stabornament (die einzelnen Glieder schwarz und rot gemalt, zwischen ihnen oben je ein weiß gemalter Punkt) zwischen zwei schmalen Streifen mit gegenständigen, schmalen Zähnen, diese Ornamentglieder eingefaßt und getrennt durch Kreislinien. Die peinliche Sorgfalt, mit der auch diese Umrahmung hergestellt ist, zeigt sich unter anderem darin, daß die Zahnreihen durch eine ganz feine Hülfslinie gegeneinander abgegrenzt sind.

Auch die Standfläche des Fußes ist mit drei Kreislinien in Firnisfarbe und je einer rot gemalten um den äußeren Rand sowie um die Höhlung des Trichters verziert.

Der vom Maler aufgewandten Sorgfalt entspricht die des Töpfers vollauf; die Gesamtform ist überaus zierlich und die technische Herstellung des Gefäßes vollendet.

2. (B. M.) Schale derselben Form. Höhe 0,077 m, Durchmesser 0,143 m (Tafel 8). Wie die vorige aus vielen kleinen Bruchstücken zusammengesetzt und ergänzt; die Mehrzahl derselben hat durch Feuer gelitten. Der Rand ist hier noch schärfer abgesetzt, ja sogar etwas unterschnitten, und dementsprechend ein etwas breiterer tongrundiger Streifen innen an der Vereinigungsstelle von Rand und Bauch stehen gelassen, ebenso an der Lippe der Schale. Die Henkel, welche beide erhalten sind, sind fast geradlinig gebildet, während sie bei der vorigen einen zierlichen Schwung nach aufwärts haben. Der Fuß ist nicht nur absolut, sondern auch im Verhältnis zum Durchmesser der Schale niedriger, und, auch dies älterer Sitte entsprechend, der Rand außen tongrundig gelassen. Auch der Bauchstreifen ist ohne jede Verzierung geblieben, der malerische Schmuck vielmehr ganz auf das Innenbild beschränkt.

Dargestellt ist ein nach rechtshin reitender nackter Jüngling, dessen Kopf und Schultern ebenso wie die Beine des Pferdes leider fehlen, nur Fessel und Huf des rechten Vorderbeines des galoppierenden Pferdes ist erhalten. Die Linke des Reiters hält den Zügel, dessen Ende als Schleife herabhängt. Die Rechte liegt ungefähr in derselben Höhe am Körper. Ein roter nach unten nicht scharf begrenzter Fleck auf dem rechten Oberschenkel kann, da von Bekleidung nichts zu erkennen ist, wohl nur ein Rest der ursprünglich den ganzen Körper des Reiters bedeckenden roten Farbe sein. Es ist dies um so beachtenswerter, als neuerdings an der Françoisvase rote Bemalung der Gesichter der Männer (freilich nicht auch der Körper) beobachtet worden ist (Furtwängler und Reichhold, *Griech. Vasenmal.*, S. 11)[59]. Sicher rot gemalt ist der Hals des Pferdes. Unter dem Pferdekörper sieht man einen nach rechtshin springenden Hasen mit zurückgewandtem Kopf; sein Körper ist mit eingeritzten Punkten bezw. Strichen bedeckt, ähnlich, wenn auch in sparsamerer Verwendung, wie an dem auf der Françoisvase als Jagdbeute des Chiron vorkommenden[60]. Die Ausführung des Bildes ist so sauber und zierlich, wie dies bei dem außerordentlich kleinen Maßstab irgend möglich war.

Die Umrahmung ist ganz ähnlich der der anderen Schale; auch die weißen Punkte oben zwischen den Stäben kehren wieder; nur die äußeren schmalen Streifen zeigen statt der Zähne ebenso angeordnete Punkte.

Die Vergleichung der beiden Schalen ergibt eine überraschende Übereinstimmung in einer Reihe an sich wenig in die Augen fallender Einzelheiten: den weißen Punkten zwischen den einzelnen Gliedern des Stabornamentes, dem tongrundigen Streifen im Innern, welcher den Absatz des Randes vom Bauch noch schärfer hervortreten läßt, endlich den Kreislinien auf der Standfläche des Fußes. Wenn auch diese Einzelheiten nicht gewissermaßen als Handzeichen des Klitias gelten können, so sind sie doch keines-

[59]) Der ganze Körper des Iphitos ist rot gemalt auf einem archaisch-attischen Gefäß von der Akropolis; s. *Journ. of Hell. stud.* XIII, Taf. XII, 1, S. 287 ff. (Richards), an anderen Figuren auf demselben nur der obere Teil des Körpers. Die Veranlassung war gewiß die von Richards angenommene: der Wunsch, die Monotonie des Schwarz zu beleben.

[60]) Übrigens auch sonst auf attischen s. f. Vasen nicht selten.

wegs der ganzen Gruppe auch nur der älteren schwarzfigurigen attischen Schalen eigentümlich. Die Vereinigung dieser seltenen Einzelheiten an zwei zusammengefundenen Schalen nun berechtigt meines Erachtens zu dem Schlusse, daß beide, wenn nicht von derselben Hand bemalt, so doch aus derselben Werkstatt hervorgegangen seien.

Wir dürfen also auch die zweite Schale, welche zu den kleinsten der ganzen Gattung gehört, mit Zuversicht der Werkstatt des Ergotimos zuweisen. In Form und Verzierung (niedriger Fuß, sehr scharf abgesetzter Rand, Tongrundigkeit desselben an der Außenseite, gerade Henkel) ist sie im engeren Anschluß an die ältere Weise gehalten, während das signierte Gefäß im allgemeinen ein Streben nach größerer Zierlichkeit erkennen läßt und in dem Firnisüberzuge des Randes eine erst später zu allgemeinerer Geltung gelangte Neuerung zeigt. Aus diesen Verschiedenheiten auf eine irgend wesentliche Differenz in der Entstehungszeit zu schließen, scheint mir nicht erlaubt; gewiß sind beide Schalen zu gleicher Zeit nach dem fernen Phrygien gelangt und ihrem Besitzer auf den Scheiterhaufen gefolgt.

Zu einem Vergleich mit dem großen Prachtwerke der beiden Meister, der François-Vase, bietet das neugefundene bescheidenere Erzeugnis kaum einen Anhaltspunkt, da menschliche Figuren hier und andererseits Delphine und Fische dort nicht vorkommen. Eher ist ein solcher Vergleich zwischen dem Prachtgefäße und der kleineren, nicht signierten Schale möglich. Die Pferde der ersteren sind mit mehr Detail, aber nicht grundsätzlich verschieden gezeichnet; namentlich die des Wagenrennens sind verwandt in der Darstellung der Mähne und der roten Färbung des Halses, auch fehlt ihnen ebenfalls die Angabe des Geschlechtes, während in dem Götterzuge die Pferde als Hengste deutlich gemacht sind. Auf die Verwandtschaft des Hasen mit denen der großen Vase habe ich schon hingewiesen. Von größerer Bedeutung scheint mir die rote Färbung des Körpers des Reiters, welche ebenfalls schon oben hervorgehoben ist. Wenn man bedenkt, daß Klitias sowohl als Maler des Florentiner Kraters wie der kleinen Schale von Gordion seinen Namen genannt hat, so wird man es keinesfalls unmöglich finden können, daß auch die zweite Schale von seiner Hand sei. Zu einem Beweise reicht das vorhandene Material nicht hin, und man muß damit rechnen, daß in der Werkstatt des Ergotimos mehrere Maler beschäftigt gewesen sein werden und gewisse stilistische Eigentümlichkeiten von einem auf den anderen übertragen sein können.

3. Zwei Scherben eines größeren, ziemlich dickwandigen Gefäßes, vielleicht Schulter und unteres Stück einer großen Lekythos mit ausladender Schulter und nach unten sich stark verjüngendem Körper. Ton im Bruche schmutzig-rot, glimmerhaltig. Sehr dünner heller Überzug, auf diesem breitere und schmälere Streifen in dunkelbrauner Firnisfarbe; auch die schmalen, stehengebliebenen Streifen scheinen nachher mit sehr verdünntem Firnis überzogen worden zu sein (Abb. 128).

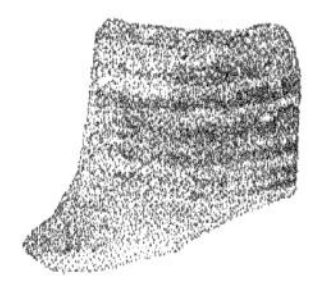

Abb. 128. Scherbe Nr. 3.

4. Drei Scherben (davon zwei Randstücke) eines ziemlich großen, dünnwandigen Gefäßes mit weiter Mündung und nach außen abgesetzter Lippe. Ton

im Bruche ziegelrot bis dunkelbraun, glimmerhaltig. Auf einem hellen Überzug sind mit verdünntem Firnis ineinander überfließende umlaufende Streifen gemalt; auch auf der Innenseite (Abb. 129).

Abb. 129. Scherbe Nr. 4.

5. Mehrere Bruchstücke eines schwarzen, dünnwandigen, außen feinpolierten Gefäßes (Bucchero-Technik). Ton im Bruche hellgrau mit schwarzen Rändern, schlecht gebrannt, aber fein geschlämmt. Um den Hals läuft ein Wulst mit regelmäßigen senkrechten Einkerbungen. Auf der Schulter vor dem Brennen eingedrückte Zacken; ebensolche, größere am Bauch.

6. Rundes Schälchen aus dunklem hartem Holz; der Länge nach durch eine dünne Holzwand geteilt, in der einen Hälfte verkohlte pulverige Masse. An der einen Seite ist außen ein Scharnier für den Deckel angebracht. Dieser griff am anderen Ende mit einem runden Zapfen in ein Loch ein (Durchmesser 0,005 m); der Zapfen wurde dort durch einen feinen (Metall-?) Stift festgehalten. Diese Verschlußvorrichtung befindet sich in einem viereckigen Ansatz, der treppenförmig zugeschnitten ist. In dem unteren Ende ein rundes (Durchmesser 0,007 m) Loch, in welchem noch Reste eines dünnen Holzstieles stecken, der wieder durch einen (verlorenen) metallenen Stift festgehalten wurde. Ganze Länge 0,065 m, Länge der Schale in Lichten 0,035 m, mit Rändern 0,04 m (Abb. 130).

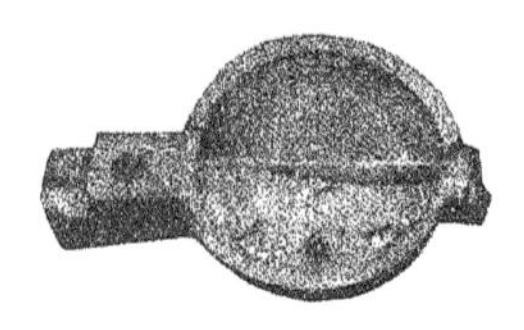
Abb. 130.
Schminkbüchschen (?) aus Holz.

Das Ganze ist offenbar ein Toilettegerät, vielleicht ein Schminkbüchschen.

7. Stück eines Halbrundes aus Knochen; durch Feuer grau gefärbt, nach einer Seite hin unvollständig. Auf der ebenen Rückseite ein viereckiges Zapfenloch, darin Vertiefung für einen eingreifenden Stift. Auf der halbrunden Fläche ist ein Mäander eingraviert, auf der anstoßenden ebenen konzentrische Kreise. Höhe 0,017 m, ursprünglicher Durchmesser ca. 0,02 m. Die Verwendung des Gerätes bleibt unklar.

8. Bruchstück eines Kymation aus Knochen, sehr zerbrechlich, von einem runden Gerät. Der untere Teil des Kyma unterhöhlt; die Form ist dieselbe wie bei dem des Sarkophages aus Tumulus II. Höhe 0,007 m.

Die Zeit unseres Tumulus wird nach oben hin durch die der attischen Meister Klitias und Ergotimos bestimmt, welche in der ersten Hälfte des VI. Jahrhunderts tätig waren[61]. Wie lange Zeit von der Verfertigung der beiden Schalen bis zu ihrer Niederlegung auf dem Scheiterhaufen eines vornehmen Phrygers verflossen sein mag, entzieht sich freilich unserer Beurteilung. Man möchte als untere Zeitgrenze aus den oben S. 26 entwickelten Gründen den Beginn der persischen Herrschaft 546 annehmen. Allein unsere Funde auf dem Stadthügel zeigen, daß

[61]) Vgl. H. Thiersch, *Tyrrhenische Amphoren* (1899), S. 136ff.

trotz der Losreißung des Landes von den westlichen hellenisierten Landschaften, infolge der Zuteilung desselben zum νόμος δεύτερος des Perserreiches, während des VI. und V. Jahrhunderts die Beziehungen zu Griechenland nicht ganz gelöst worden sind und ein ziemlich starker Import griechischer, namentlich attischer Tonware fortbestanden hat. Immerhin wird man die Errichtung unseres Tumulus nicht sehr weit unter die Mitte des VI. Jahrhunderts herabsetzen wollen.

Der glänzende Aufschwung der attischen Töpferei und die Ausdehnung ihres Absatzgebietes während der ersten Hälfte des VI. Jahrhunderts wird durch die Tatsache bedeutsam illustriert, daß von den signierten Werken des Ergotimos und Klitias eines in Etrurien, ein zweites im Herzen von Kleinasien und Reste eines dritten, wie es scheint, in Naukratis[62] gefunden worden sind.

[62]) Vgl. E. A. Gardner, *Naukratis* II, »*Inscriptions*« Nr. 828: Ἐ]ργότιμος ἐ[ποίεσεν], 829: Κλιτ]ίας ⋮ . ἔ[γραφσεν]. Die Zusammengehörigkeit dieser beiden Inschriften ist in der Tat kaum zu bezweifeln.

KAPITEL IV.

DIE AUSGRABUNGEN AUF DEM STADTHÜGEL.

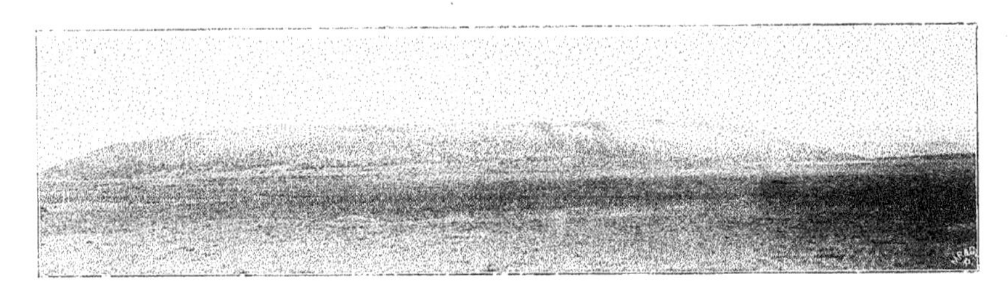

Abb. 131. Der Stadthügel von Westen aus. Rechts unsere Ausgrabung.

Daß eine Untersuchung des Stadthügels mit Hacke und Spaten unsere unerläßliche Pflicht sei, stand bei uns fest; wir waren uns aber von vornherein klar darüber, daß wir auf sie geringeres Gewicht legen müßten, als auf die Erforschung der Nekropole. Die Ausgrabung einer Anzahl von Tumuli versprach sichere Erfolge und ziemlich festumgrenzte Arbeitspensa, die wir mit den verfügbaren Mitteln zu bewältigen hoffen durften, eine vollständige Untersuchung des Stadthügels hätte dagegen unsere Kräfte weit überstiegen und nur sehr zweifelhafte Aussichten geboten. Wir mußten uns also hier gewissermaßen auf Stichproben beschränken. Das Verhältnis zwischen den Arbeiten auf dem Stadthügel und denen an der Nekropole ist am besten ersichtlich aus dem Vergleich der auf beide verwandten Arbeitstage und Schichten: die Gesamtzahl der Arbeitstage betrug 95, an 82 von ihnen wurde in der Nekropole, an 53 auf dem Stadthügel gegraben, und zwar an 42 nur in der Nekropole, an 13 nur auf dem Stadthügel, an 40 auf beiden Stellen zugleich. Von der Summe der Schichten, die sich auf 4502 belief, entfielen 3133 auf die Nekropole[1], 1365 auf den Stadthügel, die den Gräbern gewidmete Arbeitsleistung ist also reichlich doppelt so groß als die auf die Stadt verwandte.

Die Arbeiten am Stadthügel verteilen sich auf drei Stellen, von denen uns zwei nur vorübergehend beschäftigten.

[1]) In dieser Summe sind die Zeltwächter und Wasserträger eingeschlossen, die wirklichen Arbeiterschichten, wie sie zu den Tumuli I—V angegeben sind, betragen insgesamt 2974.

Auf der Spitze des Nebenhügels waren schon vor der Ausgrabung einige rohbehauene Steinblöcke sichtbar gewesen, und ich hatte deshalb früher hier den Zeustempel vermutet[2]. Diese Vermutung hat sich nicht bestätigt: die einzelnen Blöcke fügten sich nirgends zu einer Mauer zusammen, wann und weshalb sie auf die Kuppe geschleppt worden sind, ist nicht zu ermitteln, auch bei tieferem Graben stießen wir auf keinerlei Fundamente und es ließ sich sehr bald mit Sicherheit erkennen, daß hier niemals ein nennenswerter Bau gestanden habe. Demgemäß waren auch die keramischen Funde äußerst dürftig, nur spärliche monochrome Scherben rohester Technik kamen zutage, ein einziges kleines Bruchstück zeigte rotbraune Malerei auf gelbem Ton. Wir brachen daher die Arbeit ab, nachdem wir ihr nur zwei Tage und 36 Schichten gewidmet hatten.

Etwas umfangreicher, aber kaum ergiebiger waren sodann die Arbeiten an der Nordecke des Haupthügels. Diese Stelle war während des Baues der Eisenbahn 1891/92 von einem Unternehmer als Steinbruch benutzt worden. Nach Aussage[3] des Ingenieurs Szegedinski, der den Bau dieser Sektion zu leiten hatte, bildeten die Steine, die er als behauene Blöcke aus Kalkstein und Granit beschrieb, keine Mauer, sondern eine Art Rampe, die den Abhang des Hügels hinaufführte. Jetzt ist von einer solchen Anlage kein Stein mehr vorhanden, ein gegabelter, in den Hügel getriebener offener Graben bezeichnet ihre Stelle. Der Vergleich mit den troischen Rampen der zweiten Schicht, an die ich früher erinnert habe[4], erwies sich bei genauerem Zusehen als unzutreffend, denn aus dem zwischen beiden Armen des Grabens stehengebliebenen Schuttkegel zogen wir ein paar griechische Scherben mit schwarzem Firnis und eingepreßten Palmetten heraus. Da die Rampe über diesem Schutt gelegen haben müßte, könnte sie nicht vor dem IV. Jahrh. v. Chr. angelegt worden sein. Um nun festzustellen, ob südlich des Grabens ein Gebäude gelegen habe, zu dem die Rampe hätte hinaufführen können, etwa ein Tor, ein Palast oder ein Tempel, zogen wir senkrecht zu ihm einen Graben von 20,4 m Länge und 4 m Breite. In vier Tagen mit 136 Schichten wurde der gewachsene Boden in Tiefe von 3,45 m erreicht, ohne daß wir auf Reste eines Gebäudes oder das obere Ende einer Rampe gestoßen wären. Einzelne große Steine lagen in der Erde verstreut, aber nirgends ließen sich Spuren einer Mauer nachweisen. Die keramischen Funde waren ziemlich zahlreich, es überwogen Scherben der einheimischen monochromen Ware, ein großes, grobes Vorratsgefäß lag anscheinend vollständig, aber zerdrückt in der Erde, auch Bruchstücke griechischer Vasen waren verhältnismäßig häufig, darunter ein attisches des älteren schönen Stils und einige schwarzgefirnißte hellenistische.

Daß man im IV. Jahrhundert, als die Bedeutung der Stadt offenbar schon

---

2) *Athen. Mitt.* XXII, 23.

3) Es ist vielleicht nützlich, die Notiz, die ich mir nach der Unterhaltung mit Herrn Szegedinski am 16. Juli 1894 machte, wörtlich zu wiederholen: »Nach Szegedinski bildeten die aus dem Hügel bei Pebi genommenen Steine eine Art Rampe, sie waren ohne Kalk geschichtet, verschiedene Sorten, Kalkstein und auch Granit. Die Steine waren behauen.«

4) A. a. O. S. 21.

recht gesunken war, eine Rampe aus großen Steinblöcken gebaut haben soll, die weder bei einem Tor noch bei einem Tempel endigte, ist höchst auffallend, und ich möchte auf die Aussage des Herrn Szegedinski jetzt nicht mehr so viel Gewicht legen, als ich es früher getan habe. Gewiß hat der gebildete und liebenswürdige Pole, der das Deutsche geläufig, aber doch als fremdes Idiom sprach, die Dinge so dargestellt, wie sie in seiner Erinnerung lebten, aber man muß bedenken, daß damals bereits fast drei Jahre seit jenen Arbeiten verflossen waren, daß er an ihnen nur als Aufsichtsbeamter der Baudirektion, nicht als Unternehmer beteiligt war, daß er keine schriftlichen Notizen über sie besaß, und daß er endlich für archäologische Fragen kein besonderes Interesse hegte. Wenn man dies alles zusammennimmt, kann man seine Angaben doch kaum als ein sicheres Zeugnis ansehen, und ich halte es sogar für sehr möglich, daß ihm das Wort »Rampe« erst durch meine Fragen suggeriert worden ist. Als gesichert dürfen wir also nur die Tatsache betrachten, daß sich am Nordrande des Hügels große behauene Steine in genügender Menge fanden, um einem Unternehmer die Durchwühlung des Abhanges lohnend erscheinen zu lassen; welchem Zwecke diese Steine dienten und wie sie lagen, ist nicht mehr zu ermitteln. Da Szegedinski betonte, es seien verschiedene Sorten Steine gewesen, ist die Möglichkeit, daß sie Reste verschiedener baulicher Anlagen waren, nicht zu bestreiten. Ich bemerke noch, daß meinen Gewährsmann vermutlich sein Gedächtnis getäuscht hat, wenn er unter den Steinsorten Granit nannte, denn dies Gestein ist uns in jener Gegend nirgends vorgekommen, wir haben es auch an der Sakariabrücke nicht bemerkt, für deren Bau jene Steine benutzt worden sind.

Ungleich wichtiger als die beiden genannten ist eine dritte Stelle, die unsere Zeit und Arbeitskraft ganz überwiegend in Anspruch nahm. Am Südwestrande des Hügels überragte eine langgestreckte Bodenwelle das übrige Plateau um einige Meter und es ließ sich vermuten, daß hier wichtigere Gebäude gestanden hätten. Wir durchquerten daher diesen erhöhten Rand nach und nach mit vier von Nordost nach Südwest gerichteten Versuchsgräben, die in Abständen von etwa 20 m einander folgten und alle zunächst 30 m lang und 3 m breit angelegt wurden. Als dann im dritten und vierten Graben (von Südost nach Nordwest gerechnet) älteres Mauerwerk und wichtigere Funde zutage kamen, verbreiterten wir zuerst den dritten Graben auf 8 m und nahmen schließlich fast das ganze zwischen ihm und dem vierten stehengebliebene Erdreich fort, so daß hier eine zusammenhängende Fläche von rund 700 qm bis auf den gewachsenen Boden freigelegt wurde (vgl. die Beilage zu S. 151). Allerdings ist zu bemerken, daß die Grenze des gewachsenen Bodens vielfach sehr schwer festzustellen war; da wo wir sie am sichersten beobachteten, südöstlich des großen Fundamentes α, lag sie 11,49 m über dem Sakariaspiegel und somit 6,13 m unter dem auf 17,62 m festgelegten höchsten Punkte des Hügels. An einigen Stellen sind wir beim Graben wohl bis in den gewachsenen Boden hineingegangen, an andern haben wir ihn nicht ganz erreicht, aber sachlich macht das kaum etwas aus, da auch die ältesten nennenswerten Mauern nicht ganz auf ihn hinabreichten.

In allen vier Gräben, besonders den beiden ersten, fanden wir zunächst in geringer Tiefe menschliche Skelette, die ohne alle Beigaben einfach verscharrt waren. Eine genauere zeitliche Bestimmung dieser Gräber ist unmöglich, man kann nur sagen, sie sind jünger als die römische Kaiserzeit und älter als die Erinnerung der heutigen Bewohner von Pebi reicht. Man darf wohl vermuten, daß türkische Anwohner des rechten Sakariaufers in den letzten Jahrhunderten ihre Toten auf dem Hügel bestattet haben, weil die Gräber hier oben gegen Überschwemmungen geschützt waren. Unter und neben diesen Gräbern stießen wir auf schwache Mauern

Abb. 132. Ecke eines Gebäudes im ersten Graben mit Ausblick auf die Flußebene nach Süden hin.

aus mehr oder weniger sorgfältig geschichteten Steinen mit Lehmmörtel. Als Probe dieser Art Mauern, die wir im dritten und vierten Graben beim Vordringen in die Tiefe großenteils zerstören mußten, mag eine ziemlich sorgfältig gearbeitete, gut erhaltene Ecke aus dem ersten Graben dienen (Abb. 132). Die Stärke der Mauer beträgt 0,70 m, die größte Höhe 1,55 m, der längere Schenkel ist 4,40 m lang. Zwischen den kleinen Steinen finden sich besonders an den Ecken auch größere gut behauene Blöcke, die offenbar von einem älteren Bau stammen. Man könnte schwanken, ob die ganze Wand aus solchen Steinen in Lehmverband errichtet war, oder ob die erhaltene Steinmauer nur als Fundament und Sockel für eine Lehmziegelwand diente. Für erstere Möglichkeit scheint die ziemlich große Höhe des

Erhaltenen zu sprechen, aber der gleichmäßige obere Abschluß der Mauer mit glatten größeren Steinplatten, der auch in der Abbildung zu erkennen ist, entscheidet meines Erachtens für das Bestehen einer Lehmwand. Im Innern des Baus war stellenweise ein grobes Steinpflaster erhalten, für das auch einige Marmorbrocken benutzt waren, und über diesem Pflaster fanden wir ein paar Hände voll verkohlten Weizens.

Eine genaue Datierung dieser und der entsprechenden Mauern gestatten unsere Beobachtungen leider nicht, da aber hellenistische Scherben nicht selten in gleicher, oder selbst größerer Tiefe gefunden wurden, kann man mit diesen

Abb. 133. Alte Mauer aus Lehmziegeln ϑ. Darüber die zum Tempel gehörige Mauer *E*.

Häusern nach oben kaum über das dritte Jahrhundert v. Chr. hinaufgehen, während als untere Grenze nach Ausweis der Funde etwa der Anfang der Kaiserzeit mit Wahrscheinlichkeit angenommen werden darf.

Die sehr bedauerliche Tatsache, daß wir auch auf dem größeren freigelegten Platze keine genaue Datierung für die einzelnen Mauerzüge und -gruppen zu geben vermögen, hat verschiedene Ursachen. Erstens ist keine Ansiedlung auf dem Hügel durch Feuer zerstört worden, es fehlen also die Brand- und Schuttschichten, die in Troja die einzelnen Ansiedlungen meist so reinlich scheiden. Kreuz und quer schieben sich die Mauern über- und durcheinander und die absolute Höhe eines Mauerzuges ist bei dem Abfall des Geländes nach Südwest keineswegs ein sicheres Merkmal für sein relatives Alter. Zweitens hat die Technik der Baukunst hier nie gewechselt, sie ist vielmehr immer auf demselben niedrigen Standpunkt verblieben.

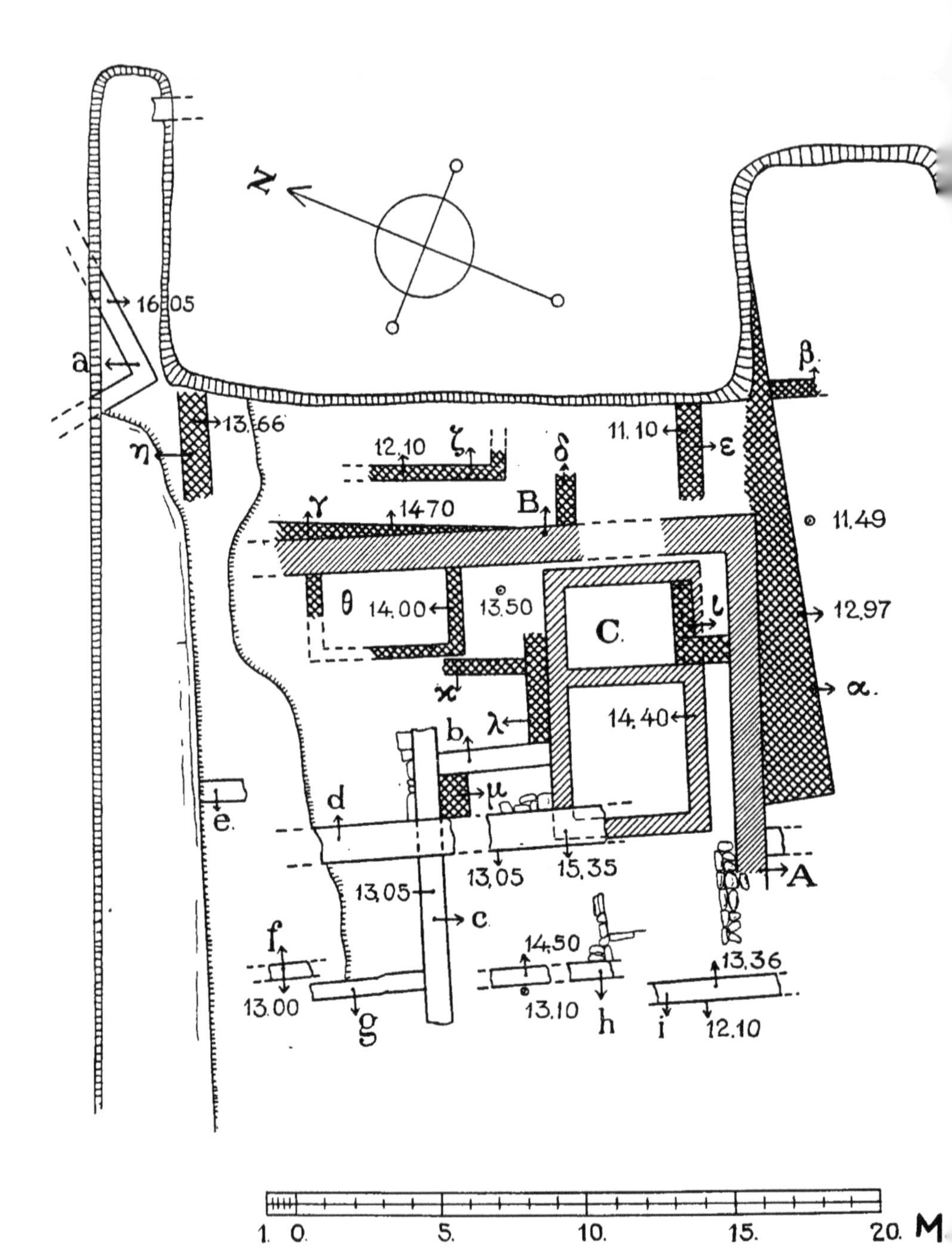

PLAN DES AUSGRABUNGSFELDES AM SÜDWESTRAND DES STADTHÜGELS ZWISCHEN GRABEN 3 (RECHTS) UND 4.

α—μ älteste, *A, B, C* zum Tempel gehörige, *a—i* spätere Mauern.

Die Zahlen geben die Höhenlage über dem Wasserspiegel des Sakaria an (vgl. Tafel 1).

Zu allen Zeiten haben die aufgehenden Mauern überwiegend aus ungebrannten Lehmziegeln bestanden, die auf einem Sockel von meist nachlässig bearbeiteten Steinen in Lehmverband ruhten; auch die jüngsten Mauern verwenden keinen Kalkmörtel, der doch sonst in allen phrygischen Städten sich findet. Solche Lehmmauern mit ihrem Holzgebälk vergehen fast spurlos, wenn nicht, wie in Troja und Tiryns, ein gewaltiger Brand die Ziegel nachträglich erhärtet. Es ist ein glücklicher Zufall, daß wir wenigstens an einer Stelle bei ϑ vier Schichten einer aufgehenden Lehmmauer feststellen konnten (Abb. 133). Die Dicke der Lehmziegel beträgt 0,11 m. Auch die Einzelfunde gaben keinen festen Anhalt zur Datierung der einzelnen

Abb. 134. Ansicht der Ausgrabung von Osten (der Sohle des vierten Grabens) aus. Die eingeschriebenen Buchstaben sind die des Planes S. 151.

Mauern, denn bei dem Fehlen trennender Brandschichten ist Altes und Junges vielfach durcheinander geraten.

Immerhin ließen sich nach der relativen Höhenlage der Mauern gewisse Hauptepochen scheiden, die wir im Plane (s. Beilage) durch verschiedene Schraffierung und verschiedene Alphabete gekennzeichnet haben. Doppelt schraffiert und mit kleinen griechischen Buchstaben benannt sind die tiefgelegenen ältesten Mauern, in deren Nähe sehr altertümliche monochrome Tonware überwog. Die ältesten Fundstücke, ich nenne hier nur ein großes, gut gearbeitetes Steinbeil (Abb. 156, S. 174), einen Steinmeißel (Abb. 156), eine Bergkrystallscheibe (S. 174. 3), die Reste eines Schliemannschen δέπας ἀμφικύπελλον (Abb. 193, S. 196) und eine Scherbe mit *mamma* (Abb. 194, S. 196) — auch den früher gefundenen *Athen. Mitteil.* XXII S. 24 veröffentlichten Becher dürfen wir hinzurechnen — entsprechen durchaus den Funden von

Bos-öjük und Troja II—V, danach müssen die Anfänge der Besiedlung mindestens bis in das zweite Jahrtausend v. Chr. hinaufreichen. Ob irgend eine der erhaltenen Mauern mit diesen ältesten Resten gleichzeitig ist, wissen wir nicht; die Möglichkeit läßt sich kaum bezweifeln. Die Mehrzahl dieser ältesten Mauern gehört sicherlich ärmlichen Hütten an, denn nirgends fügen sie sich zu einem größeren Ganzen zusammen. Am besten erhalten von diesen Hütten ist das kleine Gebäude ϑ, dessen nordöstlicher Abschluß freilich unter der jüngeren Mauer *B* verborgen ist, während die drei andern Wände noch teilweise aufrecht stehen (vgl. Abb. 135); der vorderen gehören die oben erwähnten vier Schichten Lehmziegel an (s. Abb. 133). Die Länge

Abb. 135. Ansicht des Ausgrabungsfeldes von Südosten (dem auf 17,62 gelegenen Punkte des Planes) aus.

des Häuschens beträgt 5,40 m, die meßbare Breite 2,90 m. Von den übrigen Resten könnten vielleicht γ, δ und ζ, die gleiche Orientierung zeigen, zusammengehören, aber das bleibt unsicher. Auffallend hebt sich von diesen schwachen Mauern das starke Fundament α ab. Diese Mauer, die dem gewachsenen Boden nur bis auf 0,50 m nahe kommt, besteht aus ziemlich großen unregelmäßigen Steinplatten, die ihre Schmalseite nach außen kehren. Im Südwesten ist ihr Abschluß erhalten, von da ist sie 9,90 m weit sicher zu verfolgen, dann folgt in derselben Richtung ein stark zerstörtes Stück, das uns nachlässiger gebaut zu sein schien, aber doch wohl auch zu α gehört; ein kleiner schwacher Mauerrest β setzt in stumpfem Winkel an dies Stück an. Die größte Höhe von α beträgt etwa 1 m, die Breite muß mindestens 2,20 m betragen haben; sie ist nicht genau meßbar, da der gut erhaltene Teil derart von der Mauer *A* überbaut ist, daß α nirgends voll heraustritt. Die Abbildung 134 läßt die Struktur und Lage von α deutlich hervortreten. Leider bleibt der Zweck dieses einen starken Mauerzuges neben den kleinen Hüttenmauern ganz dunkel. Der Gedanke an eine Befestigungsmauer, den die Abmessungen nahe legen, wird durch die Richtung ausgeschlossen, und es muß betont werden, daß sich in Gordion ebenso wenig Spuren von Stadtmauern nachweisen lassen wie bei irgend einer andern altphrygischen Stadt[5]. Erst im dritten Jahrhundert n. Chr., als die römischen Legionen das neu aufgeblühte Land nicht mehr vor den Barbaren schützen konnten, haben die alten Städte sich mit Mauerringen umgeben, aber damals war Gordion längst zum ärmlichen Dorf herabgesunken und konnte an so kostspielige Schutzmittel nicht denken. Für ein gewöhnliches Haus ist die Mauer α viel zu stark, und für die Zugehörigkeit zu einem Herrscherpalast fehlt unter den übrigen Funden jeder Anhalt. Man möchte sie als Stützmauer einer Terrasse auffassen, aber auch dagegen spricht mancherlei: erstens fehlt ihr die für alte Terrassenmauern charakteristische Böschung und dann sieht man nicht ein, wozu auf dem niedrigen Hügel, dessen Fläche niemals von Nordwest nach Südost steil abgefallen sein kann, eine Terrassenmauer in dieser Richtung gedient haben soll. So bleibt das Wahrscheinlichste, daß sie zu einem größeren Altar, welcher später von dem Tempel überbaut wurde, gehört habe, eine Annahme, welche die Häufung älterer Fundstücke an dieser Stelle zu stützen geeignet ist.

Ebenso unergiebig wie diese unterste Mauergruppe ist die oberste, auf dem Plane weiß gelassene, deren Charakter durch die oben beschriebene Ecke aus dem ersten Graben hinreichend gekennzeichnet ist. Zu bemerken ist nur, daß die meisten Mauern schlechter gearbeitet sind als das abgebildete Beispiel.

Als weitaus wichtigste Schicht bleibt sodann die mittlere übrig, die auf dem Plane einfach schraffiert ist. Zu ihr muß nämlich der Tempel gehört haben, dessen bescheidene Reste eine eingehendere Besprechung erheischen.

Einen Überblick über die wichtigeren der freigelegten Mauerzüge bietet Abb. 135.

DER TEMPEL.

Daß an dieser Stelle ein Tempel gestanden hat, würde sich aus den aufgedeckten Mauerzügen nicht ermitteln lassen, denn sie schließen sich nirgends zu einem Grundriß von ausgeprägter Tempelform zusammen, auch haben wir weder Säulen noch steinernes Gebälk gefunden. Die Existenz eines Tempels läst sich aber mit höchster Wahrscheinlichkeit aus den architektonischen Terrakotten erschließen, die wir in ziemlich großer Anzahl, leider meist in stark zerstörtem Zustande, fanden. Es sind im ganzen 53 Bruchstücke, die nach Material, Abmessungen und Stil demselben Gebäude zugewiesen werden können. Mit Ausnahme eines einzigen im zweiten Graben gefundenen Stückes kamen alle diese Fragmente auf dem durch die Gräben III und IV begrenzten Gebiete zutage und zwar waren sie

[5]) Über die sogenannte Midas-city s. S. 226.

am häufigsten in mittlerer Tiefe bei den Mauern *A*, *B*, *C*. Sämtliche Stücke bestehen aus ziemlich grobem Ton mit reichlichen Magerungszusätzen, bisweilen kommen fast erbsengroße Quarzstücke in ihm vor. Die Ausführung ist durchweg nicht sehr fein, die Formen kommen selten scharf und klar heraus, sind manchmal sogar flau bis zur Unkenntlichkeit. Bei den aus derselben Form hervorgegangenen Fragmenten ist die Größe infolge unregelmäßigen Abschneidens und ungleichen Brennens nicht immer genau die gleiche, auch sieht ihre Oberfläche sehr verschieden aus, je nachdem die tiefrote Engobe, die allen gemeinsam gewesen zu sein scheint, erhalten ist oder nach ihrer Zerstörung der gelbliche Ton hervortritt. Von aufgesetzten Farben sind Weiß, Rot und Schwarz nachweisbar.

Folgende Bauglieder und Kunstformen kommen vor:

1. STIRNZIEGEL.

a) Ein Bruchstück mit hochaufgerichtetem Löwen nach rechts (Abb. 136). Die eine Vordertatze ist gehoben, die andere ruht anscheinend auf einer Ranke. Ein zweites Tier stand ihm gegenüber. Der Löwe erinnert in Haltung und Formgebung besonders an die Löwen des Arslan-kaja bei Düver[6].

Abb. 136.
Stirnziegel mit Löwen (a).

Abb. 137.
Stirnziegel mit schreitendem Greifen (b), Bruchstück 1 und 2.

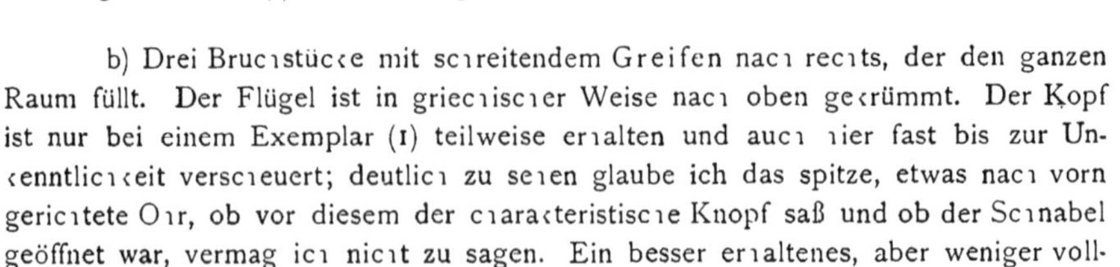

b) Drei Bruchstücke mit schreitendem Greifen nach rechts, der den ganzen Raum füllt. Der Flügel ist in griechischer Weise nach oben gekrümmt. Der Kopf ist nur bei einem Exemplar (1) teilweise erhalten und auch hier fast bis zur Unkenntlichkeit verscheuert; deutlich zu sehen glaube ich das spitze, etwas nach vorn gerichtete Ohr, ob vor diesem der charakteristische Knopf saß und ob der Schnabel geöffnet war, vermag ich nicht zu sagen. Ein besser erhaltenes, aber weniger vollständiges Exemplar (2) im Berliner Museum (Abb. 137).

Bruchstück 1 ergibt für die Ziegel eine Breite von etwa 0,22 m, die Höhe läßt sich mit Hülfe des dritten kleinsten Fragmentes, an dem der untere Rand erhalten ist, auf 0,21 m berechnen. Die Gesamtform war also die eines Halbrundes von etwas größerer Breite als Höhe, eine Form, die ähnlich bei den Stirnziegeln

[6]) *Athen. Mitt.* XXIII, Taf. II und S. 92, Fig. 3.

mehrerer sehr alter Tempel, z. B. dem von Neandria[7] und dem Heraion in Olympia[8] wiederkehrt.

Die Rückseiten zeigen die Spuren der anschließenden runden Deckziegel und unten einen scharf abgesetzten Rand, der offenbar über die Dachkante übergriff. In diesem Punkte weichen diese Ziegel von den neandrischen und olympischen ab, welche nicht übergreifen, sondern auf dem Rande der niedrigen Traufsima ruhen. Eine Traufsima würde sich mit den übergreifenden Stirnziegeln nicht vertragen und wir haben auch keine Spuren einer solchen gefunden.

Außer den vier skulpierten Stirnziegeln fand sich das Oberteil eines glatten von spitzerer Form, bei dem der Dachziegel gleich an der oberen Kante ansetzte. Falls er zu demselben Bau gehört wie die andern, was der Größe nach anzunehmen ist, so wird er wohl als Ersatz eines schadhaft gewordenen Reliefziegels gedient haben.

Die unscheinbaren Reste der Stirnziegel sind von großem Werte, weil sie allein schon den Beweis erbringen, daß hier im VI. Jahrhundert ein Gebäude mit griechischem Giebeldach gestanden hat. Vervollständigt wird der Beweis durch die folgenden Simenreste.

2. SIMA.

Sieben Fragmente gehören zu der ansteigenden Sima der Giebelseite. Der wagerechte, auf dem Geison ruhende Schenkel der Sima ist bei einem Stück gut, bei zwei andern in Resten erhalten (Abb. 138), bei dem besterhaltenen ist auch der Ansatz des Falzes noch vorhanden, der zur Verbindung mit dem Nachbarstück diente. Auf der Unterseite zeigen die wagerechten Schenkel einen geglätteten roten Strich von etwa 0,03 m Breite, um so viel ragte die Sima also über das Geison hervor. Abb. 139 gibt eine von M. Lübke nach meinen Angaben gezeichnete Rekonstruktion. Die aufragende Leiste ist nicht, wie die tönernen Giebelsimen Westgriechenlands[9], mit einem geschwungenen Profil versehen, sondern steigt senkrecht an wie die Sima von Neandria[10] und die alten athenischen Marmorsimen[11], nur ein gradlinig hervortretender Rand rahmt unten und oben die Fläche

Abb. 138. Bruchstücke der Giebelsima.

---

[7]) *51. Berliner Winckelmannsprogramm* (Koldewey), S. 46, Fig. 66 und S. 48, Fig. 67.

[8]) *Olympia* II, Taf. CXVI, S. 191, vgl. Benndorf, *Arch. Jahreshefte* II, S. 42.

[9]) *41. Berliner Winckelmannsprogramm*, Taf. I, II.

[10]) A. a. O. S. 48, Abb. 68.

[11]) *Antike Denkmäler* I, 50; vgl. Wiegand, *Arch. Anz.* 1899, S. 135.

ein[12]. Die Höhe der Sima berechneten wir auf 0,17 m[13]. Die Bandfläche ist durch senkrechte schwach profilierte Stäbe in einzelne Felder geteilt, die abwechselnd Lotos-Palmetten-Sterne und Rankenspiralen mit Palmetten zeigen. Der Grund war weiß, die Ornamente rot und schwarz. Eine solche Feldereinteilung, die dem Charakter der Sima als einer fortlaufenden Leiste zu widersprechen scheint, kann ich anderwärts nicht nachweisen[14], aber für den eigentümlichen Lotos-Palmettenstern gibt es genaue Analogien. Unter den reichen, noch immer nicht genügend ausgenutzten Terrakottaschätzen, die vor mehr als 30 Jahren aus Caere ins Berliner Museum gekommen sind[15], befindet sich eine Tonplatte (Terr. Inv. 6682) von 0,13×0,17 m Größe, die ich mit gütiger Erlaubnis der Direktion des Antiquariums nachstehend veröffentliche (Abb. 140). In Schwarz und Rot auf weißlichem Grund mit sorgfältiger Vorzeichnung ist hier ein Stern aus Lotosknospen und Palmetten gebildet, der sich von dem gordischen nur durch das Fehlen der Reliefherhebung und einige Kleinigkeiten unterscheidet. Hier wie dort sind um einen Mittelkreis vier große Lotosknospen angeordnet, zwischen denen kleine fünfblättrige Palmetten herauswachsen. Den jonischen Kunstcharakter dieser ganzen Gruppe architektonischer Terrakotten in Italien hat Furtwängler betont[16] und das Wiederkehren derselben Typen in Phrygien und Italien bestätigt seine Aufstellungen glänzend. Man wird es als methodischen Grundsatz aussprechen dürfen, daß Kunsttypen, die sich in Phrygien und Italien genau übereinstimmend finden, auch dann für jonisch, oder vorsichtiger ostgriechisch, gelten müssen, wenn das bisher so wenig bekannte Jonien selbst noch keine Analogien

Abb. 139. Rekonstruktion der Giebelsima.

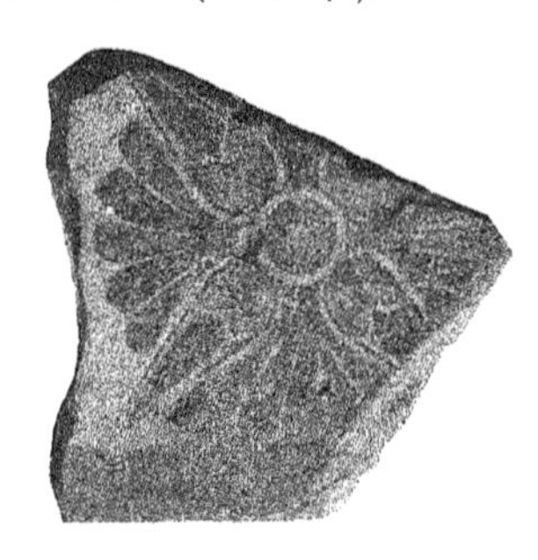

Abb. 140. Bruchstück einer Tonplatte aus Caere im Berliner Museum.

[12]) In der Rekonstruktion hat Lübke den oberen Rand nach meinen Angaben, die auf Notizen und Erinnerungen beruhten, ergänzt, da wir leider ein oberes Randstück weder im Original noch in Photographie mit nach Berlin gebracht haben; die Skizze wird in diesem Punkt also nur ungefähr zutreffend sein.

[13]) Eine Nachprüfung habe ich wegen des in der vorigen Anmerkung angegebenen Umstandes nicht vornehmen können; sollten wir einen Fehler gemacht haben, so kann er doch nur ganz unerheblich sein.

[14]) Neuerdings sind Bruchstücke ähnlicher Simen aus Pergamon nachgewiesen von Conze, *Kleinf. a. P., Abh. d. Berl. Ak.* v. J. 1902, S. 12 (Abb. S. 11); ein nicht abgebildetes steht in Ornament und Felderteilung dem unsrigen am nächsten. Vgl. auch die Traufsima aus Smyrna mit Gruppen gegenständiger Greifen Furtwängler, *Ber. d. bayer. Akad.* 1897, II, S. 137, Taf. 9.

[15]) Ein summarisches Inventar ist mitgeteilt *Arch. Ztg.* 1870, Sp. 123, Proben veröffentlicht *Mon. ined. Suppl*, Taf. I–III; vgl. Pellegrini, *Studi e Materiali* I, 87–118.

[16]) *Meisterwerke* 252 ff.; vgl. *Sitzungsber. der Münch. Akad.* 1897, II, 137.

geliefert hat[17]. Daß der Lotospalmettenstern aus dem reinen Lotosstern der assyrischen Kunst abgeleitet ist, hat Winter unter Hinweis auf die schönen Platten aus dem Palaste Assurbanipals[18] mit Recht behauptet[19], aber ich kann ihm nicht beipflichten, wenn er auch die abgeleitete Form für eine orientalische Erfindung hält[20]. Die charakteristische Neuerung, daß die Blätter der weitgeöffneten Lotosblüte durch eine fünfteilige Palmette ersetzt werden, kommt freilich auf einem Alabasterrelief aus Byblos vor[21], aber dasselbe Relief zeigt einen so durchaus unphönikischen Lorbeerstreifen, daß ich auch den Lotospalmettenstern für griechisches Lehngut halten muß. Etwas weniger klar wird die Zusammensetzung des Ornaments, wenn nur drei Blätter der Palmette zwischen den Knospen angegeben sind, wie auf der Grabstele aus Lamptrai[22] und auf dem untersten Tierstreifen der Françoisvase[23], oder wenn gar die Blätter der Palmette zu Strichen zusammenschrumpfen, wie oft auf korinthischen Aryballen und auf einem von Boehlau veröffentlichten böotischen Kalathos[24].

3. PLATTEN ZUR WANDVERKLEIDUNG.

Die folgenden Platten mit menschlichen und tierischen Darstellungen, Palmettenbändern und geometrischen Mustern zeigen fast sämtlich[25] Spuren der Befestigung an einer Wand und zwar kommen sechsmal Nagellöcher vor, die ohne Rücksicht auf die Darstellung durch die Platte geschlagen sind (s. Abb. 141, 143, 147), und ebenso oft finden sich auf der Rückseite Ansatzspuren tönerner Zapfen, die in die Lehmwand gedrückt werden sollten. Beide Befestigungsarten verteilen sich nicht so auf die verschiedenen Plattengruppen, daß die einen nur Nagellöcher, die andern nur Zapfenansätze haben, es zeigt z. B. Gruppe b ein Loch und vier Zapfen, Gruppe f zwei Löcher und einen Zapfen. Der nahe liegende Gedanke, daß die mit Metallnägeln befestigten Platten auf Holz, die andern auf Lehm aufgesessen hätten und danach verschiedenen Teilen der Fassade zugewiesen werden könnten, ist also nicht durchführbar.

a) HIRSCHJAGD, 2 Bruchstücke.

Das eine Fragment (Abb. 141) ist das besterhaltene Stück der ganzen Tonverkleidung, es fehlt ihm nur das untere Drittel. Die Breite beträgt 0,385 m, die jetzige Höhe 0,27 m, die ursprüngliche läßt sich mit Hülfe des andern Fragments

---

17) Vgl. *Athen. Mitt.* XXIII, 114 ff.

18) Perrot-Chipiez II, Fig. 131.

19) *Athen. Mitt.* XII, 114.

20) Nichts zu tun mit dem Palmettenlotosstern haben meines Erachtens die von Winter in diesem Zusammenhang angeführten Goldsterne aus Mykenae (Schliemann, *Mykenae*, Fig. 289 und 291).

21) Perrot-Chipiez III, Fig. 77 u. 79, danach *Athen. Mitt.* XIII, 131.

22) Kavvadias, Γλυπτὰ τοῦ Ἐθνικοῦ Μουσείου ἀρ. 41, Conze, *Attische Grabreliefs* I, Nr. 19, Taf. XI, *Athen. Mitt.* XII, Taf. 2.

23) Furtwängler-Reichhold, *Griechische Vasenmalerei*, Taf. 3.

24) *Arch. Jahrb.* III, S. 341, Fig. 24.

25) Ich meine natürlich, fast in jeder Gruppe gibt es Fragmente mit Befestigungsspuren; sie fehlen nur bei den Gruppen c und e, von denen wir nicht viele Fragmente haben. Das ist sicherlich Zufall, denn man kann diese Gruppen von den anderen nicht trennen.

(Abb. 142) auf etwa 0,385 m berechnen, die Platte war also quadratisch. Über der Bildfläche zieht sich zunächst ein Rundstab hin, über diesem, durch eine Hohlkehle von ihm getrennt, ein eckiger stark bestoßener Rand. An ihn schließt sich nach hinten eine wagerechte Platte an, die nirgends vollständig ist; ihre größte meßbare Breite beträgt 0,13 m. Es entsteht also eine Art Kasten, der am leichtesten verständlich ist, wenn die Reliefplatte am oberen Ende der Lehmziegelmauer angebracht war, so daß das wagerechte Stück auf der obersten Ziegelschicht auflag und darüber das Gebälk anfing. Auf einem Holzbalken kann der Kasten kaum gelegen haben,

Abb. 141. Tonplatte zur Wandverkleidung mit Hirschjagd (a).

denn bei der Gruppe b, die von a offenbar nicht zu trennen ist, kommen vier Tonzapfen auf der Rückseite vor.

Die Formen des Reliefs waren anscheinend niemals sehr scharf, jetzt ist die Oberfläche auch stark abgescheuert, so daß feinere Einzelheiten nicht zu erkennen sind; auch Farbspuren oder Reste der roten Engobe sind nicht erhalten.

Links stehen auf einem (weggebrochenen) Wagen zwei bekleidete, bis zur Hüfte erhaltene Männer. Beide haben spitze Bärte und lange auf Schultern und Nacken herabfallende Locken, der vordere spannt einen Bogen, dessen Sehne und Pfeil deutlich sichtbar sind, der andere lenkt offenbar das Gespann. Den Wagen ziehen zwei Pferde, von denen nur das vordere, also rechte, wirklich ausgeführt ist, von dem linken glaube ich wenigstens die Umrisse des Kopfes flüchtig angedeutet zu sehen, seine Existenz folgt schon aus der Darstellung des Jochs. Die Zügel sind vom Gebiß bis zur unteren Spitze des Bogens deutlich zu verfolgen, im Nacken des starkmähnigen Pferdes ragen zwei gebogene Haken auf, die ich nach Reichels lehrreichen Ausführungen[26] für die beiden Handhaben (οἴηκες) des Jochs halten möchte[27]. Das gejagte Wild ist in sehr kleinem Maßstabe über dem Gespann dargestellt. In der rechten oberen Ecke der Platte läuft eine Hindin nach rechts, ihr folgt über dem Rücken des Pferdes ein geweihter Hirsch. Bei beiden Tieren sind nur die rechten Vorder- und Hinterbeine dargestellt und nach Ausweis des kleineren Bruchstücks gilt von dem Pferde dasselbe. Vervollständigt wird die Komposition durch einen bis zum Oberschenkel erhaltenen Krieger, der vor dem Gespann einhergeht; Rundschild, Helm und Lanze machen seine Bewaffnung aus. Sein linkes zurückgesetztes Bein und ein Stück des Schildrandes sind auf dem zweiten kleineren Bruchstück erhalten, das außerdem noch Vorderbein, Brust und ein Stück Leib des Pferdes zeigt (Abb. 142). Wir ersehen aus ihm auch, daß die Figuren abweichend von Gruppe b nicht unmittelbar bis an den unteren Rand reichten, sondern im freien Raume standen.

Abb. 142. Bruchstück eines zweiten Exemplars der Platte mit Hirschjagd (a).

Wichtig ist an dem Relief vor allem seine starke Abhängigkeit von jonischen Vorbildern. Jagdszenen sind ja freilich ein uraltes Lieblingsthema der orientalischen Reliefplastik, aber die Einzelheiten dieser Darstellung sind rein griechisch. Am klarsten tritt dies hervor bei dem Krieger in der griechischen Panhoplie, die von der durch Herodot VII, 73 bekannten Bewaffnung der Phryger so stark abweicht. Er ist der rechte Bruder des Kriegers vom zerbrochenen Löwengrabe von Hairan-veli, dessen griechische und zwar ostgriechische Helmform ich *Athen. Mitteil.* XXIII, 130ff. so eingehend behandelt habe, daß ich mich hier mit einem Hinweis auf das dort beigebrachte Material begnügen kann[28]. Auf unserm Relief ist die Buschstütze etwas höher, aber das charakteristische Wallen des Busches nach vorn und hinten ist beiden gemeinsam.

Auch die beiden Männer auf dem Wagen stimmen in einer Einzelheit genau mit jonischen Kunstwerken überein. Ihr starkes Haar »fällt breit in den Nacken in welligen, nebeneinander liegenden Strähnen, die dem Umriß des Hinterkopfes folgend über den Scheitel herübergeführt sind«. Die in Anführungsstrichen mitgeteilten Worte, die genau auf das Relief passen, konnte ich ohne einen Buchstaben zu

[26]) *Homerische Waffen*², S. 134ff., Abb. 75–85.

[27]) Früher glaubten wir irrigerweise hier einen Greifenkopf zu erkennen, wie auf dem archaischen Relief aus Kyzikos (Joubin, *Catal. des sculptures du Mus. Imp. Ott.* Nr. 135) und dem schönen Pariser Tonrelief, das Rayet, *Gaz. Archéol.* 1883, Taf. 49, S. 305ff. veröffentlicht hat.

[28]) Hinzuzufügen ist noch ein Tonrelief des Louvre aus Toscanella, das Pellegrini *Studi e Materiali di Archeologia e Numismatica* I, 96, Fig. 4 veröffentlicht hat.

ändern dem schönen Aufsatz entnehmen, in dem Winter die enge Verwandtschaft einer der besten Caeretaner Hydrien mit den von Kroisos gestifteten Säulen des ephesischen Artemisions nachgewiesen hat[29]. Übereinstimmungen phrygischer Werke mit den Caeretaner Hydrien habe ich schon früher mehrfach hervorheben können[30], und die Brücke zwischen den Kroisossäulen und der phrygischen Kunst schlägt die griechisch-archaische Grabstele von Dorylaion, deren Verwandtschaft mit jenen Säulen schon von den ersten Herausgebern betont worden ist[31]. Auch die Bildung des Pferdekopfes mit dem runden Halse und der starken Mähne erinnert an eine Caeretaner Hydria[32]. Endlich ist das Fortlassen der dem Beschauer abgewandten Extremitäten eine besonders in der älteren jonischen Kunst beliebte Freiheit[33].

b) STIER UND LÖWE, 16 Bruchstücke.

Leider ermöglichen die zahlreichen Fragmente dieser Gruppe (Abb. 143) keine vollständige Rekonstruktion der ganzen Platte, weil kein Exemplar der rechten oberen Ecke gefunden wurde, doch lassen sich Höhe und Breite auf 0,38 bis 0,39 m berechnen, und an dem Herstellungsversuch Lübkes (Abb. 144) ist nur die Ergänzung des Löwenkopfes willkürlich[34]. Da die Maße und die Bildung des Rund-

Abb. 143. Bruchstücke der Wandverkleidungsplatten mit Stier und Löwe (b).

Abb. 144. Wiederherstellungsversuch der Platten mit Stier und Löwe (b).

stabes mit dem Jagdrelief übereinstimmen, wird auch die wagerechte Platte am oberen Rande anzunehmen sein, wenn sie auch bei keinem Exemplar erhalten ist.

Von dem nach rechts gewandten Stier sind erhalten:

---

29) *Arch. Jahrb.* XV. 82 ff.

30) *Athen. Mitt.* XXIII, 115 und 131.

31) Radet und Ouvré, *B. C. H.* 1894, S. 133; vgl. *Athen. Mitt.* XX, 7.

32) *Antike Denkmäler* II, Taf. 28, danach *Arch. Jahrb.* XV, S. 84, Fig. 2.

33) Furtwängler, *Der Goldfund von Vettersfelde*, 43. *Berliner Winckelmannsprogramm*, S. 16 f.

34) Als Vorlage wurde der Kopf des zerbrochenen Löwengrabes von Hairan-veli, *Athen. Mitt.* XXIII, Taf. III benutzt.

1. Drei Stücke mit Kopf und dem Rundstab über der Bildfläche. Zu beachten sind das spitze scharf rückwärts gelegte Ohr und das nahezu wagerecht nach vorn gestreckte Horn.

2. Zwei Mittelstücke mit dem Rumpf des Stiers, eins davon mit Nagelloch.

3. Fünf untere Eckstücke. Auf zwei von ihnen ist außer den Hinterbeinen, dem Hinterteil und dem langen graden Schwanz auch die Ranke erhalten, auf welche der Vorderfuß gesetzt ist. Zapfenansätze finden sich auf der Rückseite zweier Stücke.

Von dem nach links gewandten Raubtier sind vorhanden:

1. Vier Stücke mit unterem Rand, darunter zwei Eckstücke. Auf zwei aneinander passenden Fragmenten ist die Stützranke des Raubtiers vollständig, die des Stiers teilweise erhalten, so daß sich die Plattenbreite, wie angegeben, berechnen läßt. Die Bildung der Tatzen und des Schwanzes beweisen, daß dem Stier kein zweiter Stier, sondern ein Raubtier gegenübergestellt war, und da der Löwe das Lieblingstier der phrygischen Kunst ist, darf man ihn auch hier mit Bestimmtheit voraussetzen. Stier und Löwe stehen also einander gegenüber wie auf den lydischen Elektronmünzen.

2. Zwei Rumpfstücke, auf dem größeren ist auch die Tatze und die Spitze der Stützranke erhalten.

c) PLATTEN MIT ANTILOPEN, 7 Bruchstücke.

Das Bild dieser Platte läßt sich leider noch weniger vollständig aus den Fragmenten (Abb. 145) zusammenfügen als die Stier-Löwengruppe, doch ist die Reconstruction (Abb. 146) in den Hauptzügen gesichert. Zwei ziegenartige Tiere sind um eine stilisierte Pflanze gruppiert, an deren obersten Trieben oder Blüten sie nagen, während sie die Vorderfüße auf tiefere Schößlinge stützen. Erhalten sind:

1. Zwei Kopfstücke des linken Tieres mit oberer Profilleiste. Diese ist erheblich schmäler als bei den Gruppen a und b, hatte auch keinen weiteren Rand mit anschließender wagerechter Platte über sich. Der Kopf des Tiers ist langgestreckt und trägt glatte nach rückwärts gekrümmte Hörner. Auf dem größeren Fragment ist auch ein beträchtlicher Teil der Mittelpflanze und der auf einem Zweige ruhende Vorderfuß des Tiers erhalten.

2. Ein kleines linkes Randstück mit dem Hinterteil des Tiers, an dem ein kurzes gekrümmtes Schwänzchen sitzt.

3. Zwei aneinander passende Fragmente des rechten Tiers, das bis auf den Kopf und den Huf des Vorderfußes vollständig ist. Neben seinem Hinterfuß wird das Ende einer langen Ranke sichtbar. Da das eine Fragment ein längeres Stück des rechten Randes zeigt, ist die Steilheit der Haltung des Tiers zu ermitteln.

4. Von der Pflanze haben wir außer dem unter Nr. 1 erwähnten Fragment ein kleines Oberstück mit Rand und ein Mittelstück mit wohlerhaltenen Farben; der Grund ist weiß, die Ranken sind abwechselnd rot und schwarz. Die in der vorläufigen Publikation gewählte Bezeichnung Doldenpflanze war ein Mißgriff; auch der Vergleich mit dem Silphion wird sich nicht aufrecht erhalten lassen, denn bei diesem gehen vom Stengel sofort Blätter aus, hier haben wir blattlose Triebe, die

nur bei der Gabelung an ihrer Spitze blatt- und knospenähnliche Gebilde zeigen. Pflanzen von dieser merkwürdigen Stilisierung kehren nun seltsamerweise wieder auf norditalischen Situlae. Am genauesten entspricht unserm Relief ein von Ghirardini veröffentlichter Situla-Deckel aus Grandate bei Como[35]. Die Pflanzen wachsen hier teils von unten nach oben, teils hängen sie von oben herab, einigen fehlt sogar jeder feste Ausgangspunkt, und zwischen ihnen weiden allerlei Wiederkäuer, darunter ein unseren Ziegen völlig gleichendes Tier. Auch auf der Situla Benvenuti aus Este kommen sehr ähnliche Pflanzen vor, wenn auch weniger ausgeführt, und neben ihnen erscheint wiederum eine bartlose Ziege mit glattem gekrümmtem Horn[36]. Die Einwirkung ostgriechischer Kunst ist bei diesen Situlae unverkennbar und erklärt die Berührungen zwischen örtlich so weit getrennten Kunsterzeugnissen; es gibt aber auch ein Werk, dessen ostgriechischer Ursprung mehr und mehr anerkannt wird und das durch nah verwandte Pflanzenformen die Brücke zwischen den italischen und phrygischen Arbeiten schlägt. Ich meine den Elfenbeineimer aus Chiusi, den Boehlau für die Äolis in Anspruch genommen hat[37]. Unter den zahlreichen Füllpflanzen dieses merkwürdigen Gefäßes erinnern manche mehr an die Gewächse der frühattischen Vasen, es kommen aber auch Formen vor, die dem phrygischen Relief sehr nahe stehen, so vor allem die Pflanze in der Hand des Kentauren auf dem dritten Streifen.

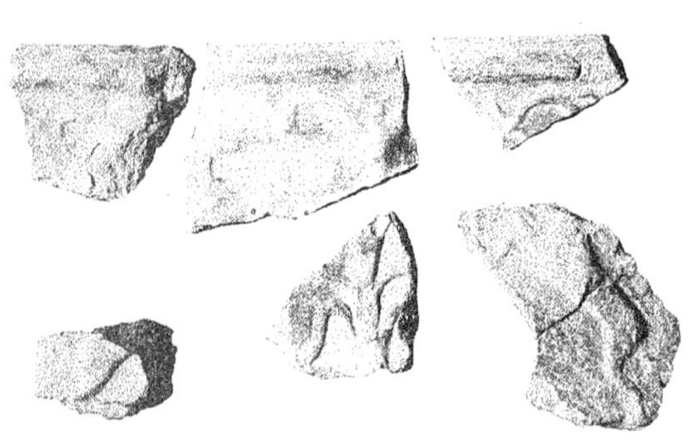

Abb. 145. Bruchstücke der Platten mit Antilopen (c).

Abb. 146. Rekonstruktion der Platten mit Antilopen (c).

Wichtig ist, daß zugleich mit den Pflanzenformen auch die Tiere des phrygischen Reliefs auf den Situlae wiederkehren[38]. Die Benennung dieser Geschöpfe, die uns ähnlich schon auf dem Siebkännchen Nr. 6, oben S. 56f. begegneten, ist eine sehr schwankende[39], bald heißen sie Steinböcke, bald Böcke, bald Ziegen.

[35]) *Mon. ant. dei Lincei* X, S. 124, Fig. 40 und Montelius, *La civilisation primitive en Italie*, Ser. B, Taf. 47, 13.

[36]) Ghirardini a. a. O., S. 17, Montelius, a. a. O., Taf. 54, 1; vgl. jetzt auch Studniczka, *Arch. Jahrb.* XVIII, 1903, 19ff.

[37]) *Mon. d. Inst.* X, Taf. 38a, Boehlau, *Aus ionischen Nekropolen*, S. 119, Fig. 64.

[38]) Vgl. außer den angeführten auch Montelius, Taf. 55, 6.

[39]) Das Tier der Situla Benvenuti nennt Maury, *Gaz. Archéol.* XIV, 1889, S. 56 *bouquetin*, Ghirardini a. a. O. *capra*, das des Deckels aus Grandate Ghirardini *stambecco*.

Nun ist ja zuzugeben, daß in der Kleinkunst charakteristische Eigentümlichkeiten von Tieren gelegentlich vernachlässigt werden, aber wenn verschiedene Typen viele Jahrhunderte hindurch neben einander hergehen, wie es bei diesen Wiederkäuern der Fall ist, muß man ihnen auch verschiedene Namen geben. Der Steinbock hat seit den Zeiten der mykenischen Kunst gerippte Hörner und einen Bart, deshalb schlage ich für das bartlose Tier mit glatten Hörnern den Namen Antilope vor, ohne eine Garantie für die zoologische Richtigkeit übernehmen zu wollen[40]. Das lange Nebeneinanderhergehen des Steinbock- und des Antilopentypus läßt sich am besten in der Glyptik verfolgen. Antilopen kommen, soviel ich sehe, zuerst auf nordsyrischen oder kleinasiatischen Zylindern des II. Jahrtausends vor, ich nenne besonders einen Zylinder im Brit. Museum, den Furtwängler in seinem gewaltigen Gemmenwerk Taf. I, 6 abbildet[41]. Ziemlich häufig ist der Typus in der mykenischen Kunst[42], wenn hier auch der Steinbock wohl noch beliebter ist[43]. Auf den frühgriechischen Gemmen wird die Antilope allmählich durch den Steinbock ganz verdrängt, unter dem reichen Material, das wir Furtwängler verdanken, finde ich Antilopen nur auf einem altgriechischen Zylinder aus Cypern Taf. V, 44 und einem Chalcedonkegel unbekannter Herkunft Taf. VI, 50, während die Steinböcke in dieser Epoche sehr häufig sind[44]. Dem entspricht es durchaus, daß die Vasen mit Tierstreifen, zu deren eisernem Typenbestande der Steinbock gehört, die Antilope, so viel ich sehe, überhaupt nicht kennen, während sie im Dipylonstil vereinzelt vorkommt (*Athen. Mitt.* XXI, 448). Für unmöglich halte ich es nicht, daß sie auf Vasen der Aiolis einmal auftauchen werden, hier genügte es die Möglichkeit zu zeigen, daß der Typus sowohl in die norditalische Toreutik wie in die phrygische Tonplastik aus der Schatzkammer der älteren ostgriechischen Kunst gelangt sei.

Ein Wort ist noch nötig über die Größe und Form dieser Platten. Da die Richtung der Tierleiber durch die Reste des rechten und linken Randes gesichert ist, und auch die Breite der Pflanze annähernd feststeht, läßt sich mit Bestimmtheit sagen, daß diese Platten nicht unerheblich breiter waren als die Gruppen a und b. Ihre Höhe muß dagegen beträchtlich geringer gewesen sein, weil sowohl die obere Profilierung als die Darstellung selbst wesentlich niedriger sind. Nach Lübkes Ergänzung, in der die Höhenbestimmung freilich nur ganz ungefähr zutreffen wird, würden die Platten etwa 0,24 m hoch und 0,54 m breit sein. Es leuchtet ein, daß sie an einer andern Stelle der Fassade angebracht gewesen sein müssen als die quadratischen.

[40]) Übrigens ist auch die Bezeichnung Steinbock schwerlich genau. Keller, *Tiere des klass. Altert.* 38 führt mit Recht aus, daß der so beliebte Typus nicht den Steinbock *(Capra Ibex)*, sondern die Bezoarziege *(Capra Aegagrus)* darstellt, welche die Gebirge Kleinasiens, Persiens und mehrere Inseln des mittelländischen Meeres bewohnt.

[41]) Vgl. auch Taf. I, 8 und Bd. III, S. 8; Furtwängler nennt die Tiere stets Böcke.

[42]) Furtwängler, Taf. II, 27(?), IV, 27 und besonders Bd. III, S. 47, Fig. 23.

[43]) A. a. O. Taf. II, 36, 38, III, 21, 27, 36, 43. Vgl. auch den Holzdeckel des Berliner Museums *Arch. Anz.* 1891, S. 41, den Puchstein wohl mit Recht für echt mykenisch, Furtwängler, *Antike Gemmen* III, 21, Anm. 2 für ägyptische Nachahmung eines mykenischen Werkes hält. Hier hat der Steinbock anscheinend glatte Hörner, aber einen stattlichen Bart.

[44]) A. a. O. Taf. V, 1, 2, 3, 4, 7.

Ich schließe hier ein Bruchstück an (Abb. 147), das sicher auch zu einer Platte mit figürlicher Darstellung gehörte und nach Ausweis eines Nagellochs am rechten Rande ebenso verwendet war wie die übrigen, dessen Deutung uns aber nicht gelungen ist. Man könnte die seltsamen Reste für Beine, Schwert und unteren Schildrand eines nach links schreitenden Kriegers halten, aber andere Erklärungen sind ebenso möglich.

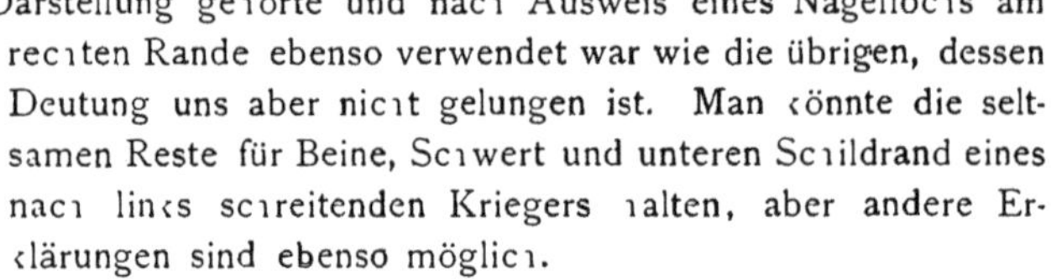

Abb. 147. Bruchstück einer Wandverkleidungsplatte unsicherer Deutung.

d) PALMETTENBAND, 3 Fragmente.

Die Zugehörigkeit dieses zierlichen aus Ranken und wechselständigen Palmetten zusammengesetzten Bandes zur Wandverkleidung wird durch einen Zapfenansatz erwiesen. Die Breite des Bandes beträgt 0,08 m, die Platte war aber, wie das größte Bruchstück (Abb. 148) lehrt, damit noch nicht abgeschlossen; was für ein Glied noch folgte, läßt sich nicht sagen, nur als unbeweisbare Möglichkeit möchte ich es aussprechen, daß vielleicht dieses Band den unteren Abschluß der Antilopenplatten bildete.

Bei einem Fragment sind die Farben gut erhalten, der Grund war weiß, die Ranken und Palmetten abwechselnd rot und schwarz, der etwas erhabene Rand rot.

Abb. 148. Bruchstück einer Wandverkleidungsplatte mit Palmettenband (d).

e) KACHELN MIT SCHACHBRETTMUSTER, 3 Fragmente.

Die von einem roten Rande eingerahmte Fläche ist in Reihen von flachvertieften und erhabenen Quadraten eingeteilt, so daß ein regelmäßiges Schachbrettmuster entsteht, das mit dem einer Kultnische beim Midasdenkmal nahe verwandt ist[45]. Die erhabenen Quadrate sind streifenweise wechselnd schwarz und rot, die vertieften weiß. Zwei der Fragmente sind Eckstücke, das dritte ein Randstück. Bei dem einen Eckstück sind beide Ränder glatt, bei dem andern ist ein Rand glatt, der andere profiliert, man wird deshalb vermuten dürfen, daß alle Platten einen profilierten Rand hatten. Nimmt man an, daß jede Kachel in jeder Reihe 9 Quadrate enthielt, so erhält man eine Kachelgröße von 0,38—0,39 m, d. h. die der Gruppen a und b. Zu beachten ist, daß die Dicke dieser Kachelgruppe nur 0,025 m, die der übrigen Gruppen 0,03 m beträgt (Abb. 149).

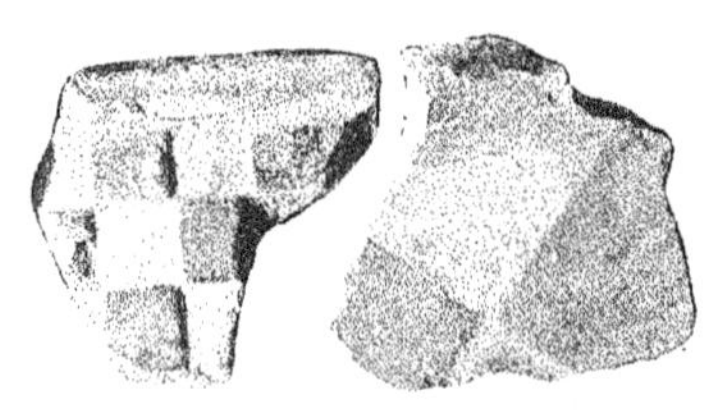

Abb. 149. Bruchstücke von Kacheln mit Schachbrettmuster (e) und mit spitz gestellten Quadraten (f).

[45]) Vgl. Excurs I, S. 224, Abb. 229.

f) KACHELN MIT SPITZ GESTELLTEN QUADRATEN, 10 Bruchstücke.

Auf weißem Grunde zeigen diese Kacheln spitz gestellte rote Quadrate in ganz flachem Relief (s. Abb. 149). Die Größe der Quadrate ist, soweit wir sehen, bei allen Exemplaren die gleiche, die Gestaltung der Ränder ist dagegen verschieden. Bald ist der Rand ein glatter roter Streifen, bald zeigt er ein schmales, bald ein breiteres, kräftigeres Profil und dieses ist in einem Falle weiß mit roten Querstreifen. An den Eckstücken ist stets ein Rand profiliert, der andere glatt, wahrscheinlich stießen also die Platten untereinander mit glatten Rändern zusammen, während die beiden Profilleisten den Plattenstreifen oben und unten bezw. außen und innen begrenzten. Nimmt man an, daß auf jeder Platte vier rote Quadrate ein weißes Mittelfeld umgeben, so erhält man Kacheln von 0,38—0,39 m im Quadrat, also wiederum dieselbe Größe wie in den Gruppen a, b, e. Diese Annahme wird nun fast zur Gewißheit durch die Tatsache, daß genau das gleiche Muster, vier spitzgestellte Quadrate von einem Rahmen umschlossen, einen Hauptbestandteil der Dekoration bei drei großen Felsfassaden, dem Kütschük-jasili-kaja[46], dem Hassanbey-kaja[47] und der Fassade von Bakschischi[48] bildet. Und zwar tritt dies Muster in allen drei Fällen nicht als Flächen-, sondern als Streifenmuster auf, wie wir es mit der Profilierung auch bei den Kacheln voraussetzten.

Fassen wir zusammen, was sich aus den architektonischen Terrakotten für den zugehörigen Bau ergibt. Er hatte ein Giebeldach, das in griechischer Weise mit Stirnziegeln an der Traufseite und mit einer Sima an der Giebelseite ausgestattet war. Beide Glieder bekunden in Figuren und Ornamenten starke Abhängigkeit von griechischen Vorbildern. Seine Wände bestanden aus Lehmziegeln und waren ganz oder teilweise mit farbigen Kacheln belegt. Diese Kacheln sind nicht in der so viel wirkungsvolleren und haltbareren Glasurtechnik hergestellt, die in den alten Kulturländern Mesopotamiens heimisch war, sondern sie sind in abendländischer Weise bemalt und zeigen schon durch diese Technik, von welcher Seite Phrygien damals kulturell beherrscht wurde. Auf ihnen kommen figürliche Darstellungen und Ornamente vor, für welche wiederum die ostgriechische Kunst die Vorbilder geliefert hat, aber daneben weisen nicht wenige Platten einfache geometrische Muster auf, die in der hellenischen Architektur nicht üblich sind, dagegen genau so an den phrygischen Felsfassaden wiederkehren. Daß ein solcher Giebelbau, an der höchsten Stelle des Stadthügels im VI. Jahrhundert errichtet, nur ein Tempel gewesen sein kann, leuchtet ein; es gilt nun zu untersuchen, ob wir nicht auch seine Fundamente nachweisen können. Unter dem Gewirr kleiner und größerer Mauerzüge, die wir aufgedeckt haben, kommen für einen Tempel des VI. Jahrhunderts nach der relativen Höhenlage und den Fundtatsachen nur die im Plane einfach schraffierten Mauern

[46]) Am besten abgebildet bei Reber, *Abh. der bayer. Akad. d. Wissensch.* III. Kl., XXI. Bd., III. Abt., Taf. VI; vgl. *Athen. Mitt.* XXIII, S. 110.

[47]) Reber, Taf. VII.

[48]) Reber, Taf. VIII.

A, B und C in Betracht. Die Mauer A ist jetzt 11,80 m lang, die Mauer B 16,40 m, beide waren einst länger; falls an ihnen grade nur die Ecken fehlen sollten, was an sich wenig wahrscheinlich ist, so müßte der zu ihnen gehörige Bau mindestens eine Breite von 13 m und eine Länge von 17,60 m gehabt haben. Die Mauern C bilden ein Rechteck von 5,30×8,80 m, durch eine Quermauer wird das Innere in zwei Räume geteilt, deren lichte Maße 4,00×4,30 m und 4,00×2,60 m betragen. So sehr man zunächst geneigt sein wird, in den stärkeren und ausgedehnteren Mauern die Tempelfundamente zu sehen, so läßt sich doch ein, wie ich glaube, entscheidendes Argument für die unscheinbaren Fundamente C beibringen.

Von den architektonischen Terrakotten gestatten allein die Reste der Sima Schlüsse auf die ungefähre Größe des Baues, zu dem sie gehörten. Freilich ist die Sima kein Bauglied, dessen Maße in der griechischen Architektur ein festes Verhältnis zu den Gesamtmaßen haben, aber eine Durchmusterung der älteren hellenischen Tempel und Schatzhäuser zeigt doch, daß Simenhöhe und Frontbreite in Wechselwirkung stehen. Ich habe das Verhältnis der Giebelsima zur Breite der Fassade, am Stylobat bezw. dem unteren Maueransatz gemessen, bei einer Anzahl archaischer Tempel nachgerechnet und folgende Zahlen gefunden:

1.	Tempel von Neandria	1:30
2.	« C in Selinus[49]	1:44,3
3.	« D « «	1:46,3
4.	« F « «[50]	1:31,7
5.	Sogenannter Herkulestempel in Akragas	1:30,9
6.	Schatzhaus der Geloer	1:38
7.	« « Megarer	1:34,8
8.	« « Sekyonier	1:38,2
9.	« « Epidamnier (?)[51]	1:41,3
10.	Ältester Athenatempel der Akropolis	1:53,8
11.	Peisistratischer Athenatempel	1:56,1

Man sieht, die beiden alten Tempel der Akropolis unterscheiden sich von den übrigen durch wesentlich höhere Verhältniszahlen, also relativ niedrige Simen, bei den übrigen neun Bauwerken schwanken die Ziffern zwischen 1:30 und 1:46,3, durchschnittlich betragen sie 1:37,2.

Die Höhe der gordischen Sima haben wir nun auf 0,17 m berechnet, gehörte sie zu den Mauern AB so ergäbe sich mindestens das Verhältnis 1:76,5, das mit unserer Liste durchaus im Widerspruch steht, zu dem Gebäude C hingegen hat sie das vortrefflich passende Verhältnis 1:31,8. Dadurch scheint mir die Frage erledigt.

---

49) Nach Koldewey und Puchstein, *Die griech. Temp. Unterital. u. Sicil.*, S. 104 ist die Zugehörigkeit der geschlossenen Simen zur Giebelseite des ursprünglichen Baus nicht ganz sicher, zieht man die sicher zugehörige Traufsima heran, so ergibt sich das Verhältnis 1:37,4.

50) Nur die Traufsima ist bekannt.

51) Die Zuteilung der *Olympia* II, Taf. CXIX, 2 abgebildeten Sima zum Schatzhause der Epidamnier ist nicht sicher, aber nach den Maßen wahrscheinlich.

Daß die Proportion gerade der des Tempels von Neandria besonders nahe steht, verdient hervorgehoben zu werden; dieser altertümliche Bau mit der säulenlosen Fassade stand wohl dem Tempel von Gordion überhaupt näher als andere griechische Tempelbauten[57]. Das Verhältnis der Mauer AB zu C bleibt leider rätselhaft. Diese Fundamente sind beträchtlich stärker als die von C, sie reichen auch im Südost, wo A auf α aufsetzt, tiefer hinab als C, während im Nordost, wo B auf γ ruht, ihre Unterkante höher liegt als die jetzige Oberkante von C, also nach Tiefe und Höhe ragen sie jetzt über C hinaus. Da es sich nur um Fundamente handelt, folgt daraus freilich für das aufgehende Mauerwerk nichts, und es ist verständlich, daß die stärkeren Fundamente tiefer hinabgeführt und besser erhalten sind als die schwächeren. Zweifellos scheint uns, daß AB und C ungefähr gleichzeitig und mit Rücksicht auf einander errichtet sind, denn sonst wäre die genau gleiche Orientierung der Mauerzüge nicht zu erklären. Ist dies richtig, so kann AB nur entweder eine Peribolosmauer oder ein Fundament für eine Art Plattform sein, auf der sich der Tempel erhob; die Stärke der Mauern spricht meines Erachtens mehr für die zweite Möglichkeit. In beiden Fällen bleibt es merkwürdig, daß C in die eine Ecke des von AB begrenzten Platzes geschoben ist. Man müßte annehmen, daß sich in Nordwest von C noch ein anderer Bau, etwa ein Altar erhoben habe, von dem wir keine Reste gefunden haben. Sonderbar ist weiter, daß die Frontseite des Tempels nach Südwest gekehrt ist, sodaß zuerst der größere, dann der kleinere Raum betreten wurde, aber die Nähe der Mauer B läßt die umgekehrte Orientierung schwerlich zu. Wir empfinden das Unbefriedigende dieser Ergebnisse selbst sehr lebhaft, und vielleicht würden wir manche Schwierigkeit besser haben lösen können, wenn uns von Anfang an ein geschulter Architekt zur Seite gestanden hätte.

Immerhin scheint uns die Hauptsache so gut wie sicher: *Das Gebäude C war ein mit Terrakotten geschmücktes Heiligtum von bescheidenen Abmessungen.*

Für die Rekonstruktion der Fassade und die Verteilung der Terrakotten geben die großen Felsfassaden immerhin einen gewissen Anhalt. Wie schon hervorgehoben, tritt das aus vier spitzgestellten Quadraten gebildete Muster bei ihnen stets als Streifenmuster zur seitlichen und oberen Einrahmung des Mittelfeldes auf, denselben Platz werden wir den entsprechenden Kacheln geben dürfen. Weiter sehen wir, daß es sich aus technischen Gründen empfiehlt, die Hirschjagd- und Stier-Löwenplatten für den oberen Rand der Lehmziegelwand in Anspruch zu nehmen. Sie würden etwa dem Palmettenlotosfries des Kütschük-jasili-kaja entsprechen. Es verdient Beachtung, daß die Plattenbreite von 0,39 m gut in der durch das Fundament gesicherten Fassadenbreite aufgeht. Eine ungrade Plattenzahl ist nötig, damit an beide Ecken dieselbe Darstellung kommt — regelmäßige Abwechslung vorausgesetzt; nimmt man nun 13 Platten an, so ergibt sich eine

[57]) Auch für die Form der Stirnziegel (s. S. 154) gab der Tempel von Neandria eine gute Analogie.

Breite von 5,07 m, das Fundament mißt 5,30, und das stimmt zusammen, wenn man die Fugen und die gegen das Fundament etwas verminderte Breite der aufgehenden Mauern in Rechnung zieht.'

Die Maße der Antilopenplatten stehen in keinem rationellen Verhältnis zu den andern, deshalb würden sie am besten bei der Türumrahmung als Querstreifen Verwendung finden, während die Schachbrettkacheln etwa als Seitenborte neben der Tür angebracht sein konnten. Die beistehende Rekonstruktion der Fassade, die nach meinen Skizzen von Lübke entworfen ist, will natürlich nur als ein οἷον ἂν γένοιτο angesehen werden. So etwa konnte die Tempelfront aussehen. Ein großer Teil der Fläche ist leer gelassen, weil wir keine Kachelsorte gefunden haben, die sich durch das Fehlen jeden Randprofils und durch massenhaftes Vorkommen als Flächenfüllung zu erkennen gab. Von den großen Felsfassaden haben Kütschük-jasili-kaja und Hassanbey-kaja ein leeres Mittelfeld, Midasdenkmal, Maltasch und Arslan-kaja ein ornamentiertes, bei allen aber sind Mittelfeld und Seitenborte geschieden, meist sogar durch eine geringe Vertiefung des Mittelfeldes. Man könnte darnach vielleicht annehmen, daß die Kachelstreifen einen etwas vorspringenden Rand bildeten, während die übrige Wandfläche verputzt und bemalt war.

Die Gestaltung des Giebels in der Rekonstruktion ist natürlich ganz willkürlich, ich bin dabei hauptsächlich dem grade in diesem Stücke sehr sorgfältigen Denkmal von Backschisch gefolgt. Der ihm und dem Maltasch eigentümliche Knick der Giebellinie kehrt, wie Koldewey und Puchstein erkannt haben, bei dem Hexastylos in Paestum und dem Tempel C in Selinus wieder[53]. Von der Bedeckung des Daches rühren eine Anzahl Flach- und Hohlziegel der gewöhnlichen Art her. Hervorheben möchte ich ein 0,20 m langes Flachziegelfragment, dessen Unterseite rauh gelassen ist bis auf einen schräg unterschnittenen Streifen von 0,06 m Breite an dem einen Ende. Dieser unterschnittene Rand ist (absichtlich?) schwarz gefärbt, auf dem rauhen Teil der Unterseite ist ein Zeichen [Zeichen] eingeritzt.

Endlich ist mit dem Tempel vielleicht, wie auf dem beistehenden Wiederherstellungsversuch der Fassade geschehen, der Torso einer Sirene aus Stein in Verbindung zu bringen, den wir nahe seinen Fundamenten fanden (Abb. 150). Die jetzt 0,24 m hohe Figur ist aus hellem Stein (Trachyt?) in archaischem Stil ziemlich roh gearbeitet[54]; Hals, Kopf, Füße und Schwanzspitze fehlen. Daß kein gewöhnlicher Vogel, sondern ein menschenköpfiger, eine Sirene, dargestellt war, lehrt die Kette, die um den Hals gelegt ist. Zweifellos ist die plumpe Arbeit einheimisch, aber nach ostgriechischem Vorbilde gefertigt[55]. Der Gedanke liegt nahe, in dieser Sirene das Firstakroterion des Tempels zu sehen, und mit Recht erinnert Weicker (S. 106) an die χρύσεαι κηληδόνες, die nach Pindar fr. 53 über dem Giebel des delphischen Tempels thronten. Möglich ist aber auch, daß die Figur einfach

[53]) *Die griechischen Tempel Unteritaliens und Siciliens*, S. 22 und 103, vgl. Abb. 78.

[54]) Wenn auch erheblich besser als die gleichfalls aus Gordion stammende Skulptur, die ich *Athen. Mitt.* XXII, Taf. II, S. 25f. veröffentlicht habe.

[55]) S. Weicker, *Der Seelenvogel*, S. 102ff.

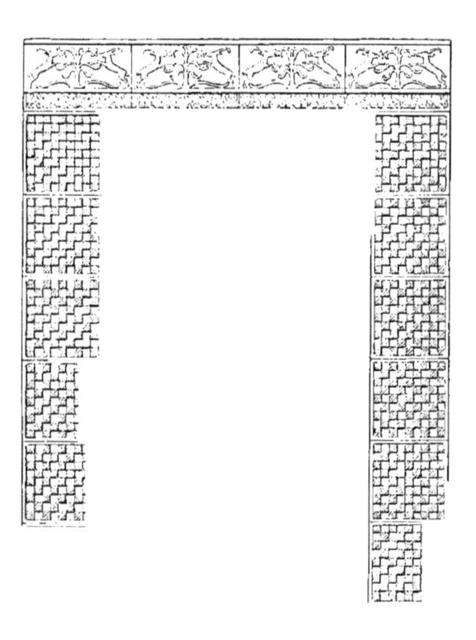

DIE FASSADE DES TEMPELS. WIEDERHERSTELLUNGSVERSUCH.

ein Weihgeschenk war, wie die silberne Sirene im Schatzhaus der Byzantier zu Olympia, die Polemon (bei Athen. XI, 480a) erwähnt.

Die sich zum Schluß aufdrängende Frage: Ist dieser dürftige kachelgeschmückte Bau der berühmte Zeustempel von Gordion, in dem Alexander den sagenumwobenen Knoten zerhieb? läßt sich weder einfach bejahen noch verneinen. Einen sicheren Beweis dafür, daß hier der phrygische Zeus verehrt sei, können wir nicht beibringen, denn es wäre zu gewagt, die auf dem Boden einer schwarzen polierten Schale[56] eingeritzten Buchstaben ΔΙ als Weihung an Zeus aufzufassen[57]. Wer sich also nicht entschließen kann, einen Vorgang, der seit mehr als 2000 Jahren von dem Glanze märchenhafter Phantastik umgeben ist, in einen auch für damalige Verhältnisse ärmlichen und kleinen[58] Bau zu verlegen, den hindert nichts, sich einen prächtigeren Rahmen für das fesselnde Schauspiel mit der Phantasie zu schaffen.

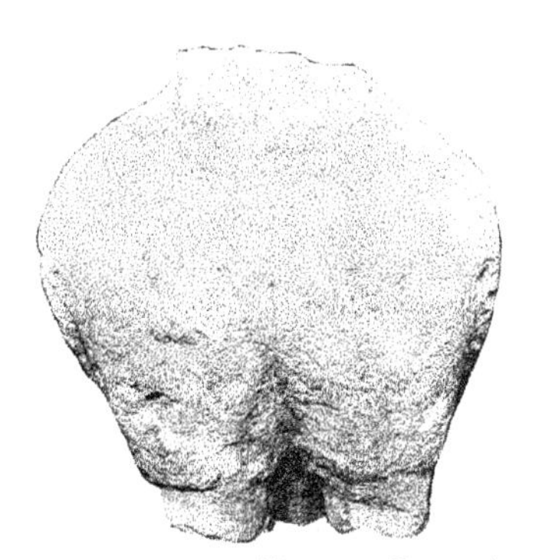

Abb. 150. Torso einer Sirene aus Trachyt(?).

Eine nüchterne Prüfung der Überlieferung ergibt aber, daß kaum etwas gegen und vielerlei für die Gleichsetzung unseres Tempels mit dem des Zeus spricht. Der Zeustempel verdankt seinen Ruhm einzig und allein dem glücklichen Einfall des großen Königs, sonst wird er niemals genannt, es liegt also gar kein Grund vor, ihn sich groß oder glänzend zu denken. Es verfällt selbst keiner der Alexanderhistoriker, die es doch der Rhetorik zu Liebe mit der Überlieferung in Nebendingen nicht allzu genau nehmen, darauf von einem herrlichen Tempel zu sprechen; von dem darin aufbewahrten Wagen wird sogar bei Curtius III, 1, 12 ausdrücklich bemerkt er sei *cultu haud sane a vilioribus vulgatisque usu abhorrens.* Also weder groß noch schön brauchte der Tempel zu sein, wohl aber altertümlich, denn es

56) S. S. 173, Nr. 5.

57) An sich ist die Form Δί statt Διί gerade in phrygischen Inschriften sehr häufig; vgl. *Athen. Mitt.* XXIV, 442, XXV, 409, 419, 430, 431, 442.

58) Der alte hochberühmte Tempel des Dionysos in den Sümpfen ist übrigens noch beträchtlich kleiner, die Abmessungen des ganzen Baues betragen 5,40 × 3,96 m, auch der ältere Nemesistempel in Rhamnus übertrifft ihn mit 10,70 × 6,40 m nicht sehr an Größe.

sollte ja noch derselbe Bau sein, in den Gordios oder sein Sohn den Wagen geweiht hatten[59]. Daß unser Tempel den Zeitgenossen Alexanders wie ein Rest aus sagenhafter Vorzeit erscheinen konnte, leuchtet ein. Wenn man ferner erwägt, daß die topographischen Gründe dem Ansatz von Gordion bei Pebi eine fast mathematische Sicherheit geben, und daß der Tempel auf dem beherrschenden Punkt des Stadthügels liegt, so wird man seiner Gleichsetzung mit dem Zeustempel einen hohen Grad von Wahrscheinlichkeit zuerkennen dürfen.

INSCHRIFTEN.

Für die Epigraphik ist unsere Ausgrabung so ergebnislos gewesen wie selten eine. Wir haben nicht einen einzigen Titulus, auch nicht das kleinste Bruchstück eines solchen gefunden, die wenigen kurzen Texte, die ich im Folgenden mitteile, fallen sämtlich unter die epigraphische Kategorie »Instrumentum«. Dies Fehlen von Inschriften ist zwar sehr bedauerlich, aber bei der eigentümlichen Entwicklung Gordions keineswegs auffallend, in gewissem Sinne sogar eine weitere Bestätigung unseres Ansatzes. Die große Menge der in Phrygien gefundenen Inschriften gehört der römischen Kaiserzeit an und damals war Gordion, wie Strabo bezeugt und das Fehlen der Münzprägung bestätigt, ein armseliges Dorf, das nicht wie Dorylaeion und andere mächtig aufgeblühte Städte Ehrenstatuen und prunkvolle Grabmäler errichten konnte. In der alten Blütezeit des Landes aber, im VIII. und selbst im VI. Jahrhundert, als die phrygische Sprache noch unbedingt herrschte, da war die Schrift eine selten geübte Kunst, die wohl an monumentalen Werken im Dienste der Götter zur Anwendung kam, im täglichen Leben aber nur eine sehr bescheidene Rolle spielte. So ist es kein Wunder, daß die wichtigste Inschrift die Signatur der athenischen Töpfer Klitias und Ergotimos ist, die in Tumulus V gefunden wurde. Die übrigen Textbrocken stammen sämtlich vom Stadthügel.

Ich stelle voran ein sehr merkwürdiges kleines Denkmal, dessen Rätsel wir nicht mit Sicherheit haben lösen können.

1. Pyramide mit großem ringförmigem Griff aus weichem grünem Stein (Abb. 151), Höhe 0,09, Grundfläche 0,07×0,06 m, in der Nähe des Tempels in Tiefe von etwa 3 m gefunden. Die Seiten der Pyramide sind ein wenig gewölbt und mit einem rohen Fischgrätenmuster verziert, in die Unterfläche sind Zeichen tief eingegraben. Nach Form und Herrichtung des Steins kann man nicht zweifeln, daß er als Stempel diente[60], die eingegrabenen Zeichen sollen, in eine weiche Masse, etwa Ton (Lehmziegel?) gedrückt, plastisch hervortreten. Dann ist weiter sicher, daß wir es mit Buchstaben zu tun haben, und tatsächlich läßt sich die Legende in griechische, freilich seltsam zusammengestellte Buchstaben auflösen. Links oben ist ein deutliches **K** zu sehen, darunter **D** d. h. eine Form des Rho, die nicht in

[59]) S. oben S. 12 f.

[60]) Die Verwendung als Gewicht, an die man auch zunächst denken könnte, wird durch die Art der Schrift wohl ausgeschlossen.

phrygischen aber in milesischen und samischen Inschriften vorkommt[61]. Rechts neben dem K, so daß die Hasten sich berühren, steht ein Buchstabe, den wir für die bekannte archaische Form des Ipsilon V halten, und darunter, wiederum unmittelbar anschließend ein dreistrichiges S. Dann bleiben noch zwei einfache Striche, ein senkrechter links von dem Sigma, und ein wagerechter unter diesem übrig, die wenn sie Buchstaben sind, nur Jota sein können. Als Legende der ganzen Stempelfläche ergibt sich uns also Κρυισι, oder, wenn den einfachen Strichen kein selbständiger Buchstabenwert zustehen sollte: Κρυσ.

Dies ist anscheinend weder Phrygisch[62] noch Griechisch, aber es könnte Lydisch sein und den Namen des letzten lydischen Oberherrn über Gordion, des Kroisos enthalten. Wir wissen von der lydischen Sprache leider außerordentlich wenig[63], an Inschriften ist bisher nur ein einziges nicht einmal sicheres Stück bekannt[64], es ist also nicht auszumachen, wie die Lyder selbst den Namen ihres letzten Königs gesprochen haben. Für die Möglichkeit einer Form Κρῦσος wird man vielleicht die zahlreichen Fälle des Wechsels von υ und οι in thrakisch-phrygischen Namen anführen dürfen, welche Kretschmer S. 226f. zusammengestellt hat, ich entnehme seiner Liste Λυδίας-Λοιδίας, Μυσοί-Μοισοί, Ῥυμητάλκας-Ῥοιμητάλκας, Βυρεβίστας-Βοιρεβίστας, Δυδαλσός-Δοιδάλσης, Μύτας-Μοίτας, Ζειπύτης-Ζειποίτης.

Abb. 151. Stempel aus grünem Stein, Ansicht und Unterseite mit Schriftzeichen.

Daß ein Stempel von dieser Größe für den offiziellen Gebrauch im Dienste eines Herrschers besser passen würde als für einen beliebigen Privatmann, scheint mir einleuchtend.

Eine Entscheidung über die Namensform wird nur die Sprachforschung bringen können, und da ein so berufener Kenner wie Kretschmer mit seinem Urteil zurückhält[65], geben auch wir unsere Vermutung nur als Hypothese, deren Unsicherheit wir uns nicht verhehlen.

Nicht weniger singulär als die Legende ist die Form des ganzen Stempels. Konische Siegel sind seit alters im Orient sehr gebräuchlich gewesen[66], aber ein

[61]) Vgl. Roehl, *Imag. inscript. Graec. antiquiss.*², S. 48 Nr. 3, S. 52 Nr. 18, S. 54 Nr. 20.

[62]) Im Phrygischen findet sich die Form des Rho nicht.

[63]) Vgl. Kretschmer, *Einleitung in die Geschichte der griechischen Sprache*, S. 386ff.

[64]) Von Sayce bei Silsilis entdeckt; *Proceed. Soc. Bibl. Arch* XVII, 1895, S. 39ff.; vgl. Kretschmer S. 387.

[65]) Nach brieflicher Mitteilung.

[66]) Z. B. Perrot-Chipiez II, 688ff., Fig. 347—350; III, 641, Fig. 434f.; 649, Fig. 456; IV, 766, Fig. 372ff.

pyramidenförmiges kann ich wenigstens nicht nachweisen. Am ersten zu vergleichen sind noch ein von Furtwängler, *Antike Gemmen* III, S. 60, Fig. 40 mitgeteiltes Petschaft aus Damaskus und ein bei Perrot-Chipiez IV, 772, Fig. 383—4 abgebildetes Siegel aus Kleinasien, das aus einem Pyramidenstumpf mit aufgesetztem Kegel besteht, aber bei diesem tragen die Seiten — nicht die Unterfläche — die eingegrabenen Zeichen.

Sicher phrygisch sind die beiden folgenden Graffiti auf Tongefäßen.

2. Zwei anpassende Fragmente einer Kanne mit Kleeblatttülle aus grauem Ton (Abb. 152); auf der Schulter des Gefäßes ist die links unvollständige Inschrift ΑΖΙΛΥꓘ = κυλιζα . . . eingeritzt (vgl. S. 201).

3. Zwei aneinander passende Fragmente einer kyprischen Schale aus rötlichem Ton mit (jetzt abgebrochenem) Fuß (Abb. 153). Innen sind in matter Farbe konzentrische Kreise gemalt, (vgl. unten Nr. 10); außen steht nahe dem Fuß, die Köpfe der Buchstaben diesem zugekehrt, die eingeritzte Inschrift ʼꓶΝΥΙΛΑꓘ.

Abb. 152. Bruchstücke einer Kanne mit eingeritzter Inschrift Nr. 2.

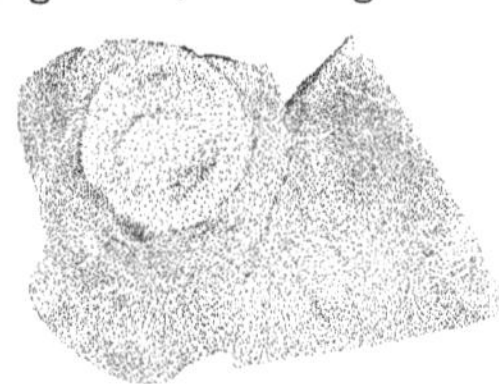

Abb. 153. Bruchstücke einer kyprischen Schale mit eingeritzter Inschrift Nr. 3.

Abb. 154. Bruchstück vom Henkel eines schwarzen einheimischen Gefäßes mit eingeritzter griech. Inschr. Nr. 4.

Ob vor dem K andere Buchstaben gestanden haben, ist nicht sicher zu sagen, wahrscheinlich fehlt aber nichts. Da der dritte Buchstabe unten verstümmelt ist, kann er sowohl Λ = γ[67] als Δ = δ gewesen sein.

Der vorletzte Buchstabe kann seiner geringen Größe nach wohl nur ein O gewesen sein, das in allen phrygischen Inschriften kleiner ist als die andern Buchstaben, die eckige Form, die ich sonst in Phrygien nicht nachweisen kann, wird durch das Material zu erklären sein. Die schräge Hasta, die von dem letzten Buchstaben, allein übrig ist, muß von einem Σ herrühren[68]. Die ganze Inschrift lautete also entweder Καγιυνος oder, was mir wahrscheinlicher klingt, Καδιυνος.

4. Bruchstück eines Henkels von einem schwärzlich grauen gut polierten Gefäß (Abb. 154) 0,045 m lang, 0,025 m breit mit der eingeritzten Inschrift ΚΑΙΓΥΝ (s. unten Nr. 113). Hinter dem Jota sieht man einen schrägen Strich, der aber sicher nur eine zufällige Schramme ist, zwischen I und Γ ist ein etwas größerer

[67]) Daß Λ nicht als Lambda, sondern als Gamma aufzufassen ist, lehrt einmal Nr. 11 der Ramsayschen Sammlung, wo der Name Κυβιλε mit dem Zeichen ⋀ geschrieben ist und ferner Nr. 6, wo Λ in μογροκαναχ unmöglich λ sein kann; vgl. Kretschmer S. 235, Nr. 5 und 239, Anm. 2. In Nr. 7 habe ich fälschlich a. a. O. 117 λαψετ statt γαψετ geschrieben.

[68]) Auch in der Inschrift Nr. 5 (Ramsay) hat das Σ in der linksläufigen Zeile 2 die rechtsläufige Stellung, ebenso einmal das Z in Nr. 7; vgl. das Faksimile bei Reber S. 571 und seine Tafel VII.

Zwischenraum als zwischen den andern Buchstaben. Phrygisch kann diese Inschrift nicht sein wegen des vierten Buchstabens. Obwohl bei dem phrygischen Lambda die zweite Hasta mitunter nur ganz wenig geneigt ist, bildet sie doch nie wie bei diesem Buchstaben einen stumpfen Winkel mit der senkrechten, wir haben also ein griechisches Gamma vor uns, das genau so in Milet und Samos vorkommt[69]. Dann ist die Inschrift offenbar zu ergänzen καὶ γυν[ή. Da vor καὶ nichts gestanden hat, wird der Name des Dedikanten, der zusammen mit seiner Frau das Gefäß weihte, auf dem andern Henkel eingeritzt gewesen sein. Die Tatsache, daß ein Jonier im VI. Jahrhundert in Gordion dem phrygischen Gotte etwas darbringt, ist sehr interessant, und Beachtung verdient, daß er sich dazu keine hellenische Firnisvase aussuchte, sondern ein einheimisches Bucherogefäß. Daß die regen Beziehungen zu den Griechenstädten, die wir aus den zahlreichen Importstücken und den phrygischen Nachahmungen erkennen, auch zur Niederlassung einzelner Griechen in Gordion geführt haben, ist sehr begreiflich.

5. Boden eines schwärzlich grauen polierten Napfes darauf außen eingeritzt ΔΙ s. unten Nr. 92[70]. Die Möglichkeit, daß dies Δι΄ bedeutet und eine Weihung an Zeus darstellt, ist nicht zu leugnen; ich erinnere nur an die zahlreichen Gefäße, Waffen und Geräte aus dem Perserschutt, die als einzige Aufschrift den Namen der Stadtgöttin im Genitiv oder Dativ, vielfach sogar abgekürzt tragen[71]. Da aber die Zeichen auch anders, z. B. als Zahl oder als abgekürzter Name des Besitzers, aufgefaßt werden können, wäre es gewagt, auf diese eine Möglichkeit zu viel Gewicht zu legen[72].

6. Schwarze polierte Scheibe, Boden eines fußlosen Bechers mit den außen eingeritzten Buchstaben ΗΡ (in Ligatur). S. unten Nr. 138[73] (Abb. 155).

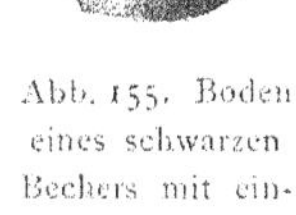

Abb. 155. Boden eines schwarzen Bechers mit eingeritztem Buchstaben Nr. 6.

7. Rhodischer Amphorenhenkel mit Stempel.

Ἐπὶ Κλειτο-
μάχου
Δαλίου

Der Name des Kleitomachos kommt auf rhodischen Amphorenhenkeln häufig vor, *I.S.I.* 2393, 325—26, *I.I.M.A.* I 1156, 1—4, III 996, *Inschriften von Pergamon* 1086, *Athen. Mitt.* XXI, S. 134, 43.

8. (Berl. Museum). Thasischer Amphorenhenkel mit Stempel:

Θα[σ]ίων
Amphora
Ἡρόδοτ[ος

Der Querstrich in Θ ist nicht mehr sichtbar.

[69]) Roehl² S. 48, Nr. 2 und S. 52, Nr. 18.

[70]) Die Buchstaben sind in der Photographie nicht deutlich herausgekommen, die Lesung ist aber sicher.

[71]) Lolling, Ἐπιγραφαὶ ἐκ τῆς ἀκροπόλεως, Nr. XCII—CXI. Auch in Naukratis kommen Vasen mit der einfachen Aufschrift Ἥρηι vor; vergl. E. A. Gardner, *Naukratis* II, Nr. 845, 846.

[72]) Vgl. oben S. 69.

[73]) Vgl. noch die unten Nr. 93 beschriebene und abgebildete graue Schale, auf welcher ein Zeichen eingedrückt ist, das mit Wahrscheinlichkeit zu D = ρ ergänzt werden kann.

9. Thasischer Amphorenhenkel mit Stempel:

Θ[ασίων]
Amphora
Κριτίας

Vom ersten Wort ist nur Θ lesbar, die Zuteilung an Thasos aber durch Beizeichen und Material gesichert. Ein anderer thasischer Stempel mit demselben Namen aber anderem Beizeichen ist von Dumont, *Inscriptions céramiques de Grèce,* S. 63 Nr. 20 veröffentlicht.

10. Rot gefirnißte (unechte Sigillata)-Scherbe mit eingekratzter Inschrift Ἀπο . . . S. unten Nr. 83h.

11. Unterteil eines kleinen Alabastron aus einheimischem Alabaster 0,06 m lang; darauf sind in zierlichen Schriftzügen, die Köpfe nach dem Boden gekehrt, die Buchstaben ΡΟΔ eingeritzt. Da das Material auf einheimischen Ursprung hinweist, ist wohl nicht die Provenienz aus Rhodos, sondern der Inhalt des Gefäßes, Rosenöl, verzeichnet.

EINZELFUNDE.

1. GEGENSTÄNDE AUS STEIN.

1. Beil aus grünem hartem Stein, ziemlich gut poliert 0,135 m lang, 0,065 m breit (Abb. 156). Dem Typus nach gehört es zu den troischen, die Hubert Schmidt im Katalog von Heinrich Schliemanns Sammlung Trojanischer Altertümer unter Nr. 6930—6951 aufführt.

Abb. 156. Steinbeil und -meißel Nr. 1, 2.

2. (Berlin. Museum). Steinmeißel aus hellerem streifigem Stein, 0,105 m lang, 0,025 m breit, weniger gut gearbeitet (Abb. 156).

3. Runde Scheibe aus Bergkristall, oben konvex, unten flach, sehr sorgfältig gearbeitet und poliert, Durchmesser 0,031 m. Nicht weniger als 42 ganz gleichartige Bergkristallscheiben von etwas kleinerem Durchmesser wurden in Troja in dem großen Schatzfund L der zweiten Ansiedlung gefunden[74], dem u. a. die bewunderungswürdigen vier großen Axthämmer[75] angehören. Hubert Schmidt schließt aus dem Umstand, daß eine der Scheiben an ein stark oxydiertes Stück Bronzeblech anpaßt, auf ihre Verwendung als Zierbesatz, vielleicht an einem Bronzegürtel. Weder der Verwendung noch der Entstehungszeit nach wird man das gordische Stück allzuweit von den troischen trennen dürfen, und so wird die Scheibe zu einem wichtigen Zeugnis für die frühe Besiedlung des Stadthügels.

4. Knopf aus Bergkristall, ebenfalls vortrefflich gearbeitet, unten glatt, Durchmesser 0,015 m. Auch dieses Stück erinnert an Gegenstände aus dem troischen Schatzfunde L, an die Kristallknäufe Nr. 6059—6064 des Katalogs. Allerdings unter-

[74]) *Katalog* 6965—6106; vgl. Goetze, *Troja und Ilion,* S. 339.

[75]) *Katalog* 6055—6058, *Troja und Ilion,* S. 374 f., Fig. 323—326.

scheidet er sich von ihnen nicht nur durch die geringere Größe, sondern auch durch das Fehlen eines Schaftloches, er muß also in anderer Weise befestigt gewesen sein.

5. Brettförmiges Idol aus weichem weißem Stein, auf einer Seite glatt, auf der andern rauh, Höhe 0,165 m, größte Breite 0,13 m. Die Form entspricht etwa der Nr. 7520—21 der Schliemann-Sammlung, nur fehlt der lange Hals.

6. Pyramidenförmiger Stempel aus weichem grünem Stein, siehe unter Inschriften Nr. 1.

7. Bruchstück eines flachen, gut polierten Tellers mit niedrigem Ringfuß aus hartem grünem Stein, größte Länge 0,10 m, Höhe 0,02 m.

8. Perle aus hartem rotem Stein (Porphyr?) von der Form eines Spinnwirtels, Durchmesser 0,02.

9. Perle etwa derselben Form aus weichem weißlichem Stein (Speckstein), Durchmesser 0,018 m.

10. Viereckige Platte aus grauem schiefrigem Stein, Länge 0,09 m, Breite 0,08 m, Dicke 0,025 m. Der Stein ist von drei regelmäßig im Dreieck zu einander gestellten Löchern durchbohrt, vielleicht diente er einem kleinen Dreifuß als Basis.

11. Torso einer Sirene aus Trachyt (?) s. oben S. 169, Abb. 150.

Die folgenden Stücke Nr. 12—21 bestehen sämtlich aus einheimischem Alabaster, wie er an vielen Stellen der phrygischen Hochebene ansteht, auch in der nächsten Umgegend von Gordion gefunden wird. Von dem sogenannten orientalischen unterscheidet er sich durch das Fehlen der Streifen und ein stumpferes Weiß, auch wohl durch geringere Festigkeit. In hellenistischer oder römischer Zeit ist dieser Stein auf dem Stadthügel verarbeitet worden, denn wir fanden in geringer Tiefe 15 rohe Abfallstücke mit den deutlichen Spuren der Drehbank.

12. Alabastron dünnwandig gebohrt, sehr verwittert, die Mündung fehlt. Länge 0,14 m.

13. (Berliner Museum). Alabastron, dickwandig, die Mündung fehlt, 0,10 m lang.

Abb. 157. Würfel aus einheimischem Alabaster.

14, 15. Bruchstücke der Mündungen zweier Alabastren.

16. Unterteil eines Alabastron mit Aufschrift, s. Inschriften Nr. 11.

17. Randstück eines flachen Tellers 0,09 m lang.

18. Würfel zum Spielen (Abb. 157). Die tiefgebohrten Löcher sind mit einer schwarzen Masse ausgefüllt, die Augen in der üblichen Weise verteilt 1—6, 2—5, 3—4.

19. Würfel unregelmäßiger Form, die Kantenlänge schwankt zwischen 0,016 und 0,023. Auch die Augen sind unregelmäßig gestellt 6—4, 5—2, 3—1.

20—21. Zwei kleine Spinnwirtel.

22—23. Zwei große Geräte aus Trachyt, deren Bestimmung uns dunkel ist. Das abgebildete Exemplar (Abb. 158) mißt 0,63×0,42 m, das andere 0,52×0,37 m, die Herrichtung ist bei beiden die gleiche. Das Gerät besteht aus einer starken viereckigen Platte mit halbrundem, durchbohrtem, henkelartigem Ansatz. In die Hauptfläche ist eine viereckige muldenartige Vertiefung eingeschnitten, in deren Mitte ein schmaler Spalt durch den Stein getrieben ist. In der Verlängerung dieses Spaltes sind ziemlich schmale Rillen in den Plattenrand eingearbeitet. Es macht den Eindruck, als solle irgend eine Masse in der Mulde zerquetscht und durch den Spalt gepreßt werden, aber in welcher Weise das geschah, wozu der durchbohrte Ansatz und die Rillen dienten, weiß ich nicht zu sagen.

Abb. 158. Gerät aus Trachyt, unbekannter Bestimmung.

Endlich kamen auch eine Anzahl Mahlsteine von der Form der troischen Nr. 9091—9096 zutage.

2. GEGENSTÄNDE AUS KNOCHEN.

1. Vierkantiger hohler Griff, oben ausgezackt, 0,105 m lang. Mit gravierten Kreisen und Punkten ist ein einfaches Muster hergestellt.

2. (Berlin. Museum). Runder, sorgfältig ausgebohrter und polierter Gegenstand, etwas zerdrückt, Länge 0,065 m, Durchmesser 0,015 m. Vielleicht zu einem Etui gehörig wie die beiden phönizischen aus Elfenbein bei Perrot-Chipiez III S. 847, Fig. 614, 615.

3. Viereckiger, außen gerundeter Gegenstand von der Form eines kleinen Bücherrückens (Abb. 159*a*), 0,03 m lang.

4. Rundes, glattes Stäbchen, an einem Ende unvollständig (stilus?), 0,075 m lang.

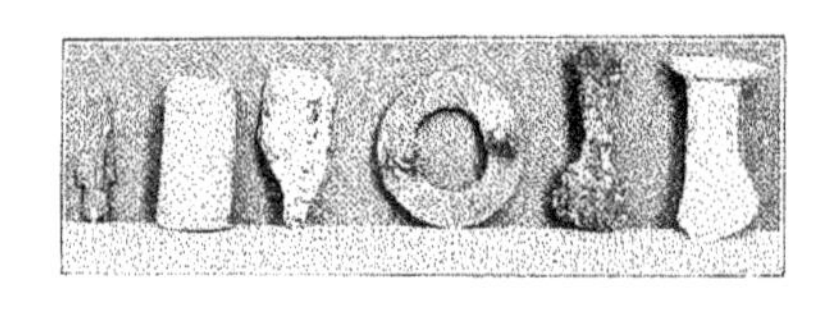

Abb. 159. Gegenstände aus Knochen (*a*), Glas (*b*, *c*), und Bronze (*d*—*f*).

3. GLAS.

1. Bruchstück eines kleinen Alabastron aus Smaltglas, blau, weiß und gelb, der Henkel blau (Abb. 159*b*), 0,035 m lang.

2—6. Fragmente römischer irisierender Glasgefäße (Abb. 159*c*).

4. GEGENSTÄNDE AUS BRONZE.

1. Kleine dreikantige Pfeilspitze, hohl, unbeschädigt (Abb. 159*d*), Länge 0,027 m, Durchmesser der Tülle 0,005 m.

2. Ring mit zwei senkrecht aufgesetzten Stacheln, Durchmesser 0,034 m (Abb. 159*e*). Ähnliche Ringe sind in Dodona gefunden worden (vgl. Carapanos, *Dodone*, pl. LII, Nr. 25, 26.)

3. Sehr oxydierte Bogenfibula, Durchmesser 0,055 m. Der Bogen hat runden Querschnitt und zeigt sicher in der Mitte, vielleicht auch an den Seiten Umschnürungen.

4—5. Fragmente von zwei kleineren Fibeln desselben Typus mit dreifacher Umschnürung.

6. Knebelartiger Gegenstand mit zwei Knopfenden, die Innenseite flach, 0,04 m lang (Abb. 159*f*).

7—8. Zwei einfache Ringe von 0,04 m und 0,017 m Durchmesser.

9—14. Sechs, bis zur völligen Unkenntlichkeit oxydierte Münzen. Auf einer glaubten wir einen nach rechts gewandten Kopf im Löwenfell zu erkennen, auf der Rückseite eine Keule. Von kleinasiatischen Münzen zeigen, nach freundlicher Mitteilung von H. Dressel, ähnliche Typen nämlich Herakles-Kopf, Rev. Goryt und Keule, die von Erythrae (um 250 v. Chr.) mit Beischrift ΕΡΥ und von Keretapa in Phrygien, Beischrift Κερεταπέων; von letzterer Stadt giebt es autonome Münzen (80—100 v. Chr.) und solche aus der Kaiserzeit (vom 2. Jahrhundert an). Leider wird bei der schlechten Erhaltung des betreffenden Stückes eine bestimmte Entscheidung nicht möglich sein.

5. TON.

Die keramischen Funde aus unseren Ausgrabungen auf dem Stadthügel bestehen, abgesehen von den oben besprochenen zur Verzierung des Tempels gehörigen architektonischen Terrakotten, zum weitaus überwiegenden Teile aus Scherben von Tongefäßen fremden und einheimischen Ursprungs. Von Tonfiguren sind keinerlei Reste gefunden worden.

Unter den Scherben wiederum haben nur wenige an und für sich besonderen Wert. Sie gewinnen ein Interesse nur in ihrer Gesamtheit, als bescheidene, aber authentische Zeugen der Kulturepochen, welche an ihrem Fundort einander abgelöst haben. Aus diesem Grunde schien es uns geboten, sie hier vollständig zu verzeichnen und alle charakteristischen Stücke abzubilden. Ein eingehendes Studium wurde uns dadurch ermöglicht, daß sie, bis auf einige zurückbehaltene Stücke, von der einsichtigen und liberalen Direktion des Ottomanischen Museums uns als Studienmaterial überlassen worden sind. Sie sind jetzt mit den übrigen uns zugewiesenen Proben unserer Funde im Berliner Museum vereinigt; die in Konstantinopel verbliebenen Stücke sind durch ein (K.) besonders bezeichnet.

Vorangestellt sind die bemalten Vasen, unter ihnen wiederum die mit matten Farben bemalten; es folgen die mit Firnismalerei verzierten, endlich die monochromen. Wie oben S. 150 hervorgehoben, ließen sich scharf voneinander abgesetzte Schichten nicht feststellen und sind demnach Schlüsse auf das relative Alter der Scherben aus der Tiefe, in der sie gefunden wurden, nur insoweit möglich, als zahlreiche Stücke einer Gattung beieinander gefunden worden sind. Die Beobachtungen dieser Art sind verwertet, im übrigen aber ist von Angabe der Fundtiefe zu den einzelnen Scherben abgesehen worden, einmal weil es unmöglich war, dieselbe mit genügender Genauigkeit festzustellen, dann weil in mehreren Fällen unzweifelhaft sehr alte Scherben in geringer Tiefe gefunden worden sind, mithin starke Umwühlung des Bodens im Altertum stattgefunden haben muß (s. S. 151).

I. BEMALTE VASEN.

a) Mattmalerei.

Cyprisch.

Die folgenden Scherben glaube ich als von aus Cypern importierten Gefäßen stammend bezeichnen zu dürfen:

1. Von größerem Gefäß, dickwandig, rötlicher Ton, Oberfläche poliert, Malerei in mattem Schwarz (K.). (Abb. 160). Das Trichtermotiv ist mykenischen Ursprungs.

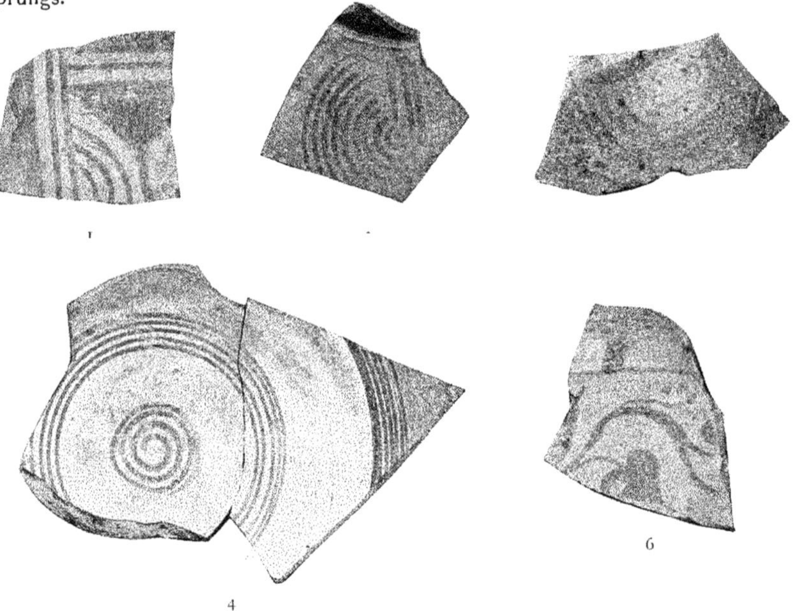

Abb. 160. Scherben cyprischer Gefäße mit Mattmalerei.

2. Dünnwandig, Halsansatz erhalten. Ton und Malerei wie 1 (Abb. 160). (K.) Das Ornament (Hängespirale) kehrt ähnlich an einer Amphora aus Dali, Berlin F. 66, einer ebenfalls cyprischen im Louvre A. 100, Pottier, *vases ant.*, pl. 7, beide aus hellem Ton, endlich auf einer in Caere gefundenen Amphora des Louvre D. 18, Pottier, pl. 29 wieder. Siehe auch die trojanische Scherbe Schliemann-Sammlung 3482.

3. Von größerem bauchigem Gefäß, heller Ton, innen Riefeln. Schwarze Mattmalerei. Sehr abgerieben. Ähnliches Ornament (Abb. 160).

4. Zwei aneinander passende Stücke einer flachen Schale mit (abgebrochenem) Fuß. Rötlicher Ton. Innen schwarz gemalt: konzentrische Kreise und im Mittelpunkt (flüchtige) Spirale. Matter Glanz. Außen eingeritzt eine Inschrift in phrygischer Schrift: Καδιωνος (s. oben S. 172, Nr. 3, Abb. 153) (Abb. 160).

5. Mittelstück mit niedrigem Fuß einer ähnlichen Schale. Blaßroter Ton, Spirale in schwarzer Mattmalerei. Matter Glanz.

Ein ähnliches Gefäß, aber mit Trichterfuß aus dem Alyattesgrabe bei Perrot-Chipiez V, 293, Fig. 199.

6. Randstück (Mündungsrand oben erhalten) von einem größeren Gefäß. Gelblicher Ton. Auf der Außenseite ist — am Halse des Gefäßes — mit blaßrötlicher matter Farbe ein Efeuzweig gemalt; darüber, dicht unter der weggebrochenen Lippe des Gefäßes, ein zahnartiger Streif in derselben Farbe (Abb. 160).

Ein genau entsprechendes Ornament findet sich auf den späteren Waschkrügen aus Cypern, die teils die natürliche Tonfarbe wie z. B. Ohnefalsch-Richter, *Cyprus, die Bibel und Homer*, Taf. LXIV, 1 (= CLXXXI, 1), teils, wie ein Exemplar des Berliner Museums (*48. Berl. Winckelm.-Progr.* 1888, III, 2), roten Überzug und darauf Malerei in schwarzer Farbe zeigen. Dieselben gehören ins IV. Jahrhundert. Unser Stück kann wegen des erhaltenen Mündungsrandes nicht von einem solchen Waschkrug stammen, doch ist die Übereinstimmung in Ton, Technik und Ornament wohl für die cyprische Herkunft und die Zeit beweisend.

Den cyprischen Scherben nach Ton und Technik verwandt sind die folgenden:

7. Von großem Gefäß, dickwandig (0,012). Ton dunkelrot, im Bruch innen gräulich. Schwarze Mattmalerei. Hat den durch Politur erzeugten Glanz der cyprischen Gefäße (Abb. 161).

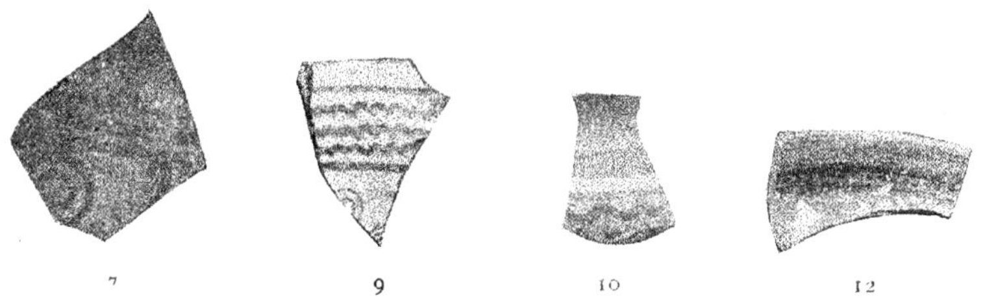

Abb. 161. Einheimische der cyprischen verwandte Ware.

8. Ähnlich, braunrote Färbung. Streifen und konzentrische Kreise. Matter Glanz.

9. Dünnwandig, Ton im Bruche blaßrot, Oberfläche gelblich (ohne Überzug), schwarze Mattmalerei (Abb. 161).

10. Von einer kleinen Kanne, blaßroter Ton, schwarze Mattmalerei. Sorgfältig poliert. Ähnliches Bruchstück Tumulus II, Nr. 37, S. 120, Abb. 99 (Abb. 161).

11. Mehrere nur mit umlaufenden Streifen verzierte Bruchstücke von braun- bis hochroter Farbe, alle mit dem charakteristischen matten Glanz (vgl. Tum. II, Nr. 33. 34).

12. Randstück eines Napfes, zeigt technisch die gleichen Eigentümlichkeiten wie die eben beschriebenen. Innen ist der Rest einer geometrischen Verzierung erhalten (Abb. 161).

Grobe anscheinend einheimische Ware ohne Überzug.

Von der vorhergehenden Gruppe durch die gröbere Technik deutlich verschieden.

13. Von großem bauchigem Gefäß. Blaßroter Ton, sehr unrein mit kieseligen Beimischungen, das Innere des Bruches grau. Oberfläche geglättet. Schwarze Farbe. Stark abgerieben (Abb. 162).

14. Von großem Gefäß, sehr dickwandig (0,014 m), Ton ähnlich dem vorigen. Oberfläche geglättet. Streifen in Rot und Schwarz, daran hängend Netzwerk mit abwechselnd rot- und schwarzgefüllten rautenförmigen Feldern. Vom Feuer geschwärzt (Abb. 162).

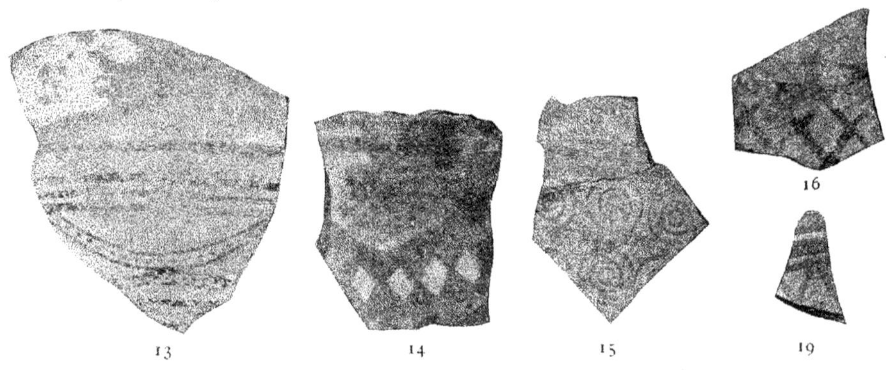

Abb. 162. Scherben mit Mattmalerei auf Tongrund (grobe einheimische Ware).

15. Randstück von großem Gefäß. Streifen und konzentrische Kreise (K.) (Abb. 162).

16. Von dickwandigem Gefäß. Schwarze Streifen und rotes Netzwerk (K.) (Abb. 162).

17. Randstück von großem Gefäß. Gelblicher Ton, etwas reiner. Horizontale und vertikale Streifen in Schwarz. Verrieben und vom Feuer geschwärzt.

18. Gelblicher unreiner Ton, außen sorgfältig geglättet, mit mattem Glanz, darauf Streifen und Zacken in mattem Rot und Schwarz.

19. Blaßrötlicher Ton, sehr unrein, außen geglättet ohne Glanz, Streifen und Zacken in stumpfem Rot und Schwarz. Zwei ziemlich dünnwandige Stücke (Abb. 162).

20. Gelber Ton, unrein, außen fein geglättet mit Glanz. Darauf geometrisches Muster in Schwarz und Gelb auf weißem Grunde, Taf. 9.

21. Bruchstück eines flachen, nach außen sich stark verbreiternden Henkels von sehr großem Gefäß. Nach der Ansatzstelle (innen) zu wird der Henkel erheblich stärker (0,035 gegen 0,015 m am Rand), die Unterseite ist unbemalt und nicht sorgfältig bearbeitet, der Henkel stand demnach wagerecht, sodaß jene den Blicken entzogen war. Gelblicher, sehr unreiner Ton. Äußerer und ein Seitenrand erhalten;

wenn die Spitze des Mitteldreiecks als die Mitte angenommen wird, so würde die ursprüngliche Breite 0,18 m betragen.

Inmitten einer roten Umrahmung waren zwei zusammenhängende schwarze Zacken, das Dreieck zwischen ihnen weiß gemalt. Matte Farbe, das Ganze überpoliert, wie man deutlich erkennt durch Reiben mit glattem Stein (Abb. 163).

Abb. 163. Bruchstück eines Henkels von großem Gefäß 21.

Mattmalerei auf weißem Grunde (engobe).

22. Von größerem bauchigem Gefäß. Unreiner, schlechtgebrannter, im Bruche schmutzig grauer Ton. Weißer Überzug, darauf geometrische Ornamente in Schwarz. Sehr verrieben.

23. Gelblicher, nicht ganz reiner Ton, weißer Überzug, Malerei in Schwarz (Abb. 164).

24. Kleines Bruchstück derselben Art nur mit umlaufendem Streifen.

25. Zwei Scherben von größeren bauchigen Gefäßen, rötlicher, unreiner Ton, nur teilweise weiß überzogen, der nicht überzogene Teil sorgfältig geglättet. Schwarze Streifen teils auf dem Tongrund, teils auf dem Überzug.

26. Von größerem Gefäß mit wagerecht durchbohrter Henkelöse (wie an den Bronzekesseln Tumulus III, Nr. 49—54). Gelber Ton, außen hellroter Überzug, darin anscheinend ausgesperrte Streifen mit senkrechten schwarzen Strichen (K.) (Abb. 164).

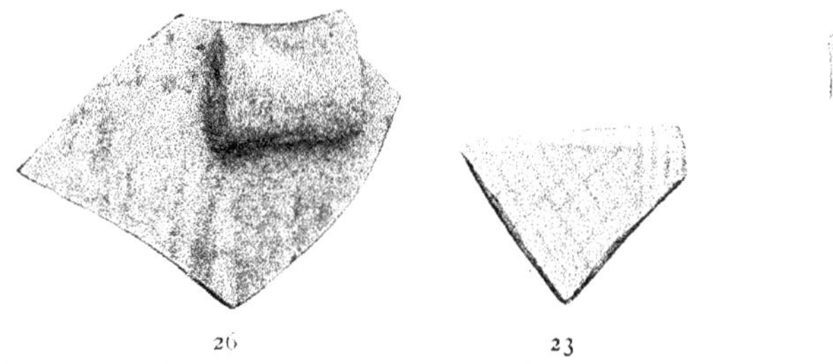

Abb. 164. Scherben mit Mattmalerei auf weißem Überzuge (engobe).

Abb. 165. Scherbe Nr. 27.

27. Von größerem, gradwandigem (nicht bauchigem) Gefäß. Gelber, nicht ganz reiner Ton, weißer Überzug, darauf Malerei in matten Farben, die durch Überpolieren hier und da etwas Glanz haben. Der breite Streifen ist braungelb, das Ornament darüber schwarz mit dunkelroter Füllung, die großen Zacken unten schwarz (Abb. 165). Hellenistisch?

27a. Bruchstück von ähnlichem Gefäß, dieselbe Technik. Der breite Streifen ist rot.

Galatische Ware (?).

Die folgenden Scherben Nr. 28—32 bilden eine nach Technik und Dekoration zusammengehörige Gruppe.

28. Randstück von größerer Schüssel. Grober, hellgelber im Innern des Bruches grauer Ton. Rand und Inneres mit Rot überzogen und überpoliert. Am Rande sitzt nach außen ein tongrundig gelassener Rindskopf mit in mattem Schwarz gemalten Augen und Streif um das Maul, dessen Ende fehlt. Die Ausführung ist recht unbeholfen (Abb. 166).

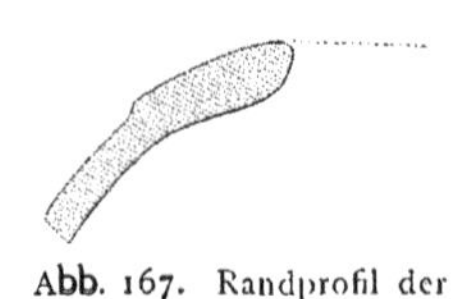

Abb. 167. Randprofil der Scherbe 29 (Taf. 9).

29. Randstück eines Napfes. Rötlicher, grober Ton, im Innern des Bruches grau. Die Außenseite anscheinend ganz überzogen mit Braunrot und Weiß, Verzierung in mattem Schwarz und Dunkelrot. Das Ganze war überpoliert. Taf. 9; das Randprofil beistehend (Abb. 167).

30. Zwei Scherben von ähnlichen Gefäßen, Überzug in Dunkelrot und Weiß.

31. Randstück eines Topfes oder Kruges. Gelblicher grober Ton, im Innern des Bruches grau. Außen überzogen mit dunkelvioletter Farbe, darin ausgespart ein mit Weiß überzogenes Feld mit linearer Verzierung in Schwarz. Die Lippe war ebenfalls weiß. Der violette Überzug ist poliert (Abb. 166).

Abb. 166. Scherben mit Mattmalerei auf rotem und weißem Überzug.

32. Hals und Schulterstück von einer Kanne. Dünnwandiger als die vorigen, roter, nicht ganz reiner, besser durchgebrannter Ton. Die Außenseite geglättet und poliert, darauf schmaler weißer Streifen, schwarz umrahmt und in Felder geteilt, die je mit einem Punkt gefüllt sind (Abb. 166).

Ein diesen Scherben außerordentlich ähnliches Gefäß aus Lezoux (dép. Puy-de-Dôme) in Südfrankreich ist *Gaz. archéol.* VII (1880) Taf. 3 farbig wiedergegeben und die Ausführungen von A. Plicque ebenda S. 17—22 lassen erkennen, daß die dort hergestellte gallische Töpferware in der Technik (weiße engobe, neben einem Überzuge von roter Farbe, das ganze Gefäß überpoliert) nahe Berührungspunkte mit unseren Scherben bietet.

Dieser Gruppe schließen wir eine andere an, welche auf weißem Überzug (engobe) Firnis- und Mattmalerei nebeneinander zeigt. Der Ton ist hell, gelblich bis rötlichgelb, stark glimmerhaltig, die Innenseite sorgfältig poliert.

33. Kleines Randstück von Becher. Dekor in Mattmalerei, überpoliert, so daß ein gleichmäßiger Glanz entsteht, der auf den Farbsteifen am hellsten ist. Taf. 9.

34. Dieselbe Technik, der Glanz nur stellenweise auf den Farbstrichen erhalten. Taf. 9.

35. Nur teilweise überzogen? Unten tongrundiger polierter Streifen; es ist nicht zu entscheiden, ob der Überzug dort nur abgescheuert ist. Dekor in mattem Schwarz und leuchtend rotem Firnis (Abb. 168).

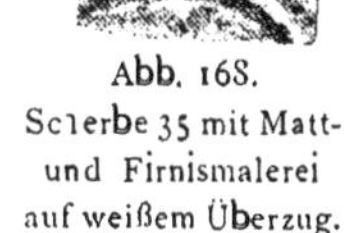

Abb. 168. Scherbe 35 mit Matt- und Firnismalerei auf weißem Überzug.

36. Randstück von Becher. Sehr verscheuert. War außen, der Rand auch innen mit weißer engobe überzogen, darauf Ringe in mattem Schwarz und leuchtendem Rot (Firnis).

Verwandt ist der Tecknik nach:

37. Tellerförmiger Fuß mit hohlem Schaft von einer Schale. Dunkelroter, glimmerhaltiger Ton, weißer Überzug, darauf Verzierung in hellrotem Firnis und mattem Schwarz. Die Unterseite mit demselben dünner aufgetragenen und darum stumpferen Firnis überzogen. Taf. 10.

Zuerst durch R. Zahn wurde ich darauf hingewiesen, daß einige Stücke der beiden zuletzt besprochenen Gruppen eine auffallende Verwandtschaft mit Produkten der Spät-La-Tène-Keramik zeigten, von denen er Proben im Römisch-Germanischen Zentralmuseum in Mainz gesehen hatte. Nähere Angaben verdanke ich den Herren Professor Schumacher und Dr. P. Reinecke vom genannten Museum, denen durch Zahns gütige Vermittlung die betreffenden Scherben vorgelegen haben. Danach zeigen insbesondere die Nr. 31, 33 und 35 eine derartige Ähnlichkeit mit der bemalten gallischen Keramik Frankreichs, des linken Rheinufers, Böhmens usw., daß man sie, wären sie dort gefunden, ohne weiteres demselben Kreise und den I. Jahrhundert v. Chr. zuweisen würde. Herr Schumacher hebt noch hervor, daß das Randprofil von Nr. 29 unter den Funden des Mont Beuvray mehrfach wiederkehre.

Der Schluß, daß wir es bei den Scherben von Gordion mit Produkten der Galater, sei es aus der alten Heimat importierten, sei es in der neuen phrygischen hergestellten, zu tun haben, ist somit sehr verlockend. Indessen warnen beide Herren, wie mir scheint, mit vollem Recht, davor, ihn ohne weiteres als sicher zu betrachten. Ein ethnographisches Merkmal wohne der bemalten Spät-La-Tène-Keramik nicht inne; der fremde, wohl griechische Einfluß, unter dem sie steht, lasse sich einstweilen noch nicht näher fixieren.

Er kann unabhängig von jener in Kleinasien schon wesentlich früher ähnliche Erscheinungen hervorgerufen haben. Da ferner einerseits die Vergleichsmomente in Ornamenten, (nam. Wellenlinien), Farben (leuchtendes Rot und Violett neben Schwarz, auf weißer engobe) und Technik (Firnisfarbe) nicht charakteristisch genug sind, um gleichen Ursprung zu bedingen, andererseits weitere charakteristische Erzeugnisse der Spät-La-Tène-Kultur in Gordion nicht gefunden worden sind, so glauben wir uns mit diesem Hinweise begnügen und vorläufig mit einer bestimmten Entscheidung zurückhalten zu sollen, um so mehr als die wenigen von uns gefundenen Scherben als Vergleichsmaterial nicht ausreichen, um ganz sichere Schlüsse zu gewinnen.

Mattmalerei auf Firnisgrund.

38. Drei Bruchstücke, anscheinend von demselben großen Gefäß (Krater oder Napf). Gelblich roter, nicht ganz reiner, gut gebrannter Ton. Die Außenseite mit matter, dünn und streifig aufgetragener (schlechter Firnis-)Farbe überzogen, darauf Bemalung in mattem Schwarz und Dunkelrot. Die Innenseite mit mattglänzendem, ebenfalls dünn und ungleichmäßig aufgetragenem Firnis überzogen. Taf. 10.

Es waren anscheinend einzelne Tierfiguren in durch Ornamentstreifen (Mäander) abgegrenzten Feldern dargestellt.

a) Vogel nach rechts. Hals und Schwanzstück rot, der Körper schuppenartig gemalt mit roten Flecken und kleinen schwarzen Tupfen. Oben umlaufender schmaler schwarzer Streif, der den Vogelkopf durchschneidet.

b) Kopf, anscheinend eines vierfüßigen Tieres (Hindin?) nach rechts. Der Hals ist dunkelrot, im Felde Punktrosetten, rechts Mäander; in dem rechts anstoßenden Feld Ansatz einer Figur.

c) Unsicherer Rest eines tierischen Körpers, am wahrscheinlichsten wohl Hinterteil mit nach aufwärts gekrümmtem kurzem Schwanz eines nach links gewandten vierfüßigen Tieres. Die Spirale innerhalb kann nicht ein Auge darstellen, wie der Vergleich von a und b lehrt. Oben derselbe schmale Streif wie in a, rechts Mäander. Oben nahe dem Gefäßrand ist auf einem tongrundigen Streifen eine Wellenlinie in Rot gemalt. Die Gefäßwand ist hier wesentlich schwächer als unten.

Verwandter Art scheinen die bei Chantre, *Mission en Cappadoce*, pl. XI, 1 und XIV, 7 abgebildeten Scherben zu sein (Tell de Kara-Euyuk); auch sonst soll Ähnliches in Kappadokien gefunden sein. Auf ähnliche Scherben aus Sebastopol im Brit. Museum hat mich R. Zahn aufmerksam gemacht.

Trotz des archaischen Aussehens ist diese Ware vielleicht spät.

Mattmalerei auf Tongrund, innen und am Rand Firnisüberzug.

39. Randstück eines dünnwandigen Bechers. Ton blaßrot, unrein, außen sorgfältig geglättet (matter Glanz). Lippe und Inneres mit ziegelroter matter (Firnis-?) Farbe überzogen, außen geometrische Ornamentierung in mattem Schwarz. Taf. 9.

Gleich oder nahe verwandt den von Winter veröffentlichten Scherben aus Karien *Ath. Mitt.* XII (1887) 226, 4, Taf. VI.

---

40. Unterteil einer Lekythos, Schulter ausladend, nach unten stark verjüngt. Roter Ton, Reste eines feinen weißen Überzuges, auf welchem umlaufende Streifen in Rot gemalt waren. Höhe bis zur Schulter 0,09 m. Sehr dünnwandig, hat anscheinend durch Feuer gelitten, daher grau gefärbt.

Nach Form und Technik (ähnliches ist z. B. in Priene gefunden) hellenistisch.

b) Firnismalerei.

Altrhodisch (milesisch?).[76])

41. Fuß von einer Schale, tellerförmig verbreitert. Ziegelroter, etwas glimmerhaltiger Ton, gut gebrannt. Feiner weißer Überzug, darauf, um die Standplatte und den Schaftansatz schmale Streifen durch zahnartige senkrechte Glieder verbunden, in braunem bis ins rötliche spielendem Firnis.

Der Fuß entspricht nach Ton und Technik dem einer Schale aus Pitane in der Aeolis im Museum zu Konstantinopel (Pot. 2294), dieser wiederum eine auf Rhodos, in Kameiros, gefundene des Berliner Museums Biliotti 182; vgl. Furtwängler, *Vasens.* Nr. 297.

42. Trichterförmiger Fuß eines Bechers. Etwas blasserer Ton, weißer Überzug, darauf leuchtend rote Firnisstreifen. Das Innere des Bechers hatte einen Firnisüberzug von derselben Farbe, ebenso ist das Innere des Trichters mit etwas verdünntem Firnis überzogen (Abb. 169).

Sehr ähnlich ist der Fuß eines Bechers von Pitane (Konst. Pot. 2267, die Außenseite mit sitzenden Sphingen (Reste von dreien erhalten, vier waren vorhanden,

Abb. 169. Trichterförmiger Fuß eines Bechers Nr. 42.

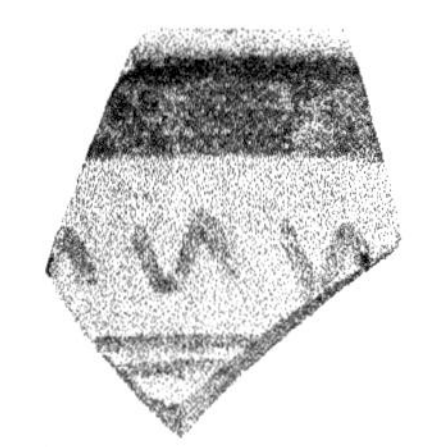

Abb. 170. Randstück einer milesischen Kanne (43 b).

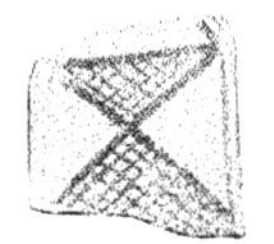

Abb. 171. Henkelstück 44.

die Köpfe in Konturzeichnung) und den gewöhnlichen Füllmotiven mit dunkler Firnisfarbe auf weißem Grund, das Innere mit Ornamenten, namentlich Rosetten und Lotosblüten, in Weiß und Violett auf dunklem Firnisgrund bemalt), dem wiederum nach Form und Dekor entspricht der aus Rhodos stammende in Berlin Nr. 1646.

Milesisch.

43. Vier Scherben der in Tumulus II (Nr. 26, 27) gefundenen gewöhnlichen Ware (vgl. S. 118, Abb. 97):

a) Randstück von Amphora.

b) Randstück von Kanne (Abb. 170).

c) Zwei Scherben mit schwarzen Streifen.

---

44. Flaches Henkelstück von Amphora. Grober, unreiner Ton von gelblicher Farbe, im Innern des Bruches grau. Oberfläche geglättet, darauf zwei Dreiecke mit Gitterwerk gefüllt (Abb. 171). Unbekannte Fabrik.

---

[76]) Vgl. Boehlau, *Nekropolen*, S. 75ff. nach Loeschckes sehr ansprechender Vermutung.

45. Randstück eines tiefen Napfes (wie z. B. *Naukratis* pl. X, 11) mit glatter, nicht abgesetzter Lippe und dicht unter dieser wagerecht ansetzendem Henkel. Blaßroter, glimmerhaltiger Ton, schwarzer etwas stumpfer Firnis. Mit diesem war das ganze Gefäß überzogen, der Henkelstreifen hat einen weißen Überzug, auf welchen ein Maeander gemalt ist.

Die ganze Herstellung ist ziemlich nachlässig. Vermutlich aus einer Fabrik des griechischen Ostens (Abb. 172).

---

46. Kleines Bruchstück eines bauchigen Gefäßes, gelblich roter Ton, im Innern des Bruches trotz der Dünnheit der Wandung grau; braunroter Firnis. In

Abb. 172.
Randstück eines Napfes 45.

Abb. 173.
Scherbe 46.

Abb. 174.
Protokorinthischer Napf 47.

einem ausgesparten Felde war eine figürliche Darstellung; man erkennt die Füße eines Vogels. Die Zeichnung ist nicht besonders sorgfältig, trägt archaischen Charakter. Unbekannte Fabrik (Abb. 173).

Protokorinthisch.

47. Gelblicher Ton, schwarzer, ins dunkelbraune spielender Firnis. Sehr dünnwandiges Gefäß (Napf); ein großer Teil des Körpers fehlt, nur ein kleines Stück des Randes erhalten. H. 0,07. Nahe der Lippe zwei schmale Streifen in aufgesetztem Dunkelrot, zwei ebensolche unten nahe dem Fuß, darunter tongrundiger Streifen durch Firnisstrich abgegrenzt und mit schräg laufenden Strichen gefüllt (Abb. 174).

Korinthisch.

48. Henkelstück eines Napfes, gelber Ton, dünner, stellenweise rötlicher Firnis, ziemlich nachlässige Zeichnung; aufgesetztes Violettrot. Von der Darstellung sind nur Teile zweier abgewandt von einander stehender Löwen erhalten. Flüchtige Füllrosetten. Das Innere schwarz gefirnißt mit zwei violetten Streifen (K.) (Abb. 175).

Abb. 175. Henkelstück eines korinthischen Napfes 48.

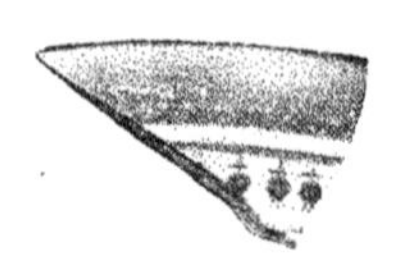

Abb. 176. Randstück von kyrenaeischer Schale 49.

Kyrenaeisch.

49. Randstück einer Schale mit scharf abgesetztem Rand. Außen: der obere Teil des Randes schwarz gefirnißt, dann folgt tongrundiger Streifen, auf diesem Granatapfelornament nach unten. Innen: schwarz gefirnißt; Lippe und Absatz nach dem Bauch hin haben einen schmalen tongrundigen Streifen. Sorgfältige Technik (Abb. 176).

Attisch, schwarzfigurig.

50a. Zwei aneinanderpassende Bruchstücke einer Kleinmeisterschale mit scharf abgesetztem Rand und horizontalstehendem, nur unmerklich aufwärts geschwungenem Henkel. Aufgesetztes Rot. Auf dem Henkelstreifen: Sirene mit ausgebreiteten Flügeln, Panther, aufrechtstehende durch Ranke mit dem Henkel verbundene Palmette (K.) (Abb. 177).

b) Nicht anpassendes Stück: Ende des Vogelschwanzes der Sirene und Vorderfüße eines nach rechts gewandten Panthers. Innen (a) schmale tongrundige Streifen an der Lippe und am Absatz des Randes sowie unten nach dem Boden hin. Ein nach Form und Dekoration nächst verwandtes Stück hat mir R. Zahn in der Schale des Athenischen Nationalmuseums Nr. 533 nachgewiesen.

Abb. 177. Bruckstücke einer attischen Kleinmeisterschale 50a.

Abb. 178. Bruchstück vom Innenbild einer attischen Kleinmeisterschale 51.

51. Bruchstück vom Innenbild einer Kleinmeisterschale. Frauenkopf (aufgesetztes Weiß abgerieben) mit rotem Band im Haar nach l., links anscheinend Rest eines Flügels, also vermutlich Sirene mit entfalteten Flügeln. Umrahmung; Stabornament, abwechselnd rot und schwarz (Spuren der weißen Punkte oben zwischen den einzelnen Gliedern deutlich) zwischen zwei Doppelpunktreihen. Äußerst fein und sorgfältig. Außen, der oberen Punktreihe entsprechend, tongrundiger Streifen (Abb. 178).

52. Mittelstück des Innenbildes mit einem Teil des hohlen trichterförmigen Fußes. von einer Kleinmeisterschale. Anscheinend nach links gewandte Sirene mit ausgebreiteten Flügeln. Aufgesetztes Rot und Spuren von Weiß erhalten. Äußerst feine und sorgfältige Zeichnung und Töpferarbeit. Ist durch Einwirkung von Feuer grau gefärbt.

53. Schulterstück einer Lekythos. Knospengeschlinge.

Attisch, rotfigurig.

54. Bruchstück eines großen Gefäßes. Oberschenkel eines nach rechts stehenden nackten infibulierten Jünglings. Feine Zeichnung, Innenzeichnung mit verdünntem Firnis. Am Nordrand des Stadthügels gefunden, s. S. 147 (Abb. 179).

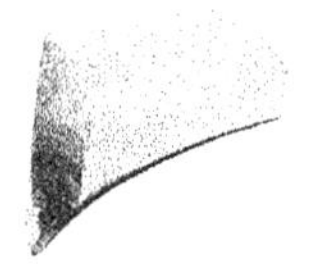

Abb. 179. Attisch r. f. Scherbe 54.

Abb. 180. Scherbe von r. f. attischer Schale 50.

55. Bruchstuck einer Schale. Unterteil eines mit ganz kurzem Chiton bekleideten Jünglings nach rechts. Nicht so fein wie das vorige, hochroter Ton (Abb. 180).

55a. Randstück eines großen Glockenkraters, mit schönem Kymation verziert. Am 19. Juni in geringer Tiefe gefunden (K.).

---

56. Mündung einer großen Lekythos (Dm. 0,055) mit feinem schwarzem Firnis. Das Innere der Mündung gefirnißt.

57. Mündung einer kleinen Lekythos (Dm. 0,035) von weniger feiner Arbeit; das Innere der Mündung ungefirnißt, außen ist der Firnis großenteils abgesprungen.

58. Unterteil ohne Fuß einer Lekythos, deren Körper weißgrundig war; Reste eines mit Firnisfarbe aufgemalten Maeanders erkennbar.

59. Randstück eines kleinen Napfes mit Wulstfuß, feinster schwarzer Firnis, sonst unverziert.

59a. Vier Bruchstücke von Gefäßen mit gutem schwarzem Firnis, darunter der Fuß einer Schale mit eingeritztem Ǝ.

60. Randstück eines Napfes, stark abgesetzt. Der Rand ist glänzend schwarz, der Bruch innen und außen leuchtend rot gefirnißt, die Außenseite horizontal gerieft. Die Verwendung des roten und schwarzen Firnisses nebeneinander ist in der attischen Keramik vom Anfang bis etwas über die Mitte des V. Jahrhunderts zu belegen. In die ältere Zeit fallen die Schalen des Epilykos, in die jüngere Näpfe und Schalen aus der Fabrik des Sotades und Hegesibulos. Vgl. R. Zahn in der Besprechung von Pottier, *vases ant. du Louvre,* IIe serie, in *Berl. phil. Woch.* 1902 Sp. 1266f. Die Näpfe des Sotades (aus der Sammlung van Branteghem ins Brit. Museum gelangt) zeigen nach freundlicher brieflicher Mitteilung von Zahn gleich unserer Schale außen horizontale Riefelung, aber im Unterschied von dieser im unteren Teil statt des Firnisses Bemalung in matten Deckfarben. Ein dem unsrigen genau entsprechendes vollständiges Gefäß aus Capua ist vor kurzem für das Berliner Museum erworben worden.

Marmorierte Ware (samisch?)

Mehr oder weniger verdünnter Firnis, dessen Farbe von dunkelbraun bis ins Rote spielt, ist anscheinend mit einem Schwämmchen, welches bald mehr, bald weniger stark angedrückt wurde, aufgetragen und zwar sowohl horizontal um den Körper des Gefäßes herum, wie vertikal, von oben nach unten, oder endlich in Parallelstreifen (auf einer Schüssel), so daß eine Art Marmorierung entsteht (Abb. 181).

61. Von einem größeren bauchigen Gefäß. Die Marmorierung geht von oben nach unten. Über dieselbe ein Horizontalstreifen in aufgesetztem Rot. Ton blaßgelb, homogen, nicht stark gebrannt.

62. Mittelstück einer flachen Schale mit (abgebrochenem) Fuß. Marmorierung innen in horizontalen Parallelstreifen, außen in konzentrischen. Ton im Bruch ziegelrot, stark glimmerhaltig. — Es ist noch ein verwandtes Stück, ebenfalls von einer Schale, vorhanden. Firnis rötlich. Ton ziegelrot.

63. Von einem kleineren bauchigen Gefäß. Marmorierung in rötlichem Firnis von oben nach unten. Ton ziegelrot, gut gebrannt.

64. Von größerem Gefäß, Firnis dunkelbraun, horizontale Marmorierung. Ton ziegelrot, im Innern des Bruches grau, stark glimmerhaltig. (K., ähnliches Bruchstück in Berlin).

Häufig angewendet findet sich diese eigentümliche Art der Verzierung in der Nekropole von Samos an den »Kugelgefäßen«, welche dort die ständige und oft einzige Beigabe der Toten bilden (s. Boehlau, *Nekropolen*, S. 36, 145, Taf. VIII, 5, 6) ferner an den gleichformigen Gefäßen aus dem Alyattesgrab (Perrot-Chipiez V, 305 Fig. 537) und vereinzelten aus Italien, wie deren eines aus Gerhards Nachlaß in den Besitz des Berliner Museums gelangt ist (Inv. 2343). Man hat die eigentümliche Musterung auf die Nachahmung phönizischer Glasware zurückgeführt, Boehlau für diese und die Form auf ägyptische Vorbilder in Stein (das von ihm Fig. 68 abgebildete trägt die Kartusche Thuthmes I) hingewiesen.

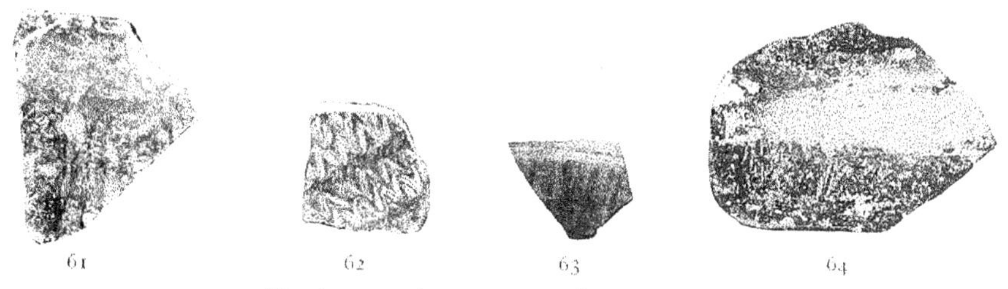

Abb. 181. Scherben mit Marmorierung (samisch?).

Von unseren Scherben könnten Nr. 61 und 64 von größeren »Kugelgefäßen« herrühren. Neu ist, soviel ich sehe, die Übertragung dieser Verzierungsweise auf Gefäße ganz abweichender Form, wie die Schale. Man scheint also im sechsten Jahrhundert besonderes Gefallen an ihr gefunden zu haben, und zwar nicht nur an einem Orte, oder im griechischen Osten. Denn an dem Fuße des großen Deinos im Museo Gregoriano (s. Reisch in Helbigs *Führer*[2] II, 294 Nr. 1204, *Mus. Greg.* II, 90) ist das oberste kugelförmige Glied in derselben Weise verziert. Das Gefäß ist frühattisch[77]), den Vurvá-Vasen nahestehend. Den Nachweis verdanke ich R. Zahn; auf einer von ihm mitgeteilten Originalphotographie ist die Marmorierung deutlich erkennbar. Wenn demnach diese Ware auch nicht ausschließlich Samos zugewiesen werden darf, so stammen die in Gordion gefundenen Gefäße doch höchstwahrscheinlich von dort.

Verwandte Gattung:

65. Bruchstück von größerem Gefäß. Gelber, im Innern des Bruches grauer, glimmerhaltiger Ton, Oberfläche sorgfältig geglättet. Breiter Streifen in rötlichem Firnis, dann schmalerer wellenförmig gewischter Streifen, darauf Strahlen, endlich: schmaler Streifen in dunklem Firnis.

[77]) In der Gesamtform verwandt, etwas jünger ist der Deinos im Louvre, Pottier, *v. a.*, E. 874, pl. 61.

Verwandte Gattung:

66. Bruchstück eines bauchigen (kugelförmigen?) Gefäßes mit Halsansatz. Braunroter, im Innern des Bruches grauer, glimmerhaltiger Ton. Verzierung mit Streifen in schwarzem Firnis, sehr nahe aneinander (Abb. 182).

Abb. 182. Scherbe von kugelförmigem (?) Gefäß mit Firnisstreifen 66.

Eine Kugelvase mit derselben Verzierung aus dem Alyattes-Grabe ist bei Perrot-Chipiez V, 293, Fig. 194 abgebildet, gleichartige Scherben sind ferner in Tumulus V gefunden worden (Nr. 3, s. S. 143, Abb. 128), wodurch die Gattung als dem VI. Jahrhundert angehörig erwiesen wird. Andere ebenda gefundene (Nr. 4, s. S. 144, Abb. 129), zeigen die Streifen ineinanderfließend, verwischt, wie die folgende jüngere Gattung, aber, zum Unterschied von dieser, dunkeln, nicht roten Firnis.

Hellenistische Ware ähnlicher Art.

67. Mehrere Fragmente eines großen bauchigen Gefäßes mit abgesetztem Ringfuß und enger Mündung. Ziegelroter glimmerhaltiger Ton, Überzug von dünn aufgetragenem rotem, stark metallisch glänzendem Firnis, darauf Gruppen von schmalen, schwarzen Ringen. Die Form des Gefäßes ist in Abb. 183 nach einer Zeichnung von M. Lübke wiederhergestellt; als Vorbild diente ein kleines (Höhe 0,085 m) Gefäß von Priene (V. Inv. 3857) aus hellem Ton, ohne Verzierung, der Oberteil mit rotem Firnis überzogen.

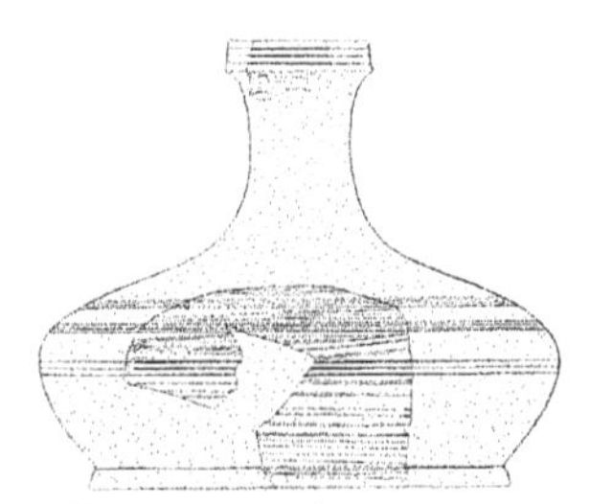

Abb. 183. Bauchige Flasche 67, Wiederherstellung.

68. Zwei Bruchstücke von Lippe und Hals eines Gefäßes ähnlicher Form. Ziegelroter, stark glimmerhaltiger Ton. Lippe und innerer Mündungsrand sind mit leuchtend rotem, stark glänzendem Firnis überzogen, die Außenseite mit umlaufenden, bald dicker, bald dünner aufgetragenen Firnisstreifen verziert.

69. Bruchstück eines kleineren Gefäßes. Blaßroter glimmerhaltiger Ton, im Innern des Bruches durch unvollkommenen Brand grau. Verziert mit ineinander fließenden umlaufenden Streifen von sehr verdünntem Firnis; außerdem ist ein schmaler dunklerer Streifen vorhanden.

Gewöhnliche hellenistische Ware.

Meist heller Ton, z. T. mangelhaft gebrannt, mit einfacher Verzierung in braunem bis rötlichem Firnis. Neun Bruchstücke von größeren und kleineren Gefäßen verschiedener Form, darunter bemerkenswert die hierneben abgebildeten (Abb. 184).

70. Inneres eines kleinen Napfes mit Wulstfuß.

71. Bruchstück eines großen Gefäßes mit flüchtig gemaltem Zweig.

72. Randstück eines Napfes mit Schnurhenkel, brauner Firnis. Ferner:

73. Auffallend dickwandiger Topf ohne Henkel und Fuß, nach unten etwas zugespitzt. Höhe 0,08 m. Ein gleichartiger oben unvollständiger ist noch im Berliner Museum, mehrere andere in Konstantinopel.

74. Größeres bauchiges Gefäß mit engem Hals, Mündung fehlt, ebenso der nach dem Ansatz senkrechte, breite, aber dünne Henkel. Einzelne Pinselstriche dünnen braunen Firnisses. Höhe 0,18 m (K.).

Abb. 184. Gewöhnliche hellenistische Ware mit einfachen Verzierungen in Firnismalerei.

Ähnliche Ware, heller Ton, Verzierung mit Streifen in ganz stumpfem, rotem Firnis:

75. Fünf Fragmente von flachen Schüsseln und Näpfen mit Wulstfuß.

Dieser Gattung verwandt:

76. Randstück eines Bechers, dünnwandig, außen Streifen sowie Kreuze in stumpfem rotem Firnis, mit welchem auch das Innere überzogen ist (Abb. 185).

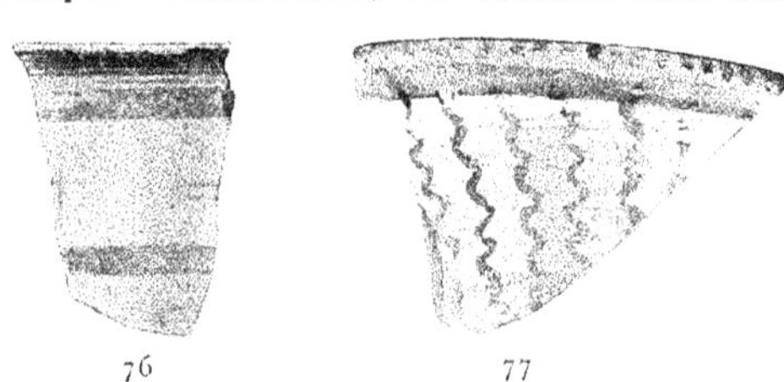

Abb. 185. Hellenistische Ware mit Verzierungen in stumpfer Firnisfarbe.

Abb. 186. Schwarzgefirnißte hellenistische Ware mit Riefelung 78.

77. Randstück von größerem Gefäß mit weiter Mündung. Streifen an der Lippe, innen und außen; ferner außen senkrechte flüchtige Wellenlinien in demselben Firnis (Abb. 185).

Hellenistische Ware mit metallisch glänzendem schwarzem Firnis und Riefelung.

78. Sechs Bruchstücke, z. T. ziemlich dickwandig, also von größeren Gefäßen; das Abb. 186 abgebildete (von einem Becher mit Fuß) in Konstantinopel. Gefäße

dieser Art sind in Phrygien in der alten Bucchero-Technik nachgemacht worden, was für die lange Übung dieser letzteren einen interessanten Beleg gibt.

Glatte hellenistische Ware.

Der Firnis hat metallischen Glanz und steht dem attischen an Güte erheblich nach.

79. Vier Bruchstücke von dünnwandigen Schalen oder Bechern, mit Rankenwerk in pastos aufgetragenem Rot (Tonschlicker) bemalt. Drei davon sind Randstücke, eines (b) zeigt einen Bleiniet von einer im Altertum vorgenommenen Reparatur (Abb. 187).

79a

79b

79c

Abb. 187. Hellenistische Ware mit Rankenwerk in aufgesetztem Rot (Tonschlicker).

Über diese seit dem III. Jahrhundert v. Chr. übliche Gattung s. Watzinger, *Athen. Mitt.* XXVI (1901), S. 67ff. Auch in Pergamon ist sie vertreten (s. Conze, *Kleinfunde aus Pergamon, Abh. d. Berl. Akad. a. d. J. 1902*, S. 22.

80. Bruchstück eines großen Gefäßes mit in Weiß und Rot dünn aufgemaltem Rankenwerk. Ziemlich dickwandig, im Bruche grau (Abb. 188).

Die Gattung gehört mit der vorerwähnten zusammen.

Abb. 188. Scherbe mit Rankenwerk in Weiß und Rot 80.

81a

81b

Abb. 189. Bruchstücke von Näpfen mit eingedrückten Verzierungen.

81. Fünf Bruchstücke, sämtlich von Näpfen, mit eingedrückten Palmetten (a) oder mit dem Rädchen hergestellten, konzentrisch angeordneten Eindrücken (b) verziert. Eins zeigt braune Farbe, nach R. Zahns Vermutung dadurch entstanden, daß die Gefäße im Brennofen ineinander gestellt wurden (Abb. 189).

Diese Gattung schließt direkt an Attisches an und reicht bis ins IV. Jahrhundert hinauf. Ein Exemplar aus Pergamon mit glänzendem, tief schwarzem Firnis wird von Conze (a. a. O. 16, Taf. 3) als aus Attika importiert angesehen und an die Grenze des V. und IV. Jahrhunderts gesetzt. Die unsrigen zeigen den geringeren hellenistischen Firnis.

82. Fünf Bruchstücke von Gefäßen verschiedener Form nur mit Firnisüberzug, der auf der Außenseite manchmal nur in Klecksen aufgetragen und irisierend ist. Eins (von Kanne?) hat außen schwarzen, innen hellroten Firnis; außen sind Spuren von zwei Bleinieten erhalten. Diese Gattung bildet den Übergang zu der folgenden roten Ware.

Abb. 190. 83a—l rote Firnis-, m glasierte Ware (Terra sigillata).

Rote Firnis- und glasierte Ware (Terra sigillata).

83. Von den ziemlich zahlreichen (über 30) hieber gehörigen Scherben sind weitaus die meisten mit einem Firnisüberzug versehen, dessen Farbe von Hochrot bis Orange und Braun wechselt. Er ist meist nicht gleichmäßig aufgetragen, namentlich auf der Außenseite der Gefäße, welche mehrfach teilweise ungefirnißt gelassen ist. Die Gefäße selbst sind dünnwandig, gut gebrannt und scharf profiliert. Wir heben die folgenden Stücke, bei denen die Gefäßform meist noch zu erkennen ist, hervor unter Verweisung auf die beistehende Abbildung 190.

a) Becher mit Ringhenkel und niedrigem Wulstfuß.

b) Tiefer Napf. Der hellrote Firnis sehr ungleichmäßig aufgetragen.

c) Flache Schüssel mit Stempel in Gestalt einer Fußsohle.

d) Dieselbe Form. Stempel: halber mit Sandale bekleideter Fuß. Bräunlicher Firnis.

e) Tiefes, tassenartiges Gefäß mit flachem Boden und ausgeschweiftem Kontur.

f) Randstück einer Büchse mit Schnurhenkel; nur außen gefirnißt.

g) Randstück von großem Gefäß, auf dem Rande Zacken in Relief; wesentlich dickwandiger als die übrigen Stücke. Zu dieser Klasse gehört endlich:

h) Scherbe (Gefäßform nicht zu bestimmen) mit der eingeritzten Inschrift 'Απο . . . (s. oben »Inschriften« Nr. 10). Technisch ist dieses Stück schlechter als die meisten andern.

Nur wenige Stücke zeigen gleichmäßigen Auftrag und schöne hellrote Färbung des Firnisses. So:

i), k) Randstücke von flachen Tellern; bei dem größeren (k) ist nur ein Teil der Außenseite mit Firnis überzogen.

l) Randstück von einer Schüssel mit horizontal ansitzendem geschwungenem Henkel. Von eigentlicher Terra sigillata mit schöner hellroter Glasur (welche im Gegensatz zu der Firnisware kein Wasser aufnimmt) sind nur

m) zwei Stücke eines Tellers mit Ringfuß zu verzeichnen; die Innenseite zeigt bis auf den Rand bräunliche Färbung.

H. Dragendorff[78]) hat überzeugend nachgewiesen, daß die »rote« Keramik sich allmählich aus der schwarzen Firniskeramik entwickelt hat, und zwar wird es immer wahrscheinlicher, daß der Ursprung dieser Entwicklung in Griechenland und dem griechischen Osten zu suchen ist. Stücke wie das unter Nr. 82 erwähnte mit der Verbindung von schwarzem und rotem Firnis veranschaulichen den Zusammenhang beider Gattungen. Etwa seit dem III. Jahrhundert v. Chr. ist dieses rote Geschirr in Kleinasien und Südrußland fabriziert worden. Ein Mittelpunkt der Fabrikation in Kleinasien war Pergamon.[79]) Der zunächst im Anschluß an die ältere Technik verwendete Firnis geht allmählich in eine Glasur über. Beide Techniken spielen, wie Dragendorff zu den südrussischen Gefäßen bemerkt (*B. J.* H. 101, S. 143), in einander über, ohne daß wir eine sichere Grenze zwischen ihnen ziehen könnten.

Da die große Mehrzahl der von uns gefundenen noch die ältere Technik zeigt, so dürfen wir sie unbedenklich noch in hellenistische Zeit setzen. Wohl möglich ist es, daß die Ausläufer dieser Technik bis in die römische Zeit hinabreichen, worauf die Buchstabenformen in 83 h zu führen scheinen. Wann zuerst echte Glasur verwendet ist, läßt sich zur Zeit nicht bestimmen.

78) *Terra sigillata, Bonner Jahrb.* H. 96, S. 25 ff., 32; H. 101, S. 140 ff. Dem Verf. bin ich auch für wertvolle briefliche Mitteilungen zu Dank verpflichtet.

79) Vgl. Conze, »*Die Kleinfunde aus Pergamon*« in *Abhandl. d. Berl. Akad. d. W. v. J. 1902* (Berlin 1903), S. 22.

Von besonderem Interesse ist es, daß allem Anscheine nach in Phrygien selbst, in der Nähe von Gordion, dieses rote Geschirr fabriziert worden ist. Durch unsern Freund, den Bahnmeister Tria, erfuhren wir, daß dicht bei dessen Wohnort, der Eisenbahnstation Polatly (der nächsten von Beylik-Köprü, an der Linie nach Angora), beim Kiesgraben zahlreiche Bruchstücke dieser roten Ware gefunden seien. In der Tat sammelten wir bei einem Ausfluge am 9. Juli 1900 unter seiner freundlichen Führung dicht an der Bahn bei Kilom. 487 unter den massenhaft umherliegenden Scherben eine ganze Anzahl Probestücke auf. Einen Monat später berichtete er, daß er auch die Fundamente eines Töpferofens gefunden habe. Leider war es uns nicht möglich, da sich im August in Gordion Arbeit und Funde häuften, unseren Besuch zu wiederholen, um selbst die letztere interessante Tatsache festzustellen. Das massenhafte Vorkommen der Scherben läßt übrigens schon an sich fast mit Notwendigkeit auf einen gewerbsmäßigen Betrieb der Töpferei schließen, umso mehr als höchstens eine größere Ortschaft, nicht eine bedeutendere Stadt, im Altertum dort bestanden haben kann. Auf denselben Schluß führt die unten beschriebene Form. Die aufgelesenen Scherben entsprechen im ganzen durchaus den von uns in Gordion gefundenen. Alle zeigen Firnisüberzug, eine roten und (schlechten) schwarzen vereinigt. Ein Fragment von einem flachen Teller hat auf der Innenfläche eine Verzierung von leicht eingedrückten radialen Strichen mit leuchtend rotem Firnis überzogen. Die Farbe des Firnisses wechselt wie bei den Scherben von Gordion von Rot bis zu Orange und Braun, der Auftrag ist meist nicht gleichmäßig und bedeckte das Gefäß nicht ganz. Auch Dragendorff, dem ich die Scherben zur Ansicht sandte, hält sie für alt, d. h. noch in hellenistische Zeit hinaufreichend. Daß die Fabrikation aber bis in römische Zeit gedauert hat, beweist eine Form aus rotem, gut gebranntem Ton (0,05 m lang, 0,016 m dick). Sie stellt eine Weintraube mit Stiel dar und diente zur Herstellung einer Reliefverzierung an einem größeren Gefäß. Auf der einen Seite sind die lateinischen Buchstaben I ꟼ : Ↄ eingegraben, auf der gegenüberliegenden ein Punkt zwischen zwei schrägen Strichen. Der doch wohl zu C. Fi(lippi) zu ergänzende Name des Töpfers findet, worauf mich H. Dragendorff hinweist, eine interessante Parallele in dem Stempel *Plusiu* (= Πλουσίου) eines in Priene gefundenen großen Tellers.[80])

An die zuletzt behandelte Gruppe ist anzuschließen:

84. Scherbe mit unregelmäßigen mit dem Modellierholz hergestellten Erhebungen auf der Außenseite. Außen und innen mit schlechtem braunem Firnis überzogen (Abb 191).

Abb. 191. Scherbe 84 mit braunem Firnis.

Abb. 192. Späte Scherbe 85 mit Glasur.

Vermutlich erheblich späterer (byzantinischer?) Zeit gehört an:

85. Scherbe von bauchigem Gefäß mit gelblich brauner Glasur. Die Außenseite ist mit Reihen von Spiralen und einem Blatt (eines Blattsternes) in Relief verziert (Abb. 192).

80) Dragendorff, *Bonner Jahrb.* 101, S. 142.

II. MONOCHROME WARE.

Die Gefäße sind ausnahmslos auf der Töpferscheibe hergestellt. Wir unterscheiden graue, schwarze und rote Ware. Die beiden ersteren sind nicht immer scharf von einander zu trennen, da das Grau mitunter in eine schwärzliche Färbung übergeht. Eine eigentliche Durchschmauchung, wie bei der schwarzen, ist bei der grauen Ware nicht erkennbar. Sie ist im Bruche grau; mehrfach zeigen die dickwandigeren Scherben einen äußeren und inneren Überzug von feiner geschlämmtem Ton. Die Politur ist ausnahmslos bei der grauen, schwarzen und roten Ware durch Reiben mit glatten Steinen hergestellt. Dieser Technik parallel geht in ungleich seltenerer Anwendung die oben S. 61 für Tumulus III nachgewiesene Kochsalz-Glasur (s. Nr. 90, 102, 102a, 109), welche einen matten, metallischen, von dem durch Polieren erzielten ganz verschiedenen Glanz bewirkt. Von besonderem Interesse ist die Vereinigung beider Techniken an den Scherben eines großen bauchigen Gefäßes Nr. 102, 102a.

Älteste Gattungen.

Abb. 193. »δέπας ἀμφικύπελλον« 86.

Abb. 194. Scherbe mit ornamentaler Warze 87.

86. Drei anpassende Stücke eines sog. δέπας ἀμφικύπελλον. Unten links der Ansatz des einen Henkels erkennbar. Schwarz, an einer Stelle ins Graue spielend. Gut geschlämmter, im Bruche grauer Ton. Durchschmauchung. Gute Politur. Höhe d. Erh. 0,155 m. Am 12. Juni in geringer Tiefe gefunden (Abb. 193).

87. Von einer (Schnabel-)Kanne mit ornamentaler Warze, wie sie namentlich in der II. Ansiedelung in Troja häufig sind. Grauer Ton, ins Schwärzliche spielend (Abb. 194).

Graue Ware.

a) Grober, stark kieselhaltiger Ton, schwach gebrannt.

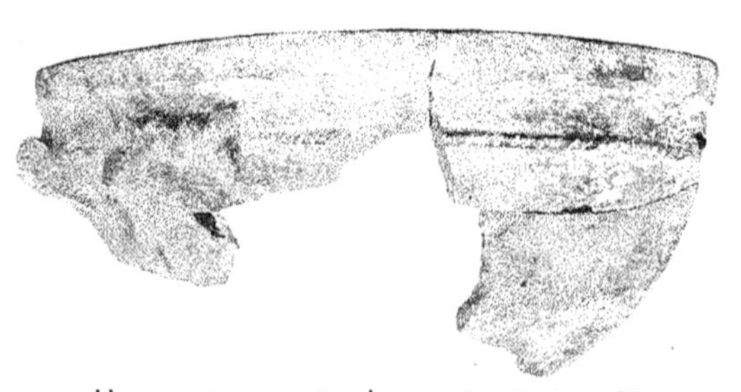

Abb. 195. Bruchstücke eines großen Beckens 88.

88. Drei aneinanderpassende (K.) und ein nicht anpassendes Stück eines großen Beckens mit abgesetztem Rand; unterhalb desselben außen ein Schnurwulst, innen, etwas höher, ein glatter. Auf jenem sitzen profilierte, wagerecht durchbohrte Henkelösen, deren Gesamtzahl nicht mehr festzustellen ist; außerdem waren zwei Henkelgriffe vorhanden, der Ansatz des einen ist erhalten. Außen und innen sorgfältig poliert. Der ausladende Rand ist 0,03 m, die Wandung des eigentlichen Gefäßes 0,015—0,02 m

dick (Abb. 195). Der Form nach verwandt ist das in Tumulus III gefundene, viel kleinere Becken Nr. 46, s. S. 67, Abb. 42.

89. Von großem Kesseldreifuß. Erhalten das obere Stück der breiten Stütze, an welche oben auf der Innenseite ein tiefer Kessel ansetzt. Auf der Außenseite flache, rillenförmige Eindrücke. Breite oben 0,19 m, unten 0,12 m, Dicke unten 0,02 m, Höhe 0,25 m. Außenseite der Stütze und innere Kesselwandung zeigen mäßig gute Politur. Stark vom Feuer geschwärzt (Abb. 196).

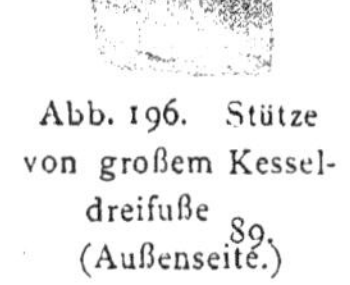

Abb. 196. Stütze von großem Kesseldreifuße 89. (Außenseite.)

90. Drei Bruchstücke eines sehr großen Beckens in viereckiger Umrahmung, auf Füßen stehend, die in Löwenklauen endigen. Kochsalz-Glasur (Abb. 197).

a) Größeres Stück mit Ansatz des Beckens (größte Länge 0,245 m, Breite 0,16 m). Die Beckenrundung umgab ein flacher, in einen Wulst endigender und mit Knöpfen (Nagelköpfen) verzierter Reif, den man nur als einen niedergeklappten (Eimer-)Henkel auffassen kann. Das Becken war in eine viereckige Platte eingelassen; ein Stück ihres Randes ist erhalten. Auf dieser Platte liegt ein hufeisenförmiger Henkel, der ebenfalls niedergeklappt zu denken ist. Sein äußerer Rand ist mit drei (ursprünglich waren es vier) Nagelköpfen verziert. Auch die Oberseite des Henkels zeigte ebensolche, von denen nur einer (rechts) erhalten ist, vier andere (die besonders aufgesetzt waren) abgesprungen sind. Ein ebensolcher größerer Buckel war auf der Platte in der Mitte des Henkelrundes. Links von dem Henkel tief eingedrückte sich kreuzende Linien. Durchschnittliche Stärke des ganzen Gerätes 0,047 m.

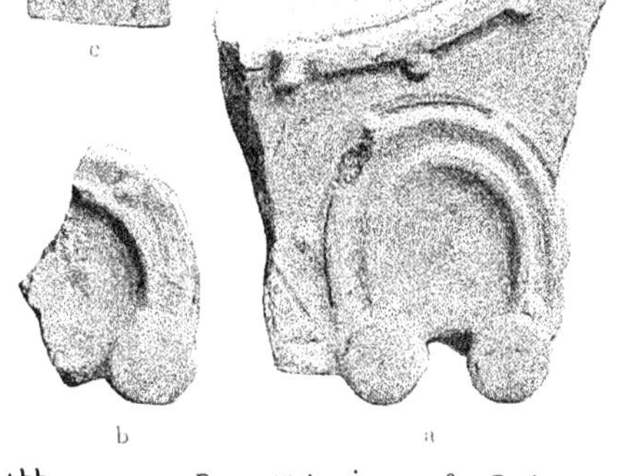

Abb. 197 a—c. Bruchstücke eines großen Beckens 90.

b) Stück eines entsprechenden Henkels. Der Mittelbuckel ist erhalten. Die Unterseite ist ganz roh gelassen, war also nicht sichtbar; die Füße können demnach nicht sehr hoch gewesen sein.

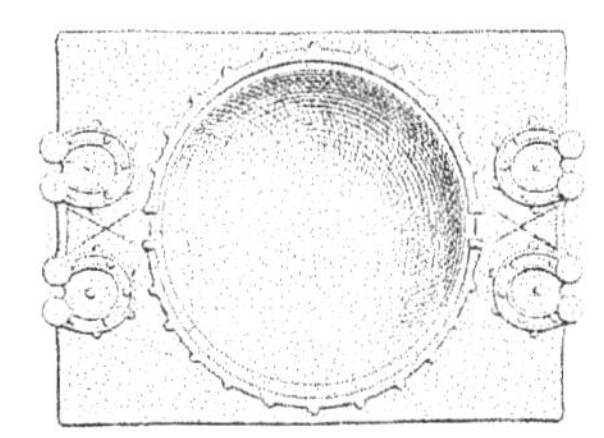

Abb. 198. Großes Becken Nr. 90. Wiederherstellungsversuch. $^1/_{20}$ der nat. Gr. Oberansicht.

c) Fragment eines Fußes, der in eine Löwenklaue ausgeht. Nach der Beschaffenheit des Tons und der Glasur zugehörig. Unten 0,125 m, oben 0,14 m breit, 0,085 m hoch. Die Fußplatte 0,025 m breit. Dicke (oben) 0,04 m.

Alle drei Stücke sind bei der Freilegung des Terrains zwischen dem dritten und vierten Graben (vgl. Seite 148), a und b am 26., c am 19. Juli gefunden worden.

Abb. 198 gibt einen nach meinen Angaben von M. Lübke ausgeführten Wiederherstellungsversuch des Ganzen in der Oberansicht (1 : 20). Die beiden erhaltenen Bruchstücke sind durch punktierte Linien abgegrenzt. Trotz ihres geringen Umfanges genügen sie, um das Wesentliche der Gesamtform festzustellen; der zweite Eimerhenkel ist der Symmetrie halber ergänzt worden. Ob die freibleibenden Ecken der viereckigen Platte noch irgendwie durch eine Verzierung ausgefüllt waren, muß dahingestellt bleiben. Daß das Ganze Nachahmung eines aus Metall getriebenen Werkes ist, scheint mir unzweifelhaft.

Eine erwünschte Analogie für die Gesamtform bieten die beiden von B. Sauer, *Athen. Mitt.* XVII (1892), Taf. VII, S. 41, Nr. 24, 25 veröffentlichten Becken aus naxischem Mamor von der Akropolis zu Athen. Die Verzierung der Kranzplatte ist dort eine weit reichere; die beiden in Spiralen ausgehenden Bügel scheinen mir ebenfalls auf bewegliche Henkel eines Metallbeckens zurückzugehen, obwohl das anschließende Ornament (Spirale mit Zwickelpalmetten), namentlich bei Nr. 25 (Taf. VII, 3) beweist, daß dem Verfertiger dieser Zusammenhang nicht mehr klar war. Nach den Resten der Weihinschrift an Athena gehören sie ins VI. Jahrhundert. Unser Exemplar ist wohl nicht unerheblich älter. Zahl und Anbringung der Stützen (Füße) weicht von den athenischen ab. Man wird deren vier an den vier Ecken der Kranzplatte anzunehmen haben, wenn c (wie mir unabweisbar scheint) zugehörig ist.

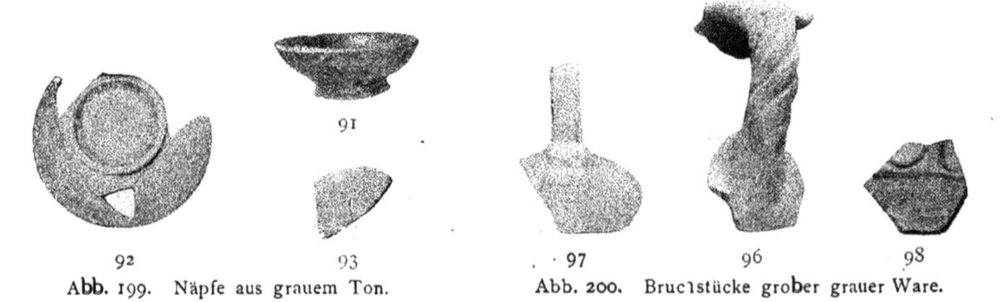

Abb. 199. Näpfe aus grauem Ton. Abb. 200. Bruchstücke grober grauer Ware.

91. Dickwandiger Napf mit Wulstfuß, außen und innen poliert. Höhe 0,04 m, Durchmesser 0,11 m (K.) (Abb. 199).

92. Drei aneinanderpassende Scherben eines ähnlichen. Unter dem Boden eingeritzt ΔI (s. »Inschriften« Nr. 5, S. 173). Durchmesser ca. 0,125 m (K.) (Abb. 199).

93. Kleinere Scherbe eines Napfes (?); außen eingedrückt: **D** (Abb. 199).

94. Zwei aneinanderpassende und ein nicht anpassendes Randstück eines großen dickwandigen Napfes. Innen und außen gut poliert, Farbe vielfach beinahe schwarz.

95. Randstück eines etwas kleineren Gefäßes derselben Form mit stärker ausladendem und feiner profiliertem Rand. Innen und außen gut poliert, Farbe ebenso.

96. Gewundener Henkel eines großen Gefäßes, durch Feuchtigkeit stark angegriffen. Länge 0,15 m (Abb. 200).

97. Viereckiger Henkel mit Ansatz eines bauchigen Gefäßes. Mäßige Politur. Länge 0,12 m (Abb. 200).

98. Von einem großen bauchigen Gefäß; auf der Schulter (?) Bogenlinien und darüber flache Vertiefungen eingedrückt. Außen ziemlich gut poliert (Abb. 200).

99. Kleine Scherbe, außen grobe, etwas geschwungene, unregelmäßige Riefeln eingedrückt. Außen poliert, helle graue Farbe.

100. Amphora, mit weiter Mündung, aus grobem, steinigem Ton von graugelber Farbe. Von dem Überzuge aus fein geschlämmtem Ton sind nur noch Reste vorhanden. Höhe 0,21 m (K.). Mit fünf anderen sehr zerstörten Gefäßen verschiedener Formen am 30. Juli in geringer Tiefe gefunden, auch der Form nach als jung zu betrachten (Abb. 201).

Abb. 201. Amphora aus grobem grauem Ton 100.

Mit Politurstreifen.

101. Profilierter Fuß und Ansatz des Körpers von großer flacher Schüssel. Die Fußplatte fehlt. Senkrechte schmale Politurstreifen am Fuß, schräg laufende an der Unterseite der Schüssel. Auch der Ring unter dem Gefäßansatze ist poliert, ebenso war es anscheinend der untere ausladende Abschluß des Fußes. Der übrige Grund ist stumpf gehalten, die polierten Teile erscheinen etwas dunkler (Abb. 202).

Abb. 202.

Fuß von großer flacher Schüssel mit Politurstreifen 101.

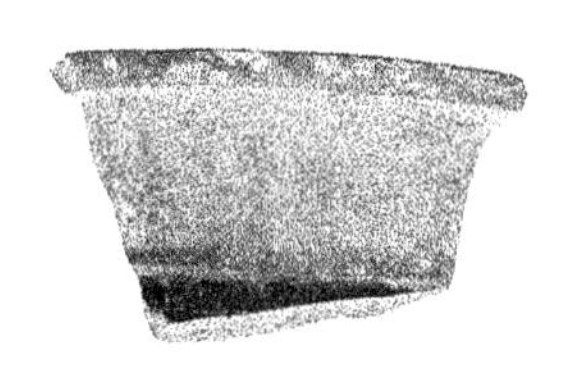

102

102 a

Abb. 203. Halsstück mit Politurstreifen 102 und Bruchstück vom Körper 102a eines großen bauchigen Gefäßes.

102. Hals und Rand eines großen bauchigen Gefäßes (Krater?) mit weiter Mündung, nach innen zu fein profilierter Rand. Außen senkrechte und am Bauchansatz ein wagerecht umlaufender Politurstreifen. Innen ist ein breiter Streif poliert, der untere Teil des Halses und des bauchigen Gefäßkörpers zeigt matten metallischen Glanz, durch Kochsalz-Glasur bewirkt (Abb. 203).

Mit eingedrückten Ornamenten.

102a. Zwei anpassende Stücke eines größeren bauchigen Gefäßes. Vielleicht zu dem vorigen gehörig, mit dem sie auch zusammen gefunden sind; die Innenseite zeigt denselben metallischen Glanz (Glasur), Ton und Wandstärke stimmt überein.

In den noch weichen Ton sind Linearornamente, Zacken und eine Art Stern in metopenartigem Felde, mit einem stumpfen Instrument eingedrückt (Abb. 203).

103. Von großem, dickwandigem Gefäß. Außen poliert, ins Schwärzliche spielende Farbe, doch ist Durchschmauchung nicht erkennbar. Zwei umlaufende Linien und ein durch ebensolche umschlossenes Quadrat eingedrückt (Abb. 204).

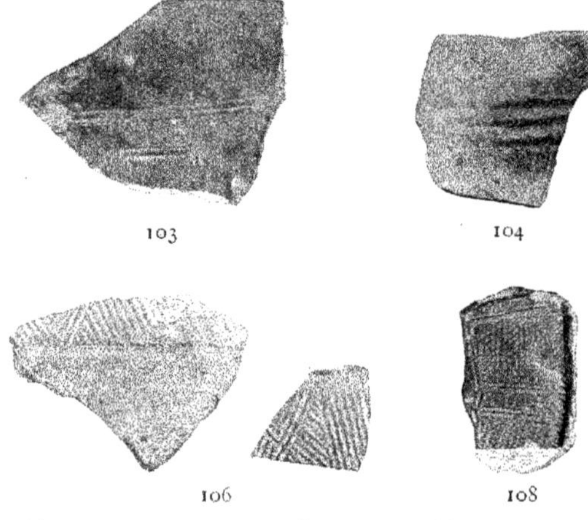

Abb. 204. Graue Ware mit eingedrückten Linearornamenten.

104. Ebenso. Netzwerk (Abb. 204).

105. Ebenso. Zacken.

106. Ebenso. Spitze Winkel bildende Strichlagen. (Zwei Bruchstücke, von demselben Gefäß?) (Abb. 204).

107. Ähnlich, von kleinerem dünnwandigem Gefäß. Vom kleineren Stadthügel.

108. Randstück eines großen Gefäßes (?). Durch schmale, glatte Streifen getrennte Felder mit sich rechtwinklig kreuzenden Strichlagen gefüllt (K.) (Abb. 204).

109. Von kleinerem Gefäß. Schnurwulst, mit Schnur eingedrücktes (?) Ornament. Außen matter, metallischer Glanz (Glasur) (Abb. 205).

Abb. 205. Scherbe mit eingedrückten Schnurornamenten 109 (Kochsalzglasur).

Mit eingeritztem Ornament.

110. Von größerem bauchigem Gefäß. Außen poliert, ganz leicht eingeritztes Netzwerk.

---

b) Fein geschlämmter Ton.

111. Von größerem Gefäß. Außen Bosse, ähnlich wie an Alabastren. Fein poliert (Abb. 206).

112. Boden einer flachen Schüssel mit niedrigem Wulstfuß. Unter dem Boden mit stumpfem Griffel flüchtig gezeichnetes Fischgrätenmuster. Am Gefäßkörper Ansatz eines Politurstreifens (Abb. 206).

113. Stück eines flachen Bandhenkels, beide Seiten poliert. Schwärzliche Farbe, Durchschmauchung nicht erkennbar. Auf der einen Seite eingeritzt in altertümlichen Buchstaben des VI. Jahrhunderts: καὶ γυν. (S. »Inschriften« Nr. 4, S. 172, Abb. 154.)

114. Kleineres Bruchstück eines dünnwandigen kleineren Gefäßes; außen eingeritzt Zacken und senkrechte Linien (K.) (Abb. 206).

115. Stück eines flachen Bandhenkels, beide Seiten fein poliert. Auf einer Seite ein geritztes Linearornament (Abb. 206).

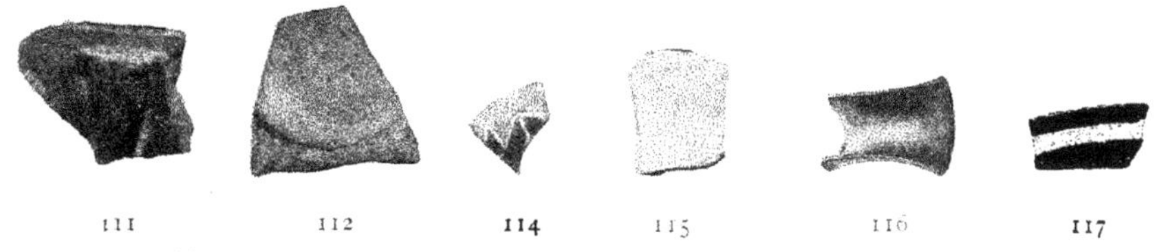

Abb. 206. Scherben feiner grauer Ware.

Abb. 207. Tülle einer Siebkanne 116 und Randstück eines Napfes 117.

116. Tülle einer Siebkanne wie die aus Tumulus III, doch gebogen und kürzer (0,06 m lang). Ansatz des gegen den Körper des Gefäßes abschließenden Siebes erhalten. Dunkelgraue Färbung, feinste Politur (Abb. 207).

117. Randstück eines Napfes, innen und außen fein poliert (Abb. 207).

118. Zwei aneinanderpassende Stücke mit Rand einer flachen Schale (Durchmesser etwa 0,22 m), anscheinend mit Fuß. Profilierter Rand, der Körper unten horizontal geriefelt. Außen feine Politur, innen nur geglättet.

119. Mehrere Stücke eines bauchigen Kruges, dessen Form noch wiederhergestellt werden konnte. Außen mit flacher horizontaler Riefelung. Gute Politur. Höhe 0,13 m (K.) (Abb. 208).

Ein ganz ähnlicher Krug in Schwarz unten Nr. 135.

120. Bruchstücke von einer Kanne mit Kleeblattmündung, der Bauch war geriefelt.

Abb. 209. Grauer Krug mit Riefelung 109.

Wir erwähnen hier die oben (»Inschriften« Nr. 2) besprochenen aneinanderpassenden zwei Scherben von einer Kanne mit Kleeblattmündung aus grauem Ton (K.). Leider war es mir nicht möglich, durch Nachprüfung genauer festzustellen, zu welcher Gruppe der monochromen Ware sie gehöre.

Teils grau, teils schwarz.

121. Randstücke von flachem Teller mit ausladendem Rand. Das ganze Innere und außen der Rand sind (durch teilweise Durchschmauchung) tief schwarz, der Boden grau. Feine Politur (Abb. 209).

Abb. 209. Randstück von Teller 121, Außenseite.

Infolge etwas stärkeren Brandes gelblichrot, bezw. braunrot gewordene, geflämmte Ware.

Abb. 210. Bodenstück eines Napfes 122, gelbrot gebrannt.

122. Bodenstück eines Napfes, gelblich rot, geflämmt. Unter dem Boden flüchtig eingeritzter Zweig. Außen und innen poliert (Abb. 210).

123. Zwei anpassende Stücke eines größeren Tellers oder flacher Schale. Farbe braunrot, außen und innen poliert und stark geflämmt.

Schwarze (Bucchero-)Ware.

Fein geschlämmter, bisweilen etwas glimmerhaltiger Ton, tiefschwarze Farbe, durch Durchschmauchung und Politur erzielt.

Abb. 211.
Bruchstücke von schwarzen Näpfen 124, 125.

124. Randstück von flacher Schale mit Wulstfuß; Lippe nach innen abgesetzt. Mäßige Politur (Abb. 211).

125. Kleinerer Napf mit abgesetztem Rand, flachem Boden; verhältnismäßig dickwandig (Abb. 211).

126. Kleines Fragment von ähnlichem, dünnwandig, feine Politur.

127. Der Rand nach Art der Kleeblattmündungen geschweift. Feinste Politur (K.) (Abb. 212).

128. Bodenstück mit Wulstfuß. Außen feinste Politur.

129. Boden mit Wulstfuß, darunter eingeritztes Ornament (Abb. 212).

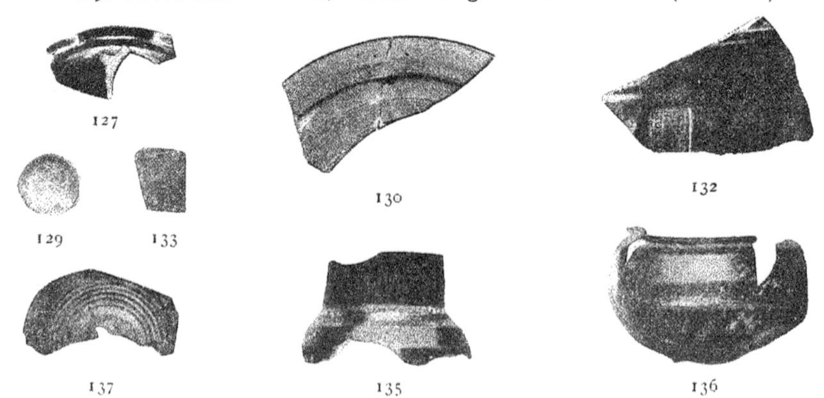

Abb. 212. Bruchstücke von feiner schwarzer (Bucchero-)Ware.

130. Zwei anpassende Stücke eines flachen Tellers. Nahe dem Rand zwei Löcher zu beiden Seiten des Bruches, offenbar zum Ausbessern (Abb. 212).

131. Stück von einem ähnlichen, auf der einen Seite radienförmige Politurstriche.

132. Von größerem bauchigem Gefäß. Außen zwei umlaufende erhabene

Reifen, unter dem zweiten mit Stempel hergestelltes Ornament in viereckigem Felde, das sehr ähnlich an einer Felsfassade von Hairan-Veli wiederkehrt; vergl. Perrot-Chipiez V, 106, Fig. 60 und Reber, *Abh. d. bayer. Akad.* III. Kl., XXI. Bd., Taf. IV, S. 563 (K.) (Abb. 212).

133. Zwei Bruchstücke von demselben größeren, bauchigen Gefäß. Verziert mit Gruppen von eingeritzten Linien. Dünnwandig, gute Politur (Abb. 212).

133a. Ähnlich, etwas dickwandiger, drei senkrechte eingedrückte Linien (triglyphenartig).

134. Zwei Bruchstücke von Kannen mit Kleeblattmündung; der Körper der einen zeigt horizontale Riefelung. Gute Politur.

135. Stück von kugelförmigem Krug mit geradem Hals und glatter Lippe; der Bauch kantig geriefelt. Feinste Politur (Abb. 212). Vgl. den grauen Krug 119.

136. Tiefer Napf mit Wulstfuß und abgesetzter Lippe, ebenso geriefelt. Höhe 0,08 m (K). Feinste Politur (Abb. 212).

137. Zwei anpassende Bruchstücke von größerem Gefäß mit Riefelung (vgl. Tumulus II, Nr. 45, S. 121, Abb. 102). Feinste Politur (K.) (Abb. 212).

Die beiden folgenden Stücke gehören nach Form und Technik hellenistischer Zeit an:

138. Bodenstück eines tiefen Bechers mit abgesetztem Rande. Auf der Unterseite eingeritzt HP (s. »Inschriften« Nr. 6, S. 173, Abb. 155). (K.)

139. Von einem ähnlichen aber flacheren Gefäß mit stark ausladendem Rand; dünnwandig. Wie bei dem vorigen starke Spuren der Abdrehung auf der Töpferscheibe, um möglichste Dünnwandigkeit zu erzielen (Abb. 213).

Abb. 213. Scherbe von hellenistischem Becher 139.

Abb. 214. Randstück eines Bechers 140.

141 142 143

Abb. 215. Nachahmungen hellenistischer Firnisware mit Riefelung in Bucchero-Technik.

Getriebene Metallgefäße nachahmend.

140. Randstück eines Bechers mit blattförmigen Verzierungen, welche im Innern vertieft erscheinen. Gewöhnliche Bucchero-Technik; innen und außen gute Politur. Ziemlich dickwandig (Abb. 214).

Nachahmung hellenistischer Firnisware.

141. Randstück mit Henkelansatz, außen senkrecht geriefelt und fein poliert (Abb. 215).

142. Von fein und regelmäßig geriefeltem Gefäß; außen fein poliert (Abb. 215).

143. Schulterstück eines kleinen Gefäßes (Lekythos), sehr feine Riefelung, feinste Politur (Abb. 215).

144. Mündung eines Ölfläschchens mit schlankem Halse, hellenistischer Form (s. die folgende Nr.).

Wahrscheinlich gehören hierher die beiden folgenden ihrer Form nach jedenfalls hellenistischen Gefäße:

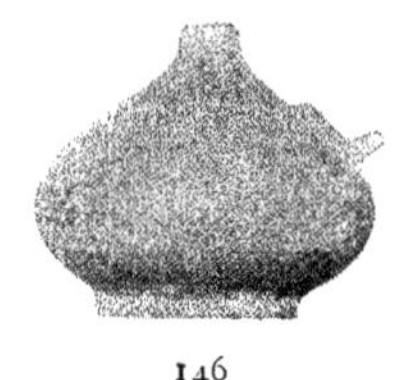

145 146

Abb. 216. Bauchige hellenist. Fläschchen 145, 146.

145. Bauchiges Fläschchen mit schlankem Halse, etwas ausladender Mündung und Ringhenkel, von dem nur der Ansatz erhalten ist. Genaue Angaben über die Technik fehlen leider. Höhe 0,85 m (K.) (Abb. 216).

146. Etwas größeres Gefäß derselben Form, Mündung fehlt, vom Ringhenkel nur Ansatz erhalten (K.) (Abb. 216).

Den grauen und schwarzen monochromen Gefäßen ist ferner anzureihen das folgende, fast vereinzelt stehende Gefäß, welches vermutlich ebenfalls in spätere, wohl hellenistische Zeit gehört.

147. Bauchige Flasche in Gestalt eines Pinienzapfens, mit engem Hals, Mündung fehlt. Ton schwärzlich grau, der Hals hat einen schwärzlichen metallisch glänzenden Überzug, der doch wohl als Firnis, nicht als die einheimische phrygische Kochsalz-Glasur anzusprechen sein wird; nachträgliche Feststellung war leider nicht möglich. Form und Anordnung der Schuppen entsprechen genau der an den Zapfen der gewöhnlichen Pinie *(Pinus pinea)* vorkommenden; unten sieht man den Ansatz des Stiels. Die Schuppen waren abwechselnd rot und gelb bemalt. Höhe 0,155 m (K.) (Abb. 217).

147 148

Abb. 217. Flasche in Gestalt eines Pinienzapfens 147 und verwandte Scherbe 148.

148. Verwandt ist die mit dem Gefäß zusammen abgebildete Scherbe eines bauchigen Gefäßes aus grauem Ton. Sie zeigt auf der Außenseite unregelmäßig geformte, aus freier Hand mit dem Modellierholz hergestellte Erhebungen. Zu vergleichen ist die oben Nr. 84 erwähnte, mit schlechtem braunem Firnis überzogene Scherbe. Wie diese, dürfte auch die besprochene in hellenistische Zeit gehören (Abb. 217).

Ein Beispiel der Anwendung der alten monochromen Technik in hellenistischer Zeit gibt auch die folgende Scherbe:

Abb. 218. Grauer Teller, der roten Firnisware gleichend.

149. Randstück eines Tellers mit Ringfuß. Grauer, feingeschlämmter Ton mit guter Politur, dünnwandig. Form und Profil weisen dieses Stück in die Zeit der roten Firnisware (unechten Terra sigillata) (Abb. 218).

Rote Ware.

Der Ton ist teils grob mit kieseligen Beimischungen, teils fein geschlämmt; häufig ist das Innere des Bruches grau infolge mangelhaften Brandes. Auf das fertige Gefäß ist eine dünne Farbschicht aufgetragen, die Oberfläche dann mehr oder weniger sorgfältig poliert worden.

150. Zwei anpassende Randstücke und ein isoliertes Stück von großem flachem Napf, dickwandig, grober Ton, Farbe nicht gleichmäßig, innen und außen poliert (Abb. 219).

151. Zwei anpassende Randstücke von ähnlichem Napf. Feiner geschlämmter, gut durchgebrannter Ton, sorgfältige Arbeit. Gleichmäßig tiefrote Farbe, gute Politur innen und außen.

152. Randstück eines tieferen Napfes mit eigentümlichem Bügel (zum Hineinlegen eines Fingers?). Kieselhaltiger Ton, nicht ganz gleichmäßige helle rote Farbe, sorgfältige Politur auf beiden Seiten (Abb. 219).

153. Bodenstück eines flachen Napfes. Ziemlich fein geschlämmter, glimmerhaltiger Ton, gleichmäßige rote Farbe. Unten ein Zeichen eingeritzt. Abgerieben (Abb. 219).

154. Von ähnlichem Gefäß. Ziemlich feiner Ton, gleichmäßige Färbung. Auf einer Seite eingedrückte Konturzeichnung eines Blattes mit Stiel (?) (nur Ansatz erhalten).

155. Dünnwandiges flaches Stück, mattroter, im Innern grauer Ton. Nur auf einer Seite gleichmäßige hochrote Farbe, sorgfältige Politur.

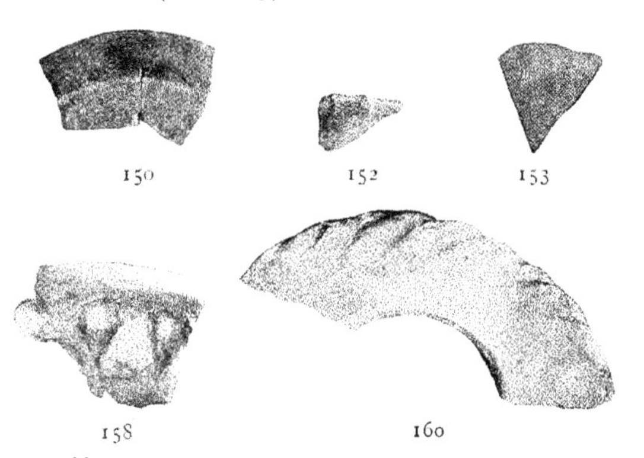

Abb. 219. Bruchstücke von roter monochromer Ware.

156. Scherbe von größerem, bauchigem Gefäß, ziemlich feiner, gut durchgebrannter Ton. Außen gleichmäßig dunkelrote Farbe, gute Politur.

157. Randstück eines größeren Kruges mit ausladender Lippe. Mattroter, innen grauer Ton. Außen und teilweise innen hellrote Färbung, gute Politur.

Nachahmung kupferner Gefäße mit getriebenen Buckeln.

158. Randstück einer großen tiefen Schüssel, mit eierförmigen, im Innern vertieft erscheinenden Buckeln. Gleichmäßig hochrote Farbe, gute Politur (K.) (Abb. 219).

159. Bruchstück von gleichartigem Gefäß. Heller, innen grauer Ton, nicht ganz gleichmäßige dunkelrote Farbe, sorgfältige Politur.

---

160. Vom Untersatz eines fußlosen Kessels oder Beckens, in Gestalt eines Strickwulstes, wie man ihn zum Tragen von Lasten auf dem Kopfe verwendete.

Nur auf einer Seite sorgfältig bearbeitet, hochrot gefärbt und poliert (die andere Seite ist nachlässiger behandelt). Sehr grober kieselhaltiger Ton. Ursprünglicher Durchmesser etwa 0,26 m (Abb. 219).

161. Drei anpassende Randstücke und ein Innenstück eines ziemlich tiefen Beckens mitt Ausgußtülle. Durchmesser 0,26 m. Stark glimmerhaltiger Ton; hellrote Farbe auf dem Rand und der ganzen Innenfläche (dort großenteils abgeblättert). Gewöhnliche Arbeit, anscheinend hellenistischer Zeit.

Abb. 220. Tiefe Schale 162. Nachahmung roter Firnisware in monochromer Technik.

162. Tiefe fuß- und henkellose Schale; roter Ton; innen und zur Hälfte außen mit dunkelrotem Überzug. Höhe 0,06 m, Durchmesser 0,14 m (K.) (Abb. 220).

Das Gefäß gehört zweifellos in hellenistische Zeit und ist als Nachahmung der roten Firnis- (unechten Terra sigillata-) Ware in monochromer Technik anzusehen.

163. Guttus mit Längsbügel, grober Ton, roter Überzug. Mündung fehlt. Höhe und Länge 0,11 m. (K.)

Gewöhnliches Vorrats- und Gebrauchsgeschirr.

Von großen Vorratsgefäßen (πίθοι), welche anderwärts, namentlich in Troja, in so großer Zahl vorkommen, haben unsere Ausgrabungen, ihrer im Verhältnis zu dem Umfange des Stadthügels geringen Ausdehnung entsprechend, nur wenige Exemplare zutage gefördert. Keines war so weit erhalten, daß die Form mit Sicherheit hergestellt werden konnte. Zum Teil erreichten sie eine beträchtliche Größe, so hat der untere Teil eines am 16. Juni gefundenen Pithos einen Durchmesser von 0,75 m. Größere Mengen von Scherben solcher Vorratsgefäße fanden sich namentlich in den tieferen Schichten bei der Mauer α (s. oben S. 152).

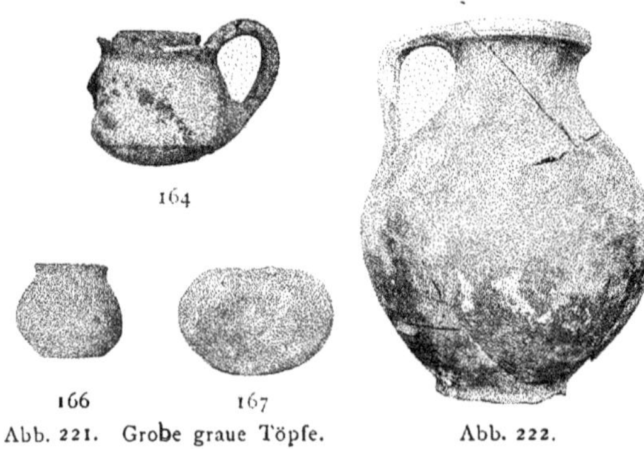

Abb. 221. Grobe graue Töpfe. Abb. 222.

Aus hellenistischer Zeit stammen ein rhodischer und zwei thasische Amphorenhenkel mit Stempeln (s. »Inschriften« Nr. 7—9, S. 173 f.).

Wesentlich häufiger fanden sich, namentlich in den tiefen Schichten und an der oben bezeichneten Stelle, Scherben von Kochtöpfen mit flachem Boden und einem Henkel. Sie sind aus grobem steinigem, grauem bis schwärzlichem Ton hergestellt und schlecht gebrannt. Fast durchweg zeigen die Scherben Spuren des Feuers.

164. Ein nahezu vollständig erhaltenes Exemplar (Höhe 0,095 m, K.) ist nebenstehend abgebildet (Abb. 221). Ein nur zur Hälfte erhaltenes Exemplar (165) im Berliner Museum, 0,125 m hoch, gleicht ihm in der Form durchaus.

Von sonstigem Gebrauchsgeschirr sind nur die hierneben abgebildeten, ganz oder nahezu Vollständig erhaltenen Stücke zu erwähnen. Nämlich:

166. Kleiner bauchiger henkelloser Topf mit abgesetzter Lippe aus grobem grauem Ton. Höhe 0,07 m (K.) (Abb. 221).

167. Topf mit kesselartig ausgebauchtem Körper, Mündung fehlt; grober grauer Ton. Höhe 0,06 m (Abb. 221).

168. Krug mit abgesetzter Mündung und Bandhenkel, schwachem Wulstfuß. Grober grau-schwärzlicher Ton. Höhe 0,25 m. (K.) (Abb. 222).

Lampen.

Unter den von uns gefundenen Lampen oder Bruchstücken von solchen (zusammen 12), erscheinen die folgenden durch Form und Erhaltung bemerkenswert:

169. Ganz offen, ohne Griff, im Grundriß dreieckig, mit geraden Wänden, aus grobem grau-schwärzlichem Ton, starke Feuerspuren. Länge ungefähr 0,12 m (K.). Mit der folgenden zusammen am 30. Juli zwischen dem dritten und vierten Graben in geringer Tiefe gefunden (Abb. 223).

Die anscheinend seltene Form kehrt an zwei Exemplaren im assyrischen Saal des Ottomanischen Museums Nr. 286 und 287 wieder, welche aus grünlichem Stein gefertigt und mit Kreisen, die mittels Zirkels eingeritzt sind, verziert sind. Die Provenienz ist leider unbekannt.

170. Ähnlich, unregelmäßige Form; durch Zusammendrücken an dem einen Ende ist eine Art primitiver Griff hergestellt (K.) (Abb. 223).

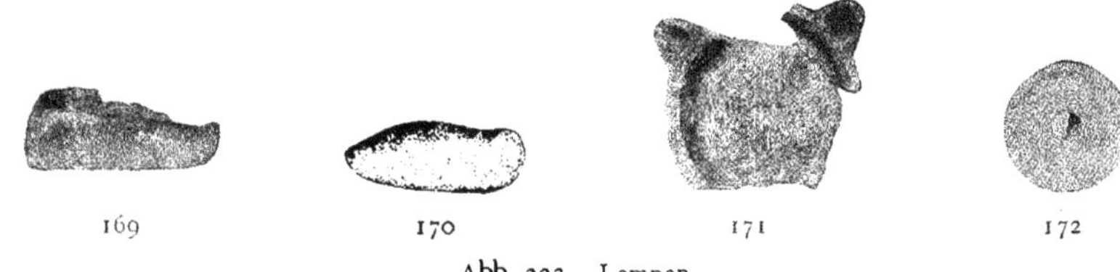

Abb. 223. Lampen.

171. Runde offene Form mit mehreren (ursprünglich wohl drei) kurzen Tüllen für Dochte; ein Henkel scheint nicht vorhanden gewesen sein. Unvollständig, grober roter Ton. Durchmesser 0,15 m (K.) (Abb. 223).

Die Form ist die der älteren griechischen Lampen. Dieselbe oder ähnliche zeigen die meisten der übrigen von uns in Bruchstücken gefundenen, mit je einer Tülle; einige sind schwarz gefirnißt, andere aus gelbem oder rotem Ton ohne Firnisüberzug. Nur ein Stück zeigt die römische Form mit kleinem Eingußloch.

172. Vielleicht als Lampe zu betrachten ist das Abb. 223 abgebildete runde Gefäß mit runder Öffnung in der Oberfläche. Körper unvollständig, grauer Ton. Durchmesser 0,075 m. (K.)

Verschiedenes.

173. Bruchstück eines Rostes aus grobem grauem Ton; gr. Länge 0,07 m, Dicke 0,018 m.

Zwei ähnliche Bruchstücke sind in Troja gefunden. S. Hub. Schmidt, *Beschreibung der Schliemann-Sammlung*, Nr. 8853 mit Abbildung.

Webstuhlgewichte in Form einer Pyramide mit rechteckiger Grundfläche aus grauem Ton sind in einer beträchtlichen Anzahl von Exemplaren gefunden worden, so am 16. Juli deren 12 beieinander. Die Höhe beträgt bis zu 0,13 m.

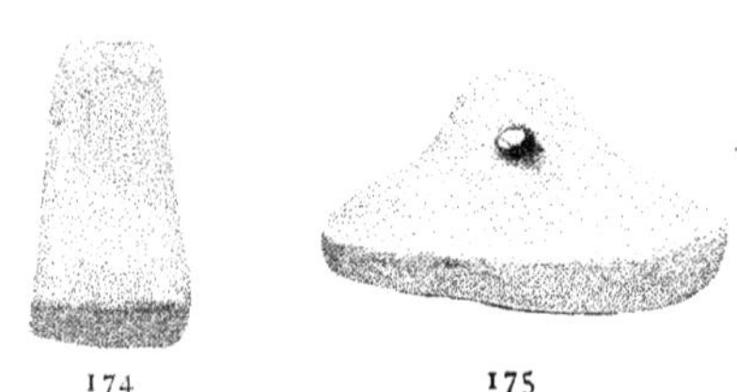

Abb. 224. Webstuhlgewichte 174, 175.

174. Das hier (Abb. 224) abgebildete ist 0,065 m hoch und zeigt auf der oberen Fläche zwei diagonal sich kreuzende Linien: ×.

Form und Stempelzeichen entspricht den griechischen Webstuhlgewichten (C) der Schliemann-Sammlung, vergl. *Beschr.* Nr. 8181.

Singulär ist die folgende Form:

175. Runde Scheibe mit annähernd konischem Oberteil, horizontal durchbohrt. Die Modellierung ist nicht sorgfältig. Höhe 0,045 m, unterer Durchmesser 0,08 m (Abb. 224).

Am nächsten stehen die der VI. Schicht von Troja eigentümlichen spitzkegelförmigen Tongewichte, *Troja und Ilion,* S. 399, Fig. 390, *Beschr.* Nr. 8138.

Abb. 225. Spinnwirtel 176.

176. Spinnwirtel aus grauem Ton sind ebenfalls mehrfach gefunden worden. Die hier abgebildeten Proben haben die auch unter den troischen Funden am häufigsten vertretene Doppelkegelform und eine Höhe von 0,02 bezw. 0,03 m.

177. Endlich ist noch zu erwähnen eine quadratisch geschnittene Scherbe aus rotem Ton mit zwei Löchern (0,04 m); ähnliche zurechtgeschnittene Scherben aus grauem Ton, undurchlocht, oder mit einem Loch versehen, sind in der Erde von Tumulus I gefunden (Nr. 37), ebenda ein rundgeschnittenes durchlochtes Plättchen von Stein (Nr. 47).

Wir stellen zum Schluß zusammen, was sich über die Datierung der Scherben ermitteln läßt.

Für die von auswärts eingeführten Gattungen mit Firnismalerei steht die Entstehungszeit im wesentlichen fest. Nur die beiden altrhodischen (milesischen?) Scherben Nr. 41, 42 sind vielleicht für älter zu halten als das VI. Jahrhundert, schwerlich reichen sie weit in das VII. hinauf. Dem VI. Jahrhundert gehören an: Die milesischen (Nr. 43), samischen (61—64) und die diesen verwandten (Nr. 65—66), ferner die nach Verzierung und Technik sicher zu den Ausläufern der Gattung gehörige protokorinthische (Nr. 47)[81], die korinthische (Nr. 48), kyrenaeische (Nr. 49) und die schwarzfigurig-attischen (Nr. 50—53) Scherben. In das V. Jahrhundert fallen die attischen Scherben 54—60. Verhältnismäßig zahlreich sind dann die hellenistischen Gattungen vertreten (Nr. 67—84); die rote Firnisware ist sogar teilweise im Lande selbst verfertigt worden (vgl. S. 195).

Von den Scherben mit Mattmalerei sind nur wenige (1—6) einem bestimmten ausländischen Verfertigungsort zuzuschreiben, nämlich Cypern. Unter diesen sind 1—3 wohl sicher älter als das VI. Jahrhundert und mit Wahrscheinlichkeit der Zeit lebhaften Handelsverkehrs mit Cypern, d. h. dem Ende des VIII. Jahrhunderts zuzuweisen. Nr. 4 und 5 gehören wohl dem VI. Jahrhundert an, Nr. 6 dem IV.

Für die einheimischen Scherben mit Mattmalerei ist eine genauere Zeitbestimmung schwierig. Mit den bemalten Gefäßen aus Tumulus III genau übereinstimmende und demnach mit voller Bestimmtheit derselben Zeit zuzuschreibende Scherben haben sich nicht gefunden. Andererseits scheint es nach den nicht sehr zahlreichen Scherben mit Mattmalerei, welche in der Erde von Tumulus II und I gefunden sind, daß die einheimische Keramik sich auch noch im VI. Jahrhundert im wesentlichen in den gleichen Bahnen bewegt habe wie um die Wende des VIII. und VII. Die Scherben Nr. 7—12, Nr. 13—20 und Nr. 22—26 werden wahrscheinlich der Mehrzahl nach ebenfalls dem VI. Jahrhundert angehören. Nur wenige Stücke, wie Nr. 21, scheinen älter zu sein und in die Zeit der politischen Selbständigkeit Phrygiens hinaufzureichen.

Die unter Vorbehalt als galatisch angesprochene Ware (Nr. 28—37) gehört wohl jedenfalls in hellenistische Zeit, vermutlich auch Nr. 27, 27a. Daß die auch in Kappadokien vorkommende Gattung, von der in Nr. 38 charakteristische Proben vorliegen, vielleicht ebenso zu beurteilen sei, ist oben angedeutet worden.

Über Zeit und Herkunft der vereinzelten Scherbe Nr. 38 und der zum Vergleich herangezogenen aus Stratonikeia in Karien wage ich ein bestimmtes Urteil nicht abzugeben, doch gehören sie wahrscheinlich in ältere Zeit, wohl mindestens das VI. Jahrhundert.

Unter den monochromen Scherben nehmen Nr. 86 und 87 eine Sonderstellung ein; sie gehen mit der alttroischen Keramik (II.—V. Schicht) zusammen und gehören zweifellos der Zeit der Besetzung der kleinasiatischen Hochebene durch die Phryger an. Von den übrigen sind sie durch eine große zeitliche Kluft getrennt. Anhaltspunkte für deren Datierung gewähren uns die Tumuli-Funde.

Die monochrome Ware aus Tumulus III zeigt in den bestgearbeiteten Stücken bereits eine bemerkenswerte Sicherheit und Vervollkommnung der Technik. Aber keines von ihnen hat die tiefschwarze Farbe und den Glanz der in Tumulus II (vgl. S. 121, Abb. 102) und I (S. 137, Nr. 29, 30) gefundenen. Wir schließen daraus, daß die einheimische monochrome Töpferei erst im VI. Jahrhundert ihren Höhepunkt

[81]) Vgl. Dragendorff, *Thera* II, S. 192.

erreicht hat. Die feinste graue wie schwarze Ware vom Stadthügel (Nr. 116—119, 127—137) ist demnach dem VI. Jahrhundert zuzuschreiben. Für die geringere Ware ist die Entscheidung schwer, so lange nicht eine größere Anzahl ganz erhaltener Gefäße aus fest oder annähernd bestimmbaren Zeiten zum Vergleich herangezogen werden kann.

Einstweilen sind nur verhältnismäßig wenige Scherben für älter zu halten als das VI. Jahrhundert und bis ins VIII. hinaufzurücken. Vor allen die Bruchstücke des großen Beckens Nr. 90, welche mit einem Teile der Gefäße aus Tumulus III die Kochsalzglasur gemein haben und jede Spur griechischen Einflusses in den Zierformen vermissen lassen, während die (niedergeklappt zu denkenden) Ringhenkel ihr Gegenstück in dem Bronzebecken Nr. 59 aus Tumulus III (S. 72, Abb. 52) haben. Ferner der große Kessel Nr. 88 und das Bruchstück eines Kesseldreifußes Nr. 89. Alle diese großen Stücke sind in beträchtlicher Tiefe und in der Nähe der Mauer α gefunden worden. Auch die ebenda in größerer Anzahl gefundenen Scherben großer Vorratsgefäße werden noch dem VIII. Jahrhundert zuzuweisen sein. Endlich scheint mir wegen der Verzierungsmotive und der Anwendung der Kochsalzglasur hierher zu gehören die Scherbe Nr. 109.

Bezüglich des großen Gefäßes, zu welchem die Scherben Nr. 102 und 102a aller Wahrscheinlichkeit nach gehört haben, wage ich eine ganz bestimmte Entscheidung nicht zu treffen. Die Kochsalzglasur ist hier auf die Innenseite beschränkt. Wie oben bemerkt (S. 89) hat es den Anschein, daß diese eigentümlich phrygische Erfindung nur verhältnismäßig kurze Zeit hindurch angewendet worden sei. Wenigstens ist in den jüngeren Tumuli nur eine Scherbe gefunden worden (Tumulus I Nr. 35, S. 137), welche vielleicht (eine Nachprüfung war leider nicht möglich, da die Scherbe in Konstantinopel verblieben ist) dieses Verfahren zeigt. Andererseits kommen Politurstreifen, wie Nr. 102 sie zeigt, an den monochromen Gefäßen aus Tumulus III nicht vor, wohl aber an Scherben aus den jüngeren Tumuli (II, Nr. 48, 49 und I, S. 135). Da dieses Verzierungsmotiv aber von den Phrygern schon in viel älterer Zeit angewendet worden ist, wie die Funde von Bos-öjük beweisen, so kann das Fehlen desselben an den Funden aus Tumulus III auf Zufall beruhen. Es erscheint sonach als möglich, aber nicht gewiß, daß die Scherben Nr. 102, 102a und mit ihnen der Fuß eines großen flachen Gefäßes Nr. 101, welcher ebenfalls mit Politurstreifen verziert ist, noch der Zeit der phrygischen Selbständigkeit angehören.

Von besonderem Interesse ist es, daß die alte monochrome Technik sich bis in die hellenistische Zeit hinein erhalten hat (Nr. 138—143). Nicht nur die schwarze hellenistische Firnisware ist in ihr nachgeahmt worden (Nr. 141—143), sondern ebenso auch die rote, und zwar sowohl in grauem Ton (Nr. 149), als auch in rotem mit rotem Überzug (Nr. 161—163). Ein ganz eigentümliches Erzeugnis der monochromen Töpferei, Nr. 147, gehört derselben Zeit an.

Von den Lampen sind Nr. 169, 170 möglicherweise alt, doch bleibt, auch in Erwägung der Fundumstände, das Urteil unsicher; andere, wie Nr. 171, können aus dem V. Jahrhundert stammen, die Mehrzahl gehört wohl der hellenistischen Zeit an, ein vereinzeltes Stück ist als jünger zu betrachten.

Die Webstuhlgewichte und Spinnwirtel gehören zum Teil dem VI. Jahrhundert oder noch älterer Zeit an.

Ziehen wir die Summe, so gehören von den Fundstücken aus Ton nur zwei der ältesten Zeit an, eine etwas größere Anzahl konnten wir dem VIII. Jahrhundert zuweisen, die Hauptmasse fällt dem VI. zu, beträchtlich an Zahl sind dann wiederum die Funde aus hellenistischer Zeit. Von einer Bewohnung in der Kaiser- oder noch späterer Zeit zeugen nur ganz vereinzelte Fundstücke.

SCHLUSSWORT.

Da, wo topographische Erwägungen, durch neue Beobachtungen während unseres Aufenthalts in der Gegend ergänzt und im einzelnen berichtigt, die alte Hauptstadt Phrygiens suchen ließen, ist durch unsere Ausgrabung eine städtische Ansiedelung von beträchtlicher Ausdehnung nachgewiesen worden. Ihre Anfänge reichen in die Zeit der ersten Besitzergreifung des Landes durch die Phryger, d. h. mindestens die Mitte des II. Jahrtausends v. Chr. hinauf[1]; im Beginn unserer Zeitrechnung kann, wie das Aufhören der Funde beweist, höchstens noch eine dorfartige Ansiedelung dort bestanden haben.

Daß diese Stadt in der Tat das gesuchte Gordion sei, darf als sicher gelten, auch ohne eine direkte inschriftliche Bestätigung, deren Fehlen aus den S. 170 entwickelten Gründen nicht überraschen kann.

Wer sich den alten Mittelpunkt des phrygischen Reiches als eine von gewaltigen Mauern umgebene Burg nach Art Trojas gedacht hat, der wird durch die bescheidenen Reste, welche von uns aufgedeckt worden sind, arg enttäuscht sein. Diese sind ja freilich nur ein kleiner Ausschnitt aus dem Ganzen, aber wir dürfen ohne weiteres schließen, daß die primitive Bautechnik, welche hier, auf dem höchsten Punkte des Stadthügels, zu allen Zeiten beibehalten worden ist, auch in den noch nicht untersuchten Teilen sich wiederfinden werde. Was immer ausgedehntere Grabungen an interessanten Einzelfunden ergeben mögen, imposante Reste von Bauwerken werden sie nicht zutage fördern. Als gewiß dürfen wir ferner versichern, daß zu keiner Zeit eine steinerne Ringmauer vorhanden gewesen ist. Solche sind übrigens auch in keiner andern altphrygischen Stadt nachzuweisen (S. 153); alle liegen gleich Gordion auf niedrigen Hügeln in der Ebene (vgl. S. 15). Dem bäuerlichen, friedlichen Character des phrygischen Volkes entspricht alles, was die von uns zum erstenmale unternommene Untersuchung einer seiner Städte ans Licht gebracht hat. Der alte politische Mittelpunkt des Landes war auch deshalb für eine solche Untersuchung besonders geeignet, weil hier während der zweiten Blütezeit des Landes unter den römischen Kaisern städtisches Leben nicht mehr bestanden hat.

Die im Kapitel I gegebene Darlegung, daß erst lange, ein halbes Jahrtausend oder mehr nach der Einwanderung die Phryger sich zu einem Nationalstaat zusammen-

---

[1]) Zu dem S. 6 ff. mitgeteilten Beweismaterial für die frühe Einwanderung der Phryger in Kleinasien möchte ich jetzt noch die interessanten Funde hinzufügen, die Degrand in Thrakien gemacht hat. Nach Collignons kurzem Bericht *Comptes Rendu de l'Acad. des Inscr.* 1903, S. 81 ff. müssen die Tumuli bei Jamboli dem von Bosöjük in vieler Hinsicht verwandt sein, nur sind sie nicht Einzelgräber, sondern Massengräber; meine Erklärung der flachen Tumuli bei Salonik (s. S. 8) wird hierdurch bestätigt. [A. K.]

geschlossen haben (vgl. S. 17), legt sogar die Frage nahe, ob die Besiedelung des Stadthügels von Anfang an einen städtischen Charakter getragen oder ob nicht vielmehr erst mit der Gründung des Staates sich hier eine Stadt entwickelt habe. Die große Lücke, welche zwischen den wenigen Fundstücken aus ältester Zeit und den dann folgenden, über das VIII. Jahrhundert nicht hinaufreichenden klafft, scheint fast für die letztere Annahme zu sprechen. Entschieden werden könnte sie nur durch ausgedehntere Nachgrabungen.

Auch aus der Glanzzeit des Nationalstaates, in der ein kraftvoller König Midas dessen Grenzen vorübergehend über den Halys und bis zur südlichen Meeresküste ausdehnen und den Kampf mit dem mächtigen Assyrerreich aufnehmen konnte, haben unsere Ausgrabungen auf dem Stadthügel nur verhältnismäßig wenige Überreste ans Licht gebracht. Der Palast des Königs, den wir uns, architektonisch wenigstens, nicht besonders glänzend denken dürfen, muß an anderer Stelle gesucht werden. An der von uns aufgedeckten kann nur die Mauer *α*, vielleicht zu einem großen Altar gehörig, damals errichtet worden oder doch in Benutzung gewesen sein.

Ergänzend treten aber gerade für diese Zeit die reichen Funde aus Tumulus III ein. Was sie uns über auswärtige Beziehungen lehren, weist, wie in Kapitel III dargelegt worden ist, auf Cypern hin und steht im vollen Einklange mit den politischen Bestrebungen des Königs. Gern denkt man sich den alle andern weit überragenden Tumulus als ein Werk dieses größten phrygischen Herrschers. Die Untersuchung desselben ist zweifellos die dringendste und lohnendste Aufgabe, welche hier noch zu lösen bleibt.

Der in unserm Tumulus III Bestattete darf, bestimmter als es oben S. 49, 82 geschehen ist, als Priester bezeichnet werden. Die Brustplatte aus Leder mit Bronzebeschlägen, welche er trug (S. 47—49), ist als ein für die Priester der phrygischen Göttermutter charakteristisches Abzeichen aufzufassen. Ein wertvolles Zeugnis dafür liefert, worauf ich erst nachträglich aufmerksam geworden bin, die oben S. 31 für die Topographie ausgenutzte Stelle des Polybios (XXII 18. 4 D.): die Abgesandten des damals den Galatern noch nicht unterworfenen Priesterstaates von Pessinus, welche den nach Überbrückung des Sangarios an diesem lagernden Cn. Manlius Volso aufsuchen, Γάλλοι, d. h. Kastratenpriester der Kybele, tragen als Abzeichen[2] προστηθίδια καὶ τύπους, d. i. Brustplatten und Bilder (jedenfalls der Kybele)[3]. Auch der Archigallus des bekannten Reliefs im Kapitolinischen Museum in Rom[4] ist außer einer Fülle von andern Emblemen seines Kultus mit einer Brustplatte geschmückt; es scheint sich also dieses altphrygische Abzeichen, wenn auch in etwas modifizierter Form (einer kleinen Aedicula mit dem Bilde des Attis), auch später im Kostüm der Kybelepriester erhalten zu haben.

---

[2]) Livius 38, 18: *Galli Matris Magnae a Pessinunte occurrere cum insignibus suis.*

[3]) Über die Selbständigkeit von Pessinus im Jahre 189 v. Chr. und die richtige Übersetzung von Γάλλοι vgl. A. Körte, *Athen. Mitt.* XXII (1897), S. 15.

[4]) Helbig, *Führer* I², Nr. 433, abgeb. u. a. bei Müller-Wieseler, *Denkm. d. a. K.* II, 63. 817 und Baumeister, *Denkm. d. kl. Alt.* II, 801, Fig. 867.

Wie die Brustplatte, so ist vielleicht auch die Linnentracht (vgl. S. 46f.) auf die Priesterwürde des Toten zu beziehen.

Im übrigen gewährt uns der reiche Inhalt des Grabes einen interessanten Einblick in die Kultur Phrygiens um die Wende des VIII. und VII. Jahrhunderts. Sie erscheint als eine im ganzen genommen einfache und naive (S. 98), einem Volke von Bauern und Hirten angemessene. Von gewerblicher Tätigkeit hat nur die Töpferei einen verhältnismäßig hohen Stand erreicht, auch die Bearbeitung von Holz und Eisen finden wir vertreten: die Gewerbe, deren eine Ackerbau und Viehzucht treibende Bevölkerung in erster Linie bedurfte. Dagegen nicht die Gewinnung und Verarbeitung des Kupfers bezw. der Bronze: Gefäße und Geräte aus Bronze werden vielmehr als kostbarer Besitz von außen eingeführt.

Eine materielle und zugleich naive Anschauung spricht sich in der Ausstattung der Behausung des Toten mit allem aus, dessen er zu behaglichem Leben bedurfte. Der Apparat zur Bereitung und zum Genuß des Nationalgetränkes, des Bieres, spielt dabei eine bedeutende Rolle, und auch ein anderes, den Griechen unbekanntes Produkt, die Butter, ist in erheblicher Menge vertreten. Daß die Wohnung des Toten der der Lebenden nachgebildet sei, ist äußerlich nicht erkennbar: das Grabgemach hat weder eine Tür noch sonst eine Öffnung, war es doch auch nicht bestimmt, gesehen zu werden, sondern unter dem riesigen Hügel verborgen. Wohl aber sieht man sich angesichts der dazu verwendeten großen Holzbalken zu dem Schlusse gedrängt, daß der Holzreichtum auch in dieser jetzt ganz entwaldeten Gegend damals noch ein bedeutender gewesen sein muß, und man darf weiter die Frage aufwerfen, ob nicht die Lebenden damals auch hier z. T. hölzerne Blockhäuser bewohnt haben, wie sie noch jetzt in der Waldregion um die sogen. Midas-Stadt zu finden sind[5]. Freilich, die Kunst, Häuser aus Lehmziegeln mit einem Sockel aus Bruchsteinen zu bauen, war ohne jeden Zweifel bereits bekannt, aber es ist möglich, daß man für die Behausung der Toten aus religiösen Gründen an dem primitiven reinen Holzbau festhielt, vielleicht auch, weil er besser geeignet schien, der enormen Last des darüber aufgeschütteten Erdreichs zu widerstehen, als ein Bau aus Bruchsteinwänden mit Balkendecke.

Eine bescheidenere, sonst völlig gleichartige und nur wenig jüngere Grabanlage stellt Tumulus IV dar. Von dem Inhalt nehmen besonders die zahlreichen Fibeln unser Interesse in Anspruch als Ergänzung zu den in Tumulus III gefundenen. Daß Tumulus IV erst kurz nach dem ersten Eindringen der Kimmerier und dem Tode des Königs Midas errichtet worden sei, erscheint als möglich. Sonst fehlen Funde, die man der Zeit der Kimmerierherrschaft zuschreiben könnte, durchaus.

Dagegen lassen unsere Funde auf dem Stadthügel und in den jüngeren Tumuli deutlicher als es vorher möglich war erkennen, daß, nachdem die Macht der Eindringlinge durch die Lyder gebrochen und diesen dadurch die Vorherrschaft

[5]) Zwei solche primitive Blockhäuser aus der Gegend von Kümbet sind bei Perrot-Chipiez V, S. 74, Abb. 43, 44 abgebildet; sie dienen freilich nur zur vorübergehenden Wohnung während des Sommers.

in Kleinasien zugefallen war, eine neue Periode wirtschaftlichen Gedeihens und zugleich gewerblicher und künstlerischer Tätigkeit für Phrygien begann unter dem befruchtenden Einfluß griechischer Kunst und Kultur, welcher nunmehr der Zugang von der Westküste her offen stand. In der ersten Hälfte des VI. Jahrhunderts wurde der nach Abmessungen und Material bescheidene Tempel errichtet, in welchem wir das durch den Besuch Alexanders des Großen berühmt gewordene Heiligtum vermuten dürfen. Die unscheinbaren Reste seines Terrakottenschmuckes lehren uns die eigenartigen Felsfassaden verstehen, bis dahin die einzigen monumentalen Zeugen phrygischer Kunstübung (s. Excurs I). Unzweifelhaft im Lande selbst verfertigt, zeigen diese Terrakottaplatten in ihren Verzierungen aufs deutlichste die Abhängigkeit von ostgriechischer Kunst. Andererseits bezeugen die Funde vom Stadthügel und aus den Tumuli II, I und V einen lebhaften Import von griechischer Töpferware und andern Erzeugnissen griechischen Kunstfleißes, wie der Inkrustationsstücke aus Elfenbein in Tumulus II. Neben Korinth tritt namentlich Athen hervor und von den Griechenstädten in Kleinasien Milet und Samos. Die ionische Weihinschrift auf dem Henkel eines einheimischen monochromen Gefäßes (S. 172 f., Abb. 154) macht es sogar wahrscheinlich, daß vereinzelte Griechen sich damals in Gordion angesiedelt haben.

Die einheimische Töpferei scheint von diesen fremden Erzeugnissen nicht wesentlich beeinflußt worden zu sein. In der Herstellung bemalter Gefäße hielt sie an der alten Technik der Mattmalerei fest und auch in der Art der Verzierungen scheint eine irgend erhebliche Weiterentwicklung nicht erfolgt zu sein, soweit unsere spärlichen Funde ein Urteil gestatten. Wenn die so erzeugte Ware uns zunächst an die cyprische erinnert und ein Import bemalter cyprischer Ware auch noch für das VI. Jahrhundert aus vereinzelten Scherben (Nr. 4, 5) zu erschließen ist, so bezieht sich die Ähnlichkeit doch in erster Linie auf die gleiche Technik. Eine weitergehende Abhängigkeit von cyprischen Vorbildern kann für das VI. Jahrhundert so wenig festgestellt werden wie für die ältere Zeit (vgl. S. 91).

Die eigentliche Stärke der phrygischen Töpfer lag aber offenbar auf dem Gebiet der monochromen Ware. Diese hat im VI. Jahrhundert erst den Höhepunkt technischer Vollendung erreicht. Leider haben unsere Ausgrabungen auf dem Stadthügel und in der Nekropole nur Bruchstücke dieser vollkommensten Ware geliefert, welche nur an ein paar Stücken die Gefäßform noch erkennen lassen. Die Auffindung einer wohlerhaltenen Grabkammer dieser Zeit mit einer Anzahl vollständiger Gefäße, wie sie uns Tumulus III für die ältere Zeit geliefert hat, würde eine wesentliche Lücke unserer Kenntnis ausfüllen. Es erscheint keineswegs unwahrscheinlich, daß die Untersuchung einiger der noch nicht ausgegrabenen Tumuli die Erfüllung dieses Wunsches bringen würde.

Graue und schwarze monochrome Ware des VII. und VI. Jahrhunderts ist neuerdings an vielen Stellen des griechischen Ostens gefunden worden; die Fabrikation der schwarzen war namentlich auf Lesbos zuhause, aber soweit meine allerdings beschränkte Kenntnis aus eigener Anschauung reicht, steht diese Ware an technischer Vollendung erheblich hinter unsern Bruchstücken von Gordion zurück. Nur in Troja (VIII. und IX. Schicht) ist eine beschränkte Anzahl von Bruchstücken von Gefäßen gefunden, welche diesen an die Seite gestellt werden können. Hubert Schmidt, *Troja und Ilion*, S. 312 bezeichnet sie als das Feinste und Eleganteste an monochromer Ware auf troischem Boden[6]. Die Beilage 42 Nr. IV abgebildete Kanne ähnelt auch in der Form unsern Nrn. 109 und 135. Liegt hier vielleicht phrygischer Export vor? Das würde ein glänzendes Zeugnis für die Leistungen der phrygischen Töpfer des VI. Jahrhunderts sein. Denn, soviel ich sehe, liegen zwingende Gründe für eine wesentlich spätere Datierung dieser troischen Ware, zu welcher H. Schmidt hinneigt, nicht vor.

Kulturgeschichtlich merkwürdig und einstweilen unerklärlich ist der durch Tumulus I und V bezeugte Übergang von der Beisetzung zur Verbrennung der Toten unter Beibehaltung der schon aus der thrakischen Urheimat mitgebrachten Tumulusform. Ob dieser Wechsel des Bestattungsritus ein dauernder gewesen ist, entzieht sich einstweilen unserer Kenntnis. Auch über andere, nur an der jüngeren Gruppe der Tumuli gemachte Beobachtungen kann erst auf Grund weiteren, durch Ausgrabungen zu gewinnenden Materials ein sicheres Urteil gefällt werden. Bei den beiden älteren Tumuli III und IV erkennt man, daß nach Schließung des Grabgemaches dem Toten Opfer dargebracht worden sind (vgl. S. 42, 99), bevor man den Erdhügel darüber aufschüttete. Die Erde des Tumulus enthielt fast gar keine antiken Reste. Anders bei den jüngeren Tumuli II, I, V. Das Opfer nach Schließung des Grabes ist mit dem alten Bestattungsritus beibehalten in Tumulus II (S. 107), aber außerdem fanden sich bei diesem wie bei den Tumuli I und V, deren Inhaber nicht bestattet, sondern verbrannt worden sind, in der Erde mehr oder weniger (je nach der Größe des Tumulus) zahlreiche Reste von Opfermahlzeiten und den dabei benutzten Gefäßen nebst einigen anderen Gegenständen. Wenigstens bei dem bei weitem größten unter diesen, Tumulus I, scheinen solche Opfermahlzeiten wiederholt stattgefunden zu haben, während der Erdhügel emporwuchs. Es scheint hier, soweit wir bis jetzt zu urteilen vermögen, ein neuer Gebrauch vorzuliegen. Das Geschlecht des Toten lieferte, so möchte man annehmen, während der Aufschüttung des Hügels den Arbeitern Opfertiere und sonstige Nahrung; die dabei benutzten Gefäße wurden zerbrochen (vgl. namentlich S. 132) und blieben, als dem Toten geweiht, in der Erde seines Grabhügels, ebenso wie die Reste der Opfertiere. Als solche haben Rinder (vgl. S. 132, 140) und, worauf mit Rücksicht auf das beim Tumulus von Bos-öjük Beobachtete (vgl. S. 8) besonders hingewiesen sei, Schweine gedient (vgl. S. 108).

Nur schwer entschließt man sich, den Phrygern, gerade für die Zeit ihrer höchsten materiellen und kulturellen Blüte, die barbarische Sitte von Menschenopfern an den Toten zuzutrauen, und doch läßt der Tatbestand (vgl. S. 108, 132, 140) bei allen drei jüngeren Tumuli kaum eine andere Erklärung zu.

[6]) Vgl. H. Schmidt, *H. Schliemanns Sammlung troj. Altert.*, Nr. 3949—3961.

Der Import attischer Tonware hat auch nach dem Zusammenbruch des lydischen Reiches und der Einverleibung Phrygiens in das persische (546) fortgedauert, wie die auf dem Stadthügel gefundenen rotfigurigen attischen Scherben des V. Jahrhunderts beweisen. Die Lage der Stadt an der großen Königsstraße scheint sie in einem gewissen Zusammenhang mit hellenischer Kultur erhalten zu haben auch nachdem sie administrativ von dieser geschieden war. Daß Gordion noch am Ende des V. Jahrhunderts einige Bedeutung als Stadt hatte, dürfen wir daraus schließen, daß die von Pharnabazos geführten griechischen Gesandten hier überwinterten (s. S. 28). Der Besuch des großen Alexander, durch den allein ihr Name in der Weltgeschichte fortlebt, ist dagegen gewiß in erster Linie durch ihre geographische Lage veranlaßt worden, die sie als gegebenen Treffpunkt des Hauptheeres mit den von Parmenion und den aus Makedonien herbeigeführten Truppen erscheinen ließ (S. 30). Keine Bemerkung der Geschichtsschreiber verrät, daß Gordion damals mehr gewesen sei als ein Landstädtchen, das nur den Ruhm genoß, die Residenz des Gordios und Midas gewesen zu sein. Ebensowenig verlautet etwas von geleistetem Widerstande. Unsere Ausgrabung hat keine irgend erheblichen Funde aus dieser Zeit ergeben: das einzige sicher dem IV. Jahrhundert zuzuschreibende Fundstück ist die cyprische Scherbe Nr. 6 (S. 178, Abb. 160).

Dagegen mehren sich die Funde wieder für die folgenden drei Jahrhunderte, ohne daß wir imstande wären, die einzelnen Stücke einem derselben mit Bestimmtheit zuzuweisen. Neben die Erzeugnisse der alten monochromen Töpferei, welche bis in diese Zeit fortgelebt hat, tritt, wahrscheinlich von Pergamon aus, die schwarze und die rote hellenistische Firnisware, welch letztere sogar im Lande selbst hergestellt worden ist. Von sonstigen Fundstücken sind die einheimischen Alabasterarbeiten (S. 175) zu nennen. In diese Periode gehören ohne Zweifel auch die auf der Beilage zu S. 151 weiß gelassenen Mauern. Aus ihrer Höhenlage und aus dem Umstande, daß eine von ihnen (d auf dem Plane) die Westseite des Tempels überdeckte, muß geschlossen werden, daß dieser zur Zeit ihrer Errichtung nicht mehr existierte.

Am wahrscheinlichsten ist es, daß er beim Eindringen der Galater um 275 v. Chr. zerstört worden ist, denn diese werden zunächst die wehrlosen phrygischen Städte geplündert und gebrandschatzt haben. Nachdem sie sich dauernd im Lande niedergelassen hatten und vertragsmäßig als Herren desselben anerkannt worden waren, werden sie es zugelassen haben, daß die alte einheimische Bevölkerung sich dort wieder einrichtete. Sie selbst werden nach heimischer Sitte zerstreut auf dem Lande gehaust haben, denn städtisches Leben war ihnen ursprünglich fremd und hat sich erst unter römischer Herrschaft ausgebildet[7]. Jedenfalls weisen die von uns gefundenen Reste einheimischen Gewerbfleißes[8] auf ein Fortbestehen städtischen Lebens in Gordion während der Galaterherrschaft hin und die rhodischen und thasischen

[7]) Vgl. Niese, *Gesch. d. griech. u. makedon. Staaten* II, S. 82.

[8]) Auch die »galatische Ware« wäre, die Richtigkeit dieser Bezeichnung vorausgesetzt, wohl den phrygischen Töpfern zuzuweisen, welche für den Gebrauch der galatischen Herren nach von diesen gelieferten Vorbildern gearbeitet hätten.

Amphorenhenkel können sogar als Zeugnisse für einen gewissen Wohlstand gelten. Immerhin wird für die Zeit der Expedition des Manlius (189 v. Chr.) die Bezeichnung Gordions als »Städtchen« (πολισμάτιον) bei Polybios der Wahrheit näherkommen als des Livius rhetorisch aufgebauschter Bericht von einem *celebre et frequens emporium — refertum copia rerum omnium* (vgl. S. 29 u. S. 32 [6]).

Das durch unsere Funde gewonnene Kulturbild fügt sich dem aus den Bruchstücken der Überlieferung hergestellten Rahmen überall ohne Zwang ein. Freilich bedarf es gar sehr der Ergänzung und Ausführung, zweifellos auch der Berichtigung im einzelnen. Weitere Grabungen in der Nekropole wie auf dem Stadthügel würden sicher das Material dazu liefern. Namentlich der größte Tumulus verspricht reiche Ausbeute, aber auch die leichter auszuführende Untersuchung einiger der kleineren Grabhügel müßte Aufklärung nach verschiedenen Richtungen hin geben. Möchten die mancherlei offenen Fragen, auf welche wir hinzuweisen hatten, durch eine neue Unternehmung ihre Lösung finden!

EXCURS I.

DIE PHRYGISCHEN FELSDENKMÄLER.

Unsere Ausgrabungen auf dem Stadthügel und in der Nekropole von Gordion sind indirekt auch für die phrygischen Felsdenkmäler von Nutzen gewesen, da zwischen diesen und den Terrakotten des Tempels unverkennbare Beziehungen bestehen. Um uns über manche neue Fragen klar zu werden und um alte nachzuprüfen, haben wir daher nach Abschluß der Ausgrabungen einen Ausflug in das Gebiet der Felsdenkmäler gemacht und einige der wichtigsten, die bei *Jasili-kaja* und *Japuldak* wiederum untersucht[1]. Unsere Ergebnisse sind naturgemäß überwiegend Nachträge zu Einzelheiten meiner ausführlichen Behandlung in den Athenischen Mitteilungen XXIII, 80ff. Drei Thesen hatte ich dort über die älteren Denkmäler[2] aufgestellt und verfochten:

1. Die geometrisch verzierten, meist mit Nischen versehenen Fassaden sind Kultstätten.

2. Sie sind im wesentlichen gleichzeitig mit den reliefverzierten Kammergräbern und gehören ebenso wie diese in die Zeit zwischen der Vertreibung der Kimmerier und dem Sturz des Kroisos, also zwischen 630 und 546.

3. An beiden Gruppen ist griechischer Einfluß nachweisbar.

Diese Sätze sind nicht ohne Widerspruch aufgenommen worden. An dem sepulcralen Charakter der geometrischen Fassaden haben Ramsay und, weniger bestimmt, Benndorf[3] festgehalten, die Gleichzeitigkeit beider Denkmälergruppen hat Reber bestritten und derselbe Gelehrte lehnt die Annahme griechischen Einflusses in dem von mir behaupteten Umfange ab[4]. Für alle drei Punkte steht uns jetzt ein unvergleichlich reicheres und sichereres Material zur Verfügung, als ich es damals besaß, und dasselbe bestätigt meine Aufstellungen durchaus. An der kulturellen Abhängigkeit Phrygiens von Hellas im VI. Jahrhundert ist seit dem Funde zahlreicher griechischer Vasen in der Nekropole, sowie der stark hellenisierenden Terrakotten nicht mehr zu zweifeln. Die Terrakotten zeigen auch weiter die Gleichzeitigkeit der geometrischen Fassaden mit den Kammergräbern. Teilen sie mit jenen die

---

[1]) Den *Arslan-tasch* und das zerbrochene Löwengrab von *Hairan-veli* haben wir leider nicht wiedergesehen. Durch die Schuld eines Führers kamen wir vom Wege ab und hatten in *Kasly-gjöl-hamam* nicht mehr die Entschlußfähigkeit, in die Berge zurückzukehren: zwei Monate Fieber hatten unsere Nerven mürbe gemacht.

[2]) Daß von diesen die Arcosoliengräber durch eine Kluft von mindestens 600 Jahren geschieden sind, bezweifelt jetzt niemand mehr.

[3]) Nach brieflichen Mitteilungen; in seinem schönen Aufsatz über den Ursprung der Giebelakroterien *Arch. Jahresh.* II, 1 ff. bezeichnet er die Fassaden ohne Diskussion als Gräber.

[4]) *Abhandlungen der bayer. Akad.*, hist. Kl., Bd. XXII, 111 f.

Kachelmuster, die Lotospalmettenstreifen, die griechischen Greifen, so verbindet sie mit diesen vor allem der Krieger auf dem Jagdrelief. Ich gebe zu, daß die Stilisierung des Löwen am zerbrochenen Löwengrabe von *Hairan-veli*[5] ursprünglich aus dem Orient stammt und daß man bei ihm zweifeln könnte, ob er direkt auf orientalische Vorbilder zurückgeht oder von orientalisierender hellenischer Kunst abhängt, aber eben deshalb gibt nicht der Löwe, sondern der reinhellenische Krieger das entscheidende Kriterium für die stilistische und zeitliche Bestimmung des Denkmals. Die vollständige Übereinstimmung der nachweislich n i c h t p h r y g i s c h e n[6], sondern griechischen Bewaffnung auf dem Grabmal und dem Tonrelief zieht unweigerlich das Grab in die Zeit des Tempels, also in das VI. Jahrhundert[7].

Sind aber die geometrischen Fassaden in derselben Epoche entstanden wie die Kammergräber, so können zwei so grundverschiedene Anlagen unmöglich demselben Zwecke gedient haben, und ich brauche kaum noch einmal die triviale Wahrheit zu betonen, daß bei einem Grabe ein Platz für die Leiche das Wichtigste ist und daß ein solcher Platz bei der Mehrzahl dieser Fassaden durchaus fehlt[8]. Der sakrale Charakter der Denkmäler wird nun auch durch die Verwandtschaft mit der gordischen Tempelfassade in sehr erwünschter Weise bestätigt. Als man gelernt hatte, den Göttern Häuser zu bauen mit stattlichem Giebeldach und farbigem Kachelschmuck, da ahmte man deren Fassade am Felsen nach zu Ehren der alten Muttergottheit und ihrer Sippe, die man sich am liebsten doch noch immer im Berginnern thronend dachte. Diese tempelähnlichen Fassaden mit ihren Nischen sind etwas durchaus Sekundäres gegenüber den natürlichen Höhlen, in denen die Göttermutter ursprünglich verehrt wurde. Seit Andersons schöner Entdeckung[9] des von Pausanias X, 32, 3 an die Spitze der merkwürdigen Höhlen gestellten Heiligtums der Μήτηρ Στευνηνή bei Aizanoi kennen wir wenigstens eine dieser primitiven Kultstätten, leider noch nicht so genau wie wünschenswert wäre. Am innersten Ende der natürlichen Höhle fand Anderson einen behauenen Stein mit zwei Einarbeitungen für die Kultbilder[10]: da saß die große Mutter ganz ähnlich wie in der künstlichen Nische des *Arslan-kaja* bei Düver[11], bei dem die Erschließung ihres verborgenen Reichs durch die geöffneten Torflügel zu sinnfälligem Ausdruck gebracht ist.

Auch für das konstruktive Verständnis der Felsfassaden sind die gordischen Funde wertvoll. Die Nachahmung von Wänden mit Kachelverkleidung, die zuerst

---

[5]) *Athen. Mitt.* XXIII, Taf. 3.

[6]) Herodot VII, 73.

[7]) Reber setzt dies schönste und sorgfältigste phrygische Grab seltsamerweise gerade in die Zeit der Kimmerierwirren »bald nach 700«, a. a. O. S. 111.

[8]) Daß man einen Toten in die Schächte am *Maltasch*, *Deliklitasch* und dem Denkmal von *Bakschisch* hineinstopfen kann, muß ich zugeben, aber nachweislich bestatteten die Phryger ihre Toten sonst liegend, und es wäre auch in höchstem Maße unklug, den Fels gerade vor der Ruhestätte des Toten durch Anlage einer Nische so zu schwächen, daß jeder Grabräuber mit wenigen Hammerschlägen die Wand durchbrechen konnte. Ich halte deshalb an der Erklärung de Schächte als Opfergruben fest.

[9]) *Annual of the Brit. school at Ath.* IV, S. 56f.

[10]) Welche Gottheit dem von Pausanias bezeugten Kultbild der Göttermutter beigesellt war, ist unbestimmt.

[11]) *Athen. Mitt.* XXIII, Taf. 2, S. 90ff., Reber, *Abh. der bayer. Akad., hist. Kl.* XXI, Taf. III, S. 559ff.

Ramsay behauptet hat, steht jetzt fest, seitdem wir Kacheln mit denselben Mustern besitzen, wenn auch festzuhalten ist, daß die Künstler der Fassaden die Motive der Kachelverkleidung ebenso wenig streng durchgeführt haben wie die Holzkonstruktionen der Giebel[12].

Diesen allgemeinen Erwägungen lasse ich nun eine Reihe von Einzelbeobachtungen folgen. Besonders wichtig war uns die Untersuchung einer kleinen Fassade unmittelbar unter der schönen Wand des *Kütschük-jasili-kaja*. Das stattliche Werk hatte die Augen aller Reisenden so ausschließlich auf sich gezogen, daß niemand das kleinere Denkmal beachtet hatte. Ich entdeckte es erst auf einer der vortrefflichen Photographien Berggrens, die Rebers Tafeln zugrunde liegen, und gab *Athen. Mitt.* XXIII, S. 110, Fig. 7 eine nach dieser und andern Photographien gefertigte Zeichnung, die in den Hauptsachen richtig, in Einzelheiten aber, wie zu erwarten, fehlerhaft war. Etwa zwei Meter unter der linken Ecke der großen Fassade, in stumpfem Winkel zu ihr an einem Felsstück, das bei vollkommener Ausführung des unvollendeten großen Denkmals hätte entfernt werden müssen, ist die kleine Fassade angebracht, die beistehend (Abb. 226) in schematischer Rekonstruktion wiedergegeben ist. Eine unter ungünstigen Verhältnissen aufgenommene Photographie eignet sich nicht zur Wiedergabe, ist mir aber zur Kontrolle der Rekonstruktion wertvoll gewesen. Die linke Ecke des Denkmals ist abgebrochen, liegt aber fast unversehrt neben ihm, der Strich in der Zeichnung gibt die Grenze des unberührt Erhaltenen an. Zwei glatte, 0,15 m vorspringende Pfeiler von 1,65 m Höhe umrahmen ein Mittelfeld von 1,95 m Breite. Über den Pfeilern liegt ein 0,23 m dicker Balken, der mit spitzgestellten Quadraten verziert ist, dasselbe Muster schmückt die aufsteigenden Balken des ziemlich niedrigen Giebels. Eine glatte Stütze füllt die Mitte des Giebels und zwei hornartig gebogene Rundhölzer krönen seine Spitze. Diese Form des Akroterions steht dem kleinen Denkmal aus dem Porsuktal, das ich a. a. O. S. 113 abgebildet habe, besonders nahe, die Verzierung der Balken mit spitzgestellten Quadraten kehrt wieder an der benachbarten großen Fassade, dem Midasdenkmal, dem *Hassan-bey-kaja*, dem *Maltasch* und dem *Arslan-kaja*.

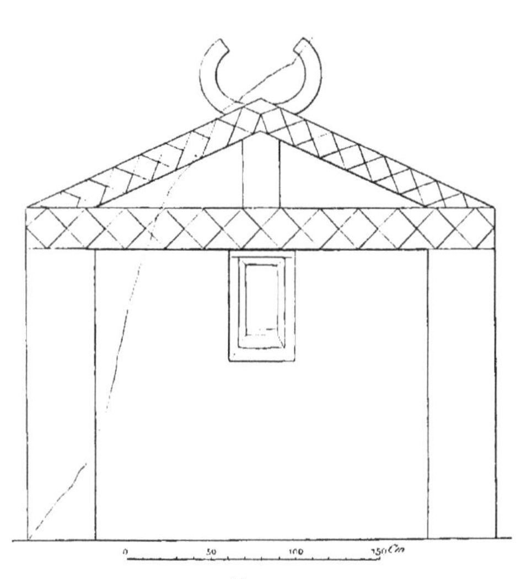

Abb. 226.
Kleine Felsfassade unterhalb des *Kütschük-jasili-kaja*.

12) Vgl. *Athen. Mitt.* XXIII, S. 87 ff.

Eigentümlich ist die Anlage der Nische bei dieser Fassade. Sie beginnt nicht wie eine Tür am unteren Rande des Denkmals, sondern hängt fensterartig unmittelbar unter dem oberen Querbalken[13]. Ihre Breite beträgt 0,38 m, die wegen des zerstörten Unterrandes schlecht meßbare Höhe etwa 0,60 m, die Tiefe 0,30 m. Das Altersverhältnis des kleinen Denkmals zum großen möchte ich jetzt zuversichtlicher als früher beurteilen. Die große Fassade ist unvollendet geblieben, vielleicht weil die Wegsprengung des Felsens am unteren Teil schwieriger war, als man gedacht hatte, da wurde zu ihrem Ersatz eine bescheidenere Kultstätte derselben Art etwas weiter unten am Felsen angelegt, deren einfache Zierformen sie in etwa dieselbe Zeit weisen wie jene. Dicht neben der Fassade fanden wir auch einen bisher ebenfalls unbeachteten Stufenaltar der gleichen Art wie die auf demselben Felsplateau belegenen, welche Ramsay *Journal of Hellenic Studies* X S. 167 ff. am ausführlichsten behandelt hat[14]. Er besteht aus 4 Stufen von je 0,44 m Höhe und 1,58 m Breite, an die oberste schließt sich hinten eine sitzartige Erweiterung von 0,40×0,36 m Fläche. Die Bearbeitung der Stufen ist nicht sehr sorgfältig.

Abb. 227. Akroterion des *Kütschük-jasili-kaja.*

Zu der Fassade *Kütschük-jasili-kaja* habe ich noch zweierlei zu bemerken. Erstens habe ich mit Unrecht a. a. O. S. 109, Anm. 2 Rebers Angaben über die Gestaltung der Seitenborten angezweifelt, sie sind in der Tat immer einfach glatt gewesen. Ferner ist Rebers Darstellung des künstlichen Akroterions (S. 575, Fig. 6F) nicht ganz genau, wenngleich richtiger als die Perrot-Ramsaysche[15]. Die ungünstige Lage unmittelbar unter einer vorspringenden stark beschattenden Felspartie macht ein Photographieren dieses Teils der Fassade unmöglich, ich habe die Formen deshalb unter Vergleichung der älteren Abbildungen nachzuzeichnen versucht (Abb. 227). Das Akroterion ist weder eine geschlossene Volute, wie Perrot-Ramsay angeben, noch endet es, wie Reber will, in spitze Hörner. Ich möchte es einem dünnen Bande vergleichen, das in launenhaften Windungen um drei feste Punkte, eine große sechsblättrige Rosette unten und zwei nagelkopfartige Kreise oben, herumgelegt ist. Auch von dieser Form gilt, was Benndorf von Rebers Darstellung für den Fall ihrer Richtigkeit sagt[16], daß von den phrygischen Felsfassaden eine Belehrung über den Ursprung tektonischer Tempelakroterien nicht zu gewinnen sei. So konnte kein wirkliches Akroterion aussehen, denn die Nagelköpfe würden ja völlig in der Luft schweben, der phrygische Steinmetz hat eben bei Ausschmückung der Felswand mit den architektonischen Formen gespielt.

Als eine Kultnische derselben Art wie der Ersatz *Kütschük-jasili-kaja* hat sich, wie zu erwarten, Rebers »Kindergrab«[17] hoch oben an einer Felswand entpuppt, das ich beistehend nach unserer photographischen Aufnahme abbilde (Abb. 228).

13) Ähnlich scheint die Nische bei dem erwähnten Denkmal des Porsuktals angebracht zu sein.

14) Vgl. auch *Athen. Mitt.* XXIII, 118 ff. und Reber, a. a. O. S. 582 ff.

15) Perrot-Chipiez V, Fig. 59.

16) *Arch. Jahresh.* II, S. 6.

17) a. a. O. Fig. 6B, S. 574, vgl. *Athen. Mitt.* XXIII 113.

Deutlich zu sehen sind der einfache Giebel mit sehr großem hörnerartigen Akroterion und einer breiten Mittelstütze, sowie die einfache türförmige Nische, während die Seitenpfosten sehr verwittert sind. Wir schätzten die Höhe des kleinen Denkmals auf höchstens 1,50 m. Daß man auch ihm sepulkrale Bestimmung beimessen konnte, ist mir unbegreiflich, in der Nische selbst hat kaum eine Zigarrenkiste Platz. Anscheinend ist die Nische nicht immer so unzugänglich gewesen, man hat in römischer Zeit einige Meter darunter ein Arcosoliengrab angelegt und dabei wohl ein Stück Fels abgesprengt, große abgestürzte Felsblöcke liegen noch am Boden. Die Anlage eines zweiten Arcosoliums zur Rechten scheint einen kleinen Stufenaltar zerstört zu haben, von dem nur die Rücklehne am Felsen erhalten ist. Genau wie bei dem freistehenden großen Altar, den Reber (S. 584, Fig. 9) am besten abgebildet hat[18], war die Lehne mit zwei Kreisen verziert.

Abb. 228. Kultnische bei *Jasili-kaja*, darunter Arcosoliengrab römischer Zeit.

An derselben Felswand mehr nach links liegt eine weitere Nische, deren eine Seite und Giebel ich bereits a. a. O. S. 88 nach meinen Skizzen abgebildet habe. Die Ähnlichkeit des kleinen Denkmals mit den Schachbrettkacheln des gordischen Tempels veranlaßt uns, es umstehend nach unserer photographischen Aufnahme zu wiederholen (Abb. 229). Trotz der Zerstörung der Seiten sieht man, daß im Vergleich zu den andern kleineren Denkmälern die eigentliche Nische hier ungewöhnlich groß ist. Man hat sich nicht auf eine Andeutung des Eingangs in den Berg beschränkt, sondern einen sorgfältig verzierten Naiskos geschaffen, der vielleicht ein Bild der Göttermutter enthielt.

Zu meiner Besprechung des Midasdenkmals[19] habe ich nichts hinzuzufügen,

---

18) Vgl. *Athen. Mitt.* XXIII, 119.

19) a. a. O. Taf. I, S. 83 ff.

dagegen glückte es uns eine Kammer zur Linken des Denkmals, die längere Zeit von einem Tscherkessenstall überbaut war, wiederzufinden und genauer zu untersuchen als unsere Vorgänger. Die Tscherkessen haben bei Abbruch des Stalls auch den Schutt, der den Boden bedeckte, fortgeräumt, so daß wir die ursprünglichen Maße der Kammer, deren Decke größtenteils eingestürzt ist, feststellen konnten. Nach Ausweis der Abarbeitung des Bodens war sie 4,40 m tief, bei einer Breite von rund 2,50 m, ihre Höhe beträgt hinten in der linken Ecke 3 m, in der rechten 2,40 m; nach vorn zu fällt das Dach ab und diese auffallende Unregelmäßigkeit führt darauf,

Abb. 229. Kultnische bei *Jasili-kaja*.

daß eine natürliche Höhle nur etwas umgeformt ist. Ob der Raum als Heiligtum oder als Grab diente, läßt sich nicht sicher entscheiden. Die benachbarten Grabkammern unterscheiden sich durch die sorgfältige Nachbildung der Giebeldecke und die Totenlager von ihm und es ist sehr wohl möglich, daß wir hier ein älteres Grottenheiligtum gleich dem der Mutter von Steunos vor uns haben, das dann durch die prächtige Fassade neben ihm ersetzt wurde. Daß die Kammer kein integrierender Bestandteil des Midasdenkmals war, wie man gemeint hat[20], zeigt ihre vollkommene räumliche Absonderung, die Analogie der andern Fassaden und ihre eigne Inschrift. Diese zieht sich ziemlich dicht unter der Decke an den Seitenwänden hin, vermutlich ist mit dem vorderen Teil der Seitenwände auch der größere Teil von ihr verloren

[20]) Ramsay, *Journal of Hell. Stud.* X, S. 160.

gegangen. Die erhaltenen 0,46 m hohen Buchstaben sind infolge der Verwitterung zum Teil schwer lesbar, wir lasen[21]:

Die besterhaltene Grabkammer in der Nähe des Midasdenkmals, deren sorgfältige Totenlager Perrot abgebildet hat[22], ist durch ein von Perrot wiederholtes Versehen Texiers mit einer falschen Fassade versehen worden[23]. Sie hat eine kleine rechtwinklige Tür, während die von Texier gezeichnete Fassade mit dem Rundbogen über der Tür einem benachbarten römischen Grabe mit Arcosolien gehört[24].

Endlich haben wir auch den figürlichen Darstellungen am Aufgang zum Felsplateau unsere Aufmerksamkeit zugewendet. Die besterhaltene von mir a. a. O. S. 137 Fig. 12 abgebildete Figur trägt ein richtiges griechisches Kerykeion mit verschlungenen Enden, nicht, wie ich nach der Photographie früher annahm, einen unverschlungenen Zwiesel.

Von den überaus schlecht erhaltenen Reliefiguren, die ohne Zusammenhang mit diesem Mann wie eine abwärts von einem Altar zum andern schreitende Prozession auf verschiedenen Felsblöcken dargestellt sind, glaubten wir folgendes zu erkennen:

1. Figur im Mantel mit betend erhobener Hand, 1,22 m hoch.

2. 20 m weiter sehr zerstörter Mann in Vorderansicht, der auf der Schulter etwas zu tragen scheint, 1,30 m hoch.

3. 5 m weiter drei Mantelfiguren.

4. Auf anstoßendem Block zwei sehr zerstörte Mantelfiguren mit einem entgegen gerichteten Tier.

5. Zwei sehr große, etwa 2,50 m hohe Mantelfiguren, von denen die linke verhältnismäßig am besten erhalten ist.

Wie traurig der Zustand und wie roh die Ausführung dieser Figurenreihe ist, davon mag die umstehende Abbildung 230 der besterhaltenen Figur eine Vorstellung geben. Zeit und Stil dieser Reliefs ist wegen ihrer Roheit und Zerstörung unbestimmbar. Sicherlich liegt kein Grund vor, sie der hittitischen Kunst zuzuweisen. Es wird vielleicht manchen befremden, daß der Name dieses Volkes, dem man vielfach eine so beherrschende Rolle in der älteren Geschichte Kleinasiens zugeschrieben hat, in unserm Buch kaum vorkommt — wir haben aber bei unseren Ausgrabungen

[21]) Die senkrechten Striche bezeichnen die Grenzen der Hinterwand. Unsere Abschrift ist bereits veröffentlicht von Kretschmer, *Wiener Zeitschrift für die Kunde des Morgenlandes* XV, 115 ff.

[22]) a. a. O. S. 186, Fig. 126.

[23]) Texier, *Description de l'Asie Mineure*, Taf. LVII, Perrot, Fig. 123—125.

[24]) Auf die Unstimmigkeit des Rundbogens zu dem angeblichen Innenraum habe ich schon a. a. O. S. 122 Anm. hingewiesen.

nicht die leiseste Spur hittitischer Kunst und Kultur gefunden[25] und können daher die Frage nach der Entstehungszeit von Werken wie den Reliefs von *Gjaur-kalessi*, *Jarreh*, *Eflatun-bunar*, *Fassilar*, *Ibris* in keiner Weise fördern[26].

Zum Schluß sei noch bemerkt, daß wir Ramsays Ansicht, das Felsplateau sei eine Burg gewesen, nicht teilen können. Dagegen spricht entschieden das Fehlen jeder Befestigung: nicht die geringste Spur einer steinernen Mauer ist erhalten. Die Annahme, es sei einst eine solche aus Lehmziegeln vorhanden gewesen, erscheint ausgeschlossen durch die einfache Erwägung, daß man das Material dazu mit großer

Abb. 230. Mantelfiguren in Relief an der Felswand unterhalb der sog. Midasstadt bei *Jasili-kaja*.

Mühe hätte auf diese Höhe schleppen müssen, wo doch die trefflichsten Steine im Überfluß vorhanden waren. Uns erschien die ganze Anlage als ein lediglich den Göttern, nicht den Menschen geweihter Bezirk, kein politisches, sondern ein religiöses Zentrum.

25) Phrygien ist um 700 nicht so stark vom Orient abhängig, wie ich *Athen. Mitt.* XXIII, 141 annahm.

26) Auch Leonhards kühne Behandlung der Hittiter in seinem Aufsatz über die paphlagonischen Felsgräber (*So. Jahresber. der Schles. Ges. für vaterl. Kult.*) kann ich nicht als eine Förderung dieser Frage ansehen, so erfreulich die Entdeckung neuer Felsgräber in Paphlagonien ist. Hoffentlich nimmt sich bald ein Fachmann der Sache an und beschafft vor allem bessere Abbildungen der Reliefs von *Kaleh-kapu*, die ich vorläufig eher in die Zeit der Perserherrschaft, als in das 13. Jahrh. v. Chr. setzen möchte.

EXCURS II.

ZUR TECHNIK DER ETRUSKISCHEN *VASI DI BUCCHERO.*

Die neuerdings von F. Barnabei in *Antichità del territorio Falisco* (*Mon. ant. dell' acad. dei Lincei* IV) p. 178 aufgestellte Theorie über die Herstellung der eigentlichen *vasi di bucchero*, die er zum ersten Male richtig von den *vasi ad impasto artificiale* geschieden hat, scheint mir entschieden der Berichtigung zu bedürfen. Barnabei nimmt nämlich an, daß das fertig gebrannte, noch heiße Gefäß einen Überzug von Wachs oder Harz, mit pulverisierter Kohle gemischt, erhalten habe und daß davon die schwarze Farbe und der lebhafte Glanz dieser Ware stamme. Nach einer erneuten genauen Untersuchung der im Berliner Museum befindlichen Buccheri muß ich dieser Ansicht entschieden widersprechen. Das von Barnabei angenommene Verfahren ist höchstens bei einer Minderheit der jüngeren Buccheri angewendet worden und zwar in unmittelbarer Anlehnung an die ältere Technik der *vasi ad impasto artificiale*. Bei der großen Mehrzahl dagegen sind die Gefäßwände, und zwar von der Außen- und Innenseite her, mit Schwarz imprägniert, so daß nur ein je nach der Sorgfalt bezw. Dauer des Imprägnierungsverfahrens stärkerer oder schwächerer Kern die graue oder bräunliche Naturfarbe des Tones zeigt. Dieses Resultat konnte aber nur durch eine mehr oder weniger vollständige Durchschmauchung (Imprägnierung mit Holzkohle) erzielt werden, nicht durch einen heißen Überzug, wie Barnabei will; denn dieser konnte einmal überhaupt schwerlich so tief eindringen, andererseits bei vielen Gefäßformen im Innern der Gefäße gar nicht angebracht werden. Der hohe Glanz aber, den die sichtbaren Teile der Buccheri zeigen, ist nach meinen Beobachtungen durch zwei verschiedene Verfahren erzeugt worden, welche zeitlich nebeneinander hergehen. Einmal durch Polieren mit glatten Steinen (Achaten, Feuersteinen u. a.); die Anwendung des Verfahrens ist bei vielen Gefäßen, besonders den großen dickwandigen Reliefkannen, augenfällig, indem die Politurstriche deutlich sicht- und fühlbar sind. Dieses mühevolle Verfahren ist auch in prähistorischer Zeit schon geübt worden sowohl in Etrurien wie in Troja, Ägypten und Phrygien. Mittels desselben wird ein besonders hoher Glanz erzielt und deshalb ist es offenbar auch in historischer Zeit beibehalten worden.

Zahlreiche andere echte Bucchero-Gefäße zeigen eine abweichende Behandlung. Die Oberfläche ist durchaus glatt, Politurstriche sind nicht wahrnehmbar, der oft ebenfalls sehr lebhafte Glanz ist durch einen Überzug über das fertige Gefäß hergestellt, möglicherweise in der von Barnabei angegebenen Art (ein definitives Urteil möchte ich zurückhalten, bis genaue chemische Analysen vorliegen). Diese Technik erscheint schon bei recht alten, den protokorinthischen und alten korinthischen nach Form und gravierter Dekoration parallelen Gefäßen, so der Lekythos Nr. 1542, den Kantharoi Inv. 3224, 1541, ferner bei der zahlreichen Klasse der Becher mit flachen Reliefs und vielen glatten Gefäßen aller Formen, z. B. auch der rot und blau bemalten Kanne von Orvieto Nr. 1543.

Vereinzelte Gefäße weisen in mehr oder weniger starken Spuren metallischen irisierenden Glanz auf, so die Lekythos Nr. 1533 (welche im übrigen von 1542 gar nicht zu trennen ist), das sehr altertümliche Gefäß Nr. 1410, der einhenklige Becher Nr. 1597. Ich wage nicht zu entscheiden, ob hier eine beabsichtigte Wirkung und ein besonderes Verfahren vorliegt, oder etwa eine durch die Zeit und besondere äußere Einwirkungen hervorgebrachte Veränderung des bei der ganzen zweiten Klasse von Gefäßen angewendeten Überzuges, der dann allerdings nicht nur aus Harz (Wachs) und Kohle bestanden haben könnte. Ein dem Aussehen nach ähnlicher Glanz findet sich an Firnisgefäßen späterer Zeit, z. B. calenischen Schalen. Einstweilen scheint mir die Annahme eines besonderen Verfahrens wahrscheinlicher.

Für die gleichzeitige Anwendung der zwei bezw. drei oben geschilderten Verfahren nebeneinander geben die in das Berliner Museum gelangten Grabfunde von Pitigliano (s. Boehlau, *Jahrb.* XV, 155) erwünschte Belege.

In dem Grabe 3 (einer tomba a camera B. S. 187) zeigen die beiden großen Reliefkannen Inv. Nr. 3600 und 3601, ferner die glatte Nr. 3602 deutlich das erste Verfahren, die übrigen kleineren Gefäße das zweite; Inv. 3605 (kl. Kanne), 3611, 3614 (Kantharoi) starke Spuren metallischen Glanzes, also eventuell das dritte Verfahren. Bei einer kleinen Kanne 3603 ist der metallische Glanz nur unter dem Boden bemerkbar.

Die sicher importierten, bemalten Gefäße dieses Grabes weisen dasselbe an das Ende des VII., vielleicht den Anfang des VI. Jahrhunderts. Einige geringere Gefäße zeigen die alte Technik der *vasi ad impasto artificiale*, die demnach für billige Ware neben der neuen fortbestanden haben muß.

Im Grab 23 (Boehlau S. 181 ff.), welches nach Form und dem übrigen Inhalt jenem gleichzeitig sein muß, finden sich nur Gefäße der zweiten Gattung, drei davon (3528, 3531, 3532) gehören der dritten (?) an. —

Die vorstehenden Bemerkungen sollen nur auf die wichtigen technischen Fragen hinweisen, welche hoffentlich bald eine abschließende Erledigung von anderer berufener Seite finden werden.

NACHTRÄGE.

Zu S. 93. Der Freundlichkeit von Georg Karo verdanke ich einen weiteren Beleg für den cyprischen Ursprung des Beckens mit Lotosknospenhenkeln aus Tumulus III, Nr. 57. Es ist ein kleines, offenbar ziemlich dickwandiges Becken aus plumpem, schlecht poliertem Bucchero im Louvre A 246, beschrieben von Pottier, *Catalogue des vases antiques* I, 115, aus Cypern. Wie Abbildung 231 nach Karos Photographie erkennen läßt, ist es die getreue Nachahmung eines Bronzebeckens in Bucchero, nur setzt der Henkel mit der Anheftungsplatte tiefer an und ist nach innen gebogen, so daß die Lotosknospe nur wenig über den Rand des Gefäßes emporragt und eine wagerechte Öffnung zwischen der Gefäßwandung und dem angesetzten Henkel entsteht: eine Änderung, die lediglich durch das verschiedene Material bedingt ist, denn ein freistehender Henkel wie bei unseren und den anderen Exemplaren in Bronze wäre in Ton zu leicht zerbrechlich gewesen.

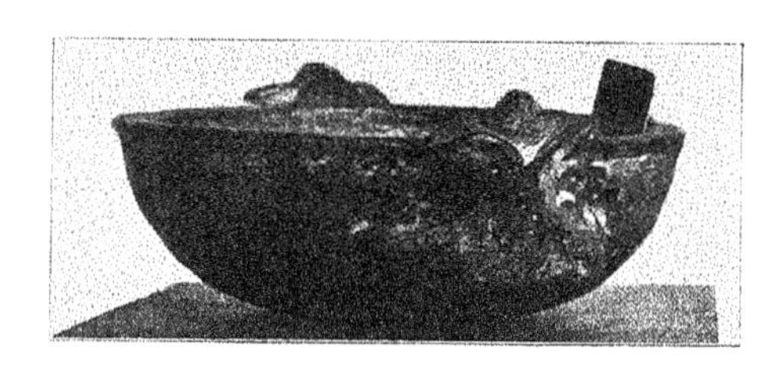

Abb. 231. Bucchero-Becken aus Cypern im Louvre.

Am nächsten steht dieser Nachahmung das S. 93 als Nr. 3 zitierte Exemplar bei Cesnola-Stern, *Cyprus,* Taf. LXVI. 2. Vielleicht ist auch dieses als eine Nachahmung in Bucchero aufzufassen und die Bezeichnung »Bronzevase« (a. a. O. S. 419) beruht auf einem Irrtum. Von Cesnola ist es »ohne Angabe« veröffentlicht, die (nach der Abbildung) außerordentliche Dickwandigkeit des Gefäßes spricht eher für Ton als Material, die Lotosknospe ragt zwar mehr über den Rand des Beckens empor als bei dem Exemplar im Louvre, aber es fehlt der freistehende Bügel der bronzenen Becken.

Zu S. 116, Anmerkung 44. Das Ornament findet sich in der Tat auf einem zum alten Athena-Tempel gehörigen Ziergliede unbestimmten Platzes, einer steilen Hohlkehle, abgebildet in Th. Wiegands, mir erst nach beinahe vollendeter Drucklegung durch die Güte des Verfassers zugegangenen Prachtwerke: *Die archaische Poros-Architektur der Akropolis zu Athen,* Taf. VI, 5, 6, vgl. S. 69.

Zu S. 126. Zwei weitere skulpierte Alabastra weist mir Paul Wolters in der ihm unterstellten Antikensammlung der Universität Würzburg nach (vgl. L. Urlichs *Verzeichnis* III, S. 88 Nr. 351, 352.

Bei der Seltenheit der Gattung und der Besonderheit, welche, soweit mir bekannt, nur diese Exemplare zeigen, schien es mir von Interesse, sie hier nachträglich abzubilden nach der von Wolters freundlichst zur Verfügung gestellten photographischen Aufnahme, welche das eine in Vorder-, das andere in Seitenansicht wiedergibt (Abb. 232). Das Material ist nicht, wie Urlichs angibt, »weiße schwere Erde«, sondern Stein, wohl ein harter Alabaster. Höhe 0,61 m. Die jetzt fehlende, weit ausladende Mündung war anscheinend, wie W. an andern Alabastra beobachtet hat, besonders gearbeitet und angesetzt. Mit der Sammlung Feoli erworben, stammen die Alabastra höchst wahrscheinlich gleich der Masse dieser Sammlung aus den Ausgrabungen Feolis in Campomorto bei Vulci.

Abb. 232. Oberteil zweier Alabastra in der Antikensammlung der Universität Würzburg.

Abweichend von den im Texte aufgezählten Exemplaren ist der Oberteil dieser beiden Salbgefäße mit je zwei voneinander abgekehrten weiblichen Büsten in Relief geschmückt. Im Typus ähneln sie am meisten dem Alabastron d (S. 125, Abb. 111) aus *grotta d'Iside*: Die dargestellte Frau hat lang herabfallendes Haar und faßt mit jeder Hand eine von der Masse desselben abgeteilte Flechte oder Haarsträhne. Am Halsansatz ist der Rand eines Gewandes angegeben. Über den Stil läßt sich, da die Oberfläche offenbar stark angegriffen (durch Feuchtigkeit zerfressen?) ist, nicht sicher urteilen. Jedenfalls ist er archaisch; etwas eigentümlich Ägyptisches vermag ich nicht zu erkennen. Als griechische Erzeugnisse wage ich diese Stücke nicht in Anspruch zu nehmen; ob sie in Etrurien selbst gefertigt, oder importiert (von Phöniziern?) sind, würde vielleicht eine sachverständige Analyse des Steines lehren.

Zu S. 127. Den ionischen Ursprung der Gravierung an den Straußeneiern der *grotta d'Iside* hat, wie ich nachträglich sehe, auch G. Karo in seiner vortrefflichen Dissertation *de arte vascularia antiquissima*, Bonn 1896, S. 21 (vgl. besonders Anm. 1) erkannt und schlagend begründet.

ANHANG.

UNTERSUCHUNG EINIGER SUBSTANZEN AUS TUMULUS III.

Von

R. KOBERT,

Direktor des pharmakologischen und physiologisch-chemischen Instituts der Universität Rostock.

I. Eine dunkle krümelige Masse, welche in dem Bronzebecken Nr. 55 (S. 71) gefunden wurde, wurde mir von Prof. G. Körte mit der Vermutung übergeben, es könne sich vielleicht um Blut handeln. Die Untersuchung wurde auf mikroskopischem Wege (keine Blutkörperchen), auf mikrochemischem (keine Teichmannschen und keine Nenckischen Krystalle erzielbar), auf spektroskopischem (kein Spektrum von Hämatin, Hämochromogen oder Hämatoporphyrin erzielbar) und auf rein chemischem (keine Guajakreaktion; in der Asche keine Blutaschensalze) Wege geführt und ergab Abwesenheit von Blut[1]. Wohl aber ergab das Mikroskop die reichliche Anwesenheit von zerkleinerten Hölzern und von Bröckelchen von Metallsalzen. Letztere enthielten kohlensaures Kupfer und dürften durch Zerfall der in Grünspanbildung übergegangenen Wandung des Bronzegefäßes hineingekommen sein. Ammoniak löste sie mit prachtvoller blauer Farbe. Die Hölzer waren offenbar absichtlich zum groben Pulver zerkleinert und hatten frisch vermutlich etwa das Aussehen unseres Räucherpulvers gehabt. Eins der zerkleinerten, offenbar künstlich gefärbten Hölzer enthält einen roten Farbstoff und täuscht dadurch Blut vor. Es hat wohl ein schönes Aussehen des Gemisches hervorrufen sollen. Ein anderes zerkleinertes Holz stammt von einer Konifere, deren mikroskopisches Bild gehöfte Tüpfelzellen, etwa in der Anordnung wie bei Pinus silvestris, erkennen läßt. Vermutlich war diese Pflanze reich an Harz (Terpentin) und lieferte zerkleinert und angezündet ein weiter glimmendes, stark rauchendes und aromatisch riechendes Räucherpulver. Eine Zeichnung des gehöften Tüpfelholzes ist hierneben abgebildet (Abb. 233).

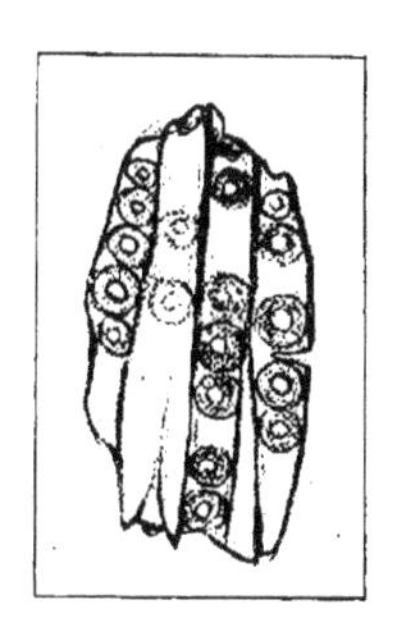

Abb. 233. Gehöfte Tüpfelzellen des als Räucherpulver verwendeten Holzes aus Tumulus III.

[1]) Gerade der Nachweis von alten Blutresten auf Derivate von Blutfarbstoff ist in meinem Institute in den letzten Jahren recht eingehend betrieben worden. Vgl. H. U. Kobert: *Das Wirbeltierblut in mikrokrystallographischer Hinsicht.* Stuttgart 1901. Dort ist unter anderem auch gesagt, daß wir trotz großer Mühe in mehreren ägyptischen Mumien aus vorchristlicher Zeit nicht imstande waren, Blutreste aufzufinden, nicht einmal in dem dazu eigentlich besonders geeigneten Becken, welches mit Harz völlig ausgegossen war und sich vorzüglich gehalten hatte.

II. Eine weitere Untersuchung bezog sich auf ein schmutzig braun gefärbtes Gewebstück, welches bei Professor Körte den Verdacht erweckt hatte, daß es mit sehr altem Blute durchtränkt sei (vgl. S. 45). Auch ich teilte zunächst diese Vermutung. Die Untersuchung verlief in folgender Weise:

1. Der mit Wasser und der mit verdünnter Sodalösung gemachte Auszug ergibt kein Absorptionsspektrum, enthält also kein Hämoglobin, kein Oxyhämoglobin und kein Methämoglobin, ja überhaupt keine Eiweißsubstanz,

2. Der Auszug mit starker Cyankaliumlösung enthält kein Cyanhämatin und läßt sich nicht in Hämochromogen umwandeln. Damit ist bewiesen, daß das Gewebe kein Hämatin, welches durch Zersetzung des Blutfarbstoffes entstanden sein könnte, enthält.

3. Der Auszug des Gewebes, welcher mit konz. Schwefelsäure gewonnen wird, enthält kein saures Hämatoporphyrin und läßt sich durch Fällen mit Ammoniakwasser auch nicht in alkalisches Hämatoporphyrin umwandeln. Alles dieses müßte aber der Fall sein, wenn es sich um einen Blutfleck handelte.

4. Der schwefelsaure oder salpetersaure Auszug des Fleckes, sowie die salpetersaure Lösung der Asche des im Porzellantiegel durch Hitze zerstörten Gewebes gibt alle Reaktionen des Kupfers, aber nicht des Eisens:

a) Schwefelwasserstoff fällt in saurer Lösung einen schwarzen Niederschlag (Kupfer); das Filtrat gibt mit Schwefelammon keine neue schwarze Fällung (Fehlen von Eisen).

b) Ferrocyankalium fällt eine tiefrotbraune Substanz (Kupfer), keine blaue (Fehlen von Eisen).

c) Die schwefelsaure Lösung mit Ammoniak übersättigt färbt sich deutlich blau (Kupfer).

d) Rhodansalze rufen nicht die dem Eisen zukommende charakteristische Braunrotfärbung hervor.

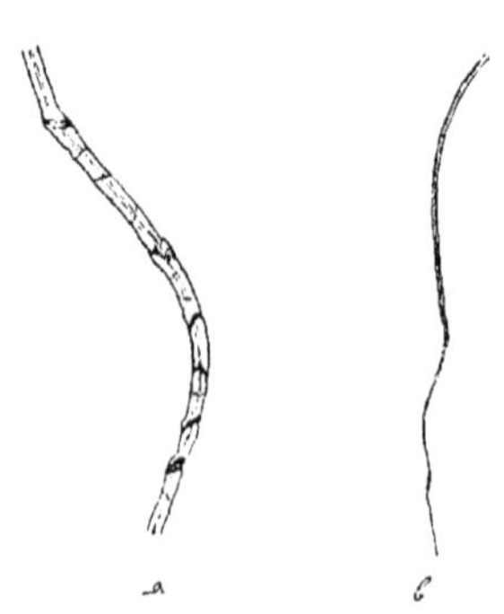

Abb. 234. Mittelstück (a) und Endstück (b) von Fasern des Gewebes mit Kupferrostfärbung aus Tum. III: typische Leinfaser.

Alle diese Untersuchungen zusammengenommen beweisen, daß es sich bei obigem Gewebe nicht um Blutfleckfärbung, sondern um Kupferrostfärbung handelt. Wären auch nur Spuren von Blut ursprünglich vorhanden gewesen und hätten sich im Laufe der Zeit zersetzt, so müßte doch das in denselben enthaltene Eisen, welches sich in der Wäsche ja selbst trotz vielmaligem Waschen als Rostfleck zu halten pflegt, nachweisbar geblieben sein.

Die Natur des Gewebes anlangend, so stimmt dasselbe mit einem andern aber ungefärbten feinen Gewebe desselben Tumulus und mit dem noch zu nennenden dunkelblau gefärbten der Natur der Fasern nach überein. Es handelt sich weder um Wolle noch um Baumwolle, sondern um Leinwand.

Abb. 234 zeigt das Mittelstück und das Endstück einer typischen Leinfaser. Sie deckt sich im Aussehen aber auch mit zwei aus dem blau gefärbten Gewebe genommenen Fasern, die daher nicht auch noch gezeichnet worden sind. Sie stimmt sehr gut überein mit den von Professor Hanausek in seinem Lehrbuche der technischen Mikroskopie (Stuttgart 1900, p. 69) abgebildeten typischen Leinfasern. Daß die Fasern des blutähnlichen Fleckes Kupfer enthalten, ist so zu verstehen, daß an dieser Stelle ein Gegenstand aus Bronze, eine Fibula (vgl. S. 46), auflag.

III. Ein farbiges Leinengewebe (S. 46), dessen ungemein zarte Längs- und Querfäden vor dem Weben gefärbt worden sind und zwar die einen rein blau, die andern mit rötlichblauer Nüance.

Um die Farbe des gefärbten Gewebes zu ermitteln, wurden folgende Versuche angestellt, welche namentlich dartun sollten, ob etwa gar Indigo vorliege.

1. Ein Stückchen wurde mit Alkohol übergossen. So blieb es einige Tage stehen. Der Alkohol blieb dabei farblos und auch beim Kochen zeigte sich keine Färbung.

2. Ein anderes Stückchen wurde in Ammoniak gelegt. Es trat weder hier, noch nach dem Kochen eine Färbung des Ammoniaks ein.

3. Ein drittes Stück wurde mit Äther behandelt. Ungefähr nach 24 Stunden trat spurweise hellblaue Färbung des Äthers ein, die sich beim Kochen aber nicht verstärkte.

4. Ein viertes Stück wurde in verdünnte Salzsäure gelegt. Nach ein bis zwei Tagen fing die Flüssigkeit an, sich gelblich zu färben, aber nicht blau. Ein Spektrum war nicht zu erkennen.

5. Ein fünftes Stück wurde in verdünnte Schwefelsäure gebracht. Die Flüssigkeit färbte sich kaum gelblich.

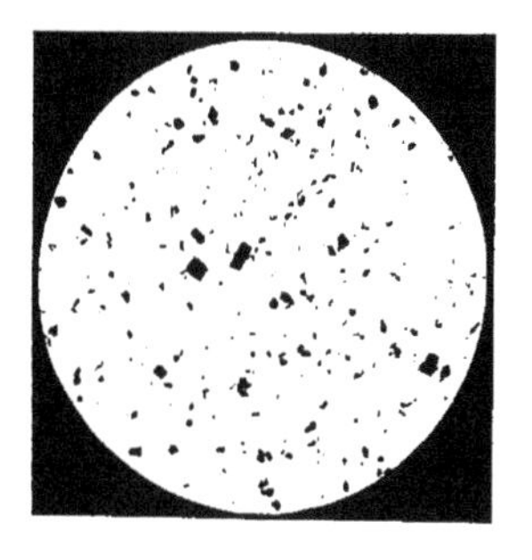

Abb. 235. Indigokrystalle, hergestellt aus dem gefärbten Gewebe aus Tumulus III.

6. Ein sechstes Stück wurde mit Chloroform begossen. Schon nach ein paar Stunden färbte sich die Flüssigkeit schön hellblau. Beim Kochen verstärkte sich die Farbe ganz beträchtlich und man erhielt eine prachtvoll blaue Flüssigkeit. Das Stückchen Gewebe wurde so oft in neuem Chloroform gekocht, bis keine Färbung des letzteren mehr eintrat.

7. Einen Teil der blauen Flüssigkeit ließ ich nun verdunsten und erhielt blaue quadratische, rechteckige und rhombische Kristalle. (Vgl. Abb. 235 nach Photogramm.)

8. Die Betrachtung der Flüssigkeit durch das Spektroskop ergab ein ziemlich scharfes schwarzes Absorptionsband an der Übergangsstelle des Roten ins Gelbe, d. h. zwischen den Fraunhoferschen Linien C und D.

9. Schließlich wurde ein Teil der eingetrockneten Lösung mit einem Tropfen konzentrierter Schwefelsäure versetzt und ordentlich verrieben, wobei die blaue

Farbe in Graugrün überging. Jetzt wurde diese Lösung durch Zusatz von konzentrierter Natronlauge alkalisch gemacht und gewann dadurch die blaue Farbe wieder. Diese Flüssigkeit wurde nun mit etwas in destilliertem Wasser gelöstem Traubenzucker vermischt und über der Flamme erhitzt. Dabei ging die blaue Farbe in Weiß über. — Es hatte sich eben indigschwefelsaures Natrium gebildet, welches schön blau ist, aber durch Erwärmen mit Zuckerlösung unter Reduktion entfärbt wird.

Die Ergebnisse von 6, 7, 8, 9 erbringen den schlagenden Beweis, daß der blaue Farbstoff »Indigo« ist.

Zum Vergleich und zur Kontrolle wurden noch mit anderem Indigo diese Proben angestellt und hatten dasselbe Resultat.

Trotzdem das Gewebe so lange und so oft in Chloroform gekocht worden war, bis es dasselbe nicht mehr färbte, konnte man noch deutlich die roten und blauen Fäden an ihrer Farbe unterscheiden; ein Beweis für die Güte der Fixation (Beizung).

Der rötliche Farbstoff erwies sich ebenfalls als ein Indigoderivat.

Es kann keinem Zweifel unterliegen, daß der dem Altertum bekannte Indigo, wie er seinen Namen Indicum von Indien herleitet, so auch seinen Ursprung der Hauptsache nach der dort allein in Betracht kommenden Indigo-Pflanze, *Indigofera tinctoria*, verdankte. Es soll jedoch hier nicht verschwiegen werden, daß es in kälteren Ländern und sogar in Nordeuropa ebenfalls Pflanzen gibt, welche auf Indigo verarbeitet werden können und z. T. schon vor 1000 Jahren in dieser Hinsicht benutzt worden sind. Hierher gehört namentlich der *Waid* der alten Deutschen, *Isatis tinctoria*. Es ist uns jedoch nicht bekannt, daß die Griechen oder die Völker Kleinasiens derartige Pflanzen benutzt hätten. Endlich muß auch noch des Farbstoffes der Purpurschnecke Erwähnung getan werden, der nach Bizzio[2] und nach de Negri[3] mit dem Indigo verwandt oder sogar identisch ist, während andere Autoren diese nahe Verwandtschaft energisch in Abrede stellen. Ich möchte in dieser Beziehung mich ganz auf den Standpunkt von v. Fürth[4] stellen, welcher als letzter über diese Substanzen sich ausgesprochen hat und zu folgendem Ergebnis kommt: »Man wird gut tun, mit einem abschließenden Urteile über die Verwandtschaft oder Nichtverwandtschaft des Indigo mit dem Purpur zu warten, bis weitere experimentelle Daten gegeben sein werden, und sich vorläufig zu vergegenwärtigen, daß positive Tatsachen, welche eine Zugehörigkeit des Purpurs zur Indigogruppe verraten, nicht vorliegen.«

IV. Eine Substanz wurde mir von Professor Körte als vermutliche Stücke einer Brustplatte aus Leder bezeichnet (vgl. S. 45, 47f.).

[2]) *Journ. de Chimie méd.* 10, 1834, p. 39. — *Annali delle Scienze del R. Istituto Lombardo-Veneto* 1835, p. 106, 176 und 1836, p. 225. — *Dissertazione sopra la porpora antica e sopra la scoperta della porpora nei Murici.* Venezia 1843. Keine dieser Schriften war mir im Original zugängig.

[3]) A. und G. de Negri, *Della materia colorante dei Murici e della porpora degli antichi. Atti della R. Università di Genova* [3.] 1875, p. 96 und *Gazzetta chim. ital.* 1875, p. 473. Mir ebenfalls nicht zugängig.

[4]) Otto v. Fürth, *Vergleichende chemische Physiologie der niederen Tiere.* Jena 1903. S. 377.

Es wurden von vier verschiedenen Stellen der papiermacheartigen braunen Masse kleine Stückchen untersucht. Dieselben quollen in Wasser bei längerem Stehen unter bedeutender Vermehrung ihres Volumens. Durch Kochen löste sich das Ganze und lieferte nach dem heißen Filtrieren eine hellgelbe, beim Erkalten dicklich werdende klebrige Flüssigkeit. Durch Zusatz von etwas Alkohol wurde ein aus Verunreinigungen bestehender brauner Niederschlag gebildet und das Filtrat davon war nun fast wasserklar. Damit wurden jetzt Reaktionen angestellt.

1. Kochen und Ansäuern mit Essigsäure ergab keinen Niederschlag.

2. Ferrocyankalium und Essigsäure ergab keinen Niederschlag.

3. Spieglers Reagens ergab keinen Niederschlag.

Durch diese drei Reaktionen wird dargetan, daß kein Eiweiß vorhanden ist.

4. Millons Reagens gab beim Kochen sehr schwache Rotfärbung.

5. Gerbsäurelösung ergab voluminöse Fällung.

6. Erhitzen mit Natronlauge und einer Spur Kupfersulfat ergab Violettfärbung.

7. Viel Alkohol rief eine weiße Fällung hervor.

Durch diese Reaktionen ist die Anwesenheit von Leim erwiesen. Dazu paßt auch das physikalische Verhalten der Flüssigkeit.

8. Schwefelammon ergab keine Fällung.

Dadurch ist die Anwesenheit von Eisen, Kupfer, Blei, Zink etc. ausgeschlossen. Eins der zu untersuchenden Stückchen enthielt in der äußersten Schicht deutlich Kupfer (mit Ferrocyankalium rotbrauner Niederschlag), aber wohl nur, weil hier kupferne Beschläge aufgesessen hatten.

9. Eisenchlorid ergab keine Reaktion.

Dadurch ist Gerbsäure ausgeschlossen und kann daher das Ganze nicht eo ipso als Leder in unserm jetzigen Sinne mit Sicherheit ausgesprochen werden, sondern nur als eine präparierte tierische, offenbar vom Rind stammende Haut. Es ist zwar nicht ganz unmöglich, daß dieselbe in der gewöhnlichen Weise mittels gerbsäurehaltige Beizen gegerbt gewesen ist; aber der Gerbstoff hat sich dann im Laufe der Zeit völlig zersetzt. Wahrscheinlicher ist aber, daß die Haut nur mittels Salze präpariert war. Diese Salze sind vom Grundwasser allmählich ausgewaschen. Das mikroskopische Bild der Substanz ist ein sehr undeutliches, meist krümeliges; nur hier und da ist die Struktur der Haut (Bindegewebszüge) spurweise noch erkennbar.

V. Eine Substanz aus Tumulus III bildet eine bräunliche, beim Fingerdruck zu Krümeln zerfallende Masse und war mir von Prof. Körte mit dem Bemerken übergeben worden, ob es nicht vielleicht Mehl sein könne. Ich untersuchte es daher zunächst auf Kohlehydrate. Von Zuckerarten war keine Spur vorhanden, von Klebersubstanzen auch nicht. Daß auch kein Amylum vorhanden war, ließ sich chemisch (keine Zuckerbildung beim Erhitzen mit verdünnten Mineralsäuren; Fehlen der Jodreaktion) und mikroskopisch (keine Stärkekornstruktur) dartun. Man konnte überhaupt mittels des Mikroskopes pflanzliche Gebilde direkt nicht nachweisen, wohl aber hier und da einzelne undeutliche nadelförmige Kristalle. An Wasser gab die Substanz nichts ab. Beim Anzünden brannte sie lebhaft mit stark rußender Flamme, die deutlich den Geruch nach Stearin hinterließ. Die Asche ist von weißer Farbe, alkalischer Reaktion und besteht aus kohlensaurem Kalk. Sie gibt unter Entweichen von Kohlensäureblasen mit Schwefelsäure sofort schöne Gipsnadeln und mit Oxalsäure typische Kristalle von Calciumoxalat. Im Soxhletschen Apparat mit Äther bis zur Erschöpfung ausgekocht, nimmt sie an Volumen sehr ab. Der ätherische Auszug erstarrt beim Verdunsten zu einer aus weißen Nadeln bestehenden Masse. In absolutem Alkohol ist diese Masse beim Kochen löslich, läßt aber beim Abkühlen die Hauptmenge in Form schneeweißer, aus konzentrisch angeordneten Nadeln bestehender Kristalle wieder ausfallen. Der Schmelzpunkt der Masse liegt bei 62—63° C. Offenbar haben wir es hier mit einem Fettpräparat zu tun, und zwar besteht dasselbe aus dreierlei Bestandteilen, nämlich 1. zum Teile aus verseifbaren Triglyceriden der höheren Fettsäuren, 2. zum geringeren Teile aus freien Fettsäuren. In geringen Mengen ist 3. auch das — in Alkohol und in Äther an sich eigentlich unlösliche — Calciumsalz einer Fettsäure vorhanden, denn die durch Verdunsten des Äthers gewonnenen Massen hinterlassen beim Verbrennen etwas kalkhaltige Asche. Weitaus größere Mengen von fettsaurem Kalk finden sich in dem bei der Soxhletextraktion in der Patrone verbleibenden Rückstand. Kocht man diesen mit salzsäurehaltigem Äther nochmals aus, so geht wiederum Substanz in Lösung, die sich als aus freien Fettsäuren bestehend erweist, und der Rückstand in der Patrone nimmt an Kalkgehalt prozentisch zu. Bekanntlich bilden fettsaure Kalksalze die Hauptmasse des sogenannten Leichenwachses (Adipocire); sie finden sich ferner reichlich in den Herden bei der sogenannten Fettgewebsnekrose in der Umgebung des Pankreas. Wirft man Stückchen von solchem Gewebe in wässrige Lösung von essigsaurem Kupfer, so wird die Lösung entfärbt, während die aus fettsaurem Kalk bestehenden Massen, wie C. Benda[5] gefunden hat, sich intensiv grün färben. Genau dasselbe tritt auch ein, wenn man die Körtesche Originalsubstanz oder die durch Auskochen mit Äther von Neutralfetten und freien Fettsäuren befreite in Lösungen von essigsaurem Kupfer einlegt. — Außer Glyceriden der Fettsäuren, freien Fettsäuren und fettsauren Kalksalzen enthält unsere Substanz aber noch etwas, was ihr die braune Farbe verleiht, und was nach Extraktion aller dieser Substanzen noch zurückbleibt. Es ist ein organischer, in Alkalien gelblichbraun löslicher Farbstoff, offenbar pflanzlicher Natur. Da für jene alten Zeiten an erster Stelle als gelber Farbstoff Safran in Frage kommt, so habe ich versucht, diesen Stoff damit zu identifizieren, was jedoch nicht gelungen ist. Die Farbe desselben ähnelt am meisten der der Muskatbutter, von der jedoch ebenfalls nicht die Rede sein kann. Ich muß daher die Frage nach der Natur dieses Farbstoffes offen lassen.

Bei der eigenartigen Zusammensetzung unserer Masse lag mir daran, außer

---

[5]) *Virchows Arch.*, Bd. 161, 1900, p. 194. Hämatoxylinzusatz ändert an dieser Färbung nichts.

der kleinen, von Prof. Körte mitgebrachten, zum Teil mit Lehmerde verunreinigten Substanzprobe noch ein Quantum derselben Substanz, aber aus größeren Tiefen des Gefäßes, zu untersuchen. Prof. Körte hat diese Kontrollportion aus Konstantinopel kommen lassen. Sie stimmt in ihrer Zusammensetzung mit der erstgenannten überein, nur ist sie nicht durch hineingefallene Lehmerde verunreinigt und bildet etwas größere Klumpen.

Welche Deutung sollen wir nun dieser Substanz geben? Ohne Frage ist es ein gefärbtes Fettgemisch gewesen, welches durch das oftmalige Hineingelangen des Grundwassers in die nur schwach gebrannte Amphora genau dieselben Umwandlungen erlitten hat, wie das Fett einer Leiche im Wasser oder im feuchten Boden, d. h. es ist eine teilweise Umwandlung der Neutralfette in freie Fettsäuren und dann in fettsaure Salze, d. h. in Leichenwachs, erfolgt. Der dazu nötige Kalk wurde von dem Grundwasser geliefert, welches dafür das abgespaltene Glycerin mit fortschwemmte.

Forschen wir nun in den Schriftstellern des Altertums nach, welches Fett hier wohl vorgelegen haben kann, so kommt kaum ein anderes in Betracht als die zuerst von Hippokrates als »Kuhquark« beschriebene und neben dem »Pferdekäse« erwähnte Butter, βούτυρον, asiatischer Stämme und speziell auch der Phryger. Da sie im vorliegenden Falle wohl nicht als Nahrungsmittel, sondern als äußerliches Kosmetikum dienen sollte, wurde sie gefärbt, um ihr ein schönes Ansehen zu geben. Für quarkartige Butter spricht auch das bröckelige Gefüge unseres Präparates, während ausgeschmolzener Talg von vornherein ein festes Ganze gebildet haben und noch heute bilden würde. Wir haben es hier also vielleicht mit der ältesten Butter der Welt zu tun. Daß Fette sich so lange halten können, beweist eine Reihe 2000—3000 Jahre alter Ricinussamen aus altägyptischen Grabstätten, welche ich der Liebenswürdigkeit des ägyptischen Museums in Berlin verdanke. Einige derselben habe ich chemisch und physiologisch untersucht. Während der furchtbare Giftstoff der Ricinussamen, das Ricin, da es eiweißartiger Natur ist, selbstverständlich durch sogenannte Autolyse im Laufe der Jahrtausende längst zersetzt ist, wie ja auch bei dem Mumienweizen der Keimling stets autolytisch zersetzt gefunden wird, ist das Ricinusöl unserer Samen noch leicht darstellbar und nur wenig ranzig. Gerade so wie das Öl der Ricinussamen hat auch die phrygische Butter zwei und ein halbes Jahrtausend hindurch sich gehalten und nur durch das Grundwasser eine teilweise Umwandlung in Leichenwachs erlitten.

REGISTER.

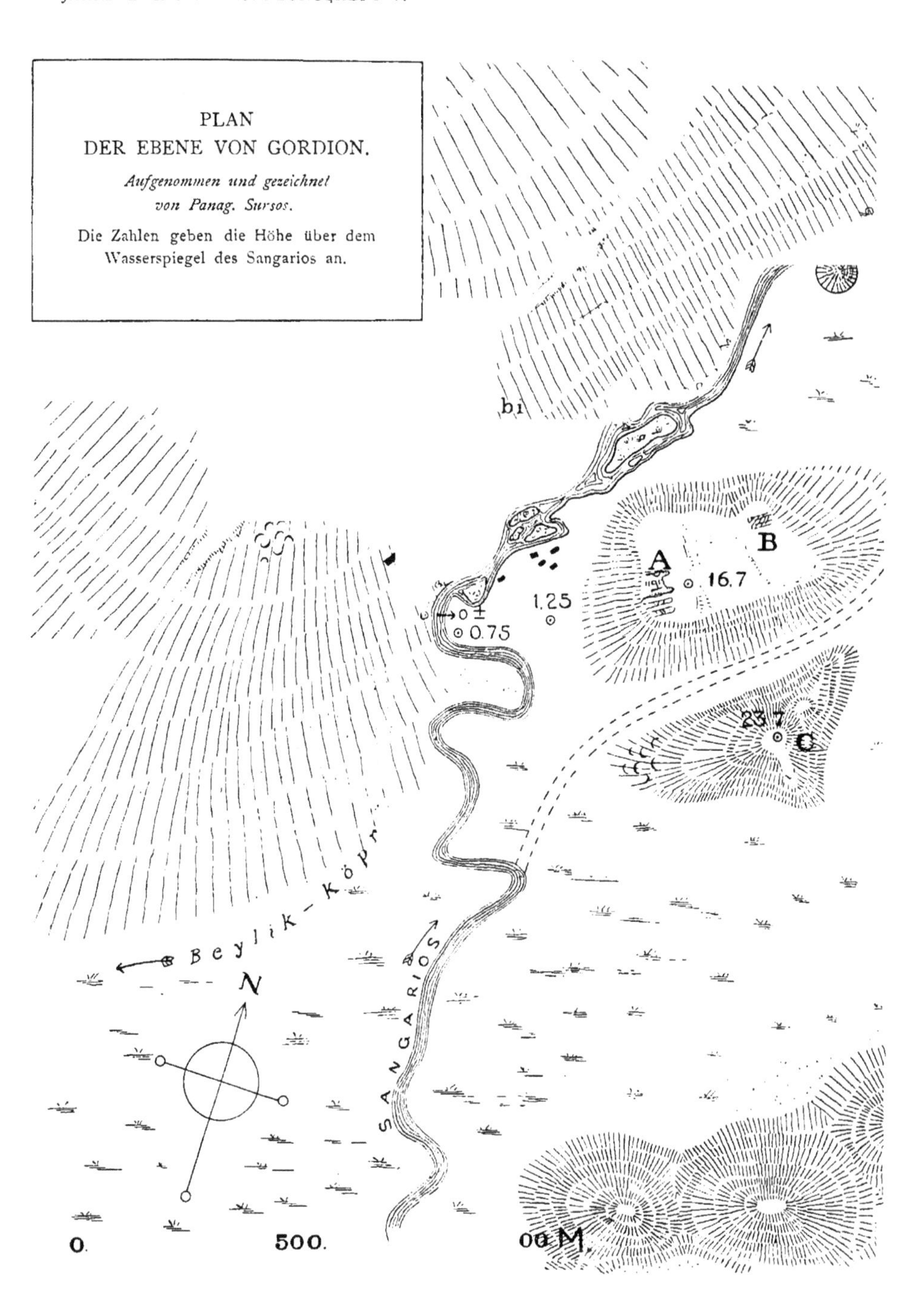
PLAN
DER EBENE VON GORDION.
Aufgenommen und gezeichnet
von Panag. Sursos.
Die Zahlen geben die Höhe über dem
Wasserspiegel des Sangarios an.
A
B
C
16,7
23,7
1,25
0.75
Beylik-Köpr
SANGARIOS
N
0.
500.
00 M.

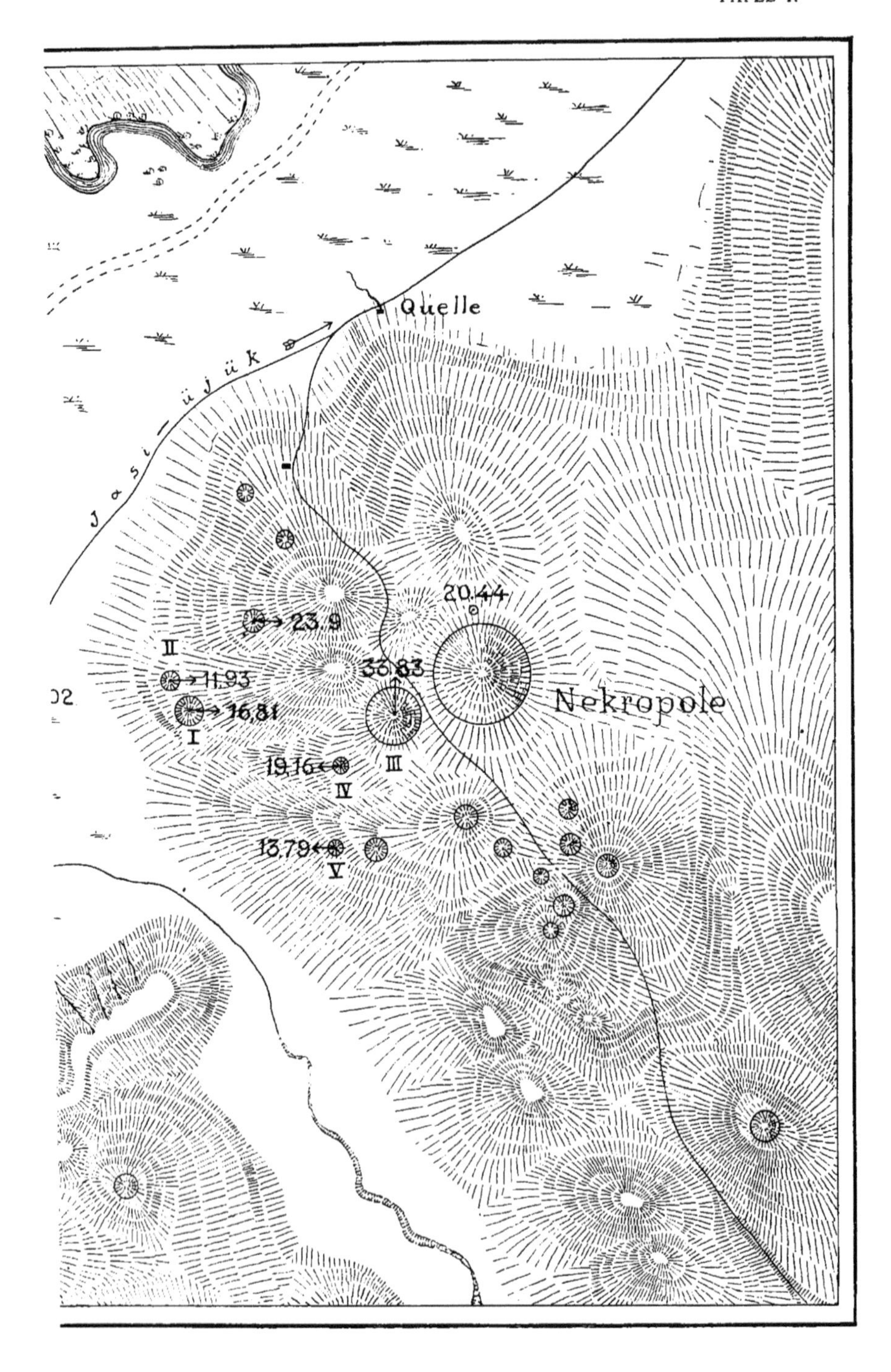
Quelle
Jasi—üjük
23.9
20.44
II
11.93
33.83
16.81
I
Nekropole
19.16
III
IV
13.79
V

BEMALTE SIEBKANNE Nr. 6 AUS TUMULUS III (2/3).

SIEBKANNE Nr. 10 AUS TUMULUS III (NAT. GR.).

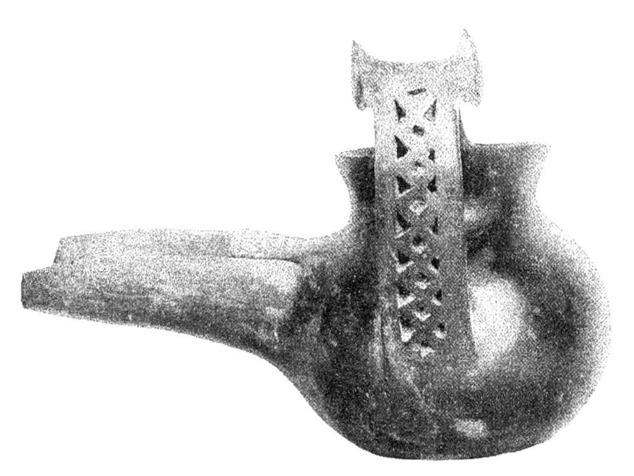

Nr. 16.

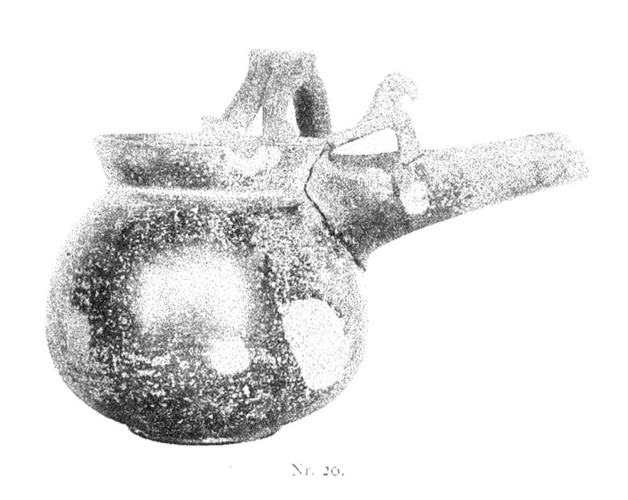

Nr. 20.

SCHWARZE SIEBKANNEN AUS TUMULUS III (ca. 1/2).

HÖLZERNER GRIFF DES DECKELS DES GROSSEN BRONZEKESSELS Nr. 49
AUS TUMULUS III (Höhe 0,095 m).

SALBGEFÄSS AUS ORIENTALISCHEM ALABASTER AUS TUMULUS II
(Höıe 0,44 m).

Natürliche Größe.

SCHALE DES ERGOTIMOS UND KLITIAS (TUMULUS V).

Natürliche Größe.

SCHALE, WAHRSCHEINLICH AUS DER WERKSTATT DES ERGOTIMOS (TUMULUS V).

SCHERBEN VOM STADTHÜGEL (NAT. GR.).

SCHERBEN VOM STADTHÜGEL (NAT. GR.).

GORDION.

Durch die hochherzige Freigebigkeit eines Freundes wurden den beiden Unterzeichneten die Mittel gewährt, in Phrygien bei dem Dorfe Pebi Ausgrabungen zu veranstalten, welche vom 8. Mai bis 26. August 1900 dauerten.

Wir beabsichtigen, die Ergebnisse unserer durch das Wohlwollen der türkischen und deutschen Behörden und nicht zum wenigsten durch das Entgegenkommen der anatolischen Eisenbahngesellschaft geförderten Arbeiten in einer Sonderpublikation zu veröffentlichen. Da aber deren Fertigstellung noch längere Zeit beanspruchen wird, halten wir es für angezeigt, die Fachgenossen schon jetzt durch einen kurzen vorläufigen Bericht mit den wesentlichen Resultaten bekannt zu machen.

Für die Wahl des Ortes waren die in den Athenischen Mittheilungen XXII 1 ff. vorgetragenen Beobachtungen und Schlüsse bestimmend, welche uns hoffen liefsen, auf der Ruinenstätte bei Pebi Reste der alten phrygischen Stadt Gordion und in den benachbarten Tumuli die Grabstätten ihrer Herrscher und Edlen zu finden. Da die Tumuli nach den in Bos-öjük gemachten Erfahrungen[1] bessere Aussichten für die mit immerhin begrenzten Mitteln unternommenen Ausgrabungen boten, so verwendeten wir auf sie unsere Hauptarbeit und berücksichtigten den Stadthügel erst in zweiter Linie.

Die Zahl unserer Arbeiter stieg im Laufe des

[1]) Vgl. Athen. Mittheil. XXIV, 1 ff.

Mai rasch bis auf etwa 50, während des Juni weiter in schneller Folge bis auf 76; sie waren z. Th. aus weiter Ferne zugewandert, indem die Kunde von dem lohnenden Verdienst sich mit erstaunlicher Schnelligkeit verbreitete, sobald einmal die Arbeiten begonnen hatten. Die Erntearbeiten verursachten dann vom 5. Juli ab einen jähen Rückgang; die Leute aus den näher gelegenen Ortschaften verliefsen uns alsbald und bei der nun überall reichlich vorhandenen Arbeitsgelegenheit kamen nur vereinzelte Zuzüge, so dafs wir während des Juli und August nur durchschnittlich einige 40 Mann beschäftigen konnten. Der für diese Gegenden ebenso ungewöhnliche wie nützliche Regenreichthum dieses Sommers war unseren Arbeiten nicht eben förderlich; wolkenbruchartige, von heftigen Hagelböen begleitete Gewitterregen, die vom letzten Drittel des Mai an fast einen Monat hindurch einander folgten, verwandelten die Ebene zwischen Sakaria und der Nekropole in einen Sumpf, der tageweise selbst zu Pferde nicht ganz leicht zu passiren war. Immerhin wurde durch sie die Arbeit nur auf Stunden und halbe Tage unterbrochen. Unerfreulicher waren die seit Mitte Juni überhand nehmenden Stechmücken und mit ihnen die Fieberanfälle, von denen weder wir noch unsere Arbeiter verschont blieben. Von Anfang Juli an wurde auch die Hitze fühlbar (häufig 36° C. i. Sch.), wenn auch durch fast beständig herrschenden Luftzug gemildert. Die weite wellige Hochebene, von bläulich schimmernden Gebirgszügen eingerahmt und in ihrem Gesammtcharakter wohl der Campagna von Rom vergleichbar, bot im Frühling mit ihrer reichen Vegetation ein entzückendes Bild; von der Hitze des Hochsommers ausgedörrt, verlor sie wesentlich an Reiz und nur die Freude an unserer Arbeit und deren sich mehrenden Ergebnissen konnte schliefslich die Beschwerlichkeit derselben vergessen machen.

1. Die antike Stadt.

Der grofse Umfang der antiken Stadt verwehrte von vorn herein bei der Zeit und den Mitteln, die uns zur Verfügung standen, den Plan einer vollständigen Freilegung der etwa vorhandenen baulichen Reste; vielmehr konnten wir nur Theiluntersuchungen derjenigen Stellen in's Auge fassen, an welchen die hervorragendsten Gebäude, insbesondere der durch Alexander's Besuch berühmte Tempel, zu vermuthen waren. Als solche kamen einmal die Kuppe des südöstlichen kleineren Hügels, dann der höchst gelegene Theil des westlichen gröfseren, d. h. eine längs dessen Südrand sich erstreckende Erdwelle, in erster Linie in Betracht. Aus verschiedenen Gründen, namentlich auch wegen der dort in gröfserer Zahl vorhandenen alten Thonscherben entschieden wir uns dafür, an der zweitgenannten Stelle zu beginnen. Es wurden zunächst nacheinander 4 Versuchsgräben von je ca. 3 m Br. und 30 m L. in der Richtung SW.—NO. ausgehoben. Dabei stiefsen wir in geringer Tiefe auf Gräber, wenn nicht jüngster, so doch nicht weit zurückliegender Zeit; darunter kamen Reste von Wohnhäusern (Fundamentmauern aus Bruchsteinen in Lehmverband) zu Tage, welche frühestens hellenistischer, spätestens dem Anfang der Kaiserzeit angehören können. Nachdem es uns gelungen war, weitere Schubkarren zu beschaffen, konnte der dritte Graben verbreitert und dann bis auf den gewachsenen Boden hinab vertieft werden, welcher 6,50 m unter der höchsten Stelle der heutigen Oberfläche liegt. Hier fand sich, ca. 0,50 m über dem gewachsenen Boden, ein von SW. nach NO. laufendes starkes Fundament aus Bruchsteinen in Lehmverband, darüber in etwas abweichender Richtung eine schwächere Mauer derselben Technik. Da andere Mauerzüge nach dem 4. Graben hin sich anzuschliefsen schienen, so wurde das ganze Terrain zwischen den beiden Gräben freigelegt. Es ergab sich folgender Befund: Die in den tiefsten Schichten gefundenen schwachen Mauern — die Technik dieser ist offenbar von den ältesten Zeiten bis auf die Gegenwart unverändert geblieben, so dafs das relative Alter der einzelnen Mauern nur durch die verschiedene Höhenlage zu bestimmen ist — rühren offenbar von Wohnhäusern ältester Zeit her. An einer Stelle waren über dem Fundament aus Bruchsteinen noch vier Schichten des aufgehenden Mauerwerkes aus Luftziegeln erhalten. Diese kleineren Baulichkeiten, welche unter einander nicht in Zusammenhang zu stehen scheinen, haben später einem gröfseren Gebäude Platz gemacht; nach dessen Zerstörung sind an seiner Stelle wiederum ärmliche Wohnhäuser errichtet worden. Leider ist der Unterbau des gröfseren Gebäudes nicht vollständig erhalten, irgend welche Reste von Säulen oder Gebälk sind nicht gefunden worden, überhaupt nichts, was auf einen steinernen Oberbau schliefsen liefse. Man wird demnach annehmen müssen, dafs das aufgehende Mauerwerk aus Luftziegeln, das Gebälk aus Holz bestand. Das Dach war ein Giebeldach, wie die zahlreichen Bruchstücke von flachen Dach- und gewölbten Deckziegeln beweisen. Aufserdem sind eine gröfsere Anzahl von Bruchstücken architektonischer mit Reliefs verzierter Terracotten gefunden worden, welche zur äufseren Verzierung des Gebäudes gedient haben. Unter ihnen gebührt die erste Stelle der untenstehend in Fig. 1 abgebildeten Platte (L. 0,385), von der nur der untere Theil, etwa ein Drittel des Ganzen, fehlt.

Auf einem von zwei Pferden — der Künstler hat nur eines darzustellen gewufst, doch beweist der die Vereinigungsstelle von Joch und Deichsel schmückende Greifenkopf (des griechischen Typus), dafs ein Zweigespann gemeint war — gezogenen Wagen stehen zwei anscheinend bärtige Männer, von denen der vordere einen gespannten Bogen hält, der hintere als Wagenlenker zu betrachten ist. Das gejagte Wild ist über, statt vor dem Gespanne dargestellt: ein geweihter Hirsch und, diesem voraus, weiter rechts eine Hindin. Vor den Pferden ist der Oberkörper eines in gleicher Richtung schreitenden Kriegers erhalten, der mit rundem Schild, Lanze und Helm (mit grofsem auf einer niedrigen Stütze befestigten nach vorn und hinten wallendem Busch[2]) ausgerüstet ist. Ein Bruchstück eines zweiten Exemplars aus derselben Form zeigt ein Stück des Rumpfes und ein Vorderbein (das zweite war plastisch nicht wiedergegeben) des Pferdes, sowie den Ansatz des Beines und Schildes des Kriegers. Da an diesem Fragment der untere Reliefrand erhalten ist, so kann man zu der bekannten Breite auch die Höhe der ganzen Platte bestimmen und gewinnt eine quadratische Form.

Die Formen des Reliefs sind ziemlich stumpf, die Unbeholfenheit der Ausführung (welche ursprünglich durch Bemalung ergänzt gewesen sein wird) weist mit Bestimmtheit auf einheimische Fabrikation.

Fig. 1.

Doch verbietet die Waffenrüstung des Kriegers und der in dieser wie in dem Greifentypus sich zeigende ostgriechische Einflufs mit der Datirung wesentlich über den Anfang des 6. vorchr. Jahrhunderts hinaufzugehen.[3]

Nur noch ein unbedeutendes und schlecht erhaltenes Bruchstück eines Reliefs mit menschlichen Figuren wurde gefunden, auf welchem das Untertheil eines nach links hin schreitenden Kriegers mit rundem Schild und Schwertscheide dargestellt zu sein scheint. Eine gröfsere Zahl anderer gehört zu Platten ungefähr derselben Form und Gröfse,

2) Über diese auch an dem zertrümmerten Löwengrabe bei Hairan-veli wiederkehrende Helmform und deren griechische Vorbilder vgl. Athen. Mitth. XXIII, S. 131.

3) Vgl. das Ath. Mitth. XXIII S. 140 f. Ausgeführte.

wie die mit der Hirschjagd, welche je zwei aufgerichtete Thiere einander gegenüber in archaischem Stile enthalten. Der eine Typus (Bruchstücke von wenigstens 5 Exemplaren) zeigt einen Stier und einen Löwen, deren Vorderbeine auf je einer aus dem Boden spriefsenden Ranke aufruhen, der andere (wenigstens 3 Exemplare) 2 Antilopen, die rechts und links an einer silphionähnlichen Doldenpflanze emporspringen und an deren obersten Blüthen zu nagen scheinen. Reste von andern Platten enthalten ein Schachbrettmuster, oder auf die Spitze gestellte Quadrate; bei allen war der Grund weifs, die Relieftheile abwechselnd schwarz und braunroth gefärbt. Ferner finden wir Fragmente von Kastenstücken mit Lotos- und Palmetten-Ornamenten in quadratischen Feldern. Endlich sind Bruchstücke von Stirnziegeln erhalten, welche einen nach rechts schreitenden Greifen mit aufgebogenen Flügeln, also des griechischen Typus (3 Exemplare), oder einen aufgerichteten Löwen zeigen, dem ein anderes Thier gegenübergestellt war (1 Exemplar).

Alle diese Terracotten gehören nach Technik, Stil, Mafsen und Farbengebung (wo diese erkennbar) derselben Zeit und demselben Gebäude an; bei mehreren sind die zur Anheftung dienenden Nagellöcher erhalten (s. Fig. 1). Welcher Platz den einzelnen Stücken an dessen Aufsenseite anzuweisen ist, ob sie nur auf die Eingangsseite, oder auch auf die übrigen Seiten zu vertheilen sind, ferner ob im ersteren Falle die ganze Wand oder nur Theile derselben mit Platten bekleidet waren, wird sich schwerlich mit Sicherheit feststellen lassen. Für die beiden letzteren Möglichkeiten bieten die phrygischen Felsfassaden schlagende Analogien; die zuerst von Ramsay ausgesprochene Vermuthung, dafs deren ganze eigenthümliche Decorationsweise wirklichen mit Kacheln bekleideten Gebäuden nachgebildet sei, wird durch die von uns gefundenen Reste eines solchen überaus wahrscheinlich gemacht. Freilich wird man immer mit der spielerischen Phantasie der Künstler rechnen müssen, die sich nicht überall an die architektonischen Vorbilder anschlofs. Der sakrale Charakter der Felsfassaden scheint uns durch die a. a. O. gemachten Ausführungen erwiesen; demnach kann auch das neu gefundene Bauwerk nur ein Heiligthum gewesen sein, was übrigens schon durch das Giebeldach wahrscheinlich gemacht wird. Dafs es nach Material und Abmessungen nur bescheiden war (etwa 11×20 m), hindert nicht die Identifikation mit dem geschichtlich berühmten Tempel von Gordion, über dessen Gröfse und Ausstattung keinerlei Nachrichten vorliegen.

Unter den übrigen Funden, über welche hier nur ganz summarisch berichtet werden kann, stehen an Zahl voran die Bruchstücke von Thongefäfsen. Ein grofser Theil derselben, namentlich in den tiefsten Schichten zahlreich auftretend, reiht sich den im Tumulus von Bos-öjük (vgl. Ath. Mitth. XXIV, 1 ff.) vertretenen Gattungen ältester monochromer Thonwaare an. Ihr Vorkommen erweist auch für die von uns untersuchte städtische Ansiedelung ein hohes Alter (ungefähr Mitte des zweiten vorchr. Jahrtausends). Diese uralte Technik ist in Phrygien offenbar viele Jahrhunderte hindurch geübt und allmählich (für die bessere Waare) immer mehr vervollkommnet worden. Ihren Höhepunkt erreichte sie spätestens im siebenten und sechsten Jahrhundert v. Chr., wie unsere Funde auf dem Stadthügel und in den Tumuli beweisen. Die sog. Bucchero-Waare zeigt in den besten Stücken eine so vorzügliche Glättung, homogene schwarze Färbung und Dünnwandigkeit, dafs man bei flüchtiger Besichtigung Firnifswaare bester Qualität vor sich zu sehen glaubt. Es scheint, dafs diese Fabrikation noch bis ins vierte Jahrhundert hinabreicht. Gleichfalls lokaler Fabrikation gehören eine Anzahl von Scherben geometrisch decorirter Gefäfse verschiedener Gattungen (Matt- und Firnifsmalerei) an. Der Import griechischer bemalter Thonwaare begann, soweit unsere Funde es erkennen lassen, erst im sechsten Jahrhundert. Neben je einer kyrenaeischen und korinthischen sind eine Anzahl von Scherben schwarzfiguriger und rothfiguriger attischer Vasen bis zu den Ausläufern dieser letzteren Gattung zu verzeichnen. Für den griechischen Einflufs im 6. Jahrhundert bezeichnend ist ein unscheinbares Bruchstück eines flachen Bucchero-Henkels mit eingeritzter griechischer Inschrift: καὶ γυν... Es folgt schwarzgefirnifste Waare, auch mit eingedrückten Palmetten, eine Anzahl kleinerer Gefäfse, Lampen u. s. w. hellenistischer Zeit, 2 thasische und ein rhodischer Amphorenhenkel mit Stempeln, endlich als jüngste Gattung, hauptsächlich in den obersten Schichten häufig, Terra sigillata-Waare guter und geringerer Technik.

Von Gegenständen aus Stein sind als Zeugen der ältesten Epoche zu nennen zwei wohlerhaltene Meifsel aus hartem, grünlichem Stein. Ins sechste Jahrhundert gehört ein merkwürdiger Stempel aus weichem, grünlich-grauem Stein, 0,09 hoch, in Form einer abgestumpften Pyramide mit ringförmigem Griff und eingegrabenen griechischen Buchstaben auf der Unterseite, über deren Lesung wir das Urtheil noch zurückhalten. Die einzige Freisculptur, die wir gefunden, ist der Torso einer Sirene

Fig. 2.

(0,23 h.) griechisch-archaischen Stils aus Trachyt, entweder ein Weihgeschenk oder etwa Firstakroter des Tempels.

Von Metallfunden sind nur ganz vereinzelte Stücke, eine Pfeilspitze, einige Fibeln und durch Oxydation völlig unkenntlich gewordene Münzen zu erwähnen.

Unsere Nachforschungen auf dem kleineren südöstlichen Hügel blieben ohne Erfolg. Die wenigen an der Oberfläche liegenden, nicht sorgfältig bearbeiteten Blöcke sind nicht *in situ*; beim Tiefergraben fand sich keine Spur eines Fundamentes des. an dieser Stelle zuerst vermutheten Tempels und an sonstigen antiken Resten nur einige nicht charakteristische monochrome Scherben.

Auch am Nordrande des Stadthügels, da, wo eine doppelte Rampe von der Ebene auf denselben hinaufführte, deren Steinbelag leider beim Eisenbahnbau entfernt worden ist (vgl. Ath. Mitth. XXII, S. 21), förderte ein senkrecht zu diesem Aufgange bis auf den gewachsenen Boden hinabgeführter Graben (24,4 m lg., 4 m br., 3,45 m t.) keine Reste baulicher Anlagen zu Tage. In dem zwischen den gepflasterten Rampen stehen gebliebenen Schuttkegel staken zahlreiche Thonscherben, von den ältesten monochromen Gattungen bis zu schwarz gefirnifsten und mit eingepressten Palmetten verzierten Gefäfsen. Man wird daraus schliefsen dürfen, dafs der Aufgang nicht vor dem ausgehenden vierten Jahrhundert errichtet worden ist.

Steinerne Mauern hat die Stadt anscheinend nie gehabt; weder am Süd- noch am Nordrand des Hügels haben wir irgend welche Reste davon gefunden.

2. Nekropolis.

Die Ausgrabung der Tumuli war wesentlich mühevoller und zeitraubender, als wir gedacht hatten. Von den Gröfsenverhältnissen und zugleich von der Art der Ausgrabung giebt Fig. 2, den Tumulus I bei Beginn der Arbeit darstellend, einen Begriff. Wir besprechen hier die fünf von uns untersuchten Grabhügel und deren Inhalt nicht nach der Reihenfolge der Untersuchung, sondern nach der Zeit ihrer Entstehung, indem wir jedoch die ihnen nach jener gegebene Numerirung beibehalten. Sie liegen sämmtlich nördlich des kleinen von Osten her kommenden Baches, dessen Ablagerungen die Ablenkung des Sangarios aus seinem alten Bett verursacht haben, auf allmählich ansteigendem hügeligen Terrain. Leider mufsten wir darauf verzichten, den gröfsten, der eine Höhe von 52 m (von seinem Fufse gemessen) erreicht, in Angriff zu nehmen. Dieser bildet mit 12 anderen (darunter der von uns ausgegrabene nächstgröfste n. III) eine besondere Gruppe, die in zwei Reihen, einander gegenüber, zu beiden Seiten eines nach Polatly führenden Weges, ziemlich regelmäfsig angeordnet ist. Bei den übrigen ist eine solche Anordnung nicht erkennbar, sie liegen südlich und westlich zerstreut, einer ganz isolirt dicht am heutigen Laufe des Sakaria, nördlich der antiken Stadt; endlich liegen einige Tumuli noch auf den Höhen südlich des genannten Baches. Alle fünf von uns untersuchten sind für je einen Todten errichtet worden und zwar ist dieser in dreien beigesetzt, in zweien verbrannt. Der Wechsel der Bestattungssitte ist während des 6. Jahrhunderts v. Chr. erfolgt, wie an n. I klar beobachtet werden kann.

Tumulus III. Die Ausgrabung wurde am 4. Juni begonnen, nach zweimaliger Unterbrechung von je einer Woche beendet am 13. August. Der Tumulus ist der gröfste der von uns ausgegrabenen, ungefähr 14 m hoch. Die aufserordentliche Härte des lehmigen Erdreiches machte die Arbeit sehr mühevoll; in demselben wurden, abgesehen von ganz wenigen groben Thonscherben, keinerlei antike Reste gefunden. Die Beisetzungsgrube liegt im Mittelpunkte und ist im gewachsenen Erdreich ausgehoben. In ihr befand sich die aus starken Holzbalken gezimmerte, ganz schmucklose Grabkammer, die unten und auf allen Seiten durch Schichten kleinerer Steine gegen die Erdfeuchtigkeit geschützt war. Eine gleiche Schicht von besonderer Dicke bedeckte sie und darüber war dann das Erdreich des Hügels aufgeschüttet. Des gewaltigen Erddruckes wegen war die Kammerdecke durch eine doppelte Lage sich kreuzender Balken von 0,30×0,40—0,48 m Stärke gebildet. Die Kammer ist von O. nach W. orientirt und mifst im Lichten 3,70×3,10×1,90 m. Das Holz der Balken — nach der durch eine Untersuchung im Rostocker botanischen Institut als sehr wahrscheinlich bestätigten Aussage der Eingeborenen vom Baumwachholder (*Juniperus excelsa*), welcher noch heute in den Walddistrikten Phrygiens vorkommt — war aufserordentlich gut erhalten, die am Rande liegenden Balken völlig intakt, die in der Mitte liegenden dagegen durch die gewaltige Erdlast eingedrückt. Da die meisten und werthvollsten Beigaben längs der Wände der Grube lagen, so sind sie verhältnifsmäfsig gut erhalten, indem die noch intakten und die nach der Mitte eingedrückten Balken eine Art Schutzdach bildeten.

Die stark vermorschten Knochen des Todten lagen in einem Holzsarkophag nahe der Nordwand der Grube. Durch die eingedrungene Erde und Steine war der Sarkophag eingedrückt, nur Länge und Breite noch mefsbar (2×0,80 m). Er war aus schmalen, in einander verzapften Streifen zusammengesetzt, die in viereckige, abwechselnd horizontal und vertikal geriefelte Felder getheilt sind; die die letzteren umrahmenden glatten Streifen waren mit Bronzebuckeln beschlagen. Leider konnte er nur in kleineren Stücken herausgeschafft werden, die zum Theil an der Luft auseinander platzten. Der Sarkophag enthielt aufser geringen Resten der Gewandung und eines mit Bronzeblech beschlagenen Lederkollers, mit dem der Todte ausgerüstet war, 43 bronzene Bogenfibeln und, am Kopfende, 2 grofse eiserne Gewichte in Form flacher Scheiben, die gröfsere rund, die kleinere viereckig. Zu Füfsen des Sarkophages fanden sich Scherben von grofsen, groben Thongefäfsen, einem schwarzen, fein polirten, und eine durch die Erde zusammengedrückte hölzerne Schale mit Metallhenkeln, in der Mitte viele Scherben grober Gefäfse, die übrigen Beigaben standen längs der Südwand, vielleicht zum Theil durch die sinkenden Balken zur Seite gedrängt. Unter den Gegenständen aus Bronze sind zu nennen ein grofser, wohlerhaltener Kessel (Umfang 2,68, oberer Dm. 0,60, Höhe 0,55 m) mit flachem Deckel und Ösen, in denen sich Reste eiserner Ringe befanden, auch der zugehörige eiserne Dreifufs ist erhalten; ferner 5 kleinere Kessel, 5 Becken, 1 Schöpflöffel, 27 Schalen mit und ohne Omphalos, mehrere Kannen, 1 Feuerschaufel. Die Gefäfse sind meist ohne Verzierung, aber sorgfältig gearbeitet und von gefälliger Form; auf dem Rand des einen kleineren Kessels ist ein unechtes Flechtband eingravirt; von den Becken hat eins aufrecht stehende, mittels einer Schiene durch Niete am Gefäfs befestigte Griffhenkel, auf denen oben eine geöffnete Lotosknospe aufsitzt (ganz gleiche oder sehr ähnliche sind in Cypern gefunden worden s. Perrot-Chipiez III, S. 797, Fig. 557; Cesnola-Stern Taf. LXXI und LXVI, 2), ein andres aufrechte, direct an die Gefäfswand angenietete Ringhenkel, wie sie sich an archaischen Dreifufstypen finden. An die Bronzegeräthe reihen sich einige aus Eisen an; aufser den genannten noch zwei Dreifüfse, eine Feuerzange, eine Feuerschaufel und Reste von Stäben zum Aufhängen der Kessel über dem Feuer, zum Auflegen der Holzscheite u. a. m.

Von Thongefäfsen nennen wir eine grofse Amphora aus bräunlich-grauem, geglättetem Thon (H. 0,70, Umf. 1,75), die mit einem weifslichen, mehlartigen Stoff gefüllt war, und eine kleine (H. 0,42 m) derselben Technik. Weitaus am wichtigsten sind 42 kleinere Gefäfse, die sämmtlich, mit einer Ausnahme, in dem grofsen Bronzekessel verpackt waren und dadurch, von kleinen Beschädigungen abgesehen, wohl erhalten sind. Unter ihnen stellen wir voran die bemalten Gefäfse (11). Sie sind aus hellem oder (2) rothem, gut gebranntem und geglättetem Thon und mit matter brauner bis schwarzer Farbe bemalt. Die Dekorationsmotive sind rein geometrische, Mäander, Schachbrettmuster, Netzwerk, Zacken und concentrische Kreise herrschen vór; bei zweien kommen aufserdem stilisirte Thierfiguren (Adler und Steinbock) in quadratischen Feldern hinzu. Aufser einer Schüssel, einer Kanne mit hochsitzender spitzer Tülle und einem einhenkligen Becher zeigen die übrigen (8) die aus der beistehenden Abbildung, Fig. 3, ersichtliche eigenthümliche und sonst unseres Wissens nicht zu belegende Form (Höhe ohne Henkel 0,08 bis 0,15 m). Am Ansatz der Tülle ist stets ein Sieb eingefügt, bei mehreren die ganze obere Mündung durch ein solches verschlossen. In der Tülle sind meist treppenförmige Absätze angebracht. Stets stehen Henkel und Tülle spitzwinklig zu einander; in Folge des Gewichtes der letzteren können die Gefäfse nicht, oder nicht sicher aufrecht stehen. Das hier abgebildete ist das am einfachsten decorirte; die nächsten Analogieen für diese Art der Verzierung in Mattmalerei ergeben kyprische und unteritalische Gefäfse.

Die übrigen Gefäfse sind einfarbig (durchschmaucht), je nach der verschiedenen Qualität mehr oder weniger gleichmäfsig grau bis schwarz; die besten haben tief schwarze Farbe und glänzende Politur, gleich den besten italischen *vasi di bucchero*. Zu dieser technisch besten Klasse gehören u. a. 9 Gefäfse derselben eigenthümlichen Form, wie sie die Mehrzahl der bemalten Vasen zeigt; zwei davon sind umstehend abgebildet Fig. 4 (H. 0,09 m). Die Nachbildung von Metallgefässen ist bei diesen wie bei allen übrigen derselben Klasse augenfällig.

Unwillkürlich fragt man nach dem Zweck der oben erwähnten merkwürdigen Einrichtungen dieser Gefäfse. Siebausgufs, weitausladende Tülle, die treppenförmigen Ansätze in dieser, bei einigen Exemplaren ein vorspringender Rand an deren Ende, endlich bei mehreren der Verschlufs der ganzen oberen Öffnung durch ein Sieb können nur den Zweck haben, die in der auszuschenkenden Flüssigkeit noch vorhandenen festen Bestandtheile zurückzuhalten. Eine solche Flüssigkeit ist ein noch Gerste in grofsen Mengen enthaltendes Bier, wie es den Zehntausend bei den Armeniern vorgesetzt wurde (Xenophon *Anab.* IV, 5, 26). Von den Phrygern aber ist ebenso wie von den stammverwandten Thrakern schon durch einen sehr alten, der Zeit unseres Tumulus nicht fernstehenden Gewährsmann, nämlich Archilochos (fr. 32 Bgk.) bezeugt, dafs sie Bier (βρῦτον) tranken[4]. Es erscheint im hohem Grade wahrscheinlich, dafs unsere Gefäfse die Art veranschaulichen, wie dieses Nationalgetränk an der Tafel eines vornehmen Mannes servirt wurde. Aus dem grofsen Kessel, der das Bier mit samt der Gerste enthielt, schöpfte man mit den hochgehenkelten Schnabelkännchen, deren Sieb und Tüllenabsätze den Trank läuterten; die klare Flüssigkeit gofs man aus ihnen in Trinkschalen und vermischte sie vermuthlich vor dem Gebrauch mit Wasser (s. Xenophon a. a. O.), daraus würde sich die

Fig. 3.

---

[4]) Dieser und weitere Nachweise bei Hehn Kulturpfl. u. Hausth. 2 S. 126fg.

Kleinheit der zum Einschenken dienenden Gefäfse befriedigend erklären. Die Aufbewahrung der zahlreichen Gefäfse in dem grofsen Kessel wird verständlich, wenn wir in ihm den zu den Schöpfkannen gehörenden Braukessel erkennen. Aufser den letzteren gehören zu diesem »Bucchero-Service« noch mehrere Kannen verschiedener Form, sowie 11 Trinkschalen, theils mit hohem, theils mit niedrigem Fufs. Aufserdem ist noch bemerkenswerth ein Becken mit Schnurhenkeln und dem zugehörigen Dreifufs aus demselben Material, wiederum ein besonders charakteristisches Beispiel der Nachahmung von Metalltechnik.

Fig. 4.

Die zahlreichen Geräthe aus Holz haben leider der von unten in das Grab eingedrungenen Grundfeuchtigkeit nicht widerstanden und es konnten nur geringfügige Reste einer Kline, zweier Sessel, eines Scepters (?) geborgen werden. Dagegen ist ziemlich wohl erhalten eine 0,09 m hohe Thiergruppe archaischen Stils, einen Löwen darstellend, der ein Lamm vom Kopfe an auffrifst. Die hölzerne Plinthe ist mit vier Bronzenägeln auf einer Eisenplatte befestigt und das Ganze diente offenbar als Griff eines Deckels — vielleicht des zu dem grofsen Kessel gehörigen. Von Küchengeräthen ist noch ein hölzerner Quirl mit 5 Zinken erhalten.

Für die Zeitbestimmung des Grabes ist entscheidend das Fehlen von aus Griechenland importirten Gegenständen, wie sie sich in den Tumuli I, II und V gefunden haben. Tumulus III kann demnach keinesfalls jünger sein als das siebente vorchr. Jahrhundert und historische Erwägungen machen es sehr wahrscheinlich, dafs er älter ist als der Einfall der Kimmerier. Wenn es sich bestätigt, dafs die gleichen Fibeltypen in einem sehr alten Grabe von Thera wiederkehren, so würde unser Grab sogar noch ziemlich weit in das achte Jahrhundert hinaufzusetzen sein.

Wie räumlich, so steht auch zeitlich dem besprochenen am nächsten Tumulus IV, dessen Untersuchung, da er nur ca. 5 m hoch und das Erdreich leicht zu bewegen war, in wenigen Tagen (4.—11. August) bewältigt wurde. Die Beisetzungsgrube (3,70×2,50×1,70 m) ist annähernd NW.—SO. orientirt und liegt nicht im Mittelpunkt, sondern östlich von der Achse des Hügels und mehr nach dessen Peripherie hin. Ihre Einrichtung entspricht ganz der des vorigen, nur war sie mit grofsen unbehauenen Steinen bedeckt und umgeben, die Holzbalken der Decke aber vergangen, so dafs das Innere der Grube mit Steinen und Erde ganz angefüllt war. Es fanden sich Reste eines mit Bronzebuckeln beschlagenen Holzsarges und geringfügige Knochenreste des Todten; an Beigaben drei Bronzekessel (von denen einer wohlerhalten), eine Schöpfkelle und 24 Fibeln, aufserdem Scherben von wenigstens vier braunen, bezw. schwarzen Thongefäfsen. Die Fibeltypen entsprechen im Allgemeinen den in Tumulus III gefundenen, jedoch so, dafs die relativ jüngeren zahlreicher vertreten sind, der Tumulus mithin für etwas jünger gelten darf als jener.

Die übrigen drei Tumuli bilden zusammen die jüngere Gruppe der von uns erforschten und gehören sämmtlich dem sechsten Jahrhundert an.

Am weitesten westlich, dem Stadthügel am nächsten, liegt Tumulus II, der älteste dieser Gruppe. Die Höhe beträgt ungef. 5 m, die Beisetzungsgrube liegt wie bei IV etwas seitlich vom Mittelpunkt, ist ungefähr O.—W. orientirt (mit Abweichung von 10° nach N.) und genau so eingerichtet wie die von IV (Mafse i. L.: 3,30 × 2,25 × 1,80 m). Die Arbeit begann am 16. Mai und wurde am 5. Juni beendet. In der in Folge des Bruches der Deckbalken mit Erde und grofsen Steinen angefüllten Grube fanden wir aufser den, soweit erkennbar, von nur einem Individuum herrührenden menschlichen Knochen eine grofse Zahl von Gegenständen aus Elfenbein, welche offenbar zur Verzierung eines Sarkophages gedient haben. Es sind zahlreiche Stücke eines plastisch gearbeiteten Rundstabes (Kymation) und dünne, mit eingeritzten Ornamenten versehene Plättchen. Auf der Rückseite jener finden sich in bestimmten Abständen von einander viereckige Zapfenlöcher, deren Stellen durch Ritzlinien vorgezeichnet sind: daneben auf drei Stücken eingeritzte Buchstaben: B und X (zweimal). Da der zweite derselben nur in den Alphabeten von Korinth und Sekyon vorkommt, so wird die Annahme unabweislich, dafs der ganze Sarkophag von einer dieser Städte, wahrscheinlicher wohl der erstgenannten, im sechsten Jahrhundert importirt worden ist.

Das Hauptfundstück dieses Grabes, ein 0,44 m hohes Salbgefäfs aus orientalischem Alabaster, wurde in drei Stücken — davon eines aufserhalb, eins an deren oberen Rand und das Kopfstück innerhalb der Grube — gefunden, so dafs man annehmen mufs, es sei bei der Bestattung absichtlich zerbrochen worden. Das Obertheil (s. beistehende Abbildung Fig. 5) hat die Gestalt einer reich geschmückten Göttin, welche mit beiden Händen einen Löwen an dessen vier Beinen hält, so dafs sein Körper wie ein Sack herabhängt. Ist in dieser πότνια θηρῶν die phrygische Nationalgöttin Kybele zu erkennen? Gewifs wird dies der phrygische Besitzer des Alabastron gethan haben, schwerlich der Künstler, wo auch immer seine Heimath zu suchen ist. Nach Material und Stil nächstverwandte Gefäfse sind in Etrurien gefunden worden und gelten allgemein als

Fig. 5.

phoenikische Erzeugnisse[5]. Die betreffenden Gräber werden von Helbig mit guten Gründen in die Zeit der 26. ägyptischen Dynastie (663—522) gesetzt.

Aufserdem fanden sich die Bruchstücke eines grofsen unverzierten Alabastron und viele Scherben sowohl von mit Firnifsmalerei verzierten, wie von monochromen Thongefäfsen; endlich einige kleinere Gegenstände geringerer Bedeutung.

Wie oben gesagt, war auch in diesem Grabe nur ein Todter beigesetzt, doch fanden sich zwischen den um die Beisetzungsgrube aufgehäuften Steinen ebenfalls menschliche Knochen. Sie können nur von einer älteren Beisetzung herrühren und sind offenbar bei Seite geschafft worden, um dem letzten Inhaber Platz zu machen. Aber auch regelrechte Nebenbeisetzungen haben hier (was bei keinem der anderen Tumuli beobachtet wurde) noch stattgefunden, während der eigentliche Grabhügel auf-

5) Micali, *Mon. ined.* IV n. 2—4; *Mus. Greg.* II, 3; einige weitere bei Helbig *cenni sopra l'arte fenicia Ann. d. Inst.* 1896 S. 240 ff.

geschüttet wurde; wir fanden die mit kleinen Steinen bedeckten Skelettheile eines Individuums nahe der Grube, die von zwei weiteren in der losen Erde nahe dem Nordrande des Grabhügels. Ein in geringer Tiefe gefundener grofser Topf aus grauem Thon enthielt die Überreste eines ungeborenen Kindes. Überhaupt kamen in der Erde des Grabhügels sehr zahlreiche Scherben bemalter und monochromer Thonwaare, darunter solche mit feinster Politur, auch ein grober Topf mit Asche und thierische Knochen zu Tage, welche auf Todtenopfer schliefsen lassen.

Tumulus I, in geringer Entfernung östlich von dem eben besprochenen, ist der zweitgröfste der von uns untersuchten, ca. 12 m hoch, und wurde in der Zeit vom 8. Mai bis 28. Juni ausgegraben. Ungefähr im Mittelpunkt fand sich eine im gewachsenen Boden ausgehobene, von O. nach W. gerichtete Grube, deren Mafse bei dem Fehlen der in den anderen Tumuli beobachteten Holzverschalung und Steinpackung nicht genau festgestellt werden konnten; an ihrem oberen Rande eine Nische und eine Art horizontal geführter Stollen, welche beide leer waren. Bei der Ausräumung der Grube stiefsen wir in Tiefe von 2,50 m auf eine 0,12 bis 0,15 m starke Brandschicht, aus Kohle, Asche, calcinirten Knochen bestehend, welche zwei ganze und Scherben von 3 weiteren korinthischen Aryballoi, ferner 2 graue und 2 kleine braunrothe Töpfe, eine grofse Menge von Bruchstücken anderer monochromer Gefäfse und von zu einer formlosen Masse zusammengedrückten Bronzegefäfsen enthielt.

Der Befund ist nur so zu erklären, dafs man ursprünglich die Absicht hatte, den Todten zu begraben, dann aber sich entschlofs, ihn zu verbrennen und nun die Knochenreste des Leichnams (in einem Bronzegefäfs?) nebst den Resten vom Leichenbrand und den Beigaben in der zur Aufnahme des unverbrannten Leichnams hergerichteten Grube beisetzte. Diese Ueberreste wurden dann einfach mit Erde bedeckt bis zum Rand der Grube und darüber der Grabhügel aufgeschüttet. In dem Erdreiche des letzteren fanden sich eine grofse Anzahl von Vasenscherben verschiedener Gattungen, drei von gröfseren Gefäfsen aus ägypt. Porzellan, 2 Bogenfibeln, an mehreren Stellen Ansammlungen von Kohlen und, mehr vereinzelt, thierische Knochen, darunter ein Horn und Zähne vom Rind. Ein Theil dieser Funde mag schon von älterer Zeit her sich in der zur Aufschüttung verwendeten Erde befunden haben; die Hauptmasse scheint aber doch von Todtenopfern herzurühren, wenn auch eine regelmäfsige Schichtung wie am Tumulus von Bosöjük nicht zu beobachten ist. Ein im äufseren Drittel des Einschnittes gefundener Topf aus grobem bräunlich-grauen Thon, welcher eine kleine Tasse aus schwarzem Thon, Asche, Kohle und calcinirte Knochen enthielt und mit einem sog. »Seelenloch« versehen war, rührt jedenfalls von einer Nachbestattung her.

Tumulus V, östlich von IV gelegen und annähernd 5 m hoch, wurde vom 9.—16. August ausgegraben und zwar so, dafs ein breiter Einschnitt durch den ganzen Hügel hindurch gemacht wurde. Dabei kam in der südlichen Hälfte, nach dem äufseren Rande des Hügels zu, eine 2,80 m lange, 1,20 m breite und 0,50 m tiefe Brandgrube zu Tage, welche geringe stark verbrannte Knochenreste enthielt. Rings um dieselbe und quer über den gröfsten Theil des Einschnittes zog sich eine dünne Brandschicht mit zahlreichen Resten thierischer Knochen, groben und feineren Scherben und formlosen Bronzepartikeln. Unter den theils in, theils neben der Grube gefundenen Gegenständen sind besonders hervorzuheben: zahlreiche Bruchstücke einer attischen Kleinmeisterschale, deren Innenbild in äufserst feiner und sorgfältiger Zeichnung drei Delphine und einen anderen Fisch zeigt; auf der Aufsenseite steht die Künstlerinschrift:

Ἐργότ[ιμος ⁝ μ' ἐποί]ησεν [Κλιτ]ίας ⁝ μ' ἔγραφσεν.

Ferner zahlreiche Scherben einer ähnlichen unsignirten Schale, deren Innenbild einen Epheben zu Pferde, darunter einen Hasen, ebenfalls in aufserordentlich feiner Zeichnung, darstellt. Diese Gefäfse führen uns ungefähr auf die Mitte des sechsten Jahrhunderts als Entstehungszeit des Grabes.

Fassen wir zum Schlusse die Summe unserer Ergebnisse kurz zusammen. Die Hoffnung, auf dem Hügel bei Pebi bauliche Ueberreste einer alten Stadt zu finden, hat sich erfüllt. Freilich sind dieselben sehr bescheidener Art und das Heiligthum, das hier ungefähr im Anfang des sechsten Jahrhunderts gegründet worden ist, trug nach Abmessungen und Material einen fast dürftigen Charakter. Dennoch stellen diese einzigen bisher bekannten baulichen Ueberreste in Phrygien aus der Zeit der lydischen Herrschaft eine werthvolle Bereicherung unserer Kenntnisse dar. Vor Allem ist es erfreulich, dafs durch sie die stolzesten Zeugen der phrygischen Kultur, die grofsen Felsfassaden, konstruktiv besser verständlich und zeitlich sicherer bestimmbar werden.

Die Funde in Stadt und Nekropole lehren nicht minder eindringlich als die Felsdenkmäler, wie bedeutend der Wohlstand des Staates unter der Oberherrschaft der Mermnaden war. Dafs durch diese fast ganz hellenisirten Herrscher dem griechischen Einflufs die Thore des Landes weit geöffnet wurden, konnte man früher nur aus einzelnen Anzeichen erschliefsen,[6] jetzt liegt uns ausgiebiges Beweismaterial dafür vor. Attische und korinthische Thongefäfse nimmt der phrygische Grofse in Kroisos Zeit mit in das Grab, ja sogar den kunstreichen Sarkophag bringt ihm der griechische Kaufmann über das Meer. In der Stadt lassen sich einzelne Griechen nieder und ritzen griechische Buchstaben in das phrygische Gefäfs, das dem phrygischen Gotte geweiht wird. Ja selbst die Thonplatten, mit denen die Phryger das Haus ihres Gottes schmücken, zeigen neben den alten geometrischen Mustern hellenische Ornamente, hellenische Figuren. Ueberraschender als die Menge des griechischen Importes im 6. Jahrhundert ist noch die Thatsache, dafs Athen und Korinth stärker an ihm betheiligt sind, als die Städte Joniens.

In eine ältere, wesentlich verschiedene Epoche, in der die Phryger noch nicht von Westen, wohl aber, so scheint es, von Süden, von Cypern her, Anregungen empfingen, gewährt Tumulus III einen Einblick. Wir erkennen auch hier eine ansehnliche Kultur, die in der alteinheimischen Art der Keramik Mustergültiges leistet und auch in Holz und Metall trefflich zu arbeiten weifs. In jener Zeit der nationalen Selbständigkeit, deren Ausgang der Tumulus angehören wird, waren die Phryger hinter den Griechen des Festlandes kaum sehr erheblich zurück.

Die Gräber einer noch weiter zurückliegenden Epoche haben wir bisher nicht gefunden; nur dürftige Reste auf dem Stadthügel geben uns Kunde von ihr.

Den positiven Beweis dafür, dafs die von uns untersuchte Stadt Gordion gewesen sei — etwa eine Inschrift mit dem Stadtnamen — haben unsere Grabungen freilich nicht zu Tage gefördert, auch erscheint die Aussicht, dafs dies bei völliger Freilegung der ganzen Stadt geschehen werde, gering. Die Beobachtungen und Schlüsse aber, welche Ath. Mitth. XXII S. 23 zusammengefafst wurden, sind durch den Spaten lediglich bestätigt und ihr Gewicht ist in dem Mafse verstärkt worden, dafs wir uns berechtigt glauben, diesen Bericht mit dem Namen der alten phrygischen Königsstadt zu überschreiben.

Rostock und Greifswald.

G. Körte. A. Körte.

---

6) Athen. Mitth. XXIII 134 ff.

Sonder-Abdruck aus dem »Archäologischen Anzeiger« 1901, 1.
Druck von Georg Reimer in Berlin.

Lightning Source UK Ltd.
Milton Keynes UK
UKHW011005271218
334506UK00011B/662/P